En hommage à Jean Riboud
1919-1985
Président du Comité
de l'Année de l'Inde
en France

© Association Française d'Action Artistique Paris, 1986
ISBN : 2-86545-043-0

Cette exposition a été réalisée grâce au concours de :

Aérospatiale
Avions Marcel Dassault
Matra
Thomson-CSF

MINISTÈRE DES RELATIONS EXTÉRIEURES
ASSOCIATION FRANÇAISE D'ACTION ARTISTIQUE

L'Association Française d'Action Artistique
remercie très particulièrement
la société Schlumberger
grâce au concours de laquelle l'Année de l'Inde
a pu être réalisée

L'exposition a bénéficié de l'aide de
la Société André Chenue et fils, transports
internationaux

Rasa
les neuf visages
de l'art indien

Galeries nationales du Grand Palais

13 mars – 16 juin 1986

Cette exposition est placée sous le Haut Patronage
du Gouvernement de la République Indienne
et du Gouvernement de la République Française.

Elle est organisée dans le cadre
de l'Année de l'Inde
par l'Association Française d'Action Artistique
sous les auspices
du Ministère des relations extérieures
et du Ministère de la Culture
de la République Française
et par le Musée National de New Delhi
sous les auspices
du Ministère de la Culture
de la République Indienne

COMITÉ INDIEN

Président d'Honneur :
Rajiv GANDHI,
Premier Ministre de la République Indienne.

Présidente :
Pupul JAYAKAR,
Présidente du festival de l'Inde.

Membres du comité :
Mohammad YUNUS,
Président du Comité des expositions.
Son Exc. I.H. LATIF,
Ambassadeur de l'Inde en France, Air Chief Marshal Retd.
A.P. VENKATESWARAN,
Secrétaire Général, Ministère des Relations Extérieures.
G.N. MEHRA,
Secrétaire Général, Ministère de l'Information et de l'Audiovisuel.
M. le Secrétaire Général, Ministère du Commerce (Textiles).
Yash PAL,
Secrétaire Général, Département des Sciences & Techniques.
Y.S. DAS,
Secrétaire Général, Département de la Culture.
S.S. SIDHU,
Secrétaire Général, Ministère du Tourisme.
L.P. SIHARE,
Directeur du Musée National, New Delhi.
Krishna RIBOUD,
Narayana MENON,
Directeur de la Sangeet Natak Akademi.
Sankho CHAUDHURY,
Directeur de la Lalit Kala Akademi.
Lalit Man SINGH,
Directeur Général, Conseil Indien pour les Relations Culturelles.
S.K. MISRA,
Directeur Général du Festival de l'Inde.
Dalip MEHTA,
Ministre, Ambassade de l'Inde à Paris.
Wajahat HABIBULLAH,
Directeur, Cabinet du Premier Ministre.
Girish KARNAD,
Écrivain.
Charles CORREA,
Architecte.
Aditya BIRLA,
Industriel.
Sanjay DALMIA,
Industriel.
Ashok CHATTERJEE,
Directeur de l'Industrie du Design, Ahmedabab.
Akbar PADAMSEE,
Peintre.
Kamala CHOWDHRY,
Raj REWAL,
Architecte.
Jehanguir BHOWNAGARY,
E. POUCHAPADASS,
Vijay SINGH, *Coordinateur, Festival de l'Inde.*

Commissaire :
Dr. B.N. GOSWAMY
Académie des Beaux-Arts de Chandigarh, Université du Penjab

Remerciements :
Dr. L.P. SIHARÉ
Directeur du National Museum de New Delhi.

COMITÉ FRANÇAIS

Président d'Honneur :
Laurent FABIUS,
Premier Ministre.

Président :
Jean RIBOUD †,
Administrateur de Schlumberger.

Vices-Présidents :
Madeleine BIARDEAU,
Directeur d'Études à l'École Pratique des Hautes Études.
Thierry de BEAUCÉ
Directeur Général des Relations Culturelles Scientifiques et Techniques du Ministère des relations extérieures.
André LARQUIE,
Président du Conseil d'Administration du Théâtre National de l'Opéra de Paris.
Patrice PELAT,
Administrateur de la Compagnie Nationale Air France.

Secrétaire Générale :
Catherine CLÉMENT,
Sous-Directeur des Échanges Artistiques au Ministère des relations extérieures.

Membres du comité :
Roland DUMAS,
Ministre des relations extérieures.
Edith CRESSON,
Ministre du Redéploiement Industriel et du Commerce Extérieur.
Jack LANG,
Ministre de la Culture.
Jacques CHIRAC,
Maire de Paris.
Jean-Bernard MÉRIMÉE,
Ambassadeur de France en Inde.
Philippe CLÉMENT,
Président de la Chambre de Commerce et d'Industrie de Paris.
Robert ABIRACHED,
Directeur du Théâtre et des Spectacles, Ministère de la Culture.
Robert BORDAZ,
Président de l'Union Centrale des Arts Décoratifs.
Peter BROOK,
Directeur du Théâtre des Bouffes du Nord.
Pierre CARDIN,
Créateur.
Michel COMBAL,
Directeur Asie-Océanie, Ministère des relations extérieures.
Jérôme CLÉMENT,
Directeur Général du Centre National de la Cinématographie.
Jean-Louis DUMAS, *Président-Directeur Général d'Hermès, Membre du Comité Colbert.*
Vadime ELISSEEFF, *Conservateur en Chef du Musée Guimet.*
Roger FAUROUX, *Président-Directeur Général de Saint-Gobain.*
Georges FISCHER, *Directeur de Recherche, Titulaire du C.N.R.S.*
Maurice FLEURET,
Directeur de la Musique et de la Danse au Ministère de la Culture.
André FONTAINE, *Directeur du Journal Le Monde.*
Pierre GIRAUDET, *Président de la Fondation de France.*
François GROS,
Directeur d'Études à l'École Pratique des Hautes Études.
Michel GUY,
Directeur du Festival d'Automne.
Chérif KHAZNADAR,
Directeur de la Maison des Cultures du Monde.
Olivier LACOMBE,
Professeur honoraire à la Sorbonne, Membre de l'Institut de France.
Hubert LANDAIS,
Directeur des Musées de France.
Marceau LONG,
Président de la Compagnie Nationale Air France.
Jean MAHEU,
Président du Centre national d'art et de culture Georges Pompidou.
André MIQUEL,
Administrateur Général de la Bibliothèque Nationale.
Charles MORAZE,
Directeur d'Études à l'École Pratique des Hautes Études.
Georges PEBEREAU,
Président-Directeur Général de la Compagnie Générale d'Électricité.
Philippe THIRY,
Président de l'Office National des Diffusions Artistiques.
René THOMAS,
Président-Directeur Général de la Banque Nationale de Paris.
Dominique WALLON,
Directeur du Développement Culturel, Ministère de la Culture.

Coordination :
Éliane WAUQUIEZ.
Chargée de mission.
Paul-Jean de REDON,
Attaché de presse.

COMITÉ D'HONNEUR

Roland DUMAS,
Ministre des relations extérieures.

Jack LANG,
Ministre de la Culture.

Jean-Bernard MÉRIMÉE,
Ambassadeur de France en Inde.

COMITÉ D'ORGANISATION

Louis JOXE,
Ambassadeur de France, Président de l'Association Française d'Action Artistique.

Jacques RENARD,
Directeur du Cabinet du Ministre de la Culture.

Thierry de BEAUCÉ,
Directeur Général des Relations Culturelles, Scientifiques et Techniques au Ministère des relations extérieures.

Hubert LANDAIS,
Directeur des Musées de France.

Catherine CLÉMENT,
Sous-Directeur des Échanges Artistiques et Culturels au Ministère des relations extérieures,
Directrice de l'Association Française d'Action Artistique.

Vincent GRIMAUD,
Conseiller Culturel près l'Ambassade de France en Inde.

Gérard FONTAINE,
Secrétaire Général de l'Association Française d'Action Artistique.

Yves MABIN,
Chef du Bureau des Arts Plastiques au Ministère des relations extérieures.

Commissaire général :

Vadime ELISSEEFF,
Inspecteur Général des musées nationaux, chargé du musée Guimet.

Commissaires :

Amina OKADA,
Conservateur au Musée Guimet.

Pierre CAMBON,
Conservateur au Musée Guimet.

Commissaire administratif :

Marie-Claude VAYSSE-COLLETTE,
Bureau des Arts Plastiques à l'Association Française d'Action Artistique.

Marie-Ange LAUMONIER,
Administrateur des Galeries Nationales du Grand Palais.

Le catalogue a été rédigé par :
Brijindra Nath GOSWAMY

Les photographies du catalogue
ont été réalisées par :
Jean-Louis NOU

Nous nous devons enfin de rappeler les noms
de tous nos amis indiens
à qui nous devons la qualité de cette manifestation :

Mrs. Pupul Jayakar (*New Delhi*).
Dr. Kapila Vatsyayana (*New Delhi*).
Krishna et Jean Riboud (*Paris*).
Dr. Eberhard Fischer (*Zurich*).
Mr. Karl J. Khandalavala (*Bombay*).
Dr. Karuna Goswamy (*Chandigarh*).
Professor Barbara Stoler Miller (*New York*).
Professor Pramod Chandra (*Cambridge*).
Mr. Jagdish Mittal & Mrs. Kamala Mittal (*Hyderabad*).
Mr. Gopi Krishan Kanodia & Mr. Vinod Kanodia (*Patna*).
Mr. & Mrs. Suresh Neotia (*Calcutta*).
Dr. Karan Singh (*New Delhi*).
Mr. Dinesan Natesan (*Bangalore*).
Mr. C.L. Bharany (*New Delhi*).
Dr. Saryu Dashi (*Bombay*).
Professor R.N. Mishra (*Gwallior*).
Professor Anand Krishan (*Varanasi*).
Smt. Giraben Sarabhai (*Ahmedabad*).
Mr. Gautam Sarabhai (*Ahmedabad*).
Maharaj and Mrs. Swaroop Singh Ji (*Jodhpur*).
Maharaj and Mrs. Dalip Singh Ji (*Jodhpur*).
Rao Raja Rajinder Singh Ji of Uniara (*Jaipur*).
Mr. V. Nambiar (*American Institute of Indian Studies, Varanasi*).
Mr. S.N. Joshi (*Simla*).
Dr. B.M. Jawalia (*Udaipur*).
Dr. Dina Nath Pathy (*Bhubaneshwar*).
Mr. et Mrs. B.K. Nehru (*Jammu/Gandhinager*).
Prof. D.C. Bhattacharyya (*Chandigarh*).
Dr. B.N. Goswamy (*Chandigarh*).
Mr. Nouroz Chenoy (*Hyderabad*).
Mr. T.N. Malik (*Delhi*).
Mr. Leena R. Jhaveri (*Bombay*).

A nos collègues de l'année de l'Inde :

A DELHI :

Mr. S.K. Mishra.
Mr. Vijay Singh.
Mrs. Loretta Vas.
Mrs. Swatantar Sekhon.
Dr. M.S. Nagaraja Rao.
Dr. M.C. Joshi.
Mr. G.P. Shende (*Bhopal*).
Dr. Laxmi P. Sihare. *National Museum, New Delhi*
Dr. Narender Nath. «
Mr. Chintamani Vyas. «
Mrs. Daljeet. «
Mrs. Shital Puri. «

A PARIS :

Mr. Narendra Singh, *former Ambassador of India to France.*
Mr. Dalip Mehta.
Mrs. Nandini Mehta.
Mr. Gautam Mukhopadhyay.

A nos collègues des musées :

Dr. S. V. Gorakshankar ; Dr. Kalpana Desai (*Prince of Museum of Western India, Bombay*) ; Dr. Usha Bhatia (*Lalit Akademy, Bombay*) ; Dr. Shridhar K. Andharz (*L.D. Institute Ahmedabad*) ; Kr. Nahar Singh (*Director Mehrangarh Fort Museum, Jodhpur*) ; Maharaja Gaj Singh Ji of Jodhpur ; Thakur Raju Singh (*Umaid Bhavan Palace, Jodhpur*) ; Mr. B.N. Singh, Mrs. Suwarcha Paul, Mrs. Poonam Khanna (*Chandigarh Museum, Chandigarh*) ; Dr. A.K. Srivastava, Mrs. Pushpa Thakural and Mr. L.N. Varshneya (*Mathura Government Museum, Mathura*) ; Mr. O.P. Tandon, Dr. S.K. Srivastava and Miss Sarla Chopra (*Bharat Kala Bhavan Varanasi*) ; Dr. S. Roy, Mr. S. Sarkar, Mrs. Sipra Chakravarty and Mr. Arabinda Ghose (*Indian Museum Calcutta*) ; Dr. R.C. Sharma, Government Director, Mr. Rastogi, Mr. Tiwari and Mr. Chauhan (*State Museum Lucknow*) ; Mr. S.A. Fazli and Mr. S.N. Khajuria (*Dogra Art Gallery Jammu*) ; Mr. R.S. Garg (*Central Museum Indore*) ; Mrs. P. Joshi and Mr. Rajgir (*State Museum, Bhopal*) ; Mr. R.P. Chaudhri and Mr. N.K. Pathak (*Archaeological Museum, Gujari Mahal, Gwallior*) ; Mr. A.K. Bandyopadhyaya (*Archaeological Museum Khajuraho*) ; The Curator of the Tulsi Sangrahalaya Ramban ; Mr. B.P.S. Bhadauria (*State Museum, Dhubela*) ; Mr. Gowda (*Govt Museum, Bangalore*) ; Mr. P.R. Chandran (*Director of Archaeological and Museums, Trivandrum*) ; Dr. N. Harinarayana (*Director Madras Govt. Museum, Madras*) ; Dr. V.C. Ohri and Mr. Dorje (*H.P. State Museum, Simla*) ; Dr. Hari Kishore Prashad (*Director, Patna Museum, Patna*) ; Dr. S.C. Kala & Dr. R.R. Tripathi (*former Director and Director, Allahabad Museum Allahabad*) ; Mr. Tanveer Ahmad (*Govt Museum, Udaipur*) ; Dr. Rajendra Nath Purohit and Mr. Basant Lal Khahya (*Rr. Basant Lal Khahya (Rajasthan Oriental Research Institute, Udaipur*) ; Dr. Ashok K. Das and Mr. Yadavendra Sahai (*Maharaja Sawai Man Singh Palace Museum, Jaipur*) ; Dr. Archana Roy (*Birla Academy of Art and Culture, Calcutta*) ; Dr. N. Goswamy (*Asutosh Museum of Indian Art, Calcutta*) ; Dr. H.C. Das (*Orissa State Museum, Bhuvaneshwar*) ; Dr. V.V. Krishana Sastry (*Director Archaeological and Museums Hyderabad*) ; Mr. Asadulla Beg (*S.P.S. Museum, Srinagar*) ; Mr. A.K. Raina (*Research and Publications Department, Govt of Kashmir, Srinagar*) ; Dr. S.D. Trivedi (*Govt Museum Jhansi*).

Et enfin à ceux qui ont participé au catalogue :

Mr. Byas Dev.
Mr. K.C. Sharma.
Mr. Dial Singh.
Mr. Subhash Kakar.
Mr. R.C. Dhiman.

Ce catalogue et sa bibliographie ont été rédigé par le professeur Brijindra Nath Goswamy.

Au festival de la Melà qui, en juin dernier, inaugurait l'année de l'Inde répond l'exposition des *Rasa* appelée à couronner la clôture de ces douze mois de manifestations aux aspects multiples. Durant des trimestres, tous les arts, en effet, se sont donnés rendez-vous pour faire comprendre et mieux apprécier l'âme indienne, d'abord son théâtre et ses danses, puis ses jeux et son artisanat, enfin ses créations plastiques, révélatrices de la profondeur de ses aspirations.

Déjà deux importantes expositions en 1960 et en 1978 nous ont permis d'admirer à Paris la contribution fondamentale de l'Inde au patrimoine artistique mondial ; elles ont illustré avec bonheur l'évolution des styles et de la diversité des écoles. Cette fois-ci, en plein accord avec notre collègue Monsieur le professeur Brijindra Nath Goswamy, il nous a semblé préférable, afin de rester dans l'esprit général de l'année indienne, d'évoquer les voies choisies par les artistes pour s'emparer de l'âme du spectateur. Par la perception de l'essence du beau, ces voies suscitent les *rasa,* émotions suprêmes sur lesquelles débouche l'expérience venue au contact des créations artistiques. C'est au niveau le plus élevé que le *rasa* prend le sens d'un sentiment éprouvé, d'une saveur et c'est aussi par là qu'il est le plus difficile à décrire puisqu'il est essentiellement notre propre réaction.

Depuis deux mille ans les philosophes indiens ont disserté sur le sujet et construit des théories esthétiques pour analyser les sentiments et les modes d'expression mis en jeu. A ces huit ou neuf émotions de base se réfèrent les spécialistes de la littérature, de la musique, de la danse et du théâtre. Ce sont celles de l'amour, du comique et du pathétique, celles de la fureur et de l'héroïsme, de la terreur et de l'odieux, enfin celles du merveilleux et de la quiétude. Les sons et les bruits, les gestes et les poses, les mots et les mimiques, par le chemin des joies et des tristesses, de l'agitation ou de la peur, du dégoût ou du ravissement sont susceptibles de déclencher un choc comparable à l'extase, encore faut-il que l'œuvre possède une charge esthétique, c'est-à-dire qu'elle soit vraiment un chef d'œuvre.

Notre ambition, et tout le mérite en revient à notre collègue indien, a été de présenter le panorama des rasa au moyen d'œuvres plastiques. C'est une première, car jamais une exposition n'a choisi d'illustrer les *rasa* par les visages que sont les formes de la peinture et de la sculpture. Seul un Indien pouvait déceler la justesse du message, nous avons donc laissé entièrement à notre collègue le soin de trouver les créations suggestives, notre rôle, avec l'assistance de Madame Amina Okada et Monsieur Gilles Béguin, s'étant borné à préférer tantôt une œuvre, tantôt une autre suivant qu'elle nous semblait plus facilement saisissable. Mais si les pièces choisies traduisent bien en général les sentiments évoqués, il faut reconnaître que dans certains cas subsiste une ambiguïté, nos réactions ne sont pas toujours les mêmes ; il peut être intéressant de relever combien nous pouvons avoir des réactions différentes pour chaque nature dès que se traduisent des nuances spécifiques entre un sentiment émis et un sentiment reçu comme par exemple le dégoût ou la peur.

Le thème de l'exposition, la recherche même d'un contact direct par la simple vision de l'œuvre, l'éveil d'une sensibilité nous ont incité à donner une place plus réduite à la curiosité intellectuelle et de ce fait aux éléments didactiques, laissant plutôt ce soin au catalogue qu'aux étiquettes. Nous avons, de plus, adopté le parti pris muséographique de placer distinctement, mais dans les mêmes perspectives, la pierre et le papier, donnant au dernier des fonds plus chaleureux qu'à la première pour souligner le caractère souvent intime de la peinture. Enfin, pour une plus grande délectation, nous avons souhaité que les visiteurs puissent dans un « cabinet d'amateur » connaître dans le calme de l'isolement l'enchantement des miniatures. Muséographie d'appoint plus que d'évocation, nous avons ainsi voulu donner la première place aux œuvres.

Dans ce programme et son exécution, nous avons été aidé par le talent de notre architecte Nicolas Iakovenko, qu'il trouve ici toute notre reconnaissance pour le talent avec lequel il a su mettre en œuvre toutes nos ingrates exigences. Que Monsieur Joël Garcia soit remercié pour sa généreuse participation à la réalisation de la dernière salle ainsi que Saint-Gobain-Isover pour son aide inestimable. Pareillement toute notre entreprise repose sur l'excellence des multiples collaborations.

Au-delà de tout ce que nous devons à nos hautes autorités, et aux membres des comités, nous tenons à rendre hommage à la patience et à l'efficacité de nos interlocuteurs indiens, Monsieur le ministre Dalip Mehta et Monsieur Gautam Mukhopadhhay ; au travers de toutes les difficultés de communication à l'échelle d'un continent et de tous les délais inévitables, nous avons dû certes accepter que des modifications de dernières minutes ne figurent point au catalogue et nous prions le public de nous en excuser ; en revanche, grâce à Monsieur L.P. Sihare, Directeur du Musée de New Delhi, nous avons pu bénéficier d'une liste complémentaire de chef-d'œuvres inédits.

Avec mes collègues, je voudrais encore remercier nos « administratifs », Madame Marie-Ange Laumonier et Madame Marie-Claude Vaysse-Collette et tous leurs collaborateurs, tant du secrétariat et de la surveillance que des équipes d'art, sans oublier nos manipulateurs et transporteurs de la Société André Chenue qui nous a consenti d'appréciables facilités ainsi que les responsables Kodak qui ont bien voulu nous aider.

Que tous trouvent ici le témoignage de notre reconnaissance, qu'ils me permettent de les remercier pour avoir réalisé, contre vents et marées, cette mémorable manifestation qui doit nombre de ses qualités à la diligence de mes compagnons d'aventure, à celle de Madame Amina Okada, aux solides qualités scientifiques et artistiques, à celle de Monsieur Pierre Cambon aux mêmes qualités et à la rare vertu d'une disponibilité sans relâche.

Quant aux insuffisances, aux erreurs et aux lacunes, elles ne peuvent être imputées qu'au signataire.

Vadime ELISSEEFF
Commissaire Général

Chronologie

SIÈCLE	EUROPE ET PROCHE-ORIENT	INDE			
		Inde du Nord	*Inde centrale Inde du Sud*	ART	LITTÉRATURE
3e mill.		* Civilisation de l'Indus (Mohenjo-daro, Harappa)			
2e mill.				Bronzes de Daimabad (Maharashtra)	
1er mill.					
6e	510 Athènes chute de la tyrannie	* Shakyamuni, le Buddha historique, 563 ?-483 ? * Conquête du Punjab par Darius, souverain de l'empire perse			
5e	447-438 construction du Parthénon				
4e	399 condamnation et mort de Socrate	Expédition d'Alexandre le Grand			
3e	1re et 2e guerre punique	324-187 dynastie des Maurya		Piliers d'Ashoka, art maurya, premier art « historique »	
2e		187-75 Dynastie Shunga			
1er avant J.C.	27 av.-14 ap. Auguste, début de l'empire romain	* Invasion scytho-parthe * Fin des royaumes Indogrecs	Dynastie Satavahana Développement du commerce sur les côtes de l'Inde Contacts avec le monde romain	Stupa de Bhârhût et stupa de Sânci Premiers sanctuaires bouddhiques rupestres (Bhaja)	
1er après J.C.		* Fondation de l'empire kushan * Développement du bouddhisme Mahayana		Au nord, école du Gandhara, école de Mathura Au sud, école d'Amaravati. 1res représentations du Buddha	* Le « Natya Shastra » de Bharata (ouvrage sur les arts dramatiques)

SIÈCLE	EUROPE ET PROCHE-ORIENT	INDE			
		Inde du Nord	*Inde centrale* *Inde du Sud*	ART	LITTÉRATURE
2e					
3e	224 début de la dynastie sassanide A l'ouest, début des « grandes invasions »	* Invasion sassanide au Gandhara			
4e	Constantin (306-337) * 320-540, dynastie gupta		* Sculpture : école de Mathurâ et de Sarnâth Peintures murales d'Ajantâ, terres cuites d'Ahichhatra, Bhitargaon	Kâlidasa poète et dramaturge	
5e	476 fin de l'empire romain d'Occident	* Invasion des « Huns blancs » ou hephtalites en Inde du nord-ouest			« Mârkandeya Purâna » (« Devi Mahatmya »)
6e	Justinien (527-565) Chosroes (529-579)	* Développement du bouddhisme Vâjrayâna	* Dynastie Châlukya (500-750) * Dynastie Pallava (500-800)	* Premiers temples hindous construits. Sanctuaires rupestres d'Ellora et de Mahâvalipuram Art bouddhique post-gupta	
7e	Conquête de l'Iran par les Arabes, 642 bataille de Nehavend	* 606-647 : règne de Harsha de Kanauj * Voyage du pèlerin chinois Xuanzang			
8e	Expansion omayyade. A l'ouest Poitiers : 732 à l'Est bataille du Talas : 751	* Dynasties Pâla-sena (750-1165) * Premières poussée de l'Islam	* Dynastie Râshtrakuta (740-970) supplante les Chalukya	* Début de la période médiévale * Dernière floraison de l'art bouddhique	* « Bhâgavata purâna » VIII-Xe s.
9e	800 empire carolingien Califat abbasside		* Les Chola remplacent les Pallava		
10e	987 avènement de Hugues Capet	* * Début de la dynastie Chandella (950-1310) * Incursions de Mahmoud de Ghazni		* Temples de Bhuvanesvar * Vimana de Tanjore	

SIÈCLE	EUROPE ET PROCHE-ORIENT	INDE			
		Inde du Nord	*Inde centrale* *Inde du Sud*	ART	LITTÉRATURE
11e	**1096** début des Croisades		* Temples de Khajuraho		* Le « Chaurapanchasika » de Bilhana (poème lyrique en sanscrit)
12e		* Temples du Mont Abu, Belur et Somnathpur	* Dynastie Hoysala au Maïsur		* Le « Gita Govinda » de Jayadeva
13e	Saint Louis (**1226-1270**)	* **1210** création du sultanat de Delhi			
14e	**1348** la « peste noire »	* Invasion mongole **1398** Tamerlan prend Delhi		* Manuscrits jains du Gujerât	* Le « Laur chanda » de Mulla Daud
15e	**1453** prise de Constantinople par les Turcs				* La « Rasamanjari » de Bhanudatta, œuvre sanscrite
16e		**1510** prise de Goa par les Portugais **1526** Babur fonde l'empire moghol **1556-1605** Akbar	**1565** chute de Vijayanagar, dernier royaume hindou indépendant		* Le Rasikapriya » de Keshava Das * Le « Mrigavat » de Sheikh Qutban
17e	Louis XIV (**1661-1715**)	**1605-1627** Jahangir **1628-1658** Shah Jahan **1658-1707** Aurengzeb		* Premières écoles régionales de peinture (Râjastan, Inde centrale) * Construction des grands temples du sud (Madurai)	
18e		**1739** invasion Nâdir Shâh affaiblissement du pouvoir moghol		* Miniatures : écoles râjpoutes (Kishangarh, Jodhpur, Guler, Kangra...)	
19e		**1858** exil du dernier empereur moghol Bahadur Shâh II			

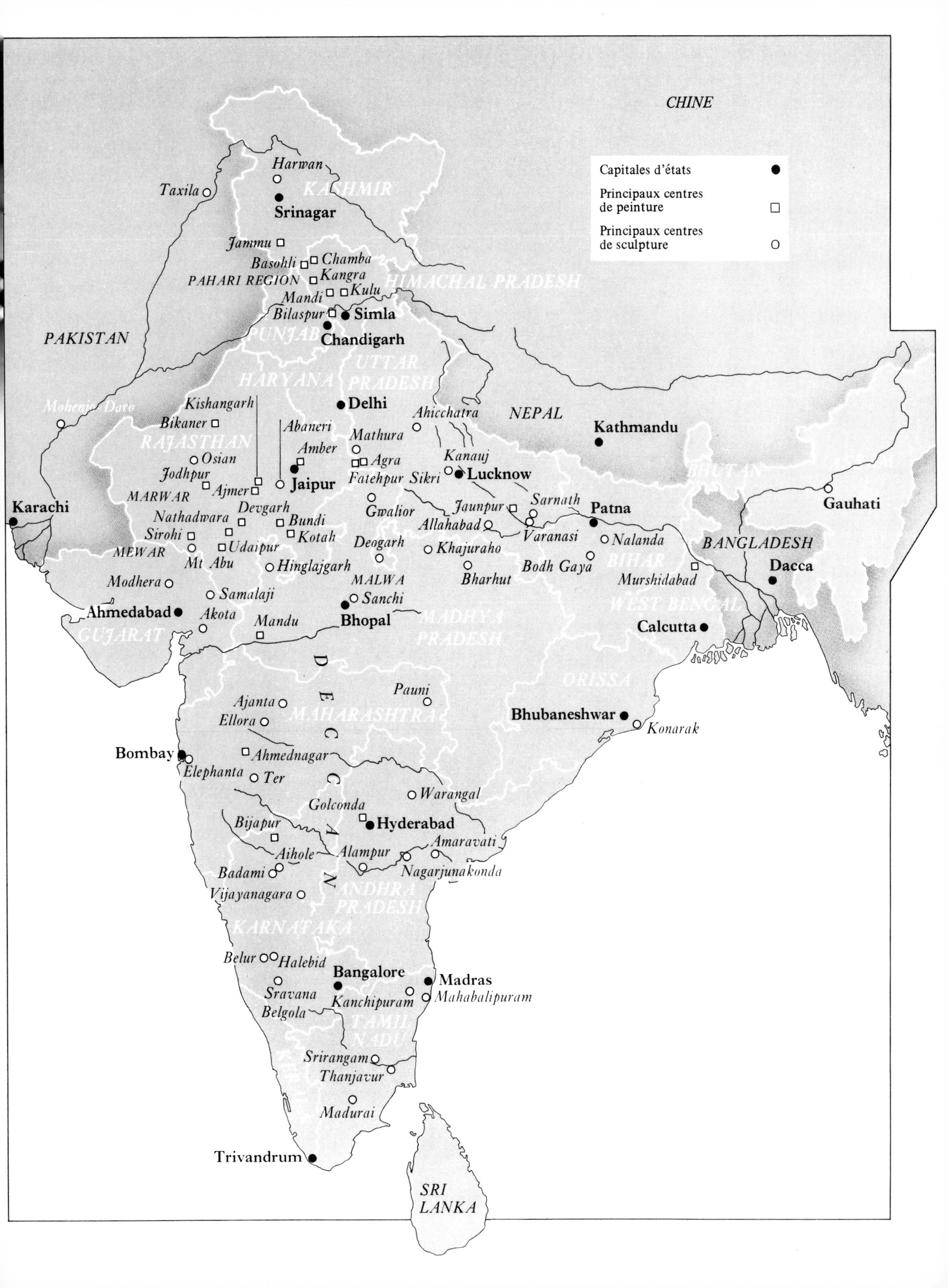
CHINE
Capitales d'états
Principaux centres de peinture
Principaux centres de sculpture
Harwan
KASHMIR
Taxila
Srinagar
Jammu
Basohli
Chamba
PAHARI REGION
Kangra
HIMACHAL PRADESH
Mandi
Kulu
Bilaspur
Simla
Chandigarh
PUNJAB
PAKISTAN
UTTAR PRADESH
HARYANA
Delhi
Mohenjo-Daro
Kishangarh
Bikaner
Abaneri
Ahicchatra
NEPAL
Kathmandu
RAJASTHAN
Mathura
Amber
Osian
Agra
Kanauj
Jodhpur
Jaipur
Fatehpur Sikri
Lucknow
MARWAR
Ajmer
Karachi
Nathadwara
Devgarh
Gwalior
Jaunpur
Sarnath
Patna
Gauhati
Bundi
Allahabad
Sirohi
Kotah
Varanasi
Nalanda
BANGLADESH
MEWAR
Udaipur
Deogarh
Khajuraho
BIHAR
Mt Abu
Hinglajgarh
Bodh Gaya
Dacca
Modhera
MALWA
Bharhut
Murshidabad
Samalaji
Sanchi
WEST BENGAL
Ahmedabad
Akota
Bhopal
MADHYA PRADESH
Calcutta
GUJARAT
Mandu
DECCAN
ORISSA
Pauni
Ajanta
MAHARASHTRA
Bhubaneshwar
Ellora
Konarak
Bombay
Ahmednagar
Elephanta
Ter
Warangal
Golconda
Hyderabad
Bijapur
Amaravati
Aihole
Alampur
Badami
Nagarjunakonda
Vijayanagara
ANDHRA PRADESH
KARNATAKA
Belur
Halebid
Bangalore
Madras
Sravana Belgola
Kanchipuram
Mahabalipuram
TAMIL NADU
Srirangam
Thanjavur
Madurai
Trivandrum
SRI LANKA

Rasa :
les délices de la raison

Si l'on n'était pas tellement absorbé en soi-même ce pourrait être intéressant d'assister à un récital de musique indienne classique, ne serait-ce que pour observer les réactions des auditeurs. Imaginons un grand chanteur indien « interprétant » un *raga* : l'auditoire est assis par terre, non loin de lui, pouvant presque le toucher, les musiciens sont à leur place, les instruments sont accordés. Le chanteur commence par un passage lent, méditatif, un mouvement de voix pure, sans mots, l'*alaap,* quelque chose que sa tradition, ou *gharana,* lui permet de moduler et d'embellir, quelques auditeurs ferment les yeux, penchent légèrement, très lentement, la tête, la balancent selon un mouvement doux, lyrique. Parfois, on peut voir une approbation, un hochement de tête ; les auditeurs ouvrent de temps en temps les yeux, très rapidement, pour regarder le chanteur quand il ajoute quelque fioriture ; ils semblent entendre deux fois la musique : une fois matériellement, avec les oreilles, quand on la joue de cette manière et dans ce lieu ; mais aussi, en même temps, d'une manière intérieure, par les oreilles de l'esprit, si l'on peut dire ; comme s'ils connaissaient bien la mélodie et cherchaient une sorte de confirmation, une correspondance entre ce qu'ils ont à l'esprit et ce qu'ils entendent en ce moment. Les mouvements cadencés, presque involontaires, des mains du chanteur, – très différents d'une exécution à l'autre, d'une tradition à l'autre, d'un style à l'autre, – soulignent, complètent une phrase, suggèrent d'autres possibilités, ouvrent d'autres fenêtres ; et l'on peut voir un certain nombre d'auditeurs qui accompagnent ces mouvements du chanteur d'une manière imperceptible, ne les suivant pas tous, mais en saisissant l'essence, car ils accompagnent la musique « inaudible » qu'ils abritent en eux-mêmes.

Quand, à l'ouverture succède le mouvement suivant, qui développe le thème du *raga,* accompagné par un roulement de tambour ou par des paroles, le nombre des auditeurs ne faisant qu'un avec le chanteur augmente considérablement, car il est plus facile de saisir la cadence des battements que les nuances d'un accompagnement complexe ; on sent alors l'atmosphère se charger d'une émotion palpable. Les têtes commencent à s'incliner avec plus de sûreté, l'accent demeurant placé sur la légère saccade vers le bas qui marque la fin de chaque cycle du roulement ; les mains continuent de se déplacer faiblement, quoique visiblement, suivant le rythme des battements. A l'occasion, quand le chanteur ajoute un élément nouveau, une fioriture microtonale, arrachant un mouvement de surprise aux auditeurs qui sont pourtant en harmonie avec lui-même, on voit passer un soupçon de sourire de l'artiste aux spectateurs. On peut aussi capter de brèves indications de louange ou d'enthousiasme, manifestations qui ne troublent pas le moins du monde l'artiste, que celui-ci accueille parfois d'un léger mouvement de tête. Cela dure un certain temps et, selon les capacités de l'auditoire, son *utsaha* ou énergie, il s'établit un échange, un rapport évident entre eux. Quand le chanteur attaque le *raga* à un stade plus complexe, qu'il « attaque » les *taans,* ces permutations, ces virtuosités étonnamment compliquées, ces combinaisons de notes sur une gamme montante ou descendante, il laisse souvent sur place son auditoire, pourrait-on dire, car il est difficile, tout autant de prédire ce qu'il va faire que de suivre ces vocalises changeantes, qui surprennent comme un coup de tonnerre. Ensuite, sur une mesure plus rapide, quand il reprend le thème ou le refrain, une nouvelle énergie semble envahir les auditeurs. On a maintenant deux sortes d'échanges, ceux qui s'établissent entre le chanteur et l'auditoire et ceux qui se font entre lui et ses accompagnateurs, le joueur d'un instrument à cordes comme le *sarangi* ou le percussionniste jouant sur deux *tablas*. Le chanteur s'engage tout à coup sur des variations, ménage des surprises de toutes sortes, utilise des « contre-rythmes » et les percussionnistes cherchent à tenir la cadence, à l'anticiper même, parfois, comme s'ils jouaient avec le chanteur à un jeu très compliqué, tout cela sans franchir les limites classiques, bien définies d'un *raga*. Au même moment, entre le chanteur et les auditeurs, parfois même entre les accompagnateurs et l'auditoire, s'établit un nouveau rapport. Les yeux se ferment et s'ouvrent de nouveau, de surprise ou d'admiration, les têtes dodelinent et les mouvements de tout le corps s'accentuent, tous parfaitement maîtrisés, très doux mais très éloquents. Comme la poésie adoptée par le chanteur est maintenant bien connue des auditeurs, s'ils ne la connaissaient pas déjà, et que le refrain de la chanson est parfaitement compris, que chacun s'y identifie parfaitement, on peut même entendre les derniers mots des vers que chante l'artiste, mots qui sont repris et murmurés par les auditeurs les plus initiés. Tout est de la plus grande spontanéité, d'une qualité impromptue qui souligne l'identification de l'auditoire avec le *raga*, avec l'ensemble du récital. On voit les yeux briller. Aucun paroxisme de plaisir, aucun éclat ne vient distraire le chanteur : rien que ces imperceptibles mouvements de la tête et des mains, ces échanges chargés de sens entre lui et ceux qui l'écoutent, qui signifient que ceux-là sont bien *avec* le chanteur, qu'ils sentent en eux-même des vibrations sensibles, qu'ils complètent « l'interprétation du chant par la force de leur propre imagination, par leur propre émotion ». A ce moment, quel que soit le thème du chant incorporé au *raga*, – l'amour dans l'union, l'amour dans la séparation, ou même un chant sur la mort ou les dernières réalités de la vie, peu importe ! – on peut remarquer chez les auditeurs une certaine élévation spirituelle. Aucune dépression, même si la musique entendue comporte une certaine tristesse ; au contraire, on assiste à une élévation de l'esprit, la sensation d'*avega*, de poussée en avant. C'est comme si une étincelle avait jailli, passant du chanteur aux auditeurs. Une vocalise particulièrement gracieuse ou difficile, une élégance rare, improvisée et amenée dans la structure du *raga*, une strophe qui a brusquement pris le caractère d'une révélation parce qu'interprétée avec talent et créativité par le chanteur, fait passer un frisson dans les nerfs de nombreux membres de l'assistance. On utilise souvent, en Inde, le terme de *romancha,* la chair de poule, où les cheveux se dressent. L'auditoire alors connaît le bonheur : il goûte le *rasa*.

II

Le terme le plus important que l'on trouve dans la théorie de l'art établie en Inde depuis les temps les plus reculés est certainement le terme de *rasa*. Il n'est pas difficile de comprendre ce qui se cache sous ce terme, qui a plusieurs significations, – première, secondaire et tertiaire, – qui ne sont pas difficiles. Son sens le plus évident, dans lequel il est toujours utilisé en Inde, dans le langage de tous les jours, son sens le plus courant, signifie la sève ou le jus des végétaux, leur extrait, leur fluide. Ce sens matériel s'identifie facilement : quand on parle du *rasa* d'une orange, de la canne à sucre, par exemple, on est certain que ce mot veut dire la même chose pour tout le monde. Dans son sens secondaire, *rasa* signifie l'essence non-matérielle d'une chose, « sa meilleure partie, la plus fine », comme un parfum, qui vient de la matière mais qu'il n'est pas facile de décrire ou de comprendre. Au sens tertiaire, le *rasa* indique le goût, l'odeur, la saveur, qui proviennent de la consommation ou de la manipulation, soit de l'objet matériel, soit de ses propriétés immatérielles, qui produisent souvent du plaisir. Avec son sens dernier et le plus subtil, cependant, – et celui-ci est proche du troisième sens dans lequel on utilise ce mot dans un contexte artistique et esthétique, – le *rasa* en arrive à désigner un état de bonheur accentué, au sens de l'*ananda*, le genre de béatitude que l'on ne peut connaître que par l'esprit. Pour des écrivains, comme Vishwanatha, auteur d'un célèbre traité de poésie du XIVe siècle, le *Sahitya Darpana,* le *rasa* est un état voisin de la béatitude provoquée par la connaissance de la Réalité Ultime, « frère jumeau de la saveur de Brahma ». Pour Vishwanatha, la définition même de la poésie implique l'idée du mot *rasa*. Comme on le dit si souvent : « la poésie est une phrase dont l'âme est le *rasa* ».

La théorie de l'art qui s'organise autour du concept de *rasa* a été formulée pour la première fois, sous sa forme actuelle, par Bharata, dans le *Natyashastra*, cette œuvre extraordinaire sur les arts dramatiques, qui remonte aux environs de l'ère chrétienne. Cette théorie a cependant des origines plus anciennes car, en la présentant, Bharata reconnaît ce qu'il doit aux « anciens maîtres ». Bharata formule et applique la théorie du *rasa* aux *natya,* les arts dramatiques qui comprennent la danse et la musique mais, comme le dit Coomaraswamy, cette théorie « s'applique immédiatement à toutes les sortes d'art », une grande partie de sa terminologie employant particulièrement le concept des couleurs. La présente exposition a pour objet d'étudier ses relations avec les arts plastiques, en particulier avec la sculpture et la peinture.

L'utilisation du terme de *rasa* est tellement envahissante, tellement vaste dans le contexte des arts, en Inde, ce terme est si souvent employé par les critiques et par les amateurs habituels, qu'il est au centre du vocabulaire de l'art. D'une danse, d'une musique ou d'une pièce, on dira (comme on ne l'a remarqué que trop souvent) qu'elle est « sans *rasa* » (*nirasa*), si tel était le cas ; ou qu'elle produit beaucoup de *rasa*. La voix d'un chanteur sera louée pour être chargée de *rasa* » (*sarasa, rasili*) ; les yeux de la bien-aimée seront « pleins de *rasa* », et ainsi de suite. Quoi que les philosophes et les théoriciens aient pu dire sur ce terme et sur les nombreuses implications qui s'y rattachent quand il s'applique à l'art, le simple « amateur » en connaît parfaitement l'esprit et l'utilise fréquemment, souvent avec une remarquable justesse. Des œuvres de rhétorique réputées peuvent insister sur la justification de l'art que l'on y trouve, du fait qu'il favorise les quatre « buts de la vie », ses objets (*purusharthas*) partout reconnus en Inde : l'Action Juste (*dharma*), le Plaisir (*kama*), la Richesse (*artha*) et la Libération Spirituelle (*moksha*) ; au niveau ordinaire, on admet que l'art doit se traduire par un état de *rasa*, doit donner du plaisir. Des quatre buts de la vie, comme le dit Coomaraswamy, « les trois premiers représentent l'immédiat et le dernier, l'ultime » ; l'œuvre d'art se détermine de la même manière, « d'abord par son utilisation immédiate et, en dernier ressort, pour l'expérience esthétique ». Se référant à Vishwanatha, il assure qu'« une simple narration, une utilité brute, ne sont pas de l'art ou ne le sont que dans un sens rudimentaire. Pas plus que n'est de l'art, en tant que tel, un élément purement informatif limité à sa signification explicite : seul l'homme de peu d'esprit peut ne pas reconnaître que, par nature, l'art est source vivante de plaisir, quelle que puisse avoir été l'occasion de sa manifestation. »

Que le *rasa* soit essentiellement ce que l'art doit être peut ne pas être exprimé si précisément ni si longuement par tout le monde, mais c'est bien ce que, au sens réel, le spectateur, le lecteur recherche dans une œuvre d'art. Il me souvient avec précision d'un cas où je nourrissais de grands doutes, pour un petit problème de date ou de style de peinture, et où je suis allé trouver ce grand connaisseur, ce spécialiste des arts de l'Inde, feu Rai Krishna Dasa, à Bénarès ; « Rai Sahib », – on l'appelait presque universellement ainsi, – écouta mes questions avec sa bienveillance et sa grâce habituelles, puis il appuya, sur le confortable traversin, qui se trouvait sur son simple divan, et me dit doucement : « Je vous abandonne maintenant ces questions, à vous les historiens d'art. Tout ce que je désire, en cette étape de ma vie, – il avait plus de soixante-dix ans et était de santé fragile, – c'est goûter le *rasa* ». Personne ne connaissait mieux que Rai Sahib le genre de problème que j'étais alors venu lui soumettre, mais il allait lui-même à ce qui, à ses yeux, représentait la signification réelle, la fin de l'art, à moins qu'il n'y soit revenu. Que, dans le contexte de l'art, le *rasa* soit un point central, quelque chose vers quoi tout tend et tout tourne si souvent, voilà ce que démontre brillamment Coomaraswamy dans son essai « The Theory of Art in Asia ». Pour donner un point de vue, agréablement différent mais valable, au lecteur occidental et au critique moderne, Coomaraswamy a, dans son essai, beaucoup travaillé sur les théories orientales. Il s'est penché sur de nombreux concepts, il a cherché à les mettre à notre portée, passant de la nature et de la signification des représentations artistiques, telles qu'elles sont vues par un regard d'asiatique, à la nature de l'art lui-même, étudiant le problème des types idéaux et les six canons de l'art qui ont été élaborés en Chine et en Inde. Dans cet essai, il parle du symbolisme et des conventions, de la décadence et de l'intellectualisme, comme on les comprend en Inde, dans les arts, insistant sur le fait que l'art indien a pour objet un symbole visuel, « idéal au sens mathématique » ; il fait aussi une distinction entre l'originalité et la nouveauté d'une part et l'intensité ou l'énergie, d'autre part. Le couronnement de cette étude, son orientation du moins, et c'est significatif, est constitué par la notion complexe du *rasa* qui fait partie de la « théorie même de l'art » en Inde. Il semble en effet dire que c'est dans ce contexte et en s'y rapportant constamment que l'art paraît avoir été considéré en Inde, aux premiers âges.

III

Les sculptures et les peintures de la présente exposition doivent être regardées avec la conscience dont, à l'arrière plan, le *rasa* agit dans les œuvres d'art, et par leur intermédiaire. Dans l'art dramatique indien, on ne parle que trop souvent du *rasa*, ce terme fait partie du langage des danseurs et des musiciens, il fait partie du vocabulaire du critique. Mais, pour les arts plastiques, on ne l'utilise pas aussi souvent ni avec tant d'assurance. Il ne sera donc pas inutile, pour commencer, de comprendre l'expérience du *rasa*, – qui n'est pas facile à analyser, – en se reportant à ses diverses parties. Nous devrons le faire en étudiant les œuvres des écrivains d'art dramatique et des poètes, car on n'a pas beaucoup écrit, à ce sujet, par rapport aux arts plastiques. Le comprendre en gros, même si c'est en termes de théâtre ou de poésie, ne devrait pas présenter de graves problèmes. Le sujet est hérissé de difficultés, comme on le verra, mais les grandes lignes, – et c'est les seules qui nous intéressent ici, – sont assez claires.

En Inde, on a considérablement écrit sur la rhétorique, où les concepts de *rasa* ont une très grande place. On dirait que, depuis près de quinze cents ans, on débat de la vraie nature du *rasa* : il y a des éléments clairs, d'autres qui restent obscurs ou insaisissables. Pour comprendre le *rasa*, cependant, il faut préalablement se familiariser avec certains termes fondamentaux. Ces termes ont dû être expliqués assez longuement par Bharata et par plusieurs écrivains après lui ; en effet, de leur sens exact dépend la compréhension des idées exposées dans la présente théorie de l'art. Il faut se rappeler que beaucoup de ces termes ne sont pas utilisés dans la langue familière, certainement pas aussi souvent, aussi facilement que celui de *rasa*, et certains auteurs ont, sans attendre, fait remarquer que certains de ces termes avaient été forgés, – ou employés dans un sens particulier, – par Bharata, si bien qu'il est difficile de les confondre avec les mots habituellement utilisés et dont on voit bien qu'ils ont des sens particuliers. A cette difficulté globale, nous devons en ajouter une autre, celle de les traduire du sanskrits dans une langue occidentale comme l'anglais ou le français. Et cette difficulté augmente quand on s'aperçoit que les divers traducteurs des textes sanskrits ont adopté, pour les originaux sanskrits, des équivalents anglais différents. Il n'y a pas de traduction fixée, aussi tout serait-il plus clair si l'on utilisait les mots sanskrits accompagnés chaque fois de leurs équivalents.

Le terme de *rasa*, pour commencer, a reçu lui-même diverses traductions. A un moment, Coomaraswamy le traduit par la « Beauté idéale ». Si les mots « teinture » ou « essence » ne sont pas utilisés dans le contexte de l'expérience esthétique, on a adopté en général celui de « Saveur ». Dans sa traduction du *Natyashastra* de Bharata, Manomohan Ghosh a choisi le mot « Sentiment » ; d'autres écrivains ont rendu le mot *rasa* par l'expression « bon goût ». On décrit l'expérience esthétique par « le goût de la saveur » (*rasavadana*) ; le « dégustateur », en d'autres termes, le spectateur ou le lecteur et, plus précisément, l'amateur ou le connaisseur, est le *rasika*. Une œuvre d'art emplie de *rasa* est dite souvent *rasavat* ou *rasavant*. Parmi les autres termes un peu plus difficiles parce qu'ils sont utilisés dans un sens très particulier, il faut citer le *bhava*, qui est un état d'esprit ou un état d'émotion ; les *vibhavas* (les déterminants), les *anubhavas* (les conséquents) et les *vyabhicharibhavas* (les états d'émotions complémentaires). Un *sthayi-bhava* est un état d'émotion permanent ou durable ; les *sattvika bhavas* sont des réactions corporelles involontaires à des états d'émotion. Chacun de ces termes devra à son tour être parfaitement compris, mais nous y reviendrons plus tard.

On peut se faire une idée des controverses soulevées par la théorie du *rasa* ; on ne sait même pas, avec précision combien il y a de *rasa* ! Bharata parle de huit Sentiments (les écrivains récents en ont ajouté un neuvième, largement accepté) : Shringara (l'Érotique), Hasya (le Comique), Karuna (le Pathétique), Raudra (le Furieux), Vira (l'Héroïque), Bhayanaka (le Terrible), Bibhatsa (l'Odieux) et Adbhuta (le Merveilleux). Le neuvième *rasa* est Shanta (la Sérénité). Ils sont énumérés séparément car, même si le *rasa* est, par définition, un et indivisible, – nous en parlerons plus tard, – c'est par l'un ou par l'autre de ces neuf *rasas* que se produit une expérience esthétique, d'après le langage utilisé par Bharata et par les réthoriciens ultérieurs. Une œuvre d'art émeut un spectateur ou devient occasion d'expérience du *rasa* parce qu'un de ces neuf sentiments ou saveurs y domine.

L'expérience esthétique, ainsi qu'elle est définie dans ce contexte, est l'acte de goûter le *rasa*, « de s'y plonger à l'exclusion de tout autre sentiment ». Essentiellement, semble nous dire Bharata, au sujet d'une interprétation théâtrale qui est au centre de son œuvre, ce « rasa est né de l'union de la pièce et du jeu des acteurs ». Plus tard, de nombreuses études ont convergé sur l'interprétation d'une déclaration abrupte de Bharata, un *sutra,* un aphorisme, où il dit : « Le *Rasa* est né de l'union des Déterminants (*vibhavas*), des Conséquents (*anubhavas*) et des États d'Émotions Complémentaires (*vyabhicharibhavas*) ». Pour s'expliquer, Bharata est plutôt concis, – et des écrivains devaient ultérieurement en débattre avec chaleur, avec acrimonie, – mais il convient d'abord de le citer textuellement. Après cette brève déclaration, Bharata pose une question de rhétorique : « Y a-t-il un exemple (qui lui soit parallèle) ? » et répond :

(Oui), on dit qu'un goût (*rasa*) provient de la combinaison de diverses épices, de légumes et d'autres éléments et que, si des éléments comme le sucre brut, les épices ou les légumes produisent six saveurs, ainsi les États d'Émotions Durables (*stayibhava*), quand ils sont réunis à divers autres états psychologiques, atteignent la qualité d'un Sentiment (c'est-à-dire, deviennent un Sentiment). Mais on se demande quelle est la signification du mot *rasa* ? On répond (que le *rasa* est ainsi appelé) parce qu'on peut le déguster (*asvadyate*). Comment déguste-t-on le *rasa* ? (Réponse) on dit que, tout comme des personnes bien disposées qui mangent des aliments cuits avec de nombreuses épices en goûtent la saveur et atteignent le plaisir et la satiété, ainsi les gens cultivés dégustent les États d'Émotions Durables quand ils les voient représentés par une expression des divers États d'Émotion, par des mots, par des gestes et par le *Sattva*, et ils en tirent du plaisir et des satisfactions.
Juste comme les connaisseurs d'aliments cuisinés (*bhakta*) qui, mangeant des aliments préparés à l'aide de diverses épices et d'autres éléments, les dégustent, ainsi les gens cultivés dégustent dans leur cœur (*manas*) les États d'Émotions Durables (comme l'amour, la tristesse, etc.) quand ils sont représentés par une expression des

États d'Émotions, avec des gestes. C'est pour cela que, au théâtre, ces États d'Émotions Durables sont appelés des Sentiments.

Cela a beaucoup d'autres conséquences et pose plusieurs problèmes, mais il sera d'abord utile d'essayer d'avoir une compréhension rudimentaire de tout ce mécanisme. Si le *rasa* naît ou provient d'une combinaison de Déterminants, de Conséquents et d'États d'Émotions Complémentaires, nous commencerons par ceux-ci. Les Déterminants, ou *vibhavas,* sont essentiellement « les stimulants matériels de la production esthétique, en particulier le thème et ses diverses parties, les indications de temps et de lieu et les autres dispositifs de la représentation... l'ensemble des *factibile* ». Pour ceux-ci, on parle également de deux catégories différentes : les *alambana vibhavas* et les *uddipana vibhavas* qui, respectivement, signifient les Déterminants Substantiels et les Déterminants Excitants. Nous aidant des écrivains ultérieurs et de l'exemple d'un *rasa* donné, comme le Shringara, le Sentiment Érotique, ses déterminants seront de deux sortes. Les déterminants substantiels seraient l'amant et la bien-aimée, le héros ou l'héroïne ou, comme on dit en sanskrit, le *nayaka* et la *nayika.* Sans eux, et cela se conçoit aisément, le sentiment érotique, soit l'esprit d'amour, serait difficile à imaginer. Les excitants seraient des éléments comme la lune, des essences de bois de santal et d'autres onguents, le bourdonnement des abeilles, de beaux vêtements et des joyaux, une maison vide ou un bosquet retiré dans un jardin, convenant à des rendez-vous, et ainsi de suite. Les conséquents ou *anubhavas* sont « les moyens particuliers et conventionnels pour enregistrer des états d'émotion, spécialement des gestes et des regards, etc. » à quoi le *Natyashastra* prête une attention merveilleusement élaborée. En continuant par le Shringara par lequel nous avons commencé, les conséquents appropriés, ou *anubhavas,* pourraient être des éléments comme des mouvements des sourcils, des regards de côté, des embrassades, des baisers, des étreintes des mains, etc. On a une plage remarquablement riche de gestes et de mouvements qui conviennent au thème choisi, comme la danse et le théâtre, et l'artiste peut donc faire appel à tout son répertoire. Il y a ensuite les États d'Émotions Complémentaires (ou Provisoires), ou *vyabhicharibhavas,* et Bharata n'en énumère pas moins de trente-trois (voir annexe B). Ils vont de l'agitation, de la dépression, de l'ennui, de la distraction et de la stupeur à des éléments comme la frayeur, la honte, la joie, l'envie, l'anxiété, l'indécision et ainsi de suite. On les appelle Complémentaires ou Provisoires parce que, survenant par exemple au cours d'une pièce et interprétés par les acteurs, ils ne durent pas longtemps et n'ont pour seul but que d'alimenter l'esprit dominant de la pièce ou de l'exécution. Ils complètent l'état d'esprit principal, ou l'état d'émotion, et ne sont pas en eux-mêmes de nature à laisser une impression durable. Enfin, on énumère huit *sattvika bhavas,* ou réactions corporelles involontaires, dans les états d'émotion (voir annexe C), qui comprennent des éléments comme la transpiration, la paralysie, le tremblement, l'évanouissement, le changement de voix, le changement de couleur, la chair de poule, etc.

Pour conserver le même exemple, celui du Shringara, on dit que l'on peut mettre en œuvre n'importe lequel des États d'Émotions Complémentaires énumérés, à l'exception de la cruauté, de la mort, de la paresse et du dégoût. Il faut expressément les laisser de côté parce qu'ils sont « opposés » à la naissance, à la venue du sentiment principal, l'érotisme. Dans le déroulement d'une représentation, où les Déterminants, les Conséquents et les États d'Émotions Complémentaires voulus ont été choisis, développés et utilisés, le cœur du spectateur est constamment, subtilement soumis à ces propriétés, ces conditions ou ces représentations d'états. Un « barattage du cœur » a lieu, à la fin duquel émerge un État d'Émotion dominant, un *bhava* qui est qualifié de *Stayi* ou de Durable. N'importe lequel des neuf *bhavas* de cette catégorie durable peut venir flotter à la surface de l'esprit, « comme une boule de beurre quand on baratte la crème », chez le spectateur. Ces neuf États d'Émotion sont Rati (l'amour), Hasa (la joie, la gaieté), Shoka (la tristesse), Krodha (la colère), Utsaha (l'énergie), Bhaya (la crainte), Jugupsa (le dégoût), Vismaya (l'étonnement) et Shama (l'équanimité). On voit que ces *stayi bhavas,* ou États d'Émotions Durables, correspondent aux neuf *rasas* ou Sentiments énumérés plus haut. Ainsi, l'État d'Émotion de l'amour correspond au sentiment érotique ; le rire ou la joie correspondent au sentiment comique, et ainsi de suite.

A ce point, un élément insaisissable vient s'introduire dans la théorie du *rasa.* On a dit que, si, après ce « barattage du cœur », – ce mélange des éléments classés en déterminants, en conséquents et en états d'émotions complémentaires et de réactions physiques involontaires –, un état d'émotion durable a émergé, cet état même se transmue en *rasa* chez une personne « compétente ». Dans les circonstances voulues, si l'exécution a été bonne et si le spectateur est assez cultivé et assez sensible, s'il est, autrement dit, un *rasika,* une étincelle doit jaillir entre l'acteur et le spectateur ; il doit se produire une expérience qui emplira tout l'être du spectateur

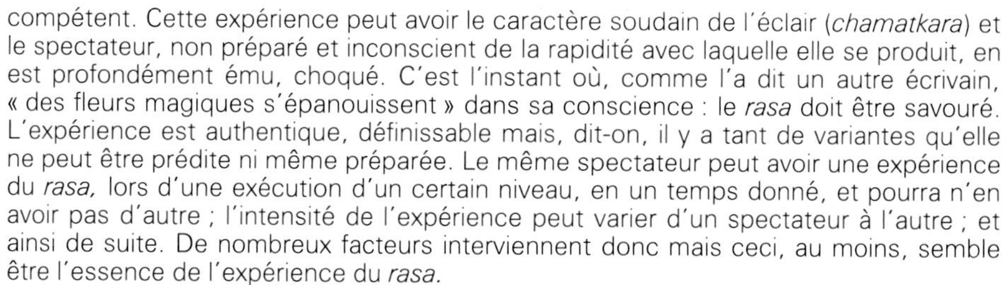

compétent. Cette expérience peut avoir le caractère soudain de l'éclair (*chamatkara*) et le spectateur, non préparé et inconscient de la rapidité avec laquelle elle se produit, en est profondément ému, choqué. C'est l'instant où, comme l'a dit un autre écrivain, « des fleurs magiques s'épanouissent » dans sa conscience : le *rasa* doit être savouré. L'expérience est authentique, définissable mais, dit-on, il y a tant de variantes qu'elle ne peut être prédite ni même préparée. Le même spectateur peut avoir une expérience du *rasa,* lors d'une exécution d'un certain niveau, en un temps donné, et pourra n'en avoir pas d'autre ; l'intensité de l'expérience peut varier d'un spectateur à l'autre ; et ainsi de suite. De nombreux facteurs interviennent donc mais ceci, au moins, semble être l'essence de l'expérience du *rasa.*

Divers auteurs, chacun dans ses propres termes et selon sa propre conception, ont défini une expérience esthétique, le *rasavadana,* comme on l'appelle en sanskrit. Après Bharata, – dont le chapitre sur le *rasa* a été commenté et étudié par des générations de spécialistes et de théoriciens, le plus important étant Abhinavagupta, grand érudit du Cachemire au XIe siècle, – Vishwanatha, auteur du célèbre *Sahitya Darpana,* le « Miroir de la composition », a donné une définition qui fait autorité. Coomaraswamy dit du passage où Vishwanatha définit la nature de l'expérience esthétique qu'il « a une telle autorité et une telle valeur qu'il le faut citer *in extenso* ». Voici comment s'achève ce passage :

> La pure expérience esthétique appartient à ceux qui ont une connaissance innée de la beauté idéale ; dans l'extase intellectuelle, on sait intuitivement, sans accompagnement d'idéation, au niveau le plus élevé de l'être conscient ; né d'une mère avec la vision de Dieu, sa vie est, pourrait-on dire, un éclair de lumière aveuglante d'origine extra-terrestre, qui, impossible à analyser est cependant dans l'image de notre être même.

Coomaraswamy nous rappelle, fort à propos, que l'on utilise généralement le terme de *rasa* en lui donnant deux sens : d'abord, « d'une manière relative, au pluriel, en rapport avec les diverses conditions d'émotion, huit ou neuf, en général, qui peuvent constituer le fond d'une œuvre donnée » ; ensuite, « de manière absolue, au singulier, par rapport à l'acte intérieur de goûter une saveur non caractérisée. Dans ce sens, il faut clairement distinguer l'idée d'une beauté esthétique qui doit être goûtée, et qui n'est connaissable que par la dégustation, des beautés ou amabilités relatives des parties distinctes de l'œuvre ou de l'œuvre elle-même considérée seulement comme une surface ».

On a dit que l'expérience esthétique était « juste comme une fleur née de la magie » qui a « dans son essence l'unique présent, qui n'est en relation ni avec ce qui s'est passé avant ni avec ce qui viendra après ». Entre le spectateur et l'expérience du *rasa* se trouvent de nombreux « obstacles », de même qu'il y a des obstacles entre un médiateur et sa réalisation de la « béatitude suprême que donne la connaissance parfaite ». Ces obstacles doivent être supprimés, et ce n'est pas travail facile. En fait, de longues études ont porté sur la nature des obstacles et la possibilité de leur suppression chez les diverses sortes et classes de spectateurs. Une fois ces obstacles supprimés, une fois la poussière enlevée du miroir du cœur, ce qui est éprouvé, c'est le sens de bonheur exalté qui est « différent des formes de béatitude de la vie pratique et, juste parce qu'il n'y a pas d'obstacle, on l'appelle la Dégustation, la délibation, la dissolution, la perception, le repos, dans la nature du sujet qui connaît ». L'expérience esthétique est donc une transformation, « non seulement de sentiment, mais également de compréhension », « une compréhension condensée dans le mode de l'extase ».

On remarquera que, dans toute cette énumération, il y a une insistance marquée sur le « spectateur ». Les mots pour le désigner ont été soigneusement choisis, parce qu'il y a une hypothèse évidente derrière cette théorie de l'art ; selon cette hypothèse, il n'est pas donné à tout le monde d'atteindre cet état, cet éclair de compréhension et de plaisir qu'est l'expérience du *rasa.* Si nous nous rappelons, une fois de plus, que cette théorie a été élaborée dans le contexte de l'art dramatique, nous comprenons que le *seul spectateur* qui connaîtra cette expérience est le *rasika,* celui qui sait ce qu'est le *rasa* et dont l'esprit est préparé pour cette expérience. D'autres mots sont utilisés pour désigner ce spectateur cultivé ou compétent, cette personne raffinée, sensible, ce sont les mots de *pramatr,* « celui qui connaît un critère intérieur de la vérité, une mesure idéale » ; d'*adhikari,* « qui a du mérite, qui est capable de recevoir » ; de *sahridaya,* « qui est du même cœur ». Il est clair, d'après plusieurs affirmations du *Natyashastra* et celles d'auteurs plus récents, que l'expérience du *rasa* dépend en grande partie de l'« énergie », de l'*utsaha,* que le spectateur apporte avec lui à une œuvre d'art et dans une pièce quand il lui est confronté. Comme on l'a dit, c'est sa propre énergie « qui est cause du goût, juste comme lorsque des enfants jouent avec des éléphants en terre glaise ». L'État d'Émotion Durable qui est subtilement introduit dans un être, directement ou indirectement par une œuvre d'art est une

chose : sa transmutation en un *rasa* dépend de l'énergie, de la capacité intérieure, de « la probité de cœur » du *rasika.* La faculté d'imagination et d'émerveillement est fortement soulignée car, sans elle, ceux qui assistent à un spectacle « ne sont pas meilleurs que le bois ou que la maçonnerie de la galerie ».

Plusieurs autorités affirment que l'expérience du *rasa* n'appartient pas au poète ni à l'acteur, mais exclusivement au spectateur. On a beaucoup discuté sur le problème du lieu où « réside » le *rasa.* Abhinavagupta examine plusieurs idées sur ce sujet, sans oublier les questions posées par Bhatta Lollata sur l'emplacement du *rasa* ; il déclare avec autorité : « Le *rasa* ne réside pas chez un acteur. Mais, où alors ? Vous avez tout oublié et je vous rappelle (ce que je vous ai déjà dit). Certes, j'ai dit que le *rasa* n'est pas limité par une quelconque différence d'espace, de temps et de sujets instruits. Votre doute est alors dénué de sens. Mais qui est l'acteur ? L'acteur, je vous le dis, est le moyen de goûter et, pour cela, on lui a donné le nom de « récipient ». Le goût du vin, certes, ne reste pas dans le récipient, qui n'est qu'un moyen nécessaire pour le goûter. L'acteur est alors nécessaire et n'est utile qu'au commencement ». Quant au problème normal de savoir si l'acteur ou l'artiste connaît ou non l'expérience du *rasa,* plusieurs auteurs, parmi lesquels Vishwanatha, soutiennent qu'il « peut atteindre une expérience esthétique par le spectacle de son propre jeu ». On comprend tout naturellement que l'acteur ne soit pas insensible devant les « passions qu'il feint » ; de la même manière, le musicien, le danseur, le peintre doit s'impliquer dans l'émotion qu'il apporte dans son jeu ou dans son œuvre, mais l'émotion qu'il éprouve avant ou pendant l'acte de création ou pendant l'exécution, dit-on, n'est pas du même ordre que l'expérience du *rasa* qui a ce caractère d'illumination, d'envahissement, qui est un éclair de bonheur ; qui ne peut être éprouvée par le créateur ou par l'interprète que lorsqu'il se met lui-même, et s'il le fait, dans la position du spectateur qui regarde et lui-même et son œuvre.

Il y a beaucoup plus à dire sur l'expérience du *rasa.* Est-elle de la nature d'une révélation, est-ce un voile que l'on tire ? Vous met-elle dans un état de manifestation ? Ou bien, implique-t-elle la mise dans un état qui n'existait pas auparavant et qui serait donc quelque chose de neuf, de nouveau ? Selon Vishwanatha, quand on dit que le *rasa* est quelque chose « qui est amenée à la manifestation », cela veut dire que cette chose est rendue manifeste « avec un caractère différent dans lequel cette chose est transmuée ». Pour illustrer cela, nous prenons des exemples dans les domaines de la nourriture et de la dégustation... qui conviennent à l'ensemble du problème de l'*asvadana.* On nous dit donc que, si le lait et le caillé sont de la même substance, le caillé est du lait présenté avec un changement de caractère, ce n'est pas quelque chose qui était « auparavant achevé et qui existait ainsi dans cet état » ; ce n'est certainement pas quelque chose qui a seulement été révélée, « comme un pot qui existait est révélé, sans modification, par une lampe ». Un changement est impliqué entre ce que l'on voit et ce que l'on éprouve, la perception, l'acte de « dégustation », qui identifie la nature du changement. C'est ici les grandes lignes de ces études mais, pour ce qui nous intéresse, il n'est pas nécessaire de nous y attarder, sauf pour rappeler l'aphorisme souvent cité selon lequel « le *bhava,* l'État d'Émotion Durable, est la fleur dont le *rasa* est le fruit ». La deuxième affirmation n'est évidemment pas envisageable sans la première, mais cela ne signifie pas que la fleur donnera, dans tous les cas, la seconde. La fleur et le fruit sont clairement en relations, ce sont des parties de la même plante mais des parties différentes, en même temps, par le caractère et, comme on le fait remarquer fort à propos, chaque fleur ne produira pas obligatoirement un fruit.

Dans ces études, une question permet de prédire la mesure de l'attention : comment l'expérience esthétique diffère-t-elle de l'expérience des sortes d'émotion qui font partie de la vie réelle, de la vie de tous les jours ? Nous pouvons illustrer ce problème par un exemple relativement simple ; si, comme on dit, l'expérience du *rasa* est une expérience de plaisir, comment se peut-il, demandera-t-on, que « des événements pénibles dans la réalité deviennent, dans l'art, des sources de plaisir ? » Les états de tristesse, de crainte ou de dégoût, ne produisent manifestement pas de plaisir dans la vie réelle et l'on dit, cependant, qu'ils peuvent conduire à une expérience esthétique. Comme l'exprime Vishwanatha : « Nulle personne douée de raison ne s'engage, – sciemment et sans quelque intention –, dans la souffrance ; et pourtant, nous voyons tout le monde s'engager avec de plus en plus d'intérêt dans le (sentiment) « Pathétique », etc. » Il répond lui-même en disant que l'expérience du *rasa* n'est pas une expérience de tous les jours, n'a pas le niveau terre-à-terre de la tristesse, de la joie, etc. (cf. Samuel Johnson, cité par John Dewey : « Le plaisir de la tragédie provient de la conscience que nous avons de la fiction... »). Le *rasa* est d'une nature transcendentale, hyper-physique, littéralement *lokottara,* au-delà de l'expérience ordinaire. S'il n'en était pas ainsi, qui lirait donc, demande-t-il, le *Ramayana,* cette grande

épopée, où le sentiment directeur est le Pathétique ? Tel qu'elle est, nous la tenons pour une des plus « chaleureuses compositions pour le cœur » de la littérature indienne. L'œuvre d'art ou la représentation dramatique permettent de prendre du recul par rapport à l'expérience terre-à-terre des diverses émotions, et cela fait toute la différence. Les causes mondaines de tristesse et de joie, etc. n'ont rien à voir avec l'expérience du *rasa* : elles ne sont pas du même niveau. La notion n'est pas ici celle de la catharsis, elle est différente. Le cœur n'est pas illuminé par une représentation ; le *rasa* qu'elle produit est une sorte de « délice de la raison », comme l'exprime Coomaraswamy, « une extase en elle-même impénétrable ». Un autre bon exemple a été pris par des écrivains pour poser le problème dans ce même contexte, c'est celui du *Mahabharata,* cette autre grande épopée où sont contées tout au long les tristes et insupportables aventures d'un roi juste et fidèle, Harischandra, avec « la peine de la séparation » et « des pleurs », etc. A cela, on dit que les pleurs arrachés à l'auditoire ne sont pas dus à une souffrance réellement éprouvée mais au fait qu'en regardant la représentation de l'histoire de Harischandra, son « cœur fond ». Cette « fusion du cœur » est affaire de moment et c'est pourquoi on étudie comment il se fait que tout le monde peut ne pas être « sensible » devant une œuvre d'art. On souligne ici le rôle de l'imagination, de « la sensibilité intellectuelle qui est le fruit de la culture ». Cette imagination, cette capacité de « concevoir quelle passion va être dépeinte », c'est ce qui caractérise un *rasika,* un *sahrdaya.*

Autre point important : le *rasa* est essentiellement un, unique et indivisible. Sa division en huit ou neuf variétés n'a qu'une valeur limitée et n'a été faite que pour des raisons pratiques. S'il n'en était pas ainsi, son universalité serait compromise. Les diverses divisions que nous définissons comme des Sentiments, l'érotique, le comique, etc. sont comme « les rais de différentes couleurs que l'on voit quand la lumière traverse un prisme ». Les écrivains utilisent souvent une autre image, où les divers *rasas* sont comme des pierres précieuses de couleurs différentes toutes serties sur le même collier. Le *rasa* est un, nous dit-on : on le perçoit différemment, il est coloré autrement.

On voit, en dernière analyse que, l'expérience esthétique est « une activité spirituelle impénétrable et sans cause, qui est pratiquement toujours présente et potentiellement réalisable mais qu'il est impossible de rendre réelle tant que toutes les barrières matérielles et mentales n'ont pas été abaissées, que tous les nœuds du cœur n'ont pas été dénoués... »

Très proche du *rasa* est l'idée du *dhvani,* « l'écho du sens qui provient de la suggestion ». On dit que le *dhvani* est l'âme même de la poésie. Si l'on pense donc habituellement qu'un mot ou qu'un autre symbole ne possède que deux pouvoirs, celui de l'indication (*abhidha*) et celui de la connotation (*lakshana*), les penseurs indiens de la brillante École de la Manifestation donnent à un mot ou à un symbole « un troisième pouvoir, celui de la suggestion, ce qui est suggéré, ce que nous pourrions appeler le vrai contenu de l'œuvre, étant *dhvani,* en rapport soit au thème, soit à une quelconque métaphore, soit à un autre ornement, ou encore, ce qui est plus essentiel, à l'un des *rasas* donnés ». Ici, il est question de la signification littérale, allégorique et analogique des mots et des symboles. « Le dhvani, en tant que nuance, est donc le véhicule immédiat du *rasa* unique et conduit à l'expérience esthétique ». Selon des auteurs comme Anandavardhana et Abhinavagupta, le *dhvani* et le *rasa* sont « indissolublement mêlés » ; le *rasa* est simplement « la manifestation d'une condition intuitive de l'esprit, qui est inhérente et existe déjà, dans le même sens que l'éclairement est virtuellement toujours présent quoique pas toujours réalisé ». Le cœur du spectateur cultivé, du *rasika,* est comme du « bois sec chargé d'un feu latent » ; il n'a besoin que d'être enflammé, et il est souvent enflammé par une œuvre d'art qui produit des suggestions, « ces échos du sens ».

Coomaraswamy conclut son étude, lucide quoique relativement brève, de la théorie indienne de l'art en faisant remarquer que le *rasa* et le *dhvani* sont tous deux essentiellement métaphysiques et védantiques, par la méthode et par la conclusion. La théorie de la beauté, qui ne peut avoir été élaborée qu'au dixième ou au onzième siècle, avec tous les commentaires sur le *Natyashastra* et toutes les interprétations qui ont été ajoutées par des écrivains ultérieurs, a évidemment beaucoup influé sur la philosophie indienne où la réalisation de Dieu a été étudiée avec une subtilité tellement extraordinaire et pendant si longtemps. Ce n'est pas sans raison que les écrivains font des comparaisons constantes entre le bonheur que constitue l'expérience du *rasa,* et qui en est l'essence, et la béatitude pure qu'éprouve le contemplatif qui perçoit la réalité ultime. Comme le dit Coomaraswamy :

... la conception de l'œuvre d'art déterminée vers l'extérieur pour l'utilisation et vers l'intérieur pour le plaisir de la raison ; la vision de son fonctionnement qui n'est pas intelligiblement causale, mais qui se fait par une destruction des barrières mentales et

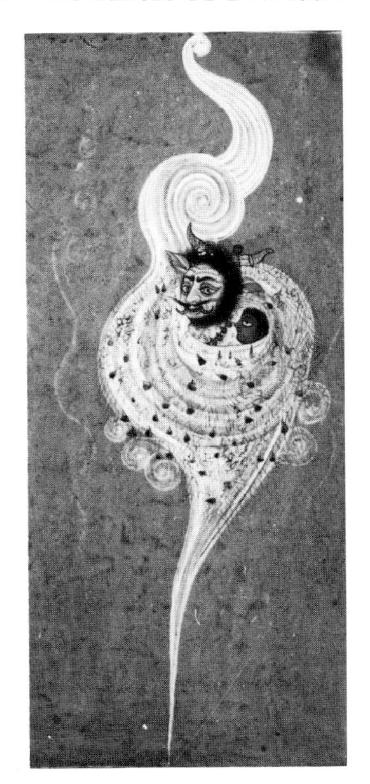

affectives derrière lesquelles se cache la manifestation naturelle de l'esprit ; la nécessité pour l'âme d'être préparée à cette émancipation par une sensibilité innée ou acquise ; l'exigence d'auto-identification avec le thème ultime, et pour l'artiste et pour le spectateur, préalable indispensable à la représentation dans le premier cas et à la reproduction pour le second ; enfin, la conception de la beauté idéale qui n'est pas soumise à l'affection naturelle, qui est indivisible, supra-sensuelle et indiscernable de la gnose de Dieu... toutes ces caractéristiques de la théorie démontrent son rapport logique avec les tendances dominantes de la pensée indienne et sa place naturelle dans l'ensemble de la philosophie indienne.

Manifestement, en Inde comme ailleurs, les modes de vision ont été intimement liés aux modes de pensée.

Que la théorie indienne soit ou non, *sui generis,* dans les origines ou dans la formulation est un problème de quelque intérêt. Coomaraswamy ne la voit pas tellement éloignée des autres points de vue à l'est et à l'occident, jusqu'à un certain moment, et a souligné seulement qu'elle diffère essentiellement « des interprétations non-intellectuelles modernes des arts en tant que sensation ». Dans sa pensée, « seulement parce que la forme idiomatique et mythique particulière où elle s'exprime ne doit pas être considérée autrement qu'universelle ». Il pense qu'elle ne diffère pas, au moins dans ses parties essentielles, de « ce qui est implicite dans la vision de l'art en Extrême Orient ou de ce qui a été affirmé dans les aphorismes de Blake ». D'autres auteurs y voient cependant des racines si profondes dans la pensée indienne qu'il est difficile de la rattacher, même dans ses fondements, à une autre culture. En tout cas, sa saveur est tellement indienne et sa présence dans les modes de vue et de pensée en Inde est tellement envahissante que l'on pourrait fort bien y voir une des clefs du code qu'est la culture indienne.

Pour finir, en passant, nous pouvons mentionner quelques problèmes, relativement moindres, sur la théorie du *rasa.* Dans la tradition indienne, les concepts sont souvent associés à des divinités tutélaires et se voient attribuer des couleurs. Ainsi, Shringara, le *shyama* (bleu noirâtre) ; Hasya, le blanc ; Karuna, la couleur de la colombe ; Raudra, le rouge ; Vira, le jaune ; Bhayanaka, le noir ; Bibhatsa, le bleu ; Adbhuta, l'or ; Shanta, la couleur du jasmin et de la lune. Leurs divinités respectives sont Vishnou, Shiva, Yama, Rudra, Indra, Kala, Mahakala, un Gandharva et Narayana.

Certains auteurs étudient quels *rasas* sont en harmonie les uns avec les autres et quels sont ceux qui sont « opposés », ou contraires Jagannatha, dans son *Rasagangadhara,* nous donne une liste ; à son avis, Shringara va avec Vira, Hasya et Adbhuta ; de même, Vira va avec Shringara, Rudra et Adbhuta. Mais Shringara et Bibhatsa, Shringara et Karuna, et Shringara et Shanta « sont opposés ». Vira et Bhayanaka, et Shanta et Raudra sont opposés aussi l'un à l'autre. L'idée est que lorsqu'un *rasa* mûrit dans une œuvre, l'expérience du *rasa* est, pour ainsi dire, détruite si son contraire survient.

De nombreux auteurs parlent des « défauts » (*doshas*) qui peuvent s'immiscer dans le processus de création de certains *bhavas* et ainsi affecter leurs *rasas* correspondants. En prenant l'exemple du sentiment érotique, fondé sur l'état d'émotion durable de l'amour, ou *rati,* on prétend que le *bhava* serait mauvais ou incomplet si l'amour devait être celui d'un héros secondaire ; ou s'il s'adressait à la femme d'un sage ou d'un maître ; si de nombreux héros sont pris comme sujets ; s'il n'inspire pas les deux parties, c'est-à-dire un homme et une femme ; si c'est un rival qui est amoureux ; ou s'il s'agit de « basses personnes » ou d'animaux inférieurs, etc. Les *doshas* ou manquements sont désignés en observant la coutume d'accentuer les vertus et les défauts qui, dans les poésies, ont exigé tant d'énergie et d'attention, pour ceux qui les ont étudiées. On a fait des études complexes pour savoir si l'amour pour Dieu, pour le roi ou pour son propre fils peut amener une expérience de *rasa* sous la catégorie du Shringara et on conclut avec emphase que ce genre d'amour ne tombe pas correctement dans ce Sentiment. On cite des cas d'expériences esthétiques « incomplètes » ou imparfaites et l'on a inventé et étudié plusieurs termes d'un grand intérêt pour indiquer que les *bhavas* ou les *rasas* imparfaits existent bien. Parmi eux, il y a principalement le *rasabhasa,* « l'apparence de saveur » ; il faut aussi mentionner les divers *bhavabhasa, bhavodaya, bhava-sandhi, bhava-shabalatva* et autres. Toujours et toujours, on insiste sur la dureté, sur l'inutilité, sur la superfétation et ainsi de suite, qui nuisent à l'âme de l'art. D'une manière essentielle, se concentrer sur « ce qui n'aide pas ou ce qui n'est pas nécessaire pour comprendre l'idée principale » demeure une faute et doit être évité, affirme-t-on.

IV

Ce qui précède définit la théorie du *rasa,* car elle fait partie de la théorie de l'art formelle dans la pensée indienne, sans se préoccuper de la sculpture ou de la peinture, mais à propos du théâtre ou de la littérature. A cela, il y a une raison, car le premier énoncé, sous une forme réfléchie, de la « doctrine » se trouve dans un texte sur le *natya,* les arts dramatiques ; et les écrivains qui, après, ont étudié le *rasa* ont, pour la plupart, insisté sur la poésie. La possibilité d'appliquer les idées sur le *rasa* aux domaines de la sculpture et de la peinture n'a pratiquement jamais fait l'objet d'une étude détaillée et, certainement, aucun traité n'y a été consacré. Aucun des principaux écrivains et penseurs ne semble même avoir cité, dans les études sur le *rasa,* des exemples tirés de la sculpture ou de la peinture.

Il ne faudrait cependant pas croire que cela signifie que la théorie du *rasa* ne s'applique pas à la sculpture ni à la peinture. Manifestement, elle s'y applique, implicitement, et lorsque Coomaraswamy étudie le *rasa,* il parle fort à propos et avec sûreté de la possibilité d'appliquer cette théorie aux arts plastiques tout autant qu'à la scène ou à la littérature. Il est évident que les idées sur le *rasa* ne sont jamais éloignées des pensées de ceux qui créent ou qui regardent des images, chaque fois que l'on cite, dans des œuvres littéraires, de quelconques réactions sur l'art. Quand un personnage d'un poème ou d'une pièce loue une peinture, il le fait en disant si elle provoque ou non une expérience de plaisir et il fera remarquer des détails comme les *vibhavas* et les *anubhavas,* même si ces termes ne sont pas obligatoirement utilisés tels quels. Il reste évident que l'on pense au plaisir procuré par une sculpture ou par une peinture, ou on le décrit en termes familiers, qui viennent du vocabulaire utilisé pour parler du *rasa.* En même temps, il faut rappeler une œuvre importante sur la peinture et sur la sculpture, un des principaux textes *shilpa,* le *Vishnudharmottaram,* qui remonte à une date comprise entre le cinquième et le septième siècle après J.C. (donc après Bharata mais bien avant d'autres auteurs dont nous avons parlé, Abhinavagupta ou Vishwanatha, par exemple) ; cette œuvre parle du *rasa* assez longuement, au chapitre 43 de la troisième partie. Pour illustrer les divers *rasas,* elle ne donne aucun exemple de sculpture ou de peinture importante, – il ne faut pas s'y attendre, car l'œuvre porte principalement sur la « fabrication », en termes techniques –, mais le seul fait que, dans ce texte célèbre, on s'étende sur le *rasa* est en soi éloquent. Le chapitre traitant du *rasa* commence ainsi : « On dit qu'il y a neuf sentiments représentés en peinture... » après quoi nous trouvons une brève description des *rasas,* suivie d'une étude générale sur leurs thèmes propres. Un passage prescrit même quels *rasas* conviennent aux différents décors. C'est ainsi qu'il est spécifié que « les images destinées à l'embellissement des maisons ne doivent appartenir qu'aux seuls *rasas shringara, hasya* et *shanta* » ; et ainsi de suite. Ce qui est directement ou implicitement suggéré ici, à celui qui fait des images comme à ceux qui cherchent à comprendre les idées sous-jacentes, c'est que le *rasa* importe autant dans ces arts que dans la littérature ou que sur scène. La « venue » du *rasa* n'est pas étudiée, mais il est acquis que celui-ci n'est connu que des gens « qui ont appris ».

Il faut cependant dire qu'il y a des difficultés inhérentes à démontrer (non à appliquer) comment fonctionne la théorie du *rasa* dans le contexte de la sculpture et de la peinture. On ne peut imaginer que la même intention pousse à faire des images ordinaires et d'autres qui seront considérées comme des « icônes ». Il est évident que le sculpteur envisagera différemment une image qui deviendra objet d'adoration dans un sanctuaire et une image qui sera sculptée ou placée sur le mur extérieur d'un oratoire. L'icône, dans ce sens relativement limité, doit être l'équivalent visuel d'un *mantra,* dans l'art de la parole, ou d'un *dhyana* et on ne pensera pas qu'elle conduira obligatoirement au même genre d'expérience qu'une poésie, « faite pour le plaisir ». Cela peut ne pas être toujours le cas, même pour les icônes, certes : ainsi, l'image du Buddha, réservé, exprimant l'idée de l'équilibre parfait, appartient de manière visible à la Quiétude, y ressortit ; de même, l'image d'une Yogini ou de la Déesse sous une de ses nombreuses formes farouches, – cela se conçoit aisément –, a été imaginée de manière à faire naître chez le spectateur des sentiments de crainte ; et ainsi de suite. Pourtant, d'une manière générale, les « icônes » sont un domaine particulier et, dans son ensemble, l'art indien est un autre problème.

C'est une difficulté d'un autre ordre que pose le problème des rapports des sculptures et des peintures avec la théorie des *rasas.* Comme nous les voyons maintenant, surtout comme elles sont placées dans les musées ou dans les collections particulières, nous ne pouvons clairement voir quel effet ces œuvres faisaient sur les précédentes générations ni comprendre quelles idées ont présidé à leur mise en œuvre ou à leur mise en place dans des circonstances données. Aujourd'hui, pour la plupart, nous les voyons hors de leur contexte. Une chose est de voir un panneau sculpté sur le mur d'un monument, d'un temple ; et tout autre chose est de le voir, si beau, si bien présenté qu'il soit, exposé isolé dans la galerie d'un musée. Chaque panneau doit non seulement avoir été imaginé par rapport au monument auquel il appartenait à l'origine, mais il doit aussi avoir été conçu comme une partie d'un système complet, intégralement relié aux autres panneaux du même monument. Il serait donc déraisonnable – et irréaliste –, d'attendre d'une sculpture « flottante », vue seule, loin de son contexte culturel, produise le même genre de sensation qu'au moment où elle a été conçue ou mise en place, quand on la voyait dans son décor naturel, en étroite relation avec les autres éléments de son ensemble. Il est triste que peu d'études aient été entreprises sur les plans, les « programmes » sculpturaux d'un grand monument comme un temple ou, dans la mesure du possible, d'un stupa ou autres œuvres du même genre. L'effet d'une œuvre complète, sur un monument, a certainement été d'un autre ordre que celui qu'elle fait isolée, si belle qu'elle soit. Peu de sculptures, si l'on excepte des icones faites spécialement pour une adoration chez soi ou pour être posées dans un oratoire, ont dû être faite isolées.

On rencontre une difficulté analogue avec la peinture. Alors qu'ici aussi quelques œuvres ont dû être exécutées comme des « icônes », c'est-à-dire pour être isolées, il est certain que ces peintures que nous voyons aujourd'hui sous forme de feuilles uniques ont dû être conçues dans des séries. Pour certaines, on peut naturellement le démontrer facilement, quand il s'agit des peintures d'un manuscrit illustré ou quand elles appartiennent à une « série », comme le *Gita Govinda,* le *Rasikapriya,* le *Ramayana,* le *Bhagavata Purana,* la *Rasamanjari* entre autres ; il y a un rapport évident entre une œuvre et une autre et chaque feuille fait partie d'un tout. Même quand, aujourd'hui, nous les voyons isolées, – la plupart des séries ont été dispersées et même des manuscrits illustrés ont été morcelés et les feuilles ont été dispersées et vendues –, nous pouvons voir la relation entre des feuilles autrefois réunies. Nous négligeons souvent le fait que des œuvres, dont nous ne pouvons démontrer qu'elles faisaient partie d'une série, constituaient bien, à l'origine, un ensemble. Si nous voyons la peinture d'une jeune femme courant dans une nuit noire et venteuse pour gagner un lieu de rendez-vous, – manifestement une Abhisarika –, nous avons la certitude que cette peinture n'a pas été conçue isolément, mais qu'elle appartenait à une série complète du *nayika-bheda,* la classification des héros et des héroïnes en fonction de leur situation amoureuse. Même des portraits étaient souvent exécutés en série : on peut le penser de l'extraordinaire ensemble exécuté dans la minuscule principauté de Mankot, au tout début du XVIIIe siècle, ou de la série de portraits de princes et de roturiers, peints pour Sansar Chand de Kangra, à la fin du XVIIIe siècle et dans les premières années du XIXe. Les portraits d'ancêtres, si fréquents dans le monde rajpout du Rajasthan et dans les collines du Punjab, ont aussi été réalisés sous forme de « séries ». On peut donc déterminer que, pour la majeure partie, les peintures appartenaient à une série. Et nous les voyons aujourd'hui, une fois encore, isolées, hors de leur contexte. L'effet fragmentaire qu'elles produisent sur nous ne peut donc être qu'une approximation par rapport à celui qu'elles avaient sur les *rasikas* qui les regardaient à leur époque même.

Malgré tout cela, cependant, il n'est pas sans intérêt de voir des œuvres d'art indiennes *avec la conscience,* sinon dans le vrai contexte, du *rasa* ; il se peut même qu'il y ait certains avantages à voir ces éléments isolés, car nous pouvons plus facilement nous concentrer sur eux. Cela dit, il doit être possible d'avoir au moins quelque idée de ce qui se passait dans le contexte original et dans ces temps reculés, même en les voyant par pièces et morceaux, dans les musées et surtout dans une exposition comme celle-ci où elles ont été spécialement réunies. Nous les regardons (avec toutes les imperfections de méthode inhérentes à cette situation, et même plus) avec la conscience du *rasa* afin de nous familiariser avec le caractère (*svabhava*) de l'art indien. Ce qui est présenté ici n'est pas un choix aléatoire d'œuvres d'art importantes ; ces œuvres ne permettent pas de reconstruire l'histoire de l'art en Inde, on ne pourra saisir ni chronologie ni compréhension du monde complexe des styles indiens. On n'a rien cherché de tout cela. Tout ce que ces œuvres, disposées comme elles le sont, pourront faire, c'est d'aider le visiteur à saisir « le fonctionnement » de cet art, c'est de l'aider à apprendre « de quoi il s'agit ». Il ne faut pas attendre pour faire remarquer qu'il n'y a aucune intention didactique dans la méthode de présentation de ces œuvres ; ce qui a été recherché ici, c'est essentiellement d'offrir un ensemble de suggestions au visiteur, et surtout au visiteur occidental qui est, très vraisemblablement, peu familier avec le mécanisme de l'art indien dans son contexte original.

Sans que ce soit nécessaire, il est possible de prendre chaque œuvre et de faire vigoureusement remarquer comment ses divers éléments s'agencent ensemble pour faire naître l'expérience du *rasa.* Même si l'organisation de l'exposition ou celle du catalogue peut donner l'impression inverse, on n'a cherché aucune rigidité. Nous sommes conscients qu'il y a des empêchements, des « obstacles » à l'assimilation de ces œuvres ; des obstacles du genre dont on parle en littérature, – comme de la confusion, de l'imprécision –, et d'autres obstacles provenant de la situation artificielle dans laquelle on voit des éléments isolés. Nous sommes également conscients qu'en raison des différences d'associations et parce que les raisonnances des significations, des suggestions ne peuvent être saisies dans un autre contexte culturel avec la même richesse, certains visiteurs, indiens et étrangers, seront tentés de voir dans certaines œuvres une relation éventuelle avec un autre *rasa* que celui dans lequel elles sont ici exposées. Mais on ne peut que prévoir ces inconvénients, ou ces préférences, puisque, comme le disent les textes, nous apportons tous, dans les œuvres d'art, nos propres associations, nos propres « impressions venant d'une existence antérieure » et nos propres énergies.

Un des résultats que nous espérons pour cette exposition, c'est que le visiteur trouvera dans ces œuvres des éléments qu'il aurait, auparavant, trouvés d'un intérêt accessoire, peut-être même étrangers aux œuvres elles-mêmes ; nous espérons donc du visiteur qu'il se sentira « sensibilisé » par des détails qui, initialement, ne l'auraient pas frappé. Les éléments accessoires, annexes, les gestes, les attitudes d'une élégance, d'une variété merveilleuses, les nuages et les éclairs dans le ciel, la manière de rendre les frondaisons, l'inclinaison des têtes, les regards en coin, entre autres, tout exige un œil rapide et un esprit vif. Ces détails ne sont pas sans signification car, avec subtilité, de nombreux éléments impreignent imperceptiblement l'atmosphère, l'État d'Émotion Durable, auquel le peintre ou le sculpteur a songé.

Il serait oiseux d'essayer d'appliquer la théorie du *rasa,* dans tous ses détails complexes, à chaque œuvre. Nous n'avons pas cherché à le faire dans cette exposition ; tout ce que nous avons voulu, c'est mettre le visiteur, au moyen de ces œuvres, en contact avec des idées. Il ne serait pas possible de prendre chaque sculpture, chaque peinture et de montrer les éléments qui sont des Déterminants, ou des Conséquents, ou des États d'Émotions Complémentaires, selon la lettre de la théorie. Nous avons voulu, au contraire, nous intéresser à son esprit. A ce sujet, il n'est pas inutile de signaler ici qu'il ne faut pas examiner la répartition et l'application des couleurs en pensant que chaque *rasa* a une couleur propre. Cette partie de la théorie du *rasa* semble n'avoir donné qu'un concept iconographique général, – comme la notion que chaque *rasa* a une divinité prépondérante –, et ne s'est pas appliquée, n'a peut-être jamais voulu s'appliquer aux couleurs des peintures ou des sculptures polychromes. Le symbolisme des couleurs, le langage de leurs associations, comme dans le Kathakali du Kerala, ne semble pas s'être développé dans ce contexte. Les peintures sont certainement exactes du point de vue de l'iconographie : Krishna et Vishnou sont bleus ou d'un bleu très sombre ; les vêtements de Krishna ou les objets qu'il porte respectent les formules prescrites ; pourtant, ni l'iconographie ni l'iconologie n'aident à comprendre comment, pour la plupart, ces couleurs s'agencent dans la peinture indienne.

Les pièces exposées ici sont nées d'une certaine vision ; on peut honnêtement supposer qu'elles ont ému des générations d'Indiens. Nous ne pouvons être émus de la même manière ni au même degré mais, tant que ces œuvres produisent, dans une certaine mesure, cette « fusion du cœur » dont on parle en littérature, c'est que nous en aurons approché l'esprit. Rappelons-nous cependant : nous ne pouvons retirer de ces œuvres que nos propres énergies, notre *utsaha.* Comme l'a dit Coomaraswamy : « Celui qui voudrait rapporter les richesses des Indes, celui-là devra prendre en lui la richesse des Indes ».

Shringâra :
le sentiment érotique

De tous les *rasas,* c'est le *shringara* qui a été traité avec le plus de détails et d'enthousiasme par les anciens rhétoriciens et, plus tard, par les écrivains et les poètes. On en parle comme du *rasaraja,* « le Roi des sentiments », comme du *rasapati,* « le Seigneur des sentiments », et ainsi de suite ; les écrivains rivalisent les uns avec les autres pour lui accorder les plus hautes louanges. Bharata lui-même, l'auteur du *Natya Shastra,* dit que l'on peut comparer au *shringara* « tout ce qui est sacré, pur, calme et vaut la peine d'être vu » ; Rudrata ne voit pas d'autre *rasa* pouvant « procurer la béatitude ou le plaisir que produit le *shringara rasa*. Pour Anandavardhana, le *shringara* est « le plus doux et le plus vivifiant » de tous les *rasas.* On a donné plusieurs interprétations au mot lui-même et l'on a avancé quantité d'étymologies, la plus populaire étant peut-être celle de Bhoja pour qui le *shringara* est ce qui permet d'atteindre un *shringa,* ou un sommet, à l'évidence le sommet, ou le point culminant du plaisir.

Sans parler de sa présence en rhétorique, le *shringara* est partout dans les arts. Au théâtre, on trouve des œuvres où le *shringara* forme le sujet même d'une pièce ; en poésie, et certainement à partir du VIIe siècle, quantité d'œuvres ont le *shringara* pour thème principal, ou secondaire. L'amour qui s'y exprime peut être divin ou humain, mais la passion ne peut faire défaut. Dans les arts plastiques, une fois de plus, le *shringara* semble prédominer, et cela est certainement vrai dans la sculpture post-gupta et médiévale et, plus tard, dans les miniatures indiennes. Nous pensons immédiatement à de grands monuments comme ceux de Konarak et de Khajuraho quand on parle de l'érotisme des arts de l'Inde mais, en vérité, on ne pense pas seulement à l'art érotique, *per se* dans le contexte du *shringara* : il y a le sentiment, avec tous ses aspects subtiles et infiniment divers, que l'on trouve d'une manière si marquée dans les arts. Dans un personnage unique, rendu avec sensibilité, comme dans les étreintes sexuelles les plus passionnées, il est possible de peindre et de communiquer avec autant d'émotion l'atmosphère, le parfum de l'amour. Le problème, c'est de voir comment l'artiste interprète cette atmosphère, comment il l'évoque.

L'État d'Émotion Durable, ou *sthayibhava* d'où provient le *shringara* est la *rati*, l'amour. D'après la situation qu'imagine Bharata pour la « naissance » ou « l'apparition » de l'amour, le *vibhava,* le Déterminant, est essentiellement une ou plusieurs personnes emplies de l'idée de l'amour. Les « causes stimulantes » qui servent de Déterminants peuvent être « les plaisirs d'une saison, le plaisir donné par des guirlandes, des onguents, des ornements, la compagnie de personnes aimées, des objets, des sens, des palais splendides, une promenade dans un jardin et le fait de s'y plaire, la vue (de la bien-aimée), le fait que l'on entend (ses paroles, à lui ou à elle), le jeu et le plaisir de folâtrer (avec lui ou avec elle) ». Cette liste ne donne naturellement que des exemples, elle n'est pas exhaustive et, au nombre des œuvres qui ici, entreraient dans cette catégorie, on peut voir toute la plage des excitants qui, à l'origine, ne sont décrits que dans le contexte d'une production théâtrale, et qui furent repris par le sculpteur ou le peintre.

Après les Déterminants, viennent naturellement les Conséquents ou *anubhavas* ; se référant à leur représentation sur la scène, Bharata y inclut des éléments comme « des mouvements habiles des yeux, des sourcils, comme des regards, comme des mouvements doux et délicats des membres et comme des paroles suaves et autres choses analogues ». Dans les arts plastiques, l'artiste ne dispose pas des mouvements réels, sur lesquels reposent la danse et le jeu des acteurs, ni des mots sur lesquels s'appuie la littérature ; il imagine donc une autre plage d'*anubhavas* : il modifie le relief des parties du corps, il dispose les membres selon un mode stylisé mais suggestif, il utilise des mouvements gravés avec précision, il élabore des formules pour les yeux et les sourcils, dans la représentation du visage, et ainsi de suite.

Pour les rhétoriciens, le *shringara* est un *rasa* de première importance, parce que c'est le seul auquel il est possible de rapporter tous les États d'Émotions Complémentaires, à l'exception de la peur, de l'indolence, de la cruauté et du dégoût, avec lequel on peut mettre en harmonie tous les États d'Émotions Durables, ou *sthayibhavas,* à l'exception du dégoût.

Pour illustrer la Saveur ou *rasa* du *shringara,* dans le contexte de la poésie, on cite souvent une strophe : « Ayant senti que la maison était vide, s'étant levée très doucement de sa couche et ayant longtemps regardé le visage de son mari qui feint de dormir, l'ayant discrètement embrassé, ...alors, voyant frémir ses joues, la femme baisse le visage, par modestie et se fait longuement embrasser par son amant. » Cette illustration, d'un intérêt certain, rassemble de nombreux éléments. Comme on l'a fait remarquer, les deux Déterminants sont ici le mari et la femme timide alors que la maison vide sert d'Excitant ; le baiser est le Conséquent ; la fausse honte et l'allégresse sont des accessoires ou des États d'Émotions Complémentaires ; et l'état d'amour résultant de tous ces éléments « prend la nature de ce que nous appelons le Sentiment Érotique ».

En peinture, quand nous voyons une jeune femme perdue dans ses pensées, se couchant par une nuit de clair de lune, sur une terrasse de marbre, entourée de servantes et de musiciennes, ainsi que d'objets manifestement capables de donner du plaisir, comme des parfums, des boissons, des feuilles de bétel et ainsi de suite, on voit immédiatement comment le peintre « construit » une atmosphère ou un état d'esprit et en communique l'essence avec une retenue et une brièveté remarquables. Dans la peinture ou dans la sculpture, quand des amants sont ensemble, on a, bien évidemment, moins besoin de parler du *shringara,* car il est quand même là, l'attention étant attiré explicitement sur les éléments triviaux qui entourent les amants.

D'après de nombreux textes sur l'érotisme, il y a deux sortes de *shringara* : l'amour dans l'union et l'amour dans la séparation, respectivement le *sambhoga* et le *vipralambha.* Des textes comme la *Rasamanjari* de Bhanudatta donnent des détails exquis, tout en explorant les subtiles nuances de ces deux sortes d'amour, établissant des classes et des sous-classes dans leurs analyses fortement structurées du plus passionné de tous les sentiments. Les sculpteurs et les peintres semblent aussi n'être que trop au courant de la littérature s'y rapportant et des complexités dans lesquelles ce thème peut entraîner. C'est donc un grand plaisir que de regarder aujourd'hui, dans les arts, le travail illustrant le *shringara,* quand il n'a pas été exécuté trop rapidement ; il nous aide ainsi à comprendre les aspects les plus subtils de l'amour humain. Pour en trouver les plus beaux spécimens, on peut par exemple se tourner vers la peinture rajpoute, dont Ananda Coomaraswamy a dit : « ce qu'a fait l'art chinois pour les paysages a été ici fait pour l'amour humain. Ici, comme jamais et nulle part ailleurs dans le monde, les Portes de l'Occident se sont largement ouvertes ».

Les théoriciens se sont longuement demandé quel genre d'amour forme le sujet réel du *sthayibhava* de la *rati,* et des distinctions précises ont été établies entre le pathétique sous-jacent à l'amour dans la séparation et celui que définit le Sentiment Pathétique appelé *Karuna.* Mais ces études ne doivent pas nous arrêter ici, car les œuvres présentées y répondront avec une grande clarté.

1
Yakshi sur un pilier de balustrade

Grès rouge.
IIe siècle après J.-C. ; Jaisinghpura, Mathura (U.P.).
89 x 18 x 18 cm.
Government Museum, Mathura ; no 00-J/12.

En dépit des longues années au cours desquelles on leur a porté tant d'attention, un certain mystère demeure attaché à ces sculptures de yakshis, empreintes de tant de grâce et de puissance sexuelles, qui ornent les piliers des balustrades des stupas bouddhistes et jaïns. On les considère à juste titre comme des symboles d'abondance associés aux pouvoirs de reproduction de la nature, à la fertilité, à la prospérité. Quand elles se tiennent droites, avec une grâce ineffable, sous des arbres qui « ploient leurs branches », on les appelle des *Shalabhanjikas* ou des *Vrikshakas*, et elles prennent en partie la nature de l'arbre lui-même. Leur symbolisme transparaissant par cette association, leur corps devient « l'expression d'une arborescence infléchie et bourgeonnante ». Dans ces statues, quelque chose continue de nous intriguer, mais cela ne nous empêche pas de saisir leur grande beauté corporelle. Celle-ci arrête le visiteur qui en goûte tout le charme et l'érotisme tentateur, insistant.
Si l'on arrive à comprendre au moins cet aspect là, il est cependant plus difficile de saisir les médaillons qui surgissent avec tant de régularité sur de nombreux piliers, immédiatement en dessus ou au-dessous des statues elles-mêmes. Sous les pieds des Yakshis debout, dans une remarquable diversité de postures et d'activités, parlant avec des oiseaux, s'admirant dans des miroirs, attachant des colliers ou des guirlandes de fleurs, soulevant délicatement le bas de leurs vêtements, passant doucement la main sous un sein, se coiffant, on voit souvent de petites silhouettes ressemblant à des gnomes, à des lutins accroupis sans grâce. Peut-être s'agit-il des précurseurs de l'animal ou de l'oiseau qui apparaîtra plus tard, de ces *vahanas* ou montures qui deviennent les attributs des dieux et des déesses du panthéon indien ; cette explication n'est pourtant pas vraiment convaincante. Ce qui, au même moment, se trouve au-dessus, généralement derrière les motifs de la balustrade, reste tout aussi inexplicable, car ces scènes, – où l'on trouve souvent des couples qui bavardent, désignent quelque chose en dessous, ou s'étreignent amoureusement, – sont difficiles à relier, autrement que d'une manière des plus générales, au personnage principal sculpté sur le pilier. Quand on contemple longuement ces piliers, cependant, il arrive un moment où l'on commence à percevoir ce personnage principal plus ou moins isolé du haut et du bas du pilier ; le regarder ainsi est fort réconfortant car il y a une remarquable beauté dans ces *yakshis* ou *Shalabhanjikas,* qu'elles proviennent de Bharhut, de Sanchi ou encore, comme ici, de Mathura.
La plupart du temps, ces *yakshis* sont nues, même si, parfois, quelque chose suggère qu'elles sont revêtus de tissus diaphanes. Les seins sont presque toujours découverts, de même la taille avec son ombilic profond. Si ces *yakshis* portent une ceinture ou une sorte de jupe, celle-ci est fendue, de manière suggestive, ou c'est la femme elle-même qui la soulève pour révéler sa féminité. Les *mekhalas,* ceintures à plusieurs rangs, se portent volontiers très basses, comme si elles allaient glisser toutes seules jusqu'aux pieds. Les visages des *yakshis* ont presque toujours une expression douce et aimable, comme si elles désiraient partager leurs tentations avec qui les regarde, quoique sans trop d'insistance. Une calme réserve amusée, un sourire qui va des yeux à la commissure des lèvres sont caractéristiques de cette expression. La coiffure, les joyaux choisis avec soin, avec une grande et subtile variété, tout contribue à rendre toujours plus attrayants ces corps féminins.
Malgré toutes les dégradations, on peut voir ces Yakshis dans la même posture que tant d'autres qui subsistent sur des piliers de balustrade ; le corps ployé en *tribhanga,* la triple flexion, la tête doucement penchée, les hanches légèrement en saillie, les jambes supportant assez inégalement le poids du corps. Les bras sont tous deux brisés mais il n'est pas invraisemblable que, du bras droit, elle ajuste une boucle d'oreille alors que, de l'autre, elle tienne l'extrémité du voile qui retombe en plis de sa taille.
Au-dessus, une scène peu courante : s'appuyant sur la balustrade d'un balcon, nous voyons la tête d'un homme qui semble endormi mais qui pourrait, tout autant, chercher à contenir ses pulsions, incapable de supporter la vue de l'éblouissante beauté qui occupe le devant du pilier.
Parlant des *Yakshis,* J.-Ph. Vogel a cité un jour un passage du *Mahabharata* dans lequel, intrigué, un homme interroge une jeune fille rencontrée dans la forêt, telle une vision adorable : « Qui es-tu, demande-t-il, – toi qui recourbe la branche de l'arbre Kadamba, qui luit, isolée, dans l'ermitage, qui pétille comme, la nuit, la flamme du feu attisé par la brise... Es-tu une déesse, une Yakshi, une Danavi ou une nymphe céleste, ou encore une belle et délicate jeune fille, la belle compagne d'un roi ou une errante nocturne de ces bois ? » Nous pourrions poser, aujourd'hui encore, ces questions à cette dame et à beaucoup d'autres de son espèce.

Bibliographie :
J.-Ph. Vogel, *Mathura School of Sculpture,* dans *Archaeological Survey of India,* rapport annuel, 1906-07, 1909-10 ; Vogel, *Catalogue of the Archaeological Museum at Mathura,* Allahabad, 1910 ; Stella Kramrisch, *The Art of India,* Londres, 1955, Pl. 39 ; *In the Image of Man,* Londres, 1982, no 66.

2
Dame au miroir

Grès.
XIe siècle après J.-C. ; Khajuraho, Madhya Pradesh.
82 x 39 cm.
Indian Museum, Calcutta ; n° 25229/1364.

Comme le dit le poète, le monde ne manque pas d'étrangetés ; parlant de sa bien-aimée, il remarquait que sa voix si douce semblait venir d'un luth, mais qu'on ne voyait aucune corde ; ses seins ressemblaient à deux flacons ronds, mais privés de col ; ses yeux étaient deux fleurs de lotus, mais qui ne poussaient pas dans l'eau ; ses cuisses étaient des troncs de bananiers, mais sans feuilles ; et elle avait pour mains des plantes grimpantes dépourvues de branches.
Dans la poésie sanskrite, on trouve quantité d'images comme celles-là, qui ont dû inspirer les sculpteurs qui ont taillé ces œuvres extraordinaires ornant les temples de l'Inde médiévale. C'est de Khajuraho, connu pour ses immenses temples foisonnants d'une incroyable profusion de sculptures érotiques, que provient cette dame jeune et poétique qui se contemple dans un miroir. La franche sensualité d'une figure comme celle-ci, qui reste seule, sans l'intime présence d'un homme, est célébration de la vie dans toute son opulence. Les postures sont étudiées, elles ne sont pas l'effet du hasard ; on voit dans le regard une aimable invite, mais ce regard sur elle-même n'est peut-être que de la distraction. D'une certaine manière, ces jeunes filles appartiennent à un autre monde, un monde supra-terrestre. Le corps plein, luxuriant, les joyaux délicats qui contrastent avec la souplesse de la chair, la posture gracieuse, l'insouciance des personnages secondaires laissés dans l'ombre, tout cela entre dans la manière des sculpteurs Chandella qui atteint une telle perfection au Xe et XIe siècles. Ce n'est pas accidentellement que l'arbre forme un dôme de verdure au-dessus de la tête de la jeune femme, car cela suggère qu'elle participe à la nature de l'arbre, regorgeant de sève et de fertilité. Que l'amour se trouve à l'arrière-plan de ce genre d'images, on n'en peut guère douter, il se manifeste même par des détails expressifs quoique discrets, comme les marques d'ongle que l'on aperçoit près des seins, marques laissées par un amant dans un accès de passion. Ce personnage formait une console qui ornait autrefois le mur intérieur ou extérieur d'un temple, semblable aux centaines qui demeurent aujourd'hui intactes.

Bibliographie :
Mario Bussagli et C. Sivaramamurti, *5000 years of the Art of India,* New York, 1978, n° 247.

3
Yakshi mettant son collier

Grès rouge.
IIe siècle après J.-C. ; Bhutesar, Mathura (U.P.).
124 × 31 × 28 cm.
Indian Museum, Calcutta.

Comme tant d'autres femmes irrésistibles de son espèce, cette *Yakshi* se tient dans une attitude langoureuse, perdue en elle-même, mais nullement inconsciente des yeux qui se posent sur elle. La poitrine généreuse, la taille fine, les hanches larges, elle correspond à la description tant aimée et normalisée, de la beauté féminine dans l'art et la pensée de l'Inde. Il est facile de voir combien elle a de charme, car elle a laissé dénudée la plus grande partie de son corps. Elle n'est vêtue que d'une large ceinture orfévrie, d'un modèle exquis, dans laquelle, à la taille, elle a passé un long voile qui s'évase, tombe en élégantes volutes contre les cuisses et repasse ensuite dans la ceinture, sur les côtés, pour finalement retomber en souplesse jusqu'au sol. Pour s'assurer qu'on la voit bien dans toute sa féminité, elle tient elle-même un bout de ce voile de la main gauche. Des bracelets portés au-dessus du coude, une série de bracelets et d'anneaux, de lourds anneaux de cheville et des boucles d'oreilles complètent sa parure, outre un lourd collier de perles qu'elle ajuste d'une main sur le cou et l'épaule. Sa coiffure est sophistiquée, la raie est surmontée d'une sorte de chignon bien ferme et sans hauteur excessive.

La *Yakshi* se tient appuyée sur le pied droit, lequel foule un nain contrefait accroupi à la base du pilier. Au-dessus d'elle, derrière une balustrade, une dame aux seins nus et à la coiffure très élaborée, attire davantage l'attention que son compagnon, dont elle enserre les épaules d'un bras énamouré.

Derrière cette pièce, sur ce qui doit avoir été le côté intérieur de la balustrade, se trouvent quatre panneaux sculptés illustrant un Jataka bouddhiste, une des histoires évoquant les naissances antérieures du Bouddha. Ils représentent les sorcières qui, d'après la légende, ont trompé des naufragés, comme le firent les sirènes sur leur île séduisant des hommes sans nombre. Dans la légende, c'est le Bodhisattva qui libère finalement ces hommes.

Le contraste entre le sujet sur le devant du montant du pilier et celui de l'arrière s'étend jusqu'au style des sculptures : à l'arrière, le relief narratif est d'une exécution beaucoup plus simple, que la manière élégante et assurée avec laquelle a été rendu la *Yakshi* debout.

Ce pilier est l'un des cinq piliers provenant de la balustrade d'un *stupa*, qui ont été transportés de Mathura à l'Indian Museum de Calcutta, à la fin du siècle dernier.

Bibliographie :
J.-Ph. Vogel, *La sculpture de Mathura,* Paris, 1930 ; Pramod Chandra, *The Sculpture of India,* Washington, 1985, nº 10.

4
Jeune fille enjouée

Marbre.
XIe siècle après J.-C. ; Rajasthan.
Haut. 101 cm.
National Museum, New Delhi, nº 71-L/5.

Se tenant contre un arbre, se fondant presque en lui, cette jeune fille appartient à la classe des jeunes beautés dont on parle dans la littérature sanskrite comme de leurres symboliques qui ne sont pas « obligatoirement les esprits des arbres, mais qui participent à la sève qui coule en eux ». D'abord innocente et consciente, distante et pourtant présente, la vierge que nous voyons ici se tient, un peu intimidée, dans une posture qui révèle singulièrement ses charmes. La position du corps, un bras levé au-dessus de la tête, l'autre replié sur le côté pour tenir solidement le tronc de l'arbre, le poids du corps reposant sur une jambe alors que l'autre est légèrement pliée et ramenée sur la première, la torsion du buste qui révèle pleinement sa poitrine ronde et le soupçon d'inclinaison de la tête alors qu'un sourire s'ébauche sur ses lèvres, tout fait d'elle la peinture d'un érotisme discret. Les bijoux, élaborés et élégants, autour du cou, des bras, de la taille et des chevilles, le long collier qui descend entre ses seins et auquel est fixé un long pendentif, tous ces bijoux sont gravés avec la minutie propre au travail des ivoiriers, ce qui ajoute beaucoup à la beauté du personnage.

L'allure est manifestement joyeuse et les deux ballons qu'elle fait glisser le long de son dos sur ses cuisses, même alors qu'elle semble immobile, impriment un rythme certain à cette statue. C'est aussi ce que font les deux petits musiciens de chaque côté. Avec ce jeu tout simple, cette jeune fille nous évoque peut-être un poème : un spécialiste ne peut pas ne pas songer aux vers de Kalidasa, où une balle se fait la messagère du désir de l'amant :

> Ma maîtresse la caresse de sa main,
> douce comme une fleur de lotus,
> Elle tombe, pour remonter, encore et encore,
> Je connais ton cœur, petite balle,
> Car, chaque fois, tu aurais voulu baiser sa bouche...

L'œuvre appartient à la période Solanki, caractérisée par un travail d'une extrême finesse, parfois non sans quelque affectation. L'artiste fait preuve d'une maîtrise absolue de la matière qu'il travaille comme de la dentelle.

Bibliographie :
C. Sivaramamurti, *Sanskrit Literature and Art : Mirrors of Indian Culture,* New Delhi, 1970 ; *In the Image of Man,* Londres, 1982, p. 37, fig. 69 et, en couleurs, pl. 57.

5
Femme au scorpion

Grès rouge.
Ve siècle après J.C. ; Uttar Pradesh.
Haut. 75 cm.
Indian Museum, Calcutta ; nº 25021.

Une strophe en sanskrit, probablement de Bhavabhuti dit que :

« Les plis de son buste sont l'écoulement de séduction des trois interstices des doigts du créateur,
Quand il l'a balancé dans son poing,
Ajoutant le poids des reins en dessous et des seins au-dessus. »

Une autre strophe s'adresse ainsi à la bien-aimée :

« Jette un rapide coup d'œil, ô ma dame aux douces cuisses,
Et Cupidon pourra abandonner ses flèches... »

C'est des images comme celle-ci, à la fois graphiques et sensuelles, que le sculpteur utilise si souvent dans les hautes époques de l'art indien. Le caractère soudain d'un mouvement qui permet un coup d'œil imprévu, le jeu

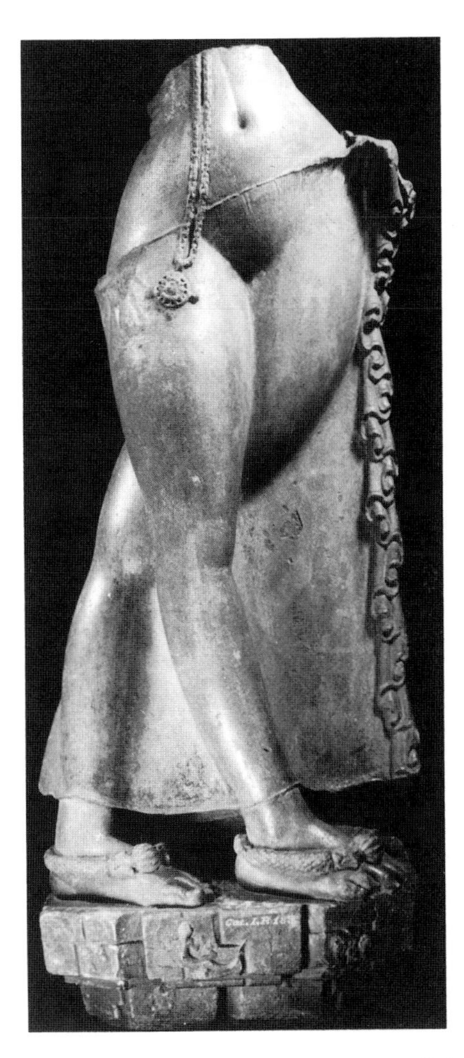

innocent au cours duquel se dévoile un état d'esprit, voilà ce que le poète et le sculpteur saisissent, comme ici où l'on voit un scorpion qui, à peine visible sur l'étroite bande de « rocher », à la base, fait sursauter une jeune fille aux formes séduisantes, dotée des « douces cuisses » dont parle le poète. La partie supérieure du personnage est maintenant brisée, aussi n'est-il pas facile de savoir avec certitude à quoi elle ressemblait, mais on peut deviner que, au-dessus de la taille étroite aux plis élégants, les seins doivent avoir, comme le dit le poète, « équilibré » de leur poids la masse des reins.
Cette forme possède un rythme étonnant, la transparence de la draperie a été exploité ici avec sensibilité pour attirer l'œil sur cette « racine du bonheur », comme le dit discrètement le poète. Un mouvement rapide, saccadé est indiqué par le long collier pendant qui tombe sur le buste nu et qui se balance de côté tandis que les plis stylisés du bord du vêtement du bas, si somptueux et si délicat, compensent la nudité unie de la partie inférieure du corps, formant une surface collante, révélatrice.

Bibliographie :
Ancient Sculptures of India, Tokyo, 1984, n° 54 ; Pramod Chandra, *The Sculpture of India,* n° 26.

6
Deux personnages sur un balcon ;
fragment d'un pilier de balustrade

Grès.
IIe siècle après J.-C. ; Mathura, Uttar Pradesh.
Government Museum, Mathura ; n° 10-99.

Par suite des dommages subis par le pilier d'où provient ce fragment, nous pouvons voir cette « vignette » seule, bien en vue. On comprend aisément que ces personnages, derrière des balustres de balcons, attirent moins l'attention, généralement, que les personnages principaux du pilier lui-même qui, pour la plupart, sont des *Yakshis* séduisantes, voluptueuses. Nous voyons donc ce fragment dans un emplacement inhabituel, et ce n'est pas obligatoirement un inconvénient.
Les deux personnages, vus de face, sont coupés par la balustrade, devant eux, mais il s'agit visiblement de femmes coiffées avec élégance, celle de droite, telle une *Mugdha nayika*, plus jeune que l'autre. Un perroquet se tient sur la balustrade et la dame de gauche lui donne à manger quelque chose qu'elle tient à la main. On sent que se déroule quelque petit jeu élégant, très probablement de nature érotique. On sait que le perroquet est un animal familier dans de nombreuses maisons, c'est donc à lui que, parfois, l'héroïne confie ses passions secrètes ; mais nous savons aussi que c'est la monture du dieu de l'amour, Kama. Peut-être attachons-nous trop d'importance à ce petit détail, mais il y a là, presque certainement, plus qu'une scène de genre.
Les visages sont ronds, charnus et pleins suivant le style alors en vigueur à Mathura. Les chignons plats sont une caractéristique que nous connaissons bien. Les lourds bijoux, surtout les boucles d'oreilles et les colliers, typiques de cette époque, donnent à ces deux femmes une allure somptueuse, élégante. Les ébauches de sourire, l'air de satisfaction teinté d'érotisme impriment aux personnages un charme doux, bien particulier. La scène est encastrée entre deux piliers ; des motifs architecturaux apparaissent sur la bordure supérieure.

7
Déesse provenant d'un encadrement de porte

Grès.
IVe-Ve siècle après J.-C. ; Katra Keshavadeva, Mathura (U.P.).
139 x 55 x 30 cm.
Government Museum, Mathura ; n° 54,3810.

Il est difficile d'identifier cette femme d'un charme étonnant. Alors qu'elle se tenait peut-être à une branche d'arbre au-dessus de sa tête, telle une *shalabhanjika,* quelque chose dans sa posture évoque l'écoulement d'une rivière et on peut se demander si elle n'est pas, une déesse fluviale qui aurait appartenu au décor d'un encadrement de porte de temple. Le corps a une posture indolente, gracieuse, les cuisses un peu en saillie et les jambes croisées sur les pieds qui supportent inégalement le poids du corps. Le bras droit est cassé et le bras gauche semble levé audessus de la tête, pour lui donner ainsi l'occasion de se montrer tout à son avantage, dans sa beauté. La partie supérieure du corps est nue, seulement recouverte de quelques lourds joyaux lui entourant le cou et se balançant entre ses seins ronds et rapprochés ; le bas du corps est enveloppé d'une fine toile de coton maintenue à la taille par une ceinture orfévrie à plusieurs rangées qui tombe mollement et revient sur les hanches, par derrière. L'autre extrémité de la *dhoti*, s'évase en plis ondoyant entre les jambes, de même que les extrémités du long voile transparent qui encadre son corps et l'enserre par endroits, donnant un sens du mouvement qui suggère le mouvement majestueux et lent de profondes eaux courantes.
Joanna Williams, qui a publié cette pièce, la situe entre 430 et 460 après J.-C., mais pense qu'il faut faire cette datation « par défaut », car cette forme, trop achevée pour être plus ancienne, n'accuse cependant aucune caractéristique ultérieure distinctive. On peut pourtant attribuer à cette sculpture une date légèrement antérieure, sa sophistication remarquable n'infirmant pas obligatoirement cette hypothèse.

Bibliographie :
Joanna Williams, *The Art of Gupta India,* Princeton, 1982, fig. 78, p. 73.

8
Yakshi

Grès.
XIe siècle après J.-C. ; Gyaraspur, Madhya Pradesh.
46 x 18 x 18 cm.
State Archaelogical Museum, Gwalior, n° 1095.

S'il y a quelque chose de vrai dans la légende indienne si poétique de l'Ashoka Dohada, « l'arbre Ashoka qui aspire à être touché » par le pied d'une jolie femme, afin de se mettre à fleurir, c'est bien après une jeune fille comme celle-ci que doit soupirer cet arbre. Cette figure d'une grâce et d'une élégance sans pareilles, qui entre dans la grande catégorie des Yakshis ou Vrikshakas, respirant l'érotisme et la fertilité, incarne la joie qu'éprouvait le sculpteur de l'Inde médiévale à sculpter les formes féminines. Le personnage a le haut du corps nu, laissant voir des seins ronds parfaitement formés, très proches l'un de l'autre pour se conformer aux idéaux indiens ; la taille légèrement amincie avec son modelé sensible et son ombilic profond, est à peine ceinte d'un court tissu qui ne couvre que les reins, et encore est-il en train de glisser ; la tête est inclinée de côté, cependant que le corps accuse une gracieuse flexion (*tribhanga*) ; elle est coiffée d'une manière exquise, compliquée. Les zones de chair dénudée sont compensées par des rangées élaborées et finement travaillées, de perles, de pierres précieuses qui lui couvrent le cou et une série de torques et de colliers, descendant le long des seins, l'un d'eux descendant bien en dessous du nombril. C'est pourtant, l'expression du visage, avec ses sourcils relevés, ses yeux allongés et le sourire qui lui éclaire la bouche, qui donne à tout son être cet air calme, gentil, doucement provocateur. Les bras et les jambes sont cassés mais, manifestement elle devait toucher de la main gauche la branche d'un arbre, dont on perçoit encore une partie. Cette figure provient à l'évidence de quelque monument religieux et si, dans son ensemble, ses charmes ne semblent pas démentir cette appartenance, tel n'est pas l'avis de Ananda Coomaraswamy : pour lui, la réunion d'idées religieuses et « d'emblèmes de l'abondance » est la preuve d' « une pureté spirituelle essentielle qui a toujours protégé l'Orient des désastres psychologiques qui ont submergé l'Occident ».

Bibliographie :
S.R. Thakore, *Catalogue of Sculptures in the Archaelogical Museum,* Gwalior, Bhopal ; Stella Kramrish, *The Art of India,* Londres, 1955, pl. 119 ; *Ancient Sculptures of India,* Tokyo, 1984, n° 69.

9
Couple de dieux enlacés

Grès.
XIe siècle après J.-C. ; Khajuraho, Madhya Pradesh.
65 x 55 cm.
Archeological Museum, Khajuraho ; n° 14.

Cette œuvre intime, brisée mais merveilleuse, est parfois identifiée comme « Lakshmi et Narayana enlacés ». Les deux personnages sont très proches l'un de l'autre ; le dieu passe le bras gauche derrière son épouse, pour toucher et soutenir légèrement son sein. Il ne la regarde pas directement ; leurs regards ne se perdent pas l'un dans l'autre. Leur posture suffit à tout exprimer. De son côté, elle lève le visage vers lui, tout son corps tendu et courbé, et le contemple avec extase. Il ne s'agit pas ici de l'érotisme que l'on voit couvrir les murs, et l'intérieur des temples de Khajuraho ; il y a beaucoup plus de retenue. En même temps, le sculpteur n'a négligé aucune nuance, aucun soupçon d'intimité.
Les formes sont emplies de la grâce et de la souplesse caractéristiques des maîtres Chandella de cette époque. Les plans lisses et s'enchevêtrant magnifiquement sont adroitement traités, les surfaces charnues sont soulignées par une profusion de fins joyaux qui ornent les corps des divins amants ; l'attention portée à de petits détails comme le repli de chair sous les seins de la femme, la profondeur du nombril, la légère contraction provenant de la ceinture qui serre le ventre de l'homme, sont la preuve d'une grande délicatesse. En dernière analyse, cependant, tout est subordonné à l'expression des visages ; ils respirent la paix et le calme, « un état délicat d'extase intellectuelle et sensuelle ». L'artiste maîtrise parfaitement les sentiments qu'il veut éveiller. Parfois, il semblerait sur le point d'être emporté, comme cela arrive si souvent ailleurs à Khajuraho, mais il nous surprend finalement par son sens aigu de l'équilibre et de la mesure.

Bibliographie :
Mario Bussagli et C. Sivaramamurti, New York, n° 251 ; Marguerite Marie Deneck, *Indian Art*, Londres, 1967, pl. 25.

10
Une tentatrice : Apsara provenant d'une console

Grès.
XIe siècle après J.-C. ; Khajuraho, Madhya Pradesh.
85 x 25 cm.
Archeological Museum, Khajuraho ; n° 2307.

Il est curieux de voir combien tant de ces jeunes beautés de l'Inde médiévale, de ces « femmes des dieux », parviennent à nous transmettre si pleinement leur féminité, malgré tous les dommages subis au cours des siècles. Si ferme est la maîtrise du sculpteur – depuis le temps qu'il sculpte ce genre de personnage – et si puissante l'image évoquée par chacun de ses éléments que même le plus petit fragment semble doué d'une vie propre. Cette séduisante jeune dame, semblable aux *Shalahanjikas* d'autrefois, se tient toujours sous le feuillage d'un arbre ; elle a perdu les deux bras et son visage a subi des atteintes mineures mais nombreuses, pourtant celui qui la regarde doit se rappeler qu'il n'a devant les yeux qu'un seul fragment, tellement elle semble « complète », à tous égards. Dans cette position, « élancée et globuleuse » tout à la fois, elle invite et encourage le passant à se rapprocher d'elle, et elle garde un équilibre, un calme tout extérieurs à elle-même. Les seins pleins, la taille souple, les hanches lourdes, les cuisses élastiques contribuent à l'image d'ensemble.
La draperie, avec ses motifs compliqués et ses bandes florales, les riches joyaux qui enlacent ses formes et ornent dans une luxuriante splendeur son corps, la flexion des formes, les yeux allongés qui vont presque jusqu'aux oreilles, tout correspond parfaitement aux idéaux de cette période. Des touches d'une grande délicatesse distinguent cependant une sculpture d'une autre. Ici, par exemple, on remarque comment les extrémités du fin tissu qui lui voile le bas du corps sont rassemblées par devant, réunies pour former un pan étroit qui ressemble à une tresse fixée à un crochet de sa ceinture orfèvrie ; ce voile, ensuite, se recourbe en volutes pour donner une extraordinaire forme végétale spiralée qui gît à ses pieds, comme empreinte d'une vie propre. On remarque aussi l'unique rang de perles qui pend de son collier et qui tombe entre ses deux seins généreux : il semble lié si intimement à la chair de la taille qu'il refuse de s'en séparer, même quand elle transfère le poids de son corps d'une jambe sur l'autre et, alors qu'il devrait se détacher et se balancer, il trouve le moyen de rester collé à son côté.

11
Amants divins sous un arbre

Grès.
V^{e}-VIe siècle après J.-C. ; Nachna Kuthara, Madhya Pradesh.
60 x 120 cm.
Tulsi Sangrahalaya, Ramban ; n° 79.

C'est d'un des plus importants centres artistiques des périodes gupta et post-gupta, de Nachna, en Inde Centrale, que provient cette petite pièce sans prétention. Un jeune couple est assis, dans une posture intime, sur une surface inégale, cubique qui indique un lieu montagneux. Les attitudes sont parfaitement détendues, l'homme est représenté de face, une jambe repliée, vers l'avant, l'autre jambe pendante, reposant sur le rocher. La tête, légèrement inclinée vers la gauche n'est pas vraiment tournée. De la main gauche, tendue, il touche avec une grande douceur le menton de sa compagne assise tout près, les jambes une fois de plus mi-étendues et abandonnées, la tête légèrement relevée et inclinée. ils ne se regardent pas, l'attitude est tendre ; et, de cette œuvre, se dégage une atmosphère de calme intimité. L'arbre de gauche, avec ses grappes de mangues, donne encore une indication érotique et renforce cette atmosphère. A gauche de l'arbre, se trouve une autre silhouette, une femme qui ressemble fort à celle de droite, mais il est possible que la scène avec le couple n'ait aucun rapport avec cette silhouette qui peut appartenir à une autre partie de l'histoire, si c'est bien une histoire qui nous est racontée ici.
Rien n'indique clairement qui sont ces amants divins. Riche comme est Nachna en scènes du *Ramayana,* on aimerait que ces silhouettes soient celles de Rama et de Sita mais cette affection manifeste, cette intimité physique tend à infirmer cette hypothèse, car le héros du *Ramayana* est resté dans des limites étroitement définies lors de son exil. Les amants peuvent être Shiva et Parvati, assis sur le sommet de leur montagne favorite ; mais on ne peut avoir aucune certitude. Les boucles de cheveux, le bracelet en forme de serpent que porte le dieu peuvent être des indices mais, une fois de plus, toute identification reste aléatoire. Tout ce qui est certain, c'est l'atmosphère de cette petite œuvre injustement négligée. Quand on saisit les discrètes expressions du visage, les gestes doux, presque imperceptibles comme celui de la femme posant délicatement la main droite sur la cuisse de son compagnon, et les sourires pleins de paix qui éclairent les visages, on voit que cette œuvre possède sa propre éloquence, même s'il lui manque la régularité et la complexité de tant d'autres œuvres gupta.

Bibliographie :
Krishna Deva, « Gupta Ramayana Panels from Nachna », *Chhavi* II, Bénarès, 1981 ; Joanna Williams, *The Art of Gupta India : Empire and Province,* Princeton, 1983.

12
Madanika, la jolie dame

Pierre.
XIe siècle après J.-C. ; Telsang, Karnataka.
144 x 41 x 20 cm.
Government Museum, Bangalore ; n° 185.

Cette jeune dame svelte, superbement bâtie, se tient à l'intérieur d'un cadre étroit et haut qui lui sert également d'auréole : elle a le corps merveilleusement fléchi, mais ce n'est pas la flexion habituelle (*bhanga*) qui décale le poids inégalement sur les jambes. Ici, les deux jambes semblent fermes et tendues, mais forment un angle et la poussée sur un côté est compensée, de l'autre, par la courbure de la taille. Dans cette pose élégante, la Madanika a la main gauche à hauteur de la poitrine, à quelque distance du corps, comme si elle tenait un miroir ou une fleur ; l'autre main est complètement brisée. On ne peut guère avoir de doute quant aux pensées qui agitent l'esprit de cette femme couverte de bijoux et pleine de jeunesse ; c'est l'amour qui illumine tout son être. Elle ne tente pas, elle n'attire pas de la même manière que tant d'autres figures, de consoles du même genre ; elle est curieusement plongée en elle-même, certes elle ne méconnaît pas ses charmes. Et pourtant, à sa manière, elle maintient une certaine distance.
Le sculpteur a prodigué une grande attention à ses merveilleux joyaux : des boucles d'oreilles, des rangs de perles dans la coiffure, des colliers et des tours de cou, des bracelets, des ceintures, des anneaux au-dessus du coude, des anneaux élaborés aux chevilles qui montent, en trois étages. On a sans doute raison de porter tant d'attention à ces bijoux qui ondulent, s'enroulent et oscillent sur son corps, car c'est pratiquement tout ce qu'elle porte. Elle a la taille drapée d'un voile diaphane, si fin et collant tellement à ses formes souples qu'il faut bien regarder pour le voir. Le caractère raide des éléments décoratifs de l'encadrement s'assouplit un peu dans les volutes florales, où s'insèrent des médaillons avec des personnages sculptés, sur toute la hauteur du cadre étroit. Les scènes de batailles, provenant probablement du *Ramayana*, représentées dans ces médaillons circulaires semblent ne pas avoir grand-chose à voir avec cette jeune femme et beaucoup y voient une référence très générale, au temple d'où provient cette console et qui peut avoir été dédié à Rama.

Bibliographie :
Pramod Chandra, *The Sculpture of India,* Washington, 1985, fig. 86.

13
Souverain dans son harem

Ivoire.
XVIIIe siècle après J.-C. ; Inde du Sud.
15 x 10 cm.
Collection de M. D. Natesan, Bangalore.

Quand on arrive au *shringara,* au sens de l'ornementation du corps, de la toilette, chaque chose semble avoir été conçue avec précision, pour rehausser une apparence. Ce peigne en ivoire gravé montre, en son centre, une petite scène d'intimité représentant un souverain, peut-être un roi Nayak, dans son harem. Il est étendu sur un grand lit à baldaquin luxueux, faisant porter le poids du corps sur le coude droit alors qu'il étend les jambes, l'une posée sur les genoux d'une reine, ou d'une maîtresse, qui est assise, une jambe pendante, à ses pieds. Elle ne le regarde pas ; amoureusement, le souverain étend une main pour jouer avec sa longue tresse ondoyante, alors qu'elle détourne la tête, embarrassée, et regarde fixe-

ment son pied qu'elle soulève un peu et appuie contre ses seins. De l'autre côté du lit, la présence de servantes, prêtes à satisfaire les moindres désirs du maître, indique l'état royal du couple. On voit un petit chat jouer sous le lit, et tourner la tête vers l'arrière tandis que, de la queue, il caresse le pied de la femme.
L'air est empli des senteurs de la passion, pendant que ce petit jeu amoureux se poursuit. L'atmosphère de luxe, d'intimité tranquille est presque parfaite. L'ivoirier n'a pas eu la possibilité, comme il l'aurait voulu, en raison de l'échelle trop petite, de s'attarder sur la beauté des femmes de cette œuvre, mais il leur a vraiment porté une grande attention, articulant avec le plus grand soin leurs formes féminines, rendant avec beaucoup de précision leurs coiffures compliquées et leurs joyaux. Il en est de même pour le roi, qui est la peinture même d'une humanité attentive et aimante.
Le peigne a conservé des traces de couleurs. Le relief est bordé de motifs géométriques qui encadrent la scène amoureuse avant que, de deux côtés, l'objet ne se termine par les fines dents du peigne.

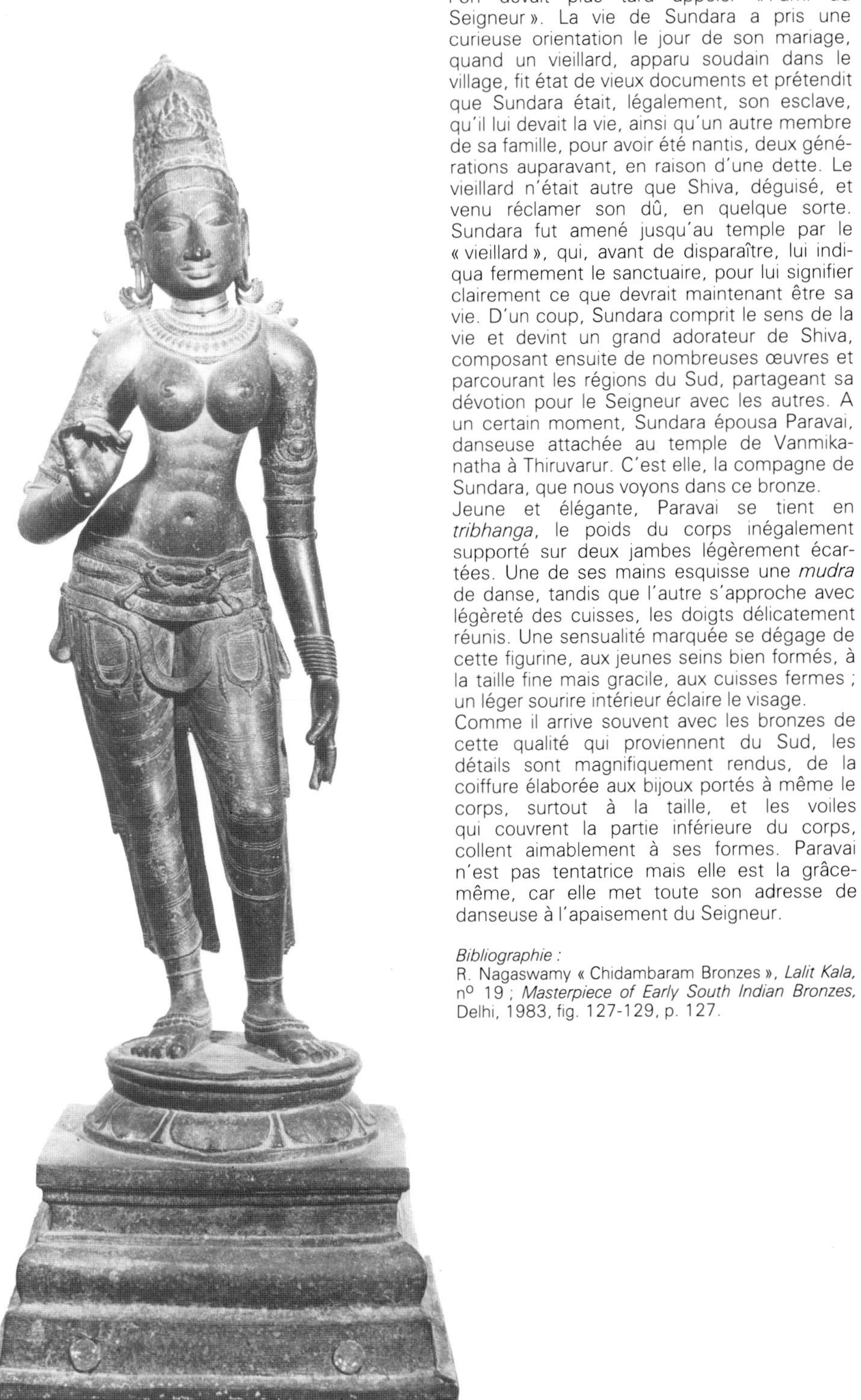

14
L'épouse de Sundara, Paravai

Bronze.
Xe siècle après J.-C. ; Pays Chola.
Haut. 68 cm.
Temple de Nataraja, Chidambaram.

Le nom de Paravai est uni à celui de Sundara Murti Nayanar, grand adorateur de Shiva, que l'on devait plus tard appeler « l'ami du Seigneur ». La vie de Sundara a pris une curieuse orientation le jour de son mariage, quand un vieillard, apparu soudain dans le village, fit état de vieux documents et prétendit que Sundara était, légalement, son esclave, qu'il lui devait la vie, ainsi qu'un autre membre de sa famille, pour avoir été nantis, deux générations auparavant, en raison d'une dette. Le vieillard n'était autre que Shiva, déguisé, et venu réclamer son dû, en quelque sorte. Sundara fut amené jusqu'au temple par le « vieillard », qui, avant de disparaître, lui indiqua fermement le sanctuaire, pour lui signifier clairement ce que devrait maintenant être sa vie. D'un coup, Sundara comprit le sens de la vie et devint un grand adorateur de Shiva, composant ensuite de nombreuses œuvres et parcourant les régions du Sud, partageant sa dévotion pour le Seigneur avec les autres. A un certain moment, Sundara épousa Paravai, danseuse attachée au temple de Vanmikanatha à Thiruvarur. C'est elle, la compagne de Sundara, que nous voyons dans ce bronze.
Jeune et élégante, Paravai se tient en *tribhanga*, le poids du corps inégalement supporté sur deux jambes légèrement écartées. Une de ses mains esquisse une *mudra* de danse, tandis que l'autre s'approche avec légèreté des cuisses, les doigts délicatement réunis. Une sensualité marquée se dégage de cette figurine, aux jeunes seins bien formés, à la taille fine mais gracile, aux cuisses fermes ; un léger sourire intérieur éclaire le visage.
Comme il arrive souvent avec les bronzes de cette qualité qui proviennent du Sud, les détails sont magnifiquement rendus, de la coiffure élaborée aux bijoux portés à même le corps, surtout à la taille, et les voiles qui couvrent la partie inférieure du corps, collent aimablement à ses formes. Paravai n'est pas tentatrice mais elle est la grâce-même, car elle met toute son adresse de danseuse à l'apaisement du Seigneur.

Bibliographie :
R. Nagaswamy « Chidambaram Bronzes », *Lalit Kala*, n° 19 ; *Masterpiece of Early South Indian Bronzes*, Delhi, 1983, fig. 127-129, p. 127.

15

Femme tenant un objet en forme de tambour

Terre cuite, avec défaut.
IIe-Ier siècle avant J.-C. ; Bulandibagh ; Patna (Bihar).
Haut. 27 cm.
Patna Museum, Patna ; nº 8510.

Provenant d'un des plus importants sites du voisinage de la ville de Patna, qui indiquait probablement les limites de l'ancienne capitale maurya de Pataliputra, cette statuette, ainsi que quelques autres du même ordre, fait partie des œuvres en terre cuite, les plus élégantes faites en Inde. Ces personnages sveltes sont animés d'un certain mouvement intérieur, ni rapide ni violent, mais cependant rythmé. Les identifier comme actrices ou danseuses d'un genre ou d'un autre n'est pas impossible. Cette jeune femme, à la poitrine généreuse mais dont le corps est mince, particulièrement à la taille et aux hanches, a une posture et une apparence plaisantes. La tête qui semble avoir été moulée alors que le reste du corps paraît modelé à la main, attire sur elle-même une attention immédiate, par l'expression de son visage, lointaine mais extrêmement plaisante. Le haut du corps est nu, mais les joyaux qu'elle porte semblent tous avoir pour raison de compenser ici cette absence de vêtements. Un lourd torque autour du cou, des bracelets qui paraissent massifs, la *mekhala,* ou ceinture, à trois rangs tressés, portée plutôt basse, parent le corps sans rien retirer à la fermeté et à la souplesse qui s'en dégagent. En bas, le vêtement est constitué par une jupe maintenue par la ceinture, qui s'évase rythmiquement sur le côté ; un net tourbillonnement provoqué par le mouvement est sans doute suggéré. Une sorte d'écharpe pend le long de la cuisse, mais la plus grande partie en est cassée. L'attention est d'abord attirée par les bras anormalement disposés. Le bras droit est relevé sur le côté, le coude replié ; de cette manière, la main, repoussée en arrière, vient au niveau de l'épaule, tenant un objet curieux en forme de tambour. On a pensé que cet objet pouvait être un « extenseur de lobe d'oreille », mais cette explication est peu vraisemblable. Le bras gauche est moins élevé mais ici aussi, le coude est plié devant la poitrine, la main tenant un objet moins visible, et difficile à identifier. Cette statuette dégage beaucoup de charme ; il n'y a aucune intention érotique mais les divers éléments sont si équilibrés qu'ils confèrent à la statue un attrait remarquable.
On a dit que ces statuettes devaient beaucoup à des influences extérieures et, à leur sujet, on a indiqué comme source d'inspiration éventuelle l'importation d'artistes classiques venant de l'Occident ; il est cependant plus vraisemblable que c'est à une poussée de naturalisme que sont dues ces statues qui restent, manifestement, d'inspiration indienne.

16

Porteuse de chasse-mouche

Grès poli.
IIIe siècle avant J.-C. ; Didarganj, Patna (Bihar).
Haut. 160 cm (212 cm avec le socle).
Patna Museum, Patna ; nº Arch. 134.

Au sujet de cette remarquable sculpture, une des plus célèbres de l'Inde ancienne, les spécialistes montrent certains désaccords tant sur l'identification que sur la date. Par son aspect, elle semble faire partie des esprits de la fertilité, que l'on appelle généralement les *Yakshis* ; mais, en même temps, cette statue tient à la main droite un chasse-mouche long et ondulé, fait d'une queue de yack, un *chauri* (un « chamara », en sanskrit), qui évoque une servante. Dernièrement, une publication la nommait « déesse au chasse-mouche ». On considère qu'elle date de l'époque maurya, à en juger par le naturalisme marqué de sa patine et le poli presque glacé, que l'on trouve sur un petit nombre de sculptures autres que les grands animaux des chapiteaux maurya. D'autres spécialistes trouvent toutefois qu'il est difficile de la faire remonter au IIIe siècle avant J.-C.
Là où se fait l'unanimité, c'est sur la qualité de l'œuvre, car celle-ci est empreinte d'une remarquable présence. Yakshi ou servante, cette jeune femme semble confronter sans vergogne le passant qui est mis face à face avec l'idée même de la féminité. Ses formes sont rendues de telle manière qu'on peut y voir l'incarnation des canons de la beauté féminine chantés par les poètes indiens ; les seins sont généreux ; la taille fine ; les hanches larges ; le nombril profond ; autour du cou et sur le ventre, la peau est marquée de plis ; les cuisses sont charnues et jeunes. A tout cela se mêle un certain calme, un certain rayonnement se dégage du visage, fait d'innocence et de conscience de soi. Avec une grande sûreté, l'auteur de cette sculpture (qui a dû avoir un pendant, aujourd'hui disparu, une autre porteuse de chasse-mouche) a utilisé d'autres éléments comme des joyaux, des joyaux qui ne sont pas seulement ornements mais mettent en relief les séductions de la forme comme, par exemple, le collier qui tombe entre les seins ou la ceinture travaillée qui retient, mais à peine, le bas du vêtement. Là aussi, le sculpteur sait donner un caractère bien terrestre, à l'aide des gros plis qu'il ménage dans les fronces du vêtement qui tombent entre les jambes, par devant, en élégant motif. Enfin, de très lourds anneaux de cheville l'enracinent à ce sol sur lequel elle se tient avec fermeté.
Cette sculpture a été découverte accidentellement, elle a été soudainement mise au jour en 1917, par suite de l'érosion, par le Gange, d'un rivage à Patna, qui se trouve à l'endroit même où les Maurya avaient bâti leur capitale. Quand la population locale découvrit cette sculpture, elle se l'appropria et il fallut

attendre quelque temps avant qu'elle acceptât de la confier au musée de Patna.

Bibliographie :
D.B. Spooner ; « The Didarganj image now in Patna Museum », *Journal of the Bihar and Orissa Research Society,* Vol. V, n° 1, 1919 ; P.L. Gupta, *Patna Museum Catalogue of Antiquities,* Patna 1965 ; Pramod Chandra, *The Sculpture of India,* Washington 1985, n° 4.

17

Demoiselle à l'arbre ; Shalabhanjika provenant d'un pilier.

Pierre.
Ier siècle avant J.-C. – Ier siècle après J.-C. ;
Rajendranagar, Patna (Bihar).
Haut. 120 cm.
Patna Museum, Patna.

Interprétant son thème favori de « la femme à l'arbre », il arrive parfois au sculpteur de faire disparaître les différences entre ses deux sujets. La même sève coule en eux, semble-t-il dire ; ils ont le même rythme sinueux, les mêmes aspirations. Cette jeune femme nous est représentée entièrement nue, à part un voile ténu qui lui tombe des épaules et traverse la région du pubis pour aller vers le dos ; le pagne réduit est relevé au milieu pour révéler sa féminité et, d'ailleurs, couvre à peine ses formes. Les joyaux autour du cou, aux oreilles, aux bras, ne font que souligner les zones de chair dénudées et, quand elle lève le bras gauche pour tenir, pour « courber », au sens propre, la branche d'arbre au-dessus d'elle, cela n'a pour effet que d'exercer une certaine poussée sur ses seins et de lui rétrécir encore la taille. Le poids du corps est inégalement réparti, ce qui donne au corps un certain relâchement, la jambe gauche le supportant en totalité ; le buste est légèrement incliné vers la droite, se balançant sur quelque rythme intérieur. Le tronc ondulé de la plante grimpante s'enroule autour de la jambe droite et de son bras, ces deux formes semblent se fondre et prendre vigueur l'une par l'autre.
L'arrière de cette aimable sculpture de pilier nous donne un spectacle analogue : une autre *shalabhanjika,* dans une nudité pleine d'attrait, révèle ses charmes tout en soulignant son pouvoir de fertilité, pouvoir qui semble appartenir tout ensemble à elle et à la plante grimpante à laquelle elle s'agrippe. Le sculpteur utilise des procédés éprouvés : la chair lisse et souple, le poli élevé qui réfléchit le regard du visiteur, la douceur des courbes, tout paraît avoir été soigneusement élaboré et confère, d'une certaine manière, une autre signification à ce genre d'innocence virginale.
Ce pilier à deux faces a été trouvé dans un quartier de Patna, il y a peu. Il semble renvoyer d'une part à l'image maurya de la *Yakshi* de Didarganj, de l'autre, aux *Yakshis* sensuelles, bien en chair, de Mathura. Pourtant, si cette sculpture appartient à la période proposée ci-dessus, il faudra encore du temps pour la rattacher à d'autres du même style, possédant le même degré de poli : aucune d'elles n'a encore été découverte.

18
Vrikshaka, nymphe de la forêt.

Terre cuite.
Ve-VIe siècle après J.-C. ; Koopa, district de Basti (Uttar Pradesh).
38 × 28 cm.
Allahabad Museum, Allahabad ; no 5533.

Cette terre cuite remarquable, représentant une de ces nymphes de la forêt, candides et sensuelles, que l'on trouve si souvent dans la sculpture ancienne, appartenait au décor des constructions dans l'Inde gupta. On pourrait la baptiser de n'importe lequel des noms servant à décrire les jeunes femmes de ce genre : ce pourrait être une *Shalabhanjika* tenant, comme elle le fait, une branche de l'arbre sous lequel elle se trouve, le bras droit levé ; on pourrait la considérer simplement comme une *Yakshi,* fertile et semi-divine ; ou encore une *Vrikshaka,* esprit de l'arbre auquel elle est associée. Pourtant, quel que soit le nom qu'on lui donne, on ne peut se tromper sur l'intention de l'artiste qui, avec une grande affection, explore la beauté de ses formes pleines, voluptueuses, et donne à son allure générale un air remarquablement jeune et innocent. La tête, qui est légèrement grosse par rapport au reste du corps, regarde droit devant elle, le sourire qui plane sur ses lèvres est plein de sens. Les yeux sont grands et tendres, l'arc des sourcils marqué, les lèvres un peu fortes et les joues charnues. La coiffure est disposée en plis étroits, tressés, qui restent plats, très près du crâne pour tomber ensuite en élégantes boucles le long des tempes. Deux grandes boucles ornent les oreilles, le seul ornement du cou est un collier qui ressemble à une corde. Les seins sont forts, fermes et très rapprochés l'un de l'autre ; la taille remarquablement fine traduit un idéal. Le vêtement inférieur est un voile fin, diaphane, on perçoit une ceinture (*mekhala*) qui le maintient en place.
Par la manière dont il traite les volumes, le sculpteur fait preuve d'une remarquable maîtrise de la matière qu'il travaille. Les rythmes du corps, comme ceux de l'arbre qui s'étend, se balance au-dessus de sa tête, sont indiqués avec une magnifique précision...

Bibliographie :
S.C. Kala, *Terracottas in the Allahabad Museum,* Delhi 1980, Frontispice.

19
La jeune beauté céleste : Surasundari

Grès ferrugineux.
XIIIe siècle après J.-C. ; Konarak, Orissa.
171 × 75 × 71 cm.
Archaeological Museum, Konarak ; no 474.

Sur le temple massif de Konarak, au-dessus des projections des murailles du temple, se trouve toute une bande de *Surasundaris,* « les belles femmes des dieux », jouant une musique divine sur les instruments qu'elles tiennent à la main ou dansant lentement, gracieusement. Elles sont d'une taille colossale, aussi se voient-elles de très loin et, aux dévots qui se rendent au temple, apparaissent-elles comme des visions descendues de haut, ne semblant pas figées en ce point au-dessus du sol mais paraissant chanter sans fin, même si leur chant est silencieux. Joyeuses dans leur attitude, pénétrées d'un calme profond, intérieur, ce sont les « langoureuses jeunes filles », les messagères inspirées de la divine présence, comme les appelle S. Kramrisch, les gentilles tentatrices qui attirent les dévots vers le dieu dont ils visitent le sanctuaire.
Ces jeunes filles ont été sculptées à une telle échelle que leurs membres « semblent avoir été tournées sur un tour de potier » ; ces sculptures proviennent du grand temple du Soleil de Konarak ; certaines sont tombées ou ont été enlevées pour des raisons de sécurité et, dans les musées, incarnent l'éternel féminin. Par le caractère céleste de leurs formes, avec leurs seins généreux, leurs cuisses charnues et leurs hanches rondes, elles dégagent cependant le sentiment d'une certaine légèreté. Le sculpteur a idéalisé les formes, comme si souvent ailleurs, mais les attitudes sont si détendues, si naturelles qu'on ne peut guère douter qu'elles ont été modelées d'après les femmes que l'artiste a vues, de son propre temps, prenant ces mêmes postures gracieuses. Regardons seulement, par exemple, cette femme dont le visage est éclairé par un calme sourire, faisant porter le poids de son corps sur une jambe, l'autre pliée au genou, le pied contre le mur, cette femme n'est pas seulement d'une remarquable fluidité, elle est presque vivante. La sculpture a beaucoup souffert, – on voit le bras, la jambe cassée, les doigts et le nez abîmés –, mais tous ces dégâts ne retirent que très peu à l'impression laissée par cette sculpture. On continue de voir, par exemple, avec quelle délicatesse est rendu le voile légèrement rayé qu'elle porte pour vêtir le bas de son corps ; sa transparence est telle qu'on a peine à le voir. Avec un toucher d'une exceptionnelle finesse, le pan en boucle légèrement tournée en arrière, dans la zone du nombril qu'il doit protéger, semble inviter au contact. L'instrument de musique, à cordes, sorte de luth, qu'elle tient de la main gauche, s'appuie contre ses seins et en équilibre la rondeur par sa propre forme ronde ; il est maintenant presque complètement brisé. Et pourtant, c'est comme si on entendait toujours la musique qui en émane !

Bibliographie :
Ancient Sculptures of India, Tokyo, 1984, no 71.

20
Uma-Maheshwara : Shiva et sa compagne

Grès.
XIe siècle après J.-C. ; Bhubaneswar, Orissa.
91 × 65 cm.
Orissa State Museum, Bhubaneswar ; n[o] Ay 208.

La vie de Shiva a connu des moments de calme quand, oubliant son rôle de destructeur et la nécessité de supprimer le mal qui se dissimule autour de nous, il était assis, dans l'intimité, en compagnie de sa compagne divine, partageant tout simplement le bonheur d'être ensemble. Les peintres ont très souvent représenté « la sainte famille », mais en y introduisant presque toujours d'autres éléments comme le paysage et comme les enfants du couple divin en train de jouer ou de danser. Les sculpteurs les ont représentés souvent isolés, loin de tous les yeux, dans un rapprochement physique étroit, Uma parfois assise sur les genoux de Shiva qui l'étreint, passant un bras autour de la taille, lui caressant doucement les seins. Ces représentations d'Uma et de Maheshwara atteignent souvent une grande tendresse et, à la période médiévale, étaient le thème favori des artistes s'adonnant à la représentation de Shiva.

Dans cette représentation du couple Uma-Maheshwara, le sculpteur s'écarte légèrement des représentations habituelles en modifiant leurs postures et en insistant très légèrement sur le rôle des amants. Ici, Shiva est assis, il ne porte pas de vêtements... nous ne voyons pas sa nudité, car il a une jambe relevée, le genou encore plié avant d'être rabaissé pour reposer sur le siège. Uma est assise tout près, lui touchant la hanche gauche de sa propre jambe repliée et lui effleurant le bras de ses seins. Elle a passé le bras droit sur son épaule, tenant les mains croisées sur sa poitrine, les doigts enlacés. Elle le regarde alors qu'il se tourne vers elle. Sous leur siège, le fidèle Nandi est assis en paix, la tête tournée, souriant, le front touchant le pied de Shiva en témoignage d'adoration.

Du point de vue de l'adresse ou du traitement des formes, cette sculpture n'atteint pas le niveau de quelques autres ayant le même sujet, celles des maîtres chandella ou pratihara, par exemple. On oublie cependant sans peine ces imperfections devant le merveilleux sentiment d'intimité et de tendresse qu'elle dégage. Il y a tant de puissance dans les postures de rapprochement, de bien-être intime, que l'on oublie presque combien cette œuvre a été abîmée, les visages étant pratiquement tout altérés.

21
L'attente de la jeune fille

Pierre.
XIIe siècle après J.-C. ; Ghanapur, Andhra Pradesh.
89 x 41 cm.
State Museum of Archaelogy, Hyderabad.

Cette silhouette gravée ornant un fragment de pilier évoque une *utka nayika,* l'héroïne qui attend avec impatience son amant à l'endroit indiqué. La manière dont elle tourne la tête sur le côté et les sentiments complexes d'attente, d'impatience, d'hésitation, de doute, qui s'agitent très subtilement sur le visage, font surgir cette pensée. Il est évident qu'elle s'est faite belle pour son rendez-vous, c'est pour cela qu'elle porte ces joyaux d'une somptuosité extraordinaire. En fait, ils sont rendus avec tant de finesse et tant de détails que, dès qu'on cherche à en suivre le trajet sur ses formes si belles, on se sent un peu perdu par leur complexité. Les rangs de perles qui enserrent son cou élégant, les colliers de plus en plus grands qui couvrent pratiquement tout l'espace compris entre le cou et la poitrine, le long pendentif en guirlande qui lui tombe sur le ventre, soulignant le contour des seins, les colliers de perles qui, comme de divines épaulettes, forment des boucles sur les épaules, les brassards avec leurs saillies et les énormes boucles d'oreille circulaires sur lesquelles se reflète la forme de sa coiffure compliquée, tout en soi est un délice. Il est évident qu'elle se tenait en triple flexion d'après la courbure du buste, pose qu'elle pouvait facilement prendre en s'appuyant contre un arbre ou un pilier ; mais on ne peut savoir comment elle avait les mains : elles sont maintenant complètement cassées. Le sculpteur qui a prodigué des soins tellement précis pour former son buste et ses joyaux néglige tout à coup les traits de son visage, volontairement sans doute, car cette simplification leur donne une grâce fluide immense.

Il subsiste d'autres sculptures de ce genre provenant du même site d'Andhra Pradesh, Ghanapur, mais celle-ci, toute brisée et incomplète qu'elle est dans son état actuel, a une présence curieusement émouvante. A Ghanapur, le temple de Kotagudi comporte un *rangamandapa* dont les piliers sont ornés de plusieurs silhouettes de *shalabhanjika* et de *vyala*.

Bibliographie :
Radhakrishna Sharma, *Temples de Telingana,* Hyderabad, 1972 ; B. Rajendra Prasad, *Art of South India in Andhra Pradesh,* Delhi, 1980.

22
Roi Nayak avec sa reine

Ivoire.
XVIIIe siècle ; Thanjavur, Tamil Nadu.
Haut. 18 cm.
Musée du temple de Srirangam, Srirangam.

Cet ivoire, petit mais élégant, fait partie de ceux qui semblent avoir été exécutés sous le mécénat royal des rois Nayak de Madurai. Sans avoir le caractère des sculptures érotiques de ce genre que nous possédons, en ivoire ou en bois, cette pièce dégage une aura de grande intimité. Il ne faut pas y voir un portrait ressemblant du roi lui-même mais la figure semble avoir été modelée, d'une manière très générale, d'après ce souverain ; c'est vraiment un *nayaka,* le héros ou l'amant de la tradition indienne, représenté lors d'une étreinte intime avec sa bien-aimée. La « pose » est inhabituelle car les deux personnages sont représentés de face, elle debout, regardant en haut, la tête levée, tandis que lui, immédiatement derrière elle, tient un de ses seins dans la main droite alors qu'il avance la jambe droite pour envelopper son corps ; on voit ainsi les deux personnages qui se fondent l'un dans l'autre. Le visage du *Nayak* a une expression pénétrante mais c'est l'expression de la femme qui, passionnée, semble donner à cette pièce un air impétueux d'intime impatience. Les détails des vêtements, des joyaux sont rendus avec sentiment et avec précision. On remarque, en particulier, le renflement et l'évasement des pans réunis du bas du vêtement qui occupe l'espace entre les jambes de la reine, la suggestion de transparence des tissus, les sourires de l'amant et de l'amante, la souplesse de la chair. Cet objet, malgré sa petite dimension, a donc une remarquable présence et, quand on le regarde, on a le sentiment de jeter un coup d'œil indiscret sur un moment exquis, intime de la vie du couple.

Bibliographie :
Mario Bussgli et C. Sivaramamurti, *5000 Years of the Art of India,* New York, nº 332 ; *Aditi,* Londres, 1982, p. 131.

23

Amants sur un lit ; d'une série du Laur-Chanda

Époque des Sultanats, deuxième quart du XVIe siècle.
21 x 15 cm.
Princes of Wales Museum, Bombay ; n° 57.1/18.

Parmi les plus célèbres poèmes narratifs des poètes musulmans, écrits dans un dialecte qui est devenu pour eux, en Inde, une langue maternelle, se trouve le *Chandayana* de Mulla Daud, que l'on connaît aussi sous le titre de *Laur-Chanda,* du nom des héros, Laurik et Chanda. L'œuvre a été terminée en 1378-79 après J.C. ; une copie très ancienne signale que le mécène de Mulla Daud aurait été Jauna Shah, le Dewan du sultan de Delhi, Feroze Shah Tuglaq, dont on sait qu'il n'appréciait guère la peinture. Le poète habitait le village de Dalmau, à côté de Kanpur ; c'était le disciple d'un saint Soufi. De la région où il vivait, il semble s'être rendu dans ce pays, certes très populaire, de l'Uttar Pradesh ; il s'est aussi rendu au Bihar et dans certaines contrées du Madhya Pradesh. Il a donné sa forme littéraire à une œuvre qui devait plus tard être tenue en grande estime pour ses qualités poétiques et narratives.

Cette œuvre conte l'amour intense que Laur portait à Chanda et énumère les nombreuses épreuves qui leur furent imposées : la séparation des amants, la jalousie d'une co-épouse, la perte du royaume, diverses aventures et, finalement, leur réunion. Il semblerait que ce poème ait eu une grande popularité comme sujet de peinture, dès le XVe siècle, car plusieurs manuscrits illustrés sont parvenus jusqu'à nous, parmi lesquels celui-ci qui se trouve au Prince of Wales Museum à Bombay.

Cette œuvre est à juste titre considérée parmi « les plus belles » de cette période. Sur cette feuille, nous voyons les amants partager le même lit ; ils parlent tranquillement alors que s'affairent à leurs côtés deux servantes, l'une qui agite un *chauri*, un chasse-mouche en queue de yak, tandis que l'autre porte un plateau avec des ustensiles de cuisine. Alors que la partie inférieure de la peinture est constituée par un simple motif de briqueterie, – cette division de la peinture en deux parties est très fréquente dans cette série, – le haut représente l'intérieur d'une chambre. L'ensemble est d'un bel effet décoratif, avec des motifs compliqués sur les costumes du héros et des trois femmes, avec le coussin et le couvre-lit sur la couche, avec l'auvent et les détails architecturaux dans le haut. On y trouve des motifs compliqués, de délicates couleurs, qui complètent ceux du fond de la chambre ; dans une frise, au sommet, on voit dans le ciel une traînée de nuages. Naturellement, l'intérêt se porte sur le couple d'amants qui sont étendus sur la couche. Ils ne se regardent pas dans les yeux mais leur rapprochement physique, l'aisance avec laquelle leurs corps se touchent, établit nettement la tendresse de leurs relations. Les servantes, au corps soigné et voluptueux, comme celui de l'héroïne, contribuent à donner à cette œuvre une atmosphère générale pleine d'érotisme.

Le musée du Prince of Wales possède 68 feuilles de cette série, dont quatre proviennent d'un complément baptisé le *Mainasat.* D'autres feuilles de la même série sont dispersées dans des collections particulières et publiques. Cette œuvre appartient au groupe que l'on appelle généralement le groupe *Kulahdar*. Il existe d'autres feuilles auxquelles semble se rattacher la série de Bombay, celle-ci ayant des rapports avec, d'une part, le *Nimat-nama* de Mandu et, d'autre part, le groupe du *Chaurapanchasika*. On perçoit une certaine influence persane, tant dans les motifs décoratifs que dans le traitement de certains personnages ; c'est pourtant l'esprit indien qui domine. Les spécialistes ne sont pas unanimes quant à la date précise de cette série mais presque tous conviennent qu'elle est du XVIe siècle. On a proposé, comme origine, Mandu et Jaunpur ; cette œuvre peut en effet se rattacher à ces deux régions mais c'est bien « sa qualité classique difficile à égaler dans la peinture pré-moghole » qui est soulignée par la plupart des connaisseurs de la peinture indienne.

Bibliographie :

Karl J. Khandalavala et Moti Chandra, *« New Documents of Indian Painting – A Reappraisal,* Bombay, 1969, p. 94-99, fig. 156-175 ; Edwin Binney, « Sultanate Painting from the Collection of Edwin Binney 3rd », *Chhavi,* II, Bénarès, 1981, p. 25-31 ; J.P. Losty, *The Art of the Book in India,* Londres, 1982, p. 53, 69-70.

24

Le rêve de Radha ; d'une série du *Gita Govinda*

Gouache sur papier.
École pré-moghole, deuxième quart du XVIe siècle.
16 × 21,7 cm.
Prince of Wales Museum, Bombay ; nº 54.39.

La grande œuvre lyrique de Jayadeva, au XIIe siècle, le *Gita Govinda,* le « Chant d'amour du Seigneur », constitue le sujet de cette brillante série de peintures, dont dix se trouvent actuellement au Prince of Wales Museum. La renommée de l'œuvre de Jayadeva, avec sa façon subtile d'abaisser les barrières entre le divin et l'humain, se diffusa rapidement et, ce qui n'est pas surprenant, inspira une gamme énorme d'œuvres semblables dans les domaines de la peinture, de la musique et de la danse. Cette série, relativement ancienne, de provenance inconnue, dut être considérable, si l'on en juge par le fait que chaque peinture n'illustre qu'une seule strophe du poème lyrique, lequel est inscrit sur la bordure jaune au sommet de la peinture. La traduction de la strophe figurant sur cette page est la suivante :

Elle dédaigne le baume de santal et les rayons de la lune.
Sa lassitude la trouble.
Elle sent le venin sortant des nids des serpents mortels
Dans les vents de montagne chargés d'odeur de santal.
Elle gît, affligée par ton abandon, redoutant les flèches de l'amour,
Et s'accroche à toi dans son rêve, ô Madhava.

Le peintre a modifié le sens des vers, dans son illustration. Les éléments cités sont tous ici : Kama, le dieu de l'amour, qui décoche ses flèches ; Rhada, la bien-aimée, s'accrochant à Krishna ; la légère distance entre eux deux, le bosquet odorant. Mais, au lieu de souligner la souffrance provoquée par le départ de Radha, le peintre nous fait voir, avec délice, l'accomplissement de Radha, même si cela fait partie de son rêve. Ici, elle ne craint pas les flèches de l'amour mais les accueille en s'accrochant à son seigneur. Elle ne se couche pas, se languissant pour Krishna, mais elle tient avec lui une sorte de conversation, à gauche. L'œuvre a donc un aspect joyeux au lieu d'exprimer la souffrance de la séparation, le peintre nous donnant sa propre version au lieu de suivre les vers à la lettre. Une fois qu'il a décidé d'évoquer l'union, il le fait avec le même enthousiasme, utilisant toute la riche palette de couleurs vives qui caractérise cette série, faisant osciller et fleurir les arbres du rêve de Radha, même s'il ne s'agit pas des arbres de santal du poème, dans l'extase de l'union ; il emplit les personnages de ce sentiment intense, fort, qui donne à cette œuvre, et à d'autres, du groupe *Chaurapanchasika* ce charme si particulier.

Comme pour de nombreux autres manuscrits ou ensembles du groupe *Chaurapanchasika,* auquel appartient à l'évidence ce *Gita Govinda,* on ne peut rien affirmer aujourd'hui quant à la provenance de cette série ; elle présente certainement des rapports de style avec les œuvres tardives venant du Mewar, mais on a aussi parlé de la région de Delhi/Agra et de certains centres de l'Uttar Pradesh. Cette série n'est pas datée mais on la fait remonter généralement au deuxième ou au troisième quart du XVIe siècle.

Bibliographie :

Karl J. Khandalavala, « A Gita Govinda series in the Prince of Wales Museum », *Bulletin of the Prince of Wales Museum,* nº 4, 1953-54 ; D. Barrett et B. Gray, *Painting of India,* Ascona, 1963, p. 63-72 ; Karl Khandalavala et Moti Chandra, *New Documents of Indian Painting,* Bombay, 1969, p. 87-89 ; J.P. Losty, *The Art of the Book in India,* Londres, 1982, p. 51, 64-65.

25

Une confidente offre du vin à sa maîtresse

Gouache sur papier.
Deccan, deuxième quart du XVIIe siècle ; d'un atelier de Golconde.
12,9 × 7,5 cm.
Prince of Wales Museum, Bombay ; nº 52.40.

Un sujet comme celui-ci n'a pas de signification particulière, on ne peut y voir qu'un événement ordinaire, quotidien. Mais le style, le grand soin avec lesquels le peintre a représenté ses personnages élégants, majestueux, les placent immédiatement dans une atmosphère amoureuse. Des deux femmes, le personnage principal, la dame sculpturale qui est assise, les jambes étendues en avant pour les reposer sur les genoux de sa compagne, est manifestement, pour le peintre, une amante dont les pensées sont entièrement tournées vers l'amour. L'instant n'a pas d'importance en lui-même : la compagne tient une coupe dans laquelle elle a versé le vin d'un flacon qu'elle tient par le col, de la main gauche, et la « princesse » s'apprête à la saisir. Il y a cependant un certain rituel dans la manière d'offrir la coupe et de la recevoir. On

pourrait presque penser que boire ce vin est une sorte de compensation, parce que l'amant n'est pas encore là, mais qu'il est pourtant proche, par la pensée, des deux femmes. De nombreux éléments indiquent une préparation à l'amour : les superbes joyaux de la dame, tous ses rangs de perles et les ceintures en filigrane, les anneaux de bras et de cheville, sertis de pierres précieuses ; le *sari* aux superbes motifs, avec ses rayures centrales et sa bordure de fleurs, une extrémité s'enroulant sur les cuisses et les jambes étendues de la jeune femme, comme pour exprimer son état d'âme ; les riches motifs de son corsage court, le coussin sur lequel elle s'appuie ; et, naturellement, les vases décoratifs et les fleurs sur le mur du fond ainsi que le rideau de l'entrée. C'est avec de tels détails, subtils et très suggestifs, que se construit une atmosphère. Une fois que l'œil s'en est imprégné, on se rapproche pour étudier l'expression des deux visages ; la princesse a un visage qui dénote une certaine incertitude, à l'encontre de celui de sa compagne. On pourrait dire qu'il s'agit du doute qui naît d'un amour excessif : viendra-t-il ou non, au moment prévu par la dame et par sa compagne ?

Le peintre de Golconde, l'auteur de cette somptueuse feuille, a tendance à représenter des femmes très grandes, plantureuses ; il s'en approche aussi de très près, comme pour essayer de dévoiler les secrets qu'elles portent en elles-mêmes.

Bibliographie :

Mark Zebrowski, *Deccani Painting*, Londres, 1982.

26
Le Maharawat Nahar Singh et sa reine

Gouache sur papier.
Rajasthan, premier quart du XIXe siècle ; atelier familial de Bagta et Chokha, à Deogarh.
28,5 × 21,5 cm.
Prince of Wales Museum, Bombay ; nº 58.74.

Dans le petit *thikana*, ou fief, de Deogarh, rattaché à la grande principauté de Mewar, au Rajasthan, on assista à une soudaine et remarquable floraison picturale durant le dernier quart du XVIIIe siècle et jusqu'au début du XIXe. Les peintres, Bagta et ses deux fils, Chokha et Kunvla, appartenaient à une famille d'artistes ayant des attaches avec le Mewar ; mais, leur talent se distingue par une spectaculaire énergie. Avec leurs mécènes, les remarquables Rawats et Maharawats de Deogarh, ils parvinrent à donner vie à un monde onirique, peuplé de femmes « belles, passionnées et farouches », selon l'expression de A.K. Coomaraswamy, et d'hommes aussi braves à la chasse qu'ardents en amour. S'écartant quelque peu du style de Mewar à cette époque, les peintres de Deogarh ont créé un type de beauté féminine fondé sur l'exagération des traits, par rapport à leurs contreparties de Mewar, comme si ces peintres avaient fait leur un passage d'un texte vieux de cinq cents ans affirmant qu'une certaine exagération dans le traitement des yeux, de la poitrine et des hanches, dans les traits du visage, contribue à donner un charme différent.

Bagta et ses deux fils avaient conscience en même temps qu'il fallait exclure le reste du monde, lorsqu'ils représentaient leurs héros et leurs héroïnes, les Maharawats et leurs bien-aimées. Ils insistent fortement sur leur sujet : si le thème est la chasse, toutes les exagérations volontaires le soulignent ; si l'air est chargé de passion, rien d'autre ne peut s'y mêler. C'est à ces fins que tous les arrière-plans sont composés, les effets atmosphériques créés et que sont élaborées de riches, d'étonnantes palettes de couleurs.

Le Maharawat Nahar Singh, qui a occupé le *gaddi* de Deogarh pendant un quart de siècle, de 1821 à 1847, n'occupe pas une place prééminente dans la peinture de Deogarh ; il est en effet arrivé assez tardivement sur scène. Certes, à son époque, les techniques de peinture étaient encore remarquablement sophistiquées à Deogarh, comme le prouve cette œuvre. Nous y voyons le Maharawat dans un petit lit à baldaquin isolé au milieu d'un riche jardin ; devant lui, est assise la reine, accompagnée de deux servantes, une de chaque côté du baldaquin. Le Maharawat est assis contre un traversin de très grande taille et regarde fixement sa jeune compagne. Représentée d'une taille beaucoup plus petite que le roi, elle est assise tout près de lui et le regarde, de dessous son voile. L'on sent que tout son être est empli d'une hésitation toute naturelle, de modestie, sentiments que le peintre traduit avec une extrême finesse. La scène est composée avec le plus grand soin, afin de suggérer un environnement de luxe et de beauté avec, en même temps, des touches de passion. Le lit est d'une singulière élégance, avec son ciel tendu tout autour de guirlandes et de festons fleuris. Ici encore, le sol est couvert de fleurs qui s'épanouissent partout, serrées, tandis que le lit et le coussin sont rendus dans un style flamboyant. Cet effet est encore enrichi par le feuillage dense qui s'élève, derrière la « chambre », des plantes ressemblant à des manguiers et à des cyprès foisonnant dans tous les sens. Les vêtements du Maharawat et de sa reine ne sont pas moins somptueux, les motifs ondulés du *lahariya*, les bijoux compliqués, le turban élégant et les voiles provoquent un effet singulier. De la façon dont cette œuvre est composée, on croit la voir du point de vue de la servante qui, un éventail à la main gauche, regarde, fascinée, cette scène d'intimité et de tendresse. L'effet produit est riche, sans l'être trop, et le regard se porte d'emblée sur le couple d'amants devant qui tout le reste semble naturellement se mettre en place.

Bibliographie :

S.K. Andhare, « Paintings from the Thikana of Deogarh », *Bulletin of the Prince of Wales Museum*, nº 10, 1967, p. 43-53 ; Milo C. Beach, « Painting at Deogarh », *Archives of Asian Art*, vol. 24 ; S.K. Andhare et Rawat Nahar Singh, *Deogarh Paintings*, Lalit Kala Portfolio nº 25, Delhi, 1983.

27
Radha s'approche de Krishna

Gouache sur papier.
Rajasthan, deuxième quart du XVIIIe siècle ; d'un atelier de Bundi-Kota.
30,2 × 38 cm.
Prince of Wales Museum, Bombay ; n° 53.87.

C'est un grand plaisir, pour le peintre comme pour le poète indien, que de représenter les petits jeux que se jouent amants et amantes. Le concept de la *navodha nayika*, « l'héroïne timide et farouche » vient en bonne place dans la classification des héros et des héroïnes, le contraste entre l'impatience de l'amant et l'hésitation de la nouvelle mariée étant étudié avec beaucoup de saveur. Mais ici, il ne semble pas s'agir de l'évocation d'une *nayika*. Il semble plutôt que quelque tour inoffensif soit joué à Krishna, qui est assis sur une terrasse, au clair de lune, sur un vaste lit. Il est tout impatience et avidité, mais la main qu'il cherche à saisir n'est pas nécessairement celle de sa bien-aimée. Sous le voile dont elle se dissimule le visage, par timidité, n'est-ce pas une amie qui a pris la place de l'héroïne ; celle-ci, drapée dans un châle, se laisse conduire dans une chambre par une compagne qui se retourne pour voir si Krishna n'a pas éventé la ruse.
Cette peinture exprime nettement un climat d'impatience, d'amour passionné, mais à cette situation se mêle un soupçon de badinage. Le cadre est élaboré et l'on voit bien tous les petits objets placés à côté du lit de Krishna, parfums et onguents, diverses espèces de fruits et de boissons ; on distingue aussi des parterres de lotus et des couples d'oiseaux amoureux ; des chandelles sont réparties en plusieurs endroits de la terrasse et, à l'arrière-plan, ce feuillage luxuriant avec des paons endormis, la tête cachée dans leurs plumes, témoigne de l'extrême richesse qui caractérise l'œuvre du peintre de Bundi. Une fraîcheur raffinée, un lyrisme sous-jacent ne sont jamais absents dans ce style de peinture, quand les peintres traitent ce genre de sujets.

Bibliographie :
Pramod Chandra, *Bundi Painting,* Delhi, 1959 ; Milo C. Beach, *Rajput Painting at Bundi and Kota,* Ascona, 1974.

28
Bhadrapada, le mois des pluies,
d'une série illustrant le *Baramasa*

Gouache sur papier.
Troisième quart du XVIIIe siècle ; d'un atelier de Bundi-Kota.
Prince of Wales Museum, Bombay ; nº 15.331.

Pour décrire les douze mois de l'année, les poètes évoquent souvent, en des strophes éloquentes, la beauté de chaque mois, en prenant prétexte de l'héroïne-*nayika* – qui implore son amant de ne pas l'abandonner pour partir en voyage durant ce mois. Ainsi, avant une éventuelle séparation, voit-on presque toujours les amants ensemble dans les illustrations du *baramasa*, profitant des beautés de chaque saison tant qu'ils sont encore l'un avec l'autre.
Le poème sur le thème du *baramasa* le plus renommé a pour auteur Keshava Das. Il est inclus dans son *Kavipriya*, et non dans son *Rasikapriya*, bien plus connu. Il célèbre dans ces vers les spectacles et les sons de chaque mois. Quand il en arrive au mois de Bhadrapada (août-septembre), avec de superbes effets sonores, Keshava dépeint la saison pluvieuse avec emphase, en usant de nombreuses allitérations, d'aspirations comme les sons « gha », « jha », « dha », etc. ; et c'est seulement en récitant ces vers à haute voix que l'on peut en saisir toute la beauté. L'illustration de ce mois est naturellement chargée de nuages noirs et d'éclairs d'or, on entend la pluie et le vent qui souffle dans la forêt ; on perçoit aussi l'agitation incessante des éléphants et des tigres dans la jungle, le cri des paons et des *koels*, le crissement des criquets et ainsi de suite. Mais, ce qui donne de la valeur aux poèmes et aux peintures, c'est la manière de réunir et de disposer tous ces éléments.
Ici, les amants se tiennent sur un balcon, sous un dais ; ils se regardent comme s'ils échangeaient sans parler leurs pensées sur la beauté de la nature en cette saison. Dehors, dans la forêt, dans le ciel, chaque détail donné par le poète est repris par le peintre. Particulièrement intéressant est le riche médaillon de la forêt où l'on voit, à mi-distance, arbres, éléphants et lianes tourbillonnantes donnant une image de la forêt beaucoup plus dispersée et anarchique que la vision d'arbres bien nets, bien ordonnés que les peintres de Bundi-Kota figurent souvent dans les jardins de palais.

Bibliographie :
Publié dans V.P. Dwivedi, *Barahmasa*, Delhi, 1980, pl. V.

29
Souverain dans son Zenana

Gouache sur papier.
Rajasthan, 1er quart du XIXe siècle ; d'un atelier de Jodhpur.
Collection du Maharaja Gajai Singhji, Umaid Bhawan Palace, Jodhpur.

Cette peinture représente une partie du triomphe d'un souverain de Jodhpur entouré exclusivement de ses femmes et de ses maîtresses, se livrant à de nombreux sports et passe-temps, se comportant en *rasika*. Dans ce jardin luxuriant, au milieu duquel se dresse un grand pavillon de marbre, avec ses auvents ouvragés et ses balustrades délicates, on voit, à plusieurs reprises, le souverain, toujours en compagnie des femmes de son harem. Il se détache nettement, chaque fois, non seulement parce qu'il est le seul homme du groupe, mais aussi parce qu'un nimbe bordé d'or cerne sa tête. Au centre, il est entouré de tous côtés par plusieurs femmes assises, comme lui, par terre, tandis que d'autres sont debout, de chaque côté, portant des éventails, des plats ou des instruments de musique, ou apportant diverses offrandes, car de petits objets jonchent le sol couvert de vins, de parfums et de mets délicats. Nous retrouvons le roi sur le toit du pavillon, dans la même agréable compagnie, bavardant au sein d'un groupe moins important. A droite, il joue à cache-cache, et met les mains sur les yeux d'une femme derrière laquelle il est assis, pendant que ses compagnes se cachent derrière les arbres et les buissons qui poussent partout dans une verdoyante splendeur.
On le voit encore ailleurs : le roi joue au chaupar avec une compagne ; il se balance au milieu de son entourage féminin ; ou encore se promène dans le jardin, avec ses compagnes, cueillant des brassées de fleurs et de feuillage dans des parterres bien ordonnés, d'où les plantes s'élèvent verticalement, à l'extrême gauche.
A l'extérieur de ce lieu de plaisir, de ce côté du mur, apparaît un groupe de personnages, tout en bas de la peinture ; courtisans, ministres, domestiques et danseurs sont mélangés, attendant peut-être que leur souverain quitte le jardin, après y avoir pris tout son plaisir.
Les hommes et les femmes du peintre de Jodhpur sont peut-être un peu trop stylisés, un peu trop mièvres, ses compositions tendent à la répétition, sont un peu raides, mais il semble ici avoir fait, malgré les contraintes de son style et de ses formules, une œuvre éblouissante, avec beaucoup de subtilité dans la palette, à la composition brillante, fort agréable à l'œil. La composition des petits groupes, les ors et les bleus magnifiques choisis pour vêtir uniformément les femmes, le costume tourbillonnant du souverain et, pardessus tout, l'étonnante variété des feuillages, les doux murmures suaves que l'on croit entendre, tout donne à cette page une merveilleuse luxuriance. Les nuages stylisés dans le ciel, le groupe de gens à l'extérieur du jardin d'agrément contribuent à souligner le caractère de rêve du lieu de plaisirs évoqué par le peintre.

30

La bataille du subtil art d'aimer ; d'une série du *Gita Govinda*

Gouache sur papier.
École pahari, daté 1730 ; par Manaku de Guler.
Au verso, des strophes en sanskrit.
21 x 30,7 cm.
Chandigarh Museum, Chandigarh ; n° 1.71.

Le *Gita Govinda*, le grand poème lyrique de Jayadeva, qui se décrit lui-même, au début du poème comme le « roi errant des bardes... au cœur obsédé par les rythmes de la Déesse de la Parole », a traversé les siècles, inspirant de magnifiques réalisations artistiques en Inde où peu de danseurs, de musiciens, de peintres ou de commentateurs ont pu résister à ses vers. Cette œuvre d'un mysticisme érotique chante avec beaucoup d'abandon « les passions secrètes de Radha et de Krishna (qui) triomphent sur les rives de la Yamuna », pour le plus grand avantage du « spectateur » ; il existe au moins trois séries importantes de peintures du *Gita Govinda*, provenant de la zone pahari. A beaucoup d'égards, c'est la série exposée ici la plus ancienne, qui parvient à cerner le plus fidèlement « l'esprit érotique et la vérité sacrée » du poème lyrique, équilibrant avec finesse ces deux éléments en apparence opposés. Feuille après feuille, Manaku, le peintre de cette brillante série, nous fait entendre les « chants doux, tendres, lyriques » de Jayadeva, mais nous permet aussi d'apercevoir ce que dissimule la passion du poème. C'est le cas notamment si l'on regarde cette série dans son ensemble : dans chaque feuille isolée, nous le voyons saisir les rythmes suaves des vers et créer les visions correspondantes, un détail répondant à un détail, une nuance à une autre nuance.
Les vers sur lesquels Manaku a travaillé ici viennent du Chant XII du poème, quand les doutes, les supplications, les reproches et la douleur de la séparation se sont estompés dans le passé, se sont déposés comme la poussière après la pluie. Les amants sont réunis et Krishna, ardent comme toujours, s'avance « comme les vents du printemps aux odeurs de miel ». Les accès de passion se trouvent décrit tout au long de ce Chant ; les vers, au verso, portant le n° 10, sont une variante de ceux qui portent ce numéro dans la plupart des éditions et parlent des « infinies félicités qui sont autant d'intermèdes dans la bataille du subtil art d'aimer ». L'atmosphère reste celle que nous décrit le chant XI :
Son corps frémissait en réponse à ses jeux sensuels,
D'étincelants joyaux ornaient ses formes pleines de grâces.
Elle vit sa passion rejoindre l'âme de Hari,
Le poids de la joie faisait rosir son visage...
Le peintre nous montre deux fois les amants, une fois dans le bosquet de droite, dont il a abaissé les arbres afin que nous puissions voir les corps des amants passionnément enlacés, et une autre fois, à gauche, pendant une pause, sur un lit de feuilles, toujours enlacés. Rien ne les sépare, ni la modestie, ni les vêtements, ni même le souvenir des souffrances passées. Comme dans toute cette série, un choix et une utilisation judicieux des éléments de la nature sont faits ; les couleurs de l'arrière-plan correspondent à l'état d'esprit des amants et le reste du monde semble ne plus exister. Dans le ciel, seul un croissant de lune jette un regard bienveillant sur l'amant et sur sa bien-aimée.
Il existe près d'une centaine de feuilles de cette série, qui est parmi les plus célèbres des œuvres pahari et l'une des plus controversées ; elle contient en effet un colophon que l'on a interprété encore et encore, sans que les spécialistes puissent arriver à s'entendre. Un chronogramme indique la date de 1730, qui n'est pas contestée ; c'est sur le nom de Manaku que les opinions divergent, le problème étant de savoir s'il s'agit du nom du peintre ou celui d'une dame qui aurait commandé cette série.
Certains indices font penser que Manaku est le nom du peintre, notamment le fait qu'un peintre de ce nom vivait à cette époque : Manaku de Guler, fils de Pandit Seu et frère aîné de Nainsukh, qui est mieux connu. Le colophon n'indique pas où la série fut réalisée, mais ceci ne semble pas avoir une grande importance. Comme presque toutes les œuvres traitant du même sujet, cette série est donnée comme provenant de « Basohli » ; pendant un certain temps, on y a même vu le prototype des œuvres qui, dans la peinture pahari, a permis de définir le style dit de « Basohli ». D'un autre côté, un grand nombre d'œuvres dues à la famille Seu-Nainsukh de Guler émanent visiblement de cette série et d'autres séries voisines.

Bibliographie :
N.C. Mehta, « Manaku, the Pahari Painter », *Roopalekha*, vol. XXI, n° 1 ; Karl J. Khandalavala, *Pahari Miniature Painting*, Bombay, 1958 ; M.S. Randhawa, *Basohli Painting*, Delhi, 1959 ; B.N. Goswamy, « Pahari Painting: The Family as the Basis of Style », *Marg*, vol. XXI, n° 4 ; W.G. Archer, *Indian Painting from the Punjab Hills*, Londres, 1973, au chapitre « Basohli » ; Barbara Stole Miller, *Jayadeva's Gita Govinda: Love Song of the Dark Lord*, Delhi, 1978.

31

Pour lui réjouir le cœur ; de la même série du *Gita Govinda* que le nº 30

Gouache sur papier.
École pahari, 1730 ; œuvre de Manaku.
Une strophe en sankrit au dos.
21 × 30,7 cm.
Chandigarh Museum, Chandigarh ; nº I.60.

Radha « assurée de son emprise » sur Krishna, lui demande de la parer pendant qu'il « se repose après une étreinte passionnée ».

O héros Yadava, ta main est plus fraîche que le baume de santal sur mes seins ;
Peins un motif foliacé avec du musc de daim sur la coupe sacrée de l'amour !

(XII, 12)

Et le héros Yadava, « pour lui réjouir le cœur » fait exactement cela. Sur le lit de feuilles même où ils viennent de s'ébattre amoureusement, ils sont tous deux assis, très près l'un de l'autre, elle sur ses genoux, vêtue à présent et tenant à la main droite le bol contenant le musc coloré et parfumé ; et Krishna s'applique à lui peindre le sein, cette « coupe sacrée de l'amour », le motif en forme de feuille qu'elle désire, tenant de la main gauche un pinceau effilé.

Dans cette série, on trouve quantité d'œuvres empreintes d'une délicatesse et d'une tendresse merveilleuses. Sur d'autres feuilles, il « recoiffe les boucles emmêlées... sur son doux visage de lotus », ou encore « accroche des boucles d'oreilles aux cercles magiques de ses oreilles pour former des rêts d'amour » et il « applique du khôl sur ses yeux, plus lustré qu'un essaim d'abeilles ». Ce couple sans pareil est assis, elle le teint clair, lui sombre, « tels l'éclair et le nuage », les yeux rivés l'un à l'autre, chacun frémissant du contact de l'autre. Le peintre, dans ces peintures, fait des variantes à son gré, même si, dans le poème, l'environnement est toujours une clairière au cœur de la forêt : les arbres sont plus ou moins grands, des buissons de fleurs sont ajoutés ou retirés ; la lune brille ou non. Mais un élément est permanent, la passion.

Bibliographie :
Voir le nº 30.

32

Exubérance printanière ; de la même série du *Gita Govinda* que le n° 30

Gouache sur papier.
École pahari, 1730 ; par Manaku de Guler.
Au dos, une strophe en sanskrit.
21 × 30 cm.
Chandigarh Museum, Chandigarh ; n° I-53.

Quand au printemps, l'atmosphère est exubérante et que « les manguiers couverts de bourgeons tremblent sous l'étreinte des sarments nouveaux », la forêt, à Vrindavan, est témoin du « merveilleux mystère des jeux sexuels de Krishna ». Il fait ses délices de nombreuses étreintes féminines :

Il en étreint une, en embrasse une autre, caresse une autre beauté sombre
Il regarde un sourire engageant, imite une jeune fille consentante.
Hari (Krishna) s'ébat ici, alors même qu'un essaim de jeunes filles charmantes
Se divertissent en jouant à le séduire.
(I. 44)

L'inconstance de Krishna a troublé les commentateurs et les dévots vertueux, tout comme elle a troublé Radha ; pour Jayadeva, cela fait partie intégrante de la *lila* de Krishna, car c'est lui « qui anime toutes choses » et il est celui « dont les sombres, doux et sinueux membres de lotus entament le festival de l'amour ».
Habitués à retrouver plusieurs fois les mêmes personnages dans un même cadre, nous avons d'abord tendance à voir dans cette peinture de petits épisodes successifs de l'histoire amoureuse de Radha et de Krishna. Le couple se laisse voir trois fois puis, finalement, Radha s'éloigne à l'extrême gauche. Mais regardant de plus près, nous discernons des différences entre ces jeunes femmes qui « l'enlacent sauvagement de leurs corps ». Les visages et les corps de ces femmes sont remarquablement ressemblants, ils répondent au « type » idéal et passionné créé par Manaku : c'est leurs vêtements qui les distinguent et montrent qu'elles sont différentes les unes des autres. Avec une grande subtilité et son habituelle maîtrise des couleurs, le peintre leur fait porter diverses combinaisons de jupe et d'*orhani* : une jupe verte avec un *orhani* rouge, avec des motifs argent sur fond orange, ou mauve sur fond blanc, et ainsi de suite. C'est Krishna et non Radha, que nous voyons trois fois. Elle n'est figurée qu'une fois, quand elle s'éloigne désespérée de le voir s'ébattre avec ses compagnes. En même temps, les couleurs et les brillantes élytres vertes et noires de scarabées, qui indiquent des émeraudes dans les parures portées par Krishna et par les femmes, éclairent ce bosquet où « les pistils luisants des fleurs de safran sont les sceptres d'or de l'amour ». Comme le dit Jayadeva, ici « la soie jaune et les guirlandes de fleurs sauvages parent la peau sombre ointe de santal ».

Bibliographie :
Voir le n° 30.

33
Noble sikh festoyant

Gouache sur papier.
École pahari, premier quart du XIXe siècle.
Chandigarh Museum, Chandigarh ; n° 296.

Ici, les amants ne sont pas le héros et l'héroïne idéalisés des nombreux poèmes indiens ; c'est un chef Sikh et sa maîtresse, assis à l'indienne sur des chaises basses et sculptées, placées l'une près de l'autre, dans une enceinte délimitée par un écran en tissu. Un tapis fleuri est placé sur une carpette rayée ; au-dessus, un dais complète le décor. Il ne s'agit manifestement pas d'un palais, les deux personnages se trouvent peut-être dans un camp, le chef Sikh se divertissant le soir venu et partageant une coupe de vin avec sa compagne qu'il regarde droit dans les yeux. Il lui prend la main avec audace devant deux serviteurs dont l'un, à gauche, tient le flacon de vin alors que la servante de la dame, à droite, porte un récipient. Le manque de formalisme que dénote la nudité du chef Sikh trouve un écho dans les vêtements des serviteurs : eux aussi portent des culottes descendant jusqu'aux genoux et ont le buste drapé dans des écharpes amples ; manifestement la chaleur autorise cette tenue un peu libre.
Cette œuvre est due à un peintre pahari travaillant pour un mécène Sikh, dans les plaines du Pendjab. Elle présente de nombreux rapports avec la tradition raffinée des « collines » mais, cependant, de nombreux éléments l'en distinguent. Le dessin est très net et la palette discrète, mais les personnages sont assez trapus et privés de cette grâce suave des meilleures œuvres pahari, légèrement antérieures. Des touches délicates, comme la tendre étreinte des mains, la guirlande florale enroulée sur un plateau couvert de feuilles fraîchement cueillies y font penser, mais seulement dans une certaine mesure.
W.G. Archer a cru voir dans ce portrait le chef Desa Singh Majithia, gouverneur Sikh des collines, mais une identification, se fondant sur une autre peinture figurant un mariage, sans aucune inscription, où l'on voit un chef Sikh assis bien en vue sur un trône, laisse planer un doute important.

Bibliographie :
W.G. Archer, *Paintings of the Sikhs,* Londres, 1966, pl. 11, p. 19-21 ; B.N. Goswamy, « Sikh Painting: An Analysis of some aspects of Patronage », *Oriental Art,* vol. XV, n° 1.

34
Le vent de l'amour

Gouache sur papier.
École pahari, dernier quart du XVIIIe siècle.
15 x 10 cm.
Bharat Kala Bhavan, Bénarès ; n° 5547.

De prime abord, cette œuvre paraît simple et ne montre qu'une jeune fille se hâtant de rentrer chez elle, mais on y découvre des nuances riches et poétiques si on la situe dans le contexte général des peintres pahari illustrant souvent des situations banales. En haut, à droite, dans un coin du ciel, on voit des nuages et, à gauche, la jeune dame vêtue

d'un élégant *peshwaz* blanc, d'un corsage safran et drapée dans un *dupatta* or et orange ; elle est sur une terrasse de marbre et se dirige vers la porte de sa chambre. Sa silhouette penchée, l'expression pensive de son visage nous apprennent que cette miniature est presque certainement inspirée par une strophe de Bihari, poète du XVIIe siècle et tirée de son célèbre *Satsai* : « Dans le ciel, au-dessus de moi, je ne vois aucun nuage de mousson ; mais je vois les fumées qui s'élèvent des brasiers de la séparation, qui ont consumé le reste du monde et viennent maintenant vers moi. »

Manifestement, la *nayika* est une *virahini*, « l'héroïne séparée de son amant ». La mousson est arrivée et, avec les pluies, la saison où un désir ardent s'empare de l'esprit et du corps des amants. Pourtant, séparée de son bien-aimé, cette *nayika* ne peut supporter la vue de ces nuages. Ailleurs, à un autre moment, si son amant avait été auprès d'elle, elle aurait chanté et loué l'arrivée des nuages chargés de pluie.

Cette peinture est d'une merveilleuse clarté ; les blancs froids de la terrasse se juxtaposent à toute une plage de gris et de noirs, dans le ciel ; le voile de la *nayika* voltige et elle a peine à le maintenir dans le souffle des vents violents du souvenir ; l'expression pensive du visage et son regard baissé sont lourds de signification. La passion semble dominer toute cette œuvre, comme elle domine les formes souples et élégantes de la jeune femme.

Bibliographie :

Publié dans *Chhavi*, II, pl. 33, *Bharat Kala Bhavan Ka Suchipatra*, Varanasi, 1945, n° 61.

35
Souvenirs : une Nayika regarde la parade amoureuse des pigeons

Gouache sur papier.
Rajasthan, deuxième quart du XVIIIe siècle ; d'un atelier de Bundi-Kota.
Bharat Kala Bhavan, Bénarès ; n° 4147.

Sortant peut-être tout juste du joli bassin où poussent des lotus, ayant pris un bain rafraîchissant, cette jeune dame, ne portant qu'un court vêtement tourbillonnant autour des jambes, est assise sur une sorte de trône. Les mains derrière la tête, elle a les yeux fixés sur un groupe de pigeons posés sur un grand perchoir grillagé au sommet d'un mât élevé ou voletant tout autour. Les pigeons roucoulent et semblent se livrer, en volant, à une sorte de parade amoureuse ; parmi eux, les mâles gonflent le jabot et une femelle regarde vers le bas, avec sympathie, la belle dame. En les écoutant, en les regardant, cette dernière ne peut manquer de penser à son amant. Elle est pourtant loin d'être seule ; elle est entourée de servantes et de compagnes, les unes faisant de la musique, d'autre tenant de petites coupes de vin ; à gauche, deux d'entre elles simulent une étreinte amoureuse, la femme, derrière passant le bras autour de la « princesse » coiffée d'un chapeau. Le cadre est luxuriant, indolent, tout est presque parfait, il ne manque que l'amant qui est au centre de la pensée de tous.

Avec sa finesse habituelle et son sens du détail, l'auteur de cette œuvre délicate nous fait prendre conscience de petits faits significatifs ; le blanc brillant des structures et de la terrasse, les sources d'où jaillissent d'incessants courants d'eau vive, les parfums et les onguents sur des plateaux posés par terre, les fleurs de lotus et le couple d'oiseaux dans l'eau. La richesse de la palette, avec ses jaunes safran et ses rouges orangés alternant avec des blancs et des verts, contribue de même à créer l'atmosphère. Le suave parfum de l'amour semble planer dans l'air alors que l'héroïne aux seins nus de cette miniature s'étire langoureusement.

Bibliographie :

Publié dans *Chhavi*, II, Bénarès, 1981, col. pl. 25.

36
Au printemps, en attendant Krishna ; d'une série du *Gita Govinda*

Gouache sur papier.
École pahari, troisième ou quatrième quart du XVIIIe siècle ; de l'atelier familial de Seu-Nainsukh.
17 × 26,5 cm.
Bharat Kala Bhavan, Bénarès ; n° 10514.

Comme le dit lui-même le grand poète-dévot : « le prodigieux mystère des ébats érotiques de Krishna dans la forêt de Bindaban est le chant de Jayadeva », le *Gita Govinda.* On ne verra pas toujours Krishna avec ses bien-aimées : s'il y a réunion joyeuse, il y a aussi attente de l'union ou, aux pires moments, de longues séparations. Ainsi, quand vient le printemps, comme le dit le poète, « Radha aux souples membres erre, telle une liane en fleurs, dans la forêt sauvage / cherchant Krishna dans ses nombreux repaires ».
Nous voyons ici Radha assise dans un bosquet, sur le rivage de la Yamuna qui coule avec majesté, en bordure de la forêt. Elle a une compagne, une *sakhi,* à ses côtés et parle avec elle, mais les deux jeunes femmes sont surtout attentives à la beauté du printemps qui est là. « Le cri des coucous s'accouplant sur les manguiers / que font frémir les abeilles en quête des suaves senteurs des boutons éclos / Font monter la fièvre aux oreilles des voyageurs solitaires... » Dans ce contexte les deux femmes s'arrêtent peut-être pour écouter un bruit qui pourrait, qui pourrait seulement, être le pas de Krishna arrivant. Le peintre de cette éblouissante série n'a pas représenté les oiseaux s'accouplant : ils sont tous là, mais à une légère distance les uns des autres, comme le sont Radha et Krishna. La manière amoureuse avec laquelle, en bas de page, la liane étreint un arbuste, le feuillage luxuriant, les fleurs qui s'épanouissent dans une orgie de couleurs, tout est rassemblé dans une intention fort claire. Ici, le peintre a su, à la perfection, évoquer l'imagerie et les riches résonances du poème lyrique de Jayadeva, écrit quelque six cents ans auparavant. Avec une grande clarté, en un dessin qui se fond et se déploie sur toute la page, le peintre a créé le monde magique et tendre, de l'amour tel que l'a chanté le poète, cet amour qui unit l'humain et le divin.
Cette série du *Gita Govinda,* dont subsistent près de 140 feuilles, faisait autrefois partie de la collection du Maharaja de Tehri-Garhwal ; elle appartient aux séries les plus appréciées de toute la peinture pahari. C'est manifestement l'œuvre d'un membre de la famille Seu-Nainsukh, originaire de Guler ; W.G. Archer l'attribue à Khushala, le neveu de Nainsukh, aidé par son cousin ou Gaudhu, le fils de Nainsukh. On pense généralement qu'elle provient de Kangra, où Sansar Chand, son plus célèbre souverain, maintenait un grand atelier réunissant quelques-uns des membres les plus doués des familles d'artistes de la région pahari.

Bibliographie :
Karl J. Khandalavala, *Pahari Miniature Painting,* Bombay, 1958 ; M.S. Randhawa, *Kangra Paintings of the Gita Govinda,* Delhi, 1963 ; B.N. Goswamy, « Pahari Painting: The Family as the Basis of Style », *Marg,* sept. 1968 ; W.G. Archer, *Indian Paintings from the Punjab Hills,* Londres, 1973, p. 291-293.

37
La maîtresse offensée ; d'une série du *Rasikapriya* (?)

Gouache sur papier.
École pahari, premier quart du XVIIe siècle ; d'un atelier de Basohli.
Bharat Kala Bhavan, Bénarès ; n° 408.

On ne nous dit pas la cause de la colère de cette jeune femme, mais on peut la deviner. Le *nayaka* a passé la nuit ailleurs et, à son retour, tout dans son attitude le laisse deviner. La *nayika* l'a attendu en vain et, ne mâchant pas ses mots, lui a fait une scène. Elle se plaint, l'accuse, lui fait des reproches, jusqu'au moment où le *nayaka*, contrit, plein de remords, tombe à ses pieds, ce qui ne l'apaise pas pour autant. Elle continue de lever un doigt accusateur ; elle n'est que colère et agitation. Le peintre transmet son message sans aucun détour. On voit aussi, naturellement, les éléments architecturaux de la décoration, la loggia, avec ses piliers, ses murs, ses plinthes, sa balustrade ; dans le style de cette époque, ces éléments sont nécessaires pour évoquer la richesse d'une chambre intérieure. Mais le vrai drame est ailleurs, il est dans la posture de la *nayika,* dans la torsion de son corps, dans l'inclinaison de sa tête, alors même qu'elle refuse de regarder son amant ; le peintre a donné à ses jambes une position lui permettant de jouer avec les formes rythmées, tourbillonnantes décrites par les festons de sa jupe. De même, le turban dénoué du *nayaka,* le balancement des pans du *jama* qu'il porte, les mèches de cheveux qui pendent d'un côté de son visage, le collier de perles qui n'est plus à sa place, tout est traité avec une grande dextérité. La palette est riche et les couleurs ont leur propres résonances.

Cette illustration semble avoir appartenu à un ensemble ou à une série mais, tout en offrant certaines ressemblances avec quelques œuvres du même style, de Basohli et de Nurpur, peu d'exemples sont à l'heure actuelle connus.

Cette feuille a été restaurée, mais la plus grande partie de l'œuvre est intacte et a supporté sans dommage l'épreuve du temps.

38
La cage d'amour

Gouache sur papier.
École pahari, troisième quart du XVIIIe siècle.
18 × 13,5 cm.
Bharat Kala Bhavan, Bénarès ; nº 5454.

Désireux de toujours inventer des situations nouvelles, badines ou passionnées, un poète comme Keshavadasa, – auteur du *Rasikapriya* et du *Kavipriya*, ces classiques du XVIe siècle, – dut être considéré par les peintres comme une inépuisable source d'inspiration. Même si cette miniature qui représente le couple d'amants familiers, Krishna et Radha, ne comporte aucune inscription, un *rasika*, aussi averti de la poésie que de la peinture de cette riche période, n'aurait pas grand peine à la rattacher à une strophe où Keshava évoque l'intelligence de Radha. Fougueux comme à son habitude, Krishna attire Radha vers lui, la tirant par son voile alors qu'il s'assied sur le lit, son corps nu à peine masqué par une couverture. Mais Radha, taquine, trouve mille et une excuses : ne sois pas impatient, mon amour, lui dit-elle ; il reste trop à faire : des deux oiseaux familiers, seul le perroquet s'est endormi, le *myna* est encore éveillé ; il faut fermer la porte, le daim et les grues apprivoisés sont toujours dans la chambre ; il faut aller éteindre la chandelle. Krishna comprend et sourit : « Radha est entrain d'apprendre tous les petits trucs de l'amour » nous dit le poète qui la désigne sous le nom de *vishrabdha navodha nayika*.
On peut sans doute voir ici la transcription littérale d'une situation telle que l'a imaginé le peintre, mais on peut aussi la considérer d'un point de vue purement visuel. On comprend assez vite la situation : l'impatience de Krishna, les artifices de Radha pour faire durer le plaisir, les petits détails qui révèlent le contexte amoureux, comme le lit à peine fait, la nudité de Krishna, le sourire qui joue tour à tour sur les lèvres des deux amants... mieux, le sentiment d'union et de grâce suave du dessin qui fait naître à la vie cette œuvre délicate.

Bibliographie :
Karl J. Khandalavala, *Pahari Miniature Painting*, Bombay, 1958 ; *Bharat Kala Bhavan Ka Suchipatra*, Varanasi, 1945 ; nº 32.

39
Le premier regard ; d'une série du *Mrigavat*

Gouache sur papier.
Époque des Sultanats, deuxième quart du XVIe siècle.
18,9 × 17,8 cm.
Bharat Kala Bhavan, Bénarès ; nº 7844.

Dans le joli conte du prince qui tombe désespérément amoureux de Mrigavati, la belle aux yeux de biche, l'intérêt se porte tout naturellement sur le moment où il tombe amoureux au premier regard qu'il porte sur elle. La princesse se baigne dans une petite pièce d'eau ; elle est nue et deux servantes l'aident, la massant et versant de l'eau sur elle ; le héros regarde la scène de loin, et est immédiatement conquis par le charme de la baigneuse. Nous le voyons, sur la gauche, assis et entouré d'un cercle qui indique naïvement, mais de façon explicite, que le peintre représente ici un endroit que nul ne peut voir, une sorte de coin retiré. Son geste, la main droite devant le visage, l'index et le pouce joints, indique son émerveillement devant l'indicible beauté qui se révèle à lui. Quant à la princesse, elle n'a pas conscience de la présence du héros et le sourire qui joue sur son visage fait partie de son charme intérieur, il indique la paix qui est la sienne, le plaisir qu'elle trouve dans ce moment de fraîcheur.
Les conventions qui, nous le voyons, ont été respectées pour représenter la femme et l'homme, devaient déjà être bien établies au moment où fut entreprise l'illustration de ce manuscrit du *Mrigavat*, et elles ont été respectées avec soin dans toute la série. Les grands yeux en forme de pétales de lotus qui semblent aller jusqu'au bord des oreilles, les sourcils arqués, le nez accentué, la tête trapue, légèrement carrée mais charnue, la poitrine généreuse et la taille d'une extrême minceur font à l'évidence partie du vocabulaire de l'artiste. Il est cependant intéressant de noter que les servantes de la princesse n'ont pas le nez aussi accentué et qu'elles ont un teint sensiblement plus sombre. Les femmes ne portent ici pas le moindre vêtement, mais ont des bijoux aux oreilles, une sorte de cheville en ivoire pour la princesse, de grandes boucles circulaires pour ses compagnes ; ces ornements ne figurent pas seulement dans cette série, mais aussi dans d'autres œuvres pré-mogholes du groupe *Chaurapanchasika*. Le court turban *kulahdar* du héros et son *jama* nous sont également bien connus par d'autres œuvres. On remarque, une fois encore, ces correspondances importantes avec le bassin de maçonnerie à gradins, le motif de vannerie pour l'eau, les deux poissons dans le bassin, destinés à préciser la nature de l'élément et en indiquer la fraîcheur. La page est divisée, la moitié supérieure montrant seulement une vue de la chambre où se trouve un lit bas, et cette pièce fait manifestement partie du palais de la princesse ; sa facture schématique, la stricte frontalité sont, ici aussi, tout à fait dans le style d'illustration propre à ce manuscrit. Pour montrer l'opulence de cette pièce du palais, un couple d'oiseaux, peut-être des paons, a été figuré.
Ce qui apparaît dans les feuilles de cette série, en dépit de leur caractère schématique, c'est

la force avec laquelle le peintre attire notre attention sur l'émotion propre à chaque situation. Rien ne vient dissimuler les sentiments des personnages ou les intentions du peintre. Tout est indiqué, avec un grand charme, pour que nous regardions et assimilions.

Mrigavat, « l'étrange histoire d'amour, de fantastique, de magie et de surnaturel » auquel est consacré ce manuscrit illustré du Bharat Kala Bhavan compte parmi les œuvres les plus importantes en dialecte avadhi et a été composé en 909 de l'hégire, soit 1503-4 après J.-C., par Sheikh Qutban, très probablement à Jaunpur. L'exemplaire de l'œuvre qui subsiste ne comporte pas de colophon, mais il est fait allusion dans le texte à Hussain Shah Sharqi (1450-1479) qui mourut avant que l'œuvre ne fût achevée. L'exemplaire de Bénarès est copieusement illustré et, dans son état originel, ne comportait pas moins de 253 feuillets. Il est en caractère Kaithi ; c'est très probablement l'œuvre d'un scribe peintre Kayastha.

Bibliographie :

S.H. Askari, « Qutban's Mrigavat – A unique Ms. in Persian script », *Journal of the Bihar Research Society,* vol. XLI, n° 4, 1955 ; Karl J. Khandalavala, « The Mrigavat of Bharat Kala Bhavan : a Social Document and Its Date and Provenance », *Chhavi* I, Bénarès, 1971, p. 19-36.

40

Amants gagnant une chambre ; de la même série du *Mrigavat* que le n° 39

Gouache sur papier.
Époque des Sultanats, deuxième quart du XVIe siècle.
18,9 × 17,8 cm.
Bharat Kala Bhavan, Bénarès ; n° 7792.

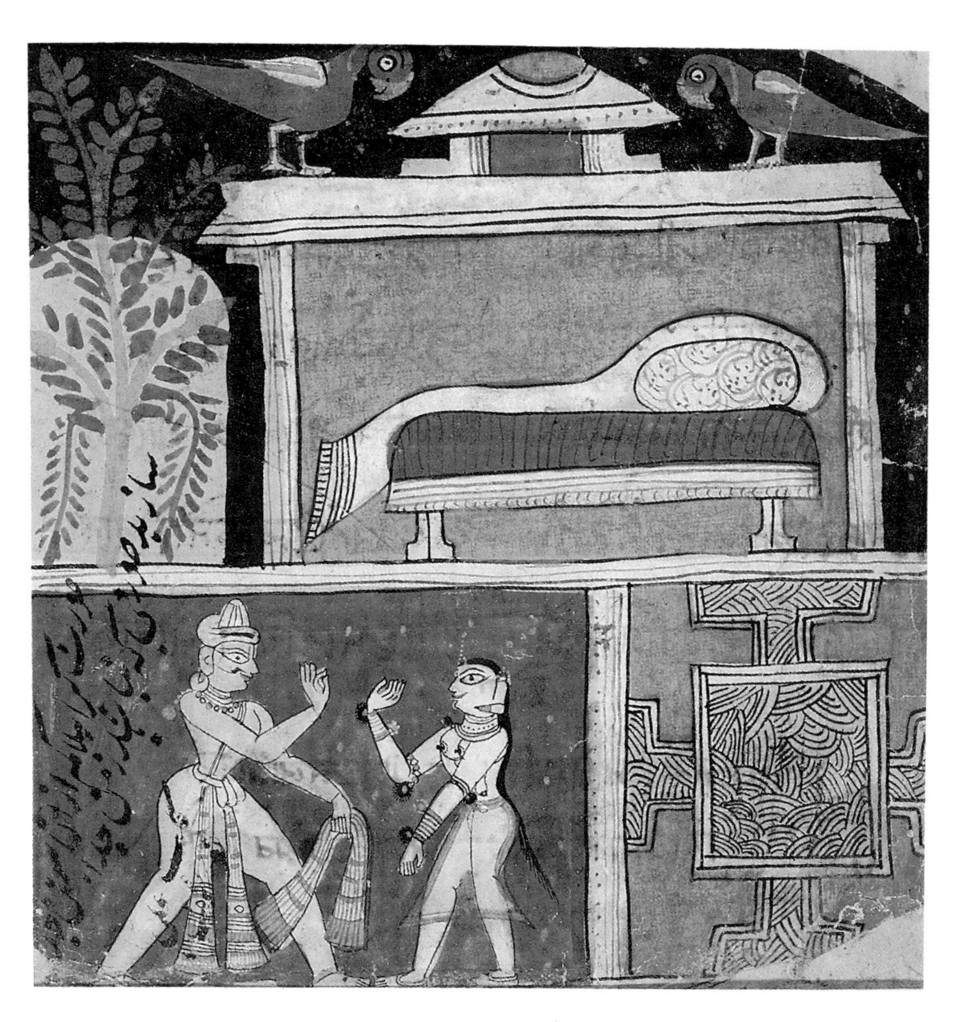

Une fois que l'on a compris l'esprit de ce délicieux manuscrit populaire, il n'est pas difficile de le déchiffrer. Le réservoir d'eau, fortement stylisé, à droite, vu d'en haut, avec l'eau irisée de motifs de « vannerie », vient tout juste de servir à la jolie princesse qui vient de sortir de son bain. C'est là que le prince l'a vue pour la première fois, qu'il a été ébloui par sa beauté. Maintenant, elle s'éloigne, vêtue d'un voile diaphane, le prince ne peut contenir son ardeur et, tout en lui parlant, – ce qu'indiquent ses gestes, – il tend la main et lui arrache son voile, révélant la beauté de ses seins, de son buste. Non loin du couple, on voit une chambre à coucher, avec un lit tout prêt, le baldaquin drapé avec des festons. Au-dessus de la chambre, sur le toit, de part et d'autre du dôme, au milieu, se trouvent deux perroquets, d'une taille exceptionnelle ; ils sont bien à leur place, car le perroquet est le véhicule de Kama, le dieu de l'amour. Hors de la chambre à coucher, un arbre est en pleine floraison. Tout indique que le prince et la princesse respirent une atmosphère forgée d'amour, que l'éveil de la passion est le sujet même de cette feuille.
Le dessin est sommaire et coloré à la hâte, semble-t-il, mais le message « passe » bien ; l'utilisation de conventions bien établies, loin d'obscurcir notre compréhension, l'exacerbe.
Les deux vers en persan, écrits verticalement en travers de la peinture, semblent n'avoir pas grand rapport avec elle ; il s'agit probablement de quelque vers écrit ici par un ancien propriétaire du manuscrit. Le texte original du livre est en caractères Kaithi.

Bibliographie :
Voir le n° 39.

41

La belle Sohni traverse le fleuve à la nage

Gouache sur papier.
École pahari, troisième quart du XVIIIe siècle ; de l'atelier familial de Seu-Nainsukh.
37 × 29 cm.
Bharat Kala Bhavan, Bénarès ; n° 9960.

L'amour légendaire de Sohni, « la Belle », et de son amant, Mahiwal, le « gardien de buffles », – en réalité un riche marchand qui avait préféré surveiller des buffles afin de pouvoir rester auprès de cette beauté qu'il ne pouvait légitimement épouser, – est un thème toujours vivace au Pendjab. Chaque fois qu'est mentionné le Chenab, fleuve qui se trouve aujourd'hui au Pakistan, nous pensons aux deux amants car, la nuit, Sohni traversait à la nage ce fleuve majestueux, en s'aidant d'une cruche de terre cuite, pour retrouver clandestinement son amant. Cet amour ne devait pas durer, des jaloux allaient l'interrompre. Comme l'a remarqué A.K. Coomaraswamy, « cette histoire trouve son dénouement quand la famille (de Sohni) découvre ses visites nocturnes ; à son pot de terre cuite, ses frères en substituent un d'argile non cuite et, quand

celui-ci se désagrège dans l'eau, Sohni coule et se noie ».
Dans l'illustration du peintre pahari, rien ne laisse cependant deviner la tragédie qui menace les amants. Il est vrai que, dans l'importante marge de la feuille, dans un minuscule médaillon, il a peint d'un côté un vieillard assis, qui fume et représente la famille aux aguets, et, de l'autre côté, l'amant qui est assis avec ses buffles ; la peinture, cependant, est consacrée essentiellement à Sohni, d'une beauté arachnéenne, qui traverse le fleuve à la nage. Les peintres des collines, en particulier ceux de la famille Seu-Nainsukh qui sont certainement les auteurs de cette œuvre, sont

célèbres pour le type féminin idéalisé qu'ils ont créé : leurs femmes sont fragiles et innocentes, elles ne sont pas souillées par le monde, et sont empreintes d'une grâce ineffable. Il est certain que ces peintres ont emprunté aux images, aux portraits des poètes du passé, ils ont cependant une fraîcheur qui n'est pas dans les formules usées de la poésie. Nous voyons bien, ici, cette exquise fraîcheur. L'esquisse de sourire qui joue sur le visage de Sohni, ses traits aquilins, les mèches qui s'accrochent à ses formes juvéniles, sa gracieuse nudité, sont mis en valeur, car elle a le corps tendu par la nage, et tout cela donne à la peinture une beauté irréelle. L'effet est encore souligné par le plan d'eau dans la nuit, le silence à peine troublé par les discrets mouvements des bras et des jambes de la furtive amante.

Bibliographie :
O.C. Gangol, *Masterpieces of Rajput Painting*, Calcutta, 1926, pl. 29 ; Karl J. Khandalavala, *Pahari Miniature Painting*, Bombay, 1958, nº 116 ; W.G. Archer, *Indian Paintings from the Punjab Hills*, Londres, 1973, nº 19, sous l'en-tête « Guler ».

42
Le poète Bilhana soulève le voile de Champa ; d'une série du Chaurapanchasika

Gouache sur papier.
École pré-moghole, deuxième quart du XVIe siècle.
19,5 × 23,5 cm.
Bharat Kala Bhavan, Bénarès ; nº 10515.

« Souvenir », tel est le thème du poème lyrique sanskrit de Bilhana, du XIe siècle, le *Chaurapanchasika*, « les cinquante stances du Voleur d'Amour », où chaque stance commence par les mots « Il me souvient encore aujourd'hui ». Une légende romanesque explique que le poète était tombé amoureux d'une princesse, Champavati, d'un milieu social bien supérieur au sien. A la découverte de ces amours illicites, le poète avait été jeté en prison par le père de la jeune femme, le Raja de Kanchipur. En réalité, le poète avait été condamné à la pendaison quand, en prison, il avait composé et récité cinquante strophes d'une telle beauté, d'une telle passion que le Raja lui accorda son pardon ; il savait en effet honorer un grand poète, même si ses poèmes apportaient le déshonneur sur la maison royale, puisqu'il célébrait l'amour entre le poète et la princesse. Ces cinquante strophes constituent le *Chaurapanchasika* ; on les appelle aussi parfois *Bilhana Panchasika*, du nom de l'auteur, le Pandit Bilhana, du Cachemire.

Il ne subsiste pas beaucoup de manuscrits du *Chaurapancasika* et la série d'où provient cette feuille est certainement la seule jusqu'ici mise au jour. Manquant de points de comparaison, il est difficile de comparer cette illustration ; le peintre n'avait pas une tâche facile, car il n'y a guère d'action dans le texte, guère de changements de décor : ce qu'il devait interpréter, c'était les nuances de l'amour et les diverses humeurs des amants. Dans ces limites imposées par le texte, il a fait des merveilles, ne travaillant qu'avec un petit nombre de personnages (jamais plus de trois) et des éléments récurrents dans la composition ; il varie, il manipule les rares « propriétés », les caractéristiques architecturales et les costumes, il joue avec ces éléments, si bien qu'il parvient à créer une très remarquable plage de situations répétitives. Son type humain est sty-

lisé à l'extrême : la femme a la tête trapue, de grands yeux ovales qui vont presque jusqu'aux oreilles, le nez accentué en lame de couteau, les lèvres petites, le menton saillant, les épaules rondes, les seins généreux, fermes et très rapprochés, la taille d'une finesse excessive, les hanches larges et lourdes. L'homme n'est pas très différent, mais ses yeux sont un peu plus petits et il a une forte moustache ; le visage a la même expression d'avidité, traduit une passion intérieure profonde, tumultueuse. Le peintre fait ensuite un grand usage des costumes. Utilisant encore les conventions bien établies dans les œuvres du XVe siècle dans l'Inde de l'ouest ; il met une grande intelligence dans les motifs, les couleurs et les découpes des costumes car, par leur transparence, ils révèlent plus qu'ils ne dissimulent et, quand ils s'évasent, les extrémités raidies, comme des voiles ou des *orhnis,* entre les jambes, sont, pourrait-on dire, animées d'une passion qui leur est propre. De même, le peintre joue avec l'architecture, changeant l'orientation de la chambre, l'endroit d'où l'on regarde un lit ou des coussins, les saillies des gouttières ou les motifs décoratifs sur les murs. Il utilise une incroyable variété de motifs dans les draperies, le mobilier, les décorations sur les murs, les petits objets et les accessoires qui alimentent le brasier de l'amour.

Nous voyons ici les amants dans une chambre ; avec une infinie tendresse, Bilhana relève le voile transparent que porte Champa qui, dans un accès de timidité, de confusion, tourne la tête avec un geste irrésistible. Sa main s'égare sur la jambe de son amant et elle a peine à maîtriser sa propre émotion ; elle détourne les yeux. L'amant plein d'ardeur ne porte qu'un simple pagne et l'on voit, suggestif, un lit tout près, dans la chambre voisine. Il y a partout des rangées de fleurs en forme d'étoiles, sur les nattes de Champa comme sur les coussins ; on peut aussi voir des *paans* bien rangés, au pied du lit : les pompoms, les motifs en feuille de lotus, tout vient entretenir le sentiment que produisent les amants. La strophe au-dessus, est ainsi rédigée :

« A l'instant de ma mort, même à ma nouvelle naissance,
Il me souviendra toujours du cygne au milieu des lotus de l'amour,
Les yeux clos par l'extase de la passion,
Les membres souples, ses vêtements et ses cheveux nattés en désordre. »

Dix-huit feuilles de cette série ont été acquises par N.C. Mehta et se trouvent toutes, à l'exception de celle-ci, dans la collection Mehta au Samskara Kendra à Ahmedabad ; elle a donné son nom à tout un style. Plusieurs manuscrits ont beaucoup en commun avec cet ensemble du *Chaurapanchashika* : parmi eux, il faut citer le *Laur-Chanda* de Lahore-Chandigarh, le *Mitha-Nana Bhagavata,* le *Gita Govinda* du Prince of Wales Museum, la *Ragamala* de Vijayendra Suri, le *Devi-Mahatmya.* Le *Chaurapanchasika* ne porte pas de date et il est impossible d'en définir avec certitude la provenance. On l'attribue généralement à la période qui couvre le deuxième et le troisième quart du XVIe siècle et, comme origine, les suppositions vont de Mewar à Mandu, à Delhi et à l'Uttar Pradesh.

Bibliographie :
S.N. Tadpatrika, *Chaurapanchashika-an Indian Love Lament fo Bilhana Kavi,* Poona, 1946 ; Leela Shiveshwarkar, *The Pictures of the Chaurapanchasika,* Delhi, 1947 ; Karl J. Khandalavala et Moti Chandra, *New Documents of Indian Painting,* Bombay, 1969, 79 et sq. ; D. Barret et B. Gray, *Painting of India,* Ascona, 1963, p. 67-69.

43
La chambre d'amour illuminée

Gouache sur papier.
École pahari, premier quart du XIXe siècle.
Indian Museum, Calcutta ; n° 659/649.

Ce n'est pas *dipavali,* la fête indienne des lumières, que nous voyons ici : si la cour intérieure est éclairée, c'est dans l'attente de l'amour. En fait, il n'y a que trois chandeliers, tous trois posés sur le sol et il nous est permis de penser que nous voyons, sur les murs des « alcoves », le reflet de ces lumières, sur des miroirs accrochés aux murs comme il y en a tant dans les *shish-mahals* ou chambres des glaces de nombreux palais indiens. Ils sont tous allumés pour refléter un état d'esprit, celui de l'impatience, de l'attente de l'union avec l'amant. La jeune dame assise sur ce lit couvert avec élégance, tendue par l'impatience, attend l'arrivée de son amant, d'une minute à l'autre. Il est évident qu'elle a tout préparé pour son arrivée, cela se voit aux guirlandes sur le lit, au coffret serti de pierreries avec des *paans,* ou feuilles de bétel, et à la coupe pleine d'eau parfumée sur le sol. Et, par-dessus tout, c'est elle-même qu'elle a préparée, assise ainsi, parée de ses plus beaux vêtements et de ses bijoux. C'est, en d'autres termes, pour s'exprimer comme la poésie rhétorique indienne, une *Vasakasajja-nayika,* « celle qui attend son amant, après avoir préparé la couche de l'amour ». Ainsi, même si elle est seule, elle n'est pas séparée de son amant : tout fait supposer qu'il n'y a nulle peine, seulement de l'attente. D'une minute à l'autre, l'amant va soulever le rideau de bambou délicatement natté, à la porte, et va entrer.

Il se peut que cette peinture appartienne à une série du *Rasikapriya,* inspirée par l'œuvre renommée de Keshavadasa, le poète du XVIe siècle ; il est cependant certain qu'elle ne fait pas partie de la même série pahari, peinte aussi dans le même format ovale, dont on connaît tant de peintures (cf. W.G. Archer, *infra,* n° 66 (1) et (VI), sous l'en-tête Kangra). Elle appartient probablement à une série qui a été dispersée et pourrait avoir donné le modèle de la série plus tardive et légèrement moins raffinée.

Bibliographie :
M.S. Ranhawa, *Kangra Paintings on Love,* Delhi, 1962, fig. 39 ; W.G. Archer, *Indian Paintings from the Punjab Hills,* Londres, 1973, vol. I, p. 305-307.

44

Prince dans un jardin avec des femmes

Gouache sur papier.
École moghole, premier quart du XVIIIe siècle.
State Museum, Lucknow ; nº 58.22.

Cette œuvre est presque trop riche, tellement sont soulignés les motifs et les couleurs, mais c'est peut-être justement cet excès de richesse que désire évoquer le peintre. Ému par les poètes qui chantent la grande et luxuriante floraison que le printemps apporte avec lui, le peintre se livre ici à une débauche de couleurs, parterre après parterre, planche après planche, débordant littéralement de fleurs qui coupent les limites trop rigides et rehaussent les sentes et les allées. Comme si cela ne suffisait pas, un tapis à décor floral est jeté sur la terrasse de marbre, au milieu du jardin palatial ; dessus, un jeune et beau prince est assis, entouré d'un essaim d'élégantes. Le peintre a représenté une partie en plein air, le prince se divertissant avec de jeunes dames. Outre la profusion de fleurs, il y a encore beaucoup à dire de l'atmosphère. La jeune femme assise en face du prince lui offre une coupe du vin qu'elle vient de verser du flacon qu'elle tient à la main gauche ; on voit des coupes et des assiettes sur le tapis, ainsi que des plateaux avec des bouteilles de parfum et divers fruits. Sur un plateau, se trouve un coffret avec un couvercle contenant certainement des *paans* ; une servante se tient derrière le prince, coiffée d'un chapeau conique, elle porte à la main un autre coffret du même genre. Pour bien montrer qu'en ce moment même il a changé de rôle, le prince a enlevé son épée qui est posée sur un coussin, par terre. Le prince s'intéresse manifestement à la beauté des jeunes femmes qui sont devant lui et participe à la troublante langueur qui, à cette époque de l'année, envahit l'atmosphère. Quelques détails semblent des arrière-pensées : ainsi, le portique avec des piliers, au-dessus du groupe, ou le nimbe derrière la tête du prince. Comme si le peintre avait voulu compenser certains traits et ajouter un intérêt visuel d'une autre sorte.
Le métier est sûr, un grand soin a été apporté à des détails comme les broderies des habits du prince et de ses compagnes ou encore la forme des accessoires qui jonchent le sol.

45

Séduction d'un ascète

Gouache sur papier.
École moghole, premier quart du XVIIIe siècle ; d'un atelier de Oudh.
State Museum, Lucknow ; nº 59.104.

Une beauté « à faire damner un moine », voilà qui semble un cliché, mais un cliché que l'on ne voit pas souvent illustré. Ici, le peintre ne nous présente pas une scène tirée d'un de ces innombrables contes où le plus sévère des *yogis* succombe à la tentation d'une femme d'une rare beauté. Peut-être le peintre ne veut-il nous montrer qu'un événement bien ordinaire et, par lui, attirer l'attention sur cette femme séduisante. C'est le petit matin et la dévote est vêtue, au sortir du bain, d'une *dhoti* des plus légères qui révèle plus qu'elle ne dissimule ; elle va vers un sanctuaire, peut-être à la suite d'un vœu. Alors qu'elle franchit le seuil, un religieux, – un *yogi* ou un *sannyasi*, semble-t-il, – les cheveux emmêlés enroulés au sommet de la tête, la voit et demeure saisi. La femme n'a pas conscience du regard du *yogi* ; elle se dirige vers le centre du sanctuaire où se trouve une image sainte ; le *yogi*, assis derrière une petite ouverture du mur, semble n'avoir d'yeux pour rien d'autre que ce corps enchanteur. Cette bouffée de passion dans le cœur du *yogi* est encore indiquée par l'aspect des riches bouquets sur l'arbre qui surplombe le dôme du sanctuaire, l'incrédulité du *yogi* devant un corps de femme d'une telle perfection se traduit par son geste, il se gratte la tête, qu'il tourne vivement pour la regarder. Le peintre ne va pas plus loin, il se contente de cette scène provocante, suggestive, avec ces deux personnages encadrés par une ouverture dans le sanctuaire et qui sont séparés par un élégant pilier de marbre, au milieu.

46

Abhisarika : les serpents mêmes ne la détournent pas de sa route ; d'une série de la *Rasamanjari*

Gouache sur papier.
École pahari, troisième quart du XVIIe siècle ; d'un atelier de Basohli.
Au dos, une strophe en sanskrit ; sur le bord supérieur, les mots en caractères Takri « madhya abhisarika ».
24 × 33 cm.
Dogra Art Gallery, Jammu ; nº 383.

Parlant de la littérature concernant le *shringara,* « le sentiment de l'amour » tel qu'il est représenté en Inde, Ananda Coomaraswamy disait, il y a déjà longtemps, combien il avait une nature extensive, mais aussi quelle en était la profondeur : « On reste surpris, – écrivait-il dans son *Rajput Painting* (1916), – de cette combinaison d'une connaissance si intime des passions charnelles et spirituelles avec la volonté de codifier et de classer ». Les débuts de cette classification, quant aux différents types d'amants, par exemple, remontent au moins aux premiers siècles de notre ère, si l'on veut en trouver l'indication dans le *Natyashastra* de Bharata, ce grand auteur classique de théâtre, de danse et de musique. Depuis, on a écrit à maintes reprises sur ce sujet ; avec le temps, tout s'est fortement compliqué et les diverses classes ont été divisées en sous-classes : les amants et les amantes, les *nayakas* et les *nayikas* comme on les appelle, ont été répartis dans une incroyable variété de « catégories », en fonction de leur âge, de leur expérience, de leur position dans la vie, devant l'amour. C'est ainsi qu'une *nayika,* la bien-aimée ou l'héroïne, pouvait être très jeune et sans aucune expérience de l'amour, en avoir une connaissance modérée ou être d'un certain âge et, donc, experte ; elle pouvait « s'appartenir », « appartenir à un autre » ou encore être « non décidée » ; elle pouvait avoir une nature « supérieure » ou « médiocre » ou réellement « basse », et ainsi de suite. A partir d'un certain moment, tout cela commence à paraître un peu trop détaillé, artificiel même, peut-être, mais Coomaraswamy fait remarquer que c'est artificiel, seulement dans ce sens « que c'est l'œuvre d'artistes très adroits utilisant des conventions particulières ; c'est au contraire tellement étroitement calqué sur l'expérience que nous ne pouvons en apprécier le réalisme qu'en proportion de notre propre expérience... Ce qui étonne le plus, – continue Coomaraswamy – c'est qu'une si grande connaissance... doive se combiner à tant de tendresse ; qu'une recherche aussi systématique soit constamment illuminée par la magie d'un premier baiser ».
Une des œuvres sanskrites les plus connues à ce sujet est la *Rasamanjari,* (« le Bouquet de Délices ») du poète Bhanudatta, né au XVe siècle dans le nord du Bihar, œuvre écrite, comme le dit le poète lui-même, pour dispenser un plaisir esthétique « dans l'esprit d'une multitude d'élèves, comme on donnerait du miel à des abeilles ». Œuvre relativement courte, de 138 vers seulement, la *Rasamanjari* est écrite dans un style dense, concis, mais fait jaillir des images vigoureuses, une fois que l'on est parvenu à découvrir le sens de chaque vers. Il y a de subtiles variantes d'humeur et de sentiment et, pour que tout soit très clair, le poète donne parfois plusieurs exemples d'un même type. Les *nayikas* sont d'abord présentées comme une classe simple, puis très rapidement, on se retrouve dans le monde riche, poétique des *lakshanas,* c'est-à-dire des signes caractéristiques permettant de « reconnaître » les *nayikas.* Une classification classique, aujourd'hui gravée dans la conscience de tous, en Inde, et pas seulement dans celle des lecteurs des œuvres de rhétorique, était celle des huit types de *nayikas,* distinguées par leur situation devant l'amour, le célèbre *ashta-nayika-bheda.* Voici ces huit classes :

Svadhinapatika :
Celle dont le seigneur est soumis à sa volonté, dont elle est maîtresse.

Utka :
Celle qui attend son amant, et est impatiente.

Vasakasajja :
Celle qui attend son amant et qui a préparé le lit.

Kalahantarita :
Celle qui fait des reproches à son amant et qui, ensuite le regrette.

Khandita :
Celle qui est en colère contre son amant.

Proshitapatika :
Celle dont l'amant est parti en voyage et qui l'attend.

Vipralabdha :
Celle qui attend en vain que son amant arrive à l'endroit du rendez-vous.

Abhisarika :
Celle qui sort pour rencontrer son amant et qui est présente au rendez-vous.

Dans ces huit types principaux, on trouve encore des sous-types, selon l'âge, l'expérience, la nature, etc., mais il est remarquable de retrouver ces huit types dans un si grand nombre de poésies et de chants, même s'ils n'ont aucun rapport particulier avec la rhétorique ou la littérature concernant le *shringara.* Chaque poète cherche à introduire ses propres raffinements dans une situation, dans une catégorie bien établie ; chacun s'efforce d'atteindre la délectation esthétique à sa propre manière. Les *nayakas,* les amants, sont aussi classés, décrits, mais rien n'approche la subtilité et le ravissement de la classification des *nayikas.* Comme si le cœur des poètes n'y était pas, même si, à l'occasion, nous rencontrons une belle description. Il convient de se rappeler en même temps que, pratiquement dans chaque cas, on nous montre la *nayika* en compagnie de son amant, le *nayaka,* qui nous est donc implicitement présenté.
Pour décrire amants et amantes, il était logique que les poètes cherchassent à les couler dans le moule d'archétypes parfaitement intégrés à la culture, et qu'ils fussent donc immédiatement reconnaissables. Dans le contexte de l'époque il était naturel de choisir, comme modèle d'amant, Krishna dont tout le monde comprenait, avec émotion, l'amour avec toute son innocence, toute sa passion et toutes ses félicités, même avec son inconstance. Implicitement, c'est Radha qui est l'amante, dans la plupart des cas, sinon toujours. Dans la poésie hindi, comme dans l'œuvre de Keshavadasa, qui a écrit son célèbre *Rasikapriya* vers la fin du XVIe siècle (imitant la *Rasamanjari* mais allant beaucoup plus loin), pratiquement dans toute cette œuvre, l'amant et sa bien-aimée sont désignés par les noms de Krishna et de Radha. Ce n'est pas le cas avec la *Rasamanjari* de Bhanudatta, où Krishna est mentionné plusieurs fois, mais pas à chaque strophe. Pour illustrer ces vers, les peintres de certaines séries ont trouvé cependant plus simple de présenter toujours, constamment, l'amant sous les traits de Krishna. Cela n'a pas seulement contribué à maintenir une certaine continuité, mais a permis d'insérer des allusions et des associations d'idées dans la légende de Krishna, chaque spectateur pouvant avoir sa propre interprétation, selon « sa propre expérience de Krishna ».
Les vers, au dos de cette peinture, décrivent une *abhisarika nayika* de la catégorie *madhya,* ou moyenne, qui n'est ni novice ni très mûre et expérimentée. Les mots sont placés dans la bouche de l'amant, ici Krishna, qui lui parle :
« O toi, ma tendre beauté, toi que même les serpents ne peuvent détourner de ta route, tremble maintenant au seul contact de mon bras. Le tonnerre, dans les nuées, ne te fait pas trembler et, cependant, tu te retournes à mes mots d'amour. Que vais-je faire ? »

W.G. Archer a décrit et étudié la superbe série d'où provient cette feuille, « la première série de *Rasamanjari* de Basohli » ; il a noté son « air de luxe barbare », son « intensité passionnée », les nombreuses déformations qui en relèvent « la poésie visuelle ». C'est une des séries aux couleurs les plus brillantes de toute la peinture pahari, avec des rouges et des pourpres étonnants, des jaunes profonds, des noirs verdâtres et des verts pâles, des ivoires, dans chaque cas rehaussés par l'utilisation d'élytres brillantes de scarabées qui sont collées pour simuler des émeraudes dans les joyaux et la décoration ; c'est aussi une de ces séries où le peintre a interprété avec une liberté et une innovation remarquables chaque situation telle que la voyait le poète. Ici, par exemple, le serpent est d'un dessin magnifique, il paraît redoutable, sa langue est fourchue, il est isolé avec tant de hardiesse qu'il évoque aussi bien la passion que les dangers rencontrés par la *nayika* pour aller à son rendez-vous. La pluie qui tombe régulièrement, les nuages stylisés et dramatiques qui noircissent le ciel, les yeux avides et les gestes nets, le drame humain dans la loggia, tout emplit l'atmosphère d'une passion calme mais insistante. Il y a beaucoup de détails ornementaux mais ils viennent seulement souligner la richesse des émotions et ne cherchent jamais à la dominer.

Cette série a dû comporter à l'origine plus de 130 peintures, chaque strophe ayant son illustration, mais toutes ne nous sont pas parvenues. L'ensemble le plus nombreux, de 62 peintures, se trouve à la Dogra Art Gallery, à Jammu ; quelques peintures se trouvent au Victoria et Albert Museum de Londres et au musée des Beaux-Arts de Boston ; un petit nombre se trouve au musée Sri Pratap Singh de Srinagar. Cette série n'est pas datée, on n'a encore découvert aucun colophon, mais on la fait généralemen remonter entre 1660 et 1670 et l'on pense qu'elle a été composée dans le petit État de Basohli. Une autre série de la *Rasamanjari*, la « troisième » décrite par Archer, a été peinte a Basohli pour son souverain le Raja Kirpal Pal, par le peintre Devidasa qui venait, lui presque certainement de Nurpur, en face de Basohli, de l'autre côté du fleuve.

Bibliographie :
Ananda K. Coomaraswamy, *Catalogue of Indian Paintings in the Museum of Fine Arts, Boston,* partie V, Boston, 1926 ; Hirananda Shastri, *Indian Pictorial Art as Developed in Book Illustration,* Baroda, 1936 ; Karl J. Khandalavala et Moti Chandra, « *The Rasamanjari* in Basohli Paintings », Lalit Kala nº 3-4 ; Karl J. Khandalavala, *Pahari Miniature Painting,* Bombay, 1958 ; M.S. Randhawa, *Basohli Painting,* Delhi, 1959 ; M.S. Randhawa et S.D. Bhambri, « Basohli Paintings of Bhanudatta's *Rasamanjari* », *Roopalekha,* vol. XXXVI, nº 1-2 ; W.G. Archer, *Indian Paintings from the Punjab Hills,* Londres, 1973, nº 5 (i à xvi), sous l'en-tête « Basohli ».

47

« Sortie impatiente » : l'Abhisarika ; de la même série de la *Rasamanjari* que le nº 46

Gouache sur papier.
École pahari, troisième quart du XVIIe siècle ; d'un atelier de Basohli.
Au dos, des vers en sanskrit ; sur la bordure supérieure, en caractères Takri, les mots « *parakiya abhisarika andhakara* ».
24 × 33 cm.
Dogra Art Gallery, Jammu ; nº 333.

C'est la même situation d'*abhisara* (qu'au nº 46), celle d'une sortie pour aller voir l'amant, mais un autre élément, plus impétueux, s'y trouve greffé : la *nayika* est une *parakiya,* elle « appartient à un autre » ; il y a donc plus de témérité, plus de provocation chez la *nayika* qui va le rencontrer. La nuit est sombre, comme nous le dit le dernier mot rajouté de l'inscription en écriture takri ; il y a même une *sakhi,* une amie de la *nayika* qui cherche à la dissuader de sortir sous l'orage mais, comme une possédée, on ne peut la retenir et, en sortant, elle s'adresse ainsi à son amie :
Sakhi ! Pour les jeunes femmes qui sont prêtes, impatientes de retrouver leur amoureux, les nuages sont comme le soleil, la nuit est comme le jour, l'obscurité est comme la lumière, la forêt est comme leur propre maison et la jungle est un doux sentier ».
(78)
Les nuages dans le ciel, qui y sont une menace perpétuelle, les éclairs qui les zèbrent, la pluie violente qui tombe, tout établit l'hostilité actuelle des éléments ; le bosquet, à gauche, où l'on voit la tête de l'amoureux qui attend dans le brouillard, représente la forêt ; à droite, la chambre représente la maison qu'elle quitte « pour une autre ». Tout est indiqué rapidement, mais avec une calme éloquence. Tout est traité comme des décors que l'on peut, à volonté, enlever ou décaler, déplacer vers l'avant ou vers l'arrière, dont on peut disposer les éléments en ligne droite ou courbe, à qui l'on peut donner plus ou moins de hauteur. Si nous devons donc voir Krishna au milieu de la forêt, les arbres qui se trouvent au premier plan, à gauche, ont reçu une forme et une couleur qui évoquent un tableau d'ensemble, poétique, et ils ne sont pas le reflet de la réalité, ils ont été rapetissés pour que nous puissions le voir. De la même manière, les portes des bâtiments peuvent être représentées ouvertes ou fermées, on voit des marches ou non, selon l'humeur du peintre. Toutes ces manipulations se traduisent par des peintures magnifiques, émouvantes, qui ont la même clarté que les gestes de cette *nayika,* dans leur propos et dans leur signification.

Bibliographie :
Voir le nº 46.

48

La Vasakasajja : « Un parfum de musc et de santal » ; de la même série de la *Rasamanjari* que le nº 46

Gouache sur papier.
Pahari, troisième quart du XVIIe siècle ; d'un atelier de Basohli.
Au dos, des vers en sanskrit ; sur le bord supérieur, en caractères Takri, les mots « *samanya vasakasajja* ».
24 × 33 cm.
Dogra Art Gallery, Jammu ; nº 385.

La *nayika* décrite ici par Bhanudatta est une courtisane, attachée et éprise du *nayaka* dont elle attend, à côté de son lit orné et embaumé, le retour de voyage ; dans son amour, se trouve cependant un élément qui est plus que du désir charnel. Elle regarde la porte qui est grand ouverte, touchant de la main droite tendue la fraîcheur humide de la guirlande de fleurs qui pend, avec d'autres, à une cheville dans le mur ; son vêtement est entrouvert par devant, il retombe et les

pans de son foulard frémissent à l'instar de son propre cœur ; elle songe et se parle :
« Si mon amant me presse de retirer mon vêtement, je lui demanderai de me donner un *sari* neuf ; s'il veut m'embrasser, je lui demanderai une belle boucle pour mes cheveux ; et quand il tendra la main vers mes seins, je lui demanderai une ceinture d'or ». Tout en prenant ces résolutions, la *nayika* se parfume avec du musc et de l'onguent au santal ; elle attend, avec impatience, le doux moment de s'unir à son amant.

(69)

Le parfum de musc et d'onguent de santal dont parle le poète, le peintre ne peut que le suggérer rapidement en montrant ses vêtements qui s'ouvrent, qui tombent, révélant une poitrine parfumée et ointe. Il a décidé, pourtant, de suggérer autrement un intérieur parfumé : il a placé des guirlandes de fleurs fraîches, chacune accrochée depuis peu, en signe de bon accueil, pour stimuler le désir. Le lit accueillant, avec ses traversins, la lampe qui brille au chevet, les rideaux tirés, relevés, tout convient parfaitement à l'humeur de l'instant. En portant à notre conscience ces détails de la décoration, le peintre agit dans une intention claire. La terre plate, rouge, « à l'extérieur », que l'on ne voit qu'à peine au-dessus du toit de la chambre, le mur jaune avec ses niches peintes, décoratives, sont les deux taches de couleur bien visibles ; tout le reste est ajouré, sculpté, peint ou brodé, avec un grand soin des détails.

Bibliographie :
Voir le n° 46.

49

Les jours et les nuits pendant la saison des pluies ; d'une série du *Sat Sai* de Bihari

Gouache sur papier.
Rajasthan ; A.D. 1719, par Jagannath de Mewar.
Dans la marge du haut, vers en hindi.
22,5 × 22,5 cm.
Chandigarh Museum, Chandigarh ; n° 1903.

La prodigieuse production des ateliers du Mewar au XVIIIe et au XIXe siècles est composée en partie par la série du *Sat Sai* de Bihari, à laquelle appartient cette peinture. Composée en 1662, cette œuvre célèbre de Bihari est constituée, comme son nom l'indique, de 700 distiques et, naturellement, les peintres du Mewar les ont tous illustrés. Aujourd'hui dispersée, cette série, d'un format carré, portant un distique de Bihari inscrit sur une bande jaune au-dessus, fait partie des meilleurs ensembles du Mewar. La qualité du travail est parfois inégale, car plusieurs peintres ont travaillé à cette importante série et l'on peut, aussi, penser que l'effort n'a pas été constant ; toutes ces feuilles sont cependant illustrées avec une intense poésie picturale.
Cette feuille est inspirée par le *doha* de Bihari ou distique, suivant : « En cette saison des pluies, les nuées apportent une telle obscurité que l'on ne peut distinguer la nuit du jour qu'en guettant les oiseaux Chakwa (*chakravaka*) (qui, d'après la légende, ne se rencontrent que pendant la journée, se séparant pendant la nuit) ». Le poète ne dit pas qui parle, mais le peintre a manifestement mis ces paroles dans la bouche de Radha, la bien-aimée de Krishna, assise auprès de celui-ci, dans un pavillon, sur une colonne trapue surplombant un cours d'eau. Les nuages et les éclairs dans le ciel, les tons très sombres de la peinture, les oiseaux Chakwa sur la rive opposée du fleuve, tout illustre le *doha*. Ce n'est cependant pas une simple description de la saison des pluies et des noirs nuages qu'elle apporte ; ces mots sont une invite, une suggestion à ne pas attendre « l'heure » de la nuit pour s'unir par l'amour.
Le colophon de cette série du *Sat Sai* indique qu'elle a été terminée en 1719 et donne le nom du peintre, Jagannath.

Bibliographie :
S.K. Andhare, « Three New Documents of the Reign of Rama Sangram Singh of Mewar », *Lalit Kala*, n° 19, p. 60, et un cour magistral inédit sur la peinture de Mewar (Université de Bombay), R.K. Vashishta, *Mewar Ki chitrankan parampara*, Jaipur, 1984, p. 92.

50
Sortie furtive ; de la même série de la *Rasamanjari* que le nº 46

Gouache sur papier.
École pahari, troisième quart du XVIIᵉ siècle ; d'un atelier de Basohli.
Au dos, une strophe en sanskrit ; sur la bordure du haut, en caractères Takri, les mots « *mu(g)dha neorha (navodha)* ».
24 × 33 cm.
Dogra Art Gallery, Jammu ; nº 366.

Les rhétoriciens disent que Mugdha est la *nayika* décidée à vénérer son seigneur « au moment propice, avec tous les rites de l'amour » ; pour cela, « ses yeux ont la timidité de l'oiseau *khanjana,* son visage l'éclat de la lune ». Pourtant, quand elle est sans expérience ou si c'est une jeune mariée, une *navodha,* ses désirs se dissimulent sous une certaine timidité, une crainte obscure. Voici comment un ami décrit la réunion de l'amant impatient et de la timide héroïne :
Tendrement attirée dans le lit, enfermée dans des bras aimants, la nouvelle mariée, dans sa modestie, lutte pour se libérer. Seul pourrait la maintenir l'amant capable de prendre du vif-argent dans la main et de l'y conserver...

(7)

Dans les commentaires habituels de la *Rasamanjari,* ces mots sont interprétés comme autant de confidences que l'amant chuchote à un ami. Ici cependant, ce sont deux femmes de la maison qui échangent ces paroles, l'une d'elles désignant la scène qui se déroule dans la chambre.
Il faut faire quelque effort pour s'habituer à l'angle singulier sur lequel sont montrés les amants, qui glissent presque du lit escarpé sur lequel ils se trouvent. Mais on ne peut que ressentir le remarquable mouvement de cette peinture, la folle impatience provoquée par le recul précipité. Krishna est un amant ardent : il est représenté seulement avec son court pantalon rayé, alors qu'il se penche passionnément en avant pour prendre la *nayika* dans ses bras ; il a passé autour de son cou, avec une certaine effronterie, une guirlande parfumée. La *nayika,* quant à elle, est volontairement représentée petite et jeune ; elle s'écarte avec vivacité, les pans réunis de son *sari* froncé à la taille s'écartent et son visage est empreint de peur. Ce n'est pas qu'elle ne soit pas elle-même impatiente, – n'est-elle pas, après tout, une *mugdha* ? – c'est tout simplement que tout a été trop soudain, trop nouveau pour elle et, pareille au vif-argent, elle trouve difficile de rester immobile. C'est un drame réel, intense et l'on voit comment le peintre insiste sur l'action, nous force à nous y intéresser, la soulignant par le rouge ardent du dessus-de-lit qui se détache sur le gris bleu du mur et sur le bleu sombre du corps de Krishna ; les détails décoratifs, comme les niches dans le mur, ont été supprimés mais, de manière suggestive, la porte est figurée à demi ouverte.

Bibliographie :
Voir le nº 46.

51
L'attente amoureuse

Gouache sur papier.
Rajasthan, deuxième quart du XVIIIe siècle ; de l'atelier familial de Bagta-Chokha, de Deogarh.
Patna Museum, Patna ; nº 2067.

Seule, une jeune *nayika* se tient sur une terrasse de marbre au sol recouvert de tapis ; sa tête est légèrement tournée vers la droite et est figurée de profil ; les mains sont levées au-dessus de la tête, les doigts croisés les uns dans les autres. La position de la *nayika* n'a rien de compliqué ; il n'y a aucune indication d'une quelconque référence à quelque texte de rhétorique. Elle est là, tout simplement, seule, jeune, belle, passionnée et tout son corps est empli de l'attente de l'amour.
Le peintre a dû se demander quels points il devait souligner dans sa peinture, comment en traiter les divers éléments, pour nous faire partager cette passion intense, qui émane de l'œuvre. Les seins sont hauts, ronds et fermes, légèrement soulevés par le mouvement des bras, la minceur de la taille est soulignée par le fait que le corps n'est représenté ni de face ni de côté mais avec un profil aux deux tiers, les hanches à peine en saillie avec le buste, la position ferme des jambes, les pieds légèrement écartés, les bras charnus, souples aux doigts entrelacés, dans le geste appelé *karkata*, tout est travaillé avec le plus grand soin. Le visage de la jeune fille est encadré par ses bras et tourné de côté ; il est relativement épais conformément aux conventions de Deogarh, et est incliné vers le bas si bien que le regard des grands yeux en forme de lotus est dirigé droit sur le sol. Le rythme du corps est souligné par la façon dont les joyaux et les vêtements de la *nayika* sont disposés. Sa jupe s'évase vers le bas, dans un grand épanouissement et ses extrémités décrivent des courbes accentuées, comme si elle était empesée et raidie ; l'*orhni*, le fin vêtement de dessus rentré à la taille, se soulève en courbe sur les hanches, passe derrière le corps, est agrafé à la nuque, repose sur l'épaule gauche, couvre la tête et retombe encore de l'autre côté du corps, agrafé à la taille et s'évasant, sur le devant, jusqu'aux genoux ; des rangs de perles s'enroulent autour du cou, passent entre les seins et tombent sur le ventre nu ondulant sous l'effet des mouvements légers des bras au-dessus de la tête ; une ceinture avec de petites clochettes lui passe en travers du corps et descend bas sur les hanches ; le corsage court, bordé dans le bas par une bande dorée, a peine à contenir les seins fermes et ronds de la *nayika*. C'est par des suggestions de cet ordre, en jouant avec quelques éléments du personnage et des vêtements que le peintre parvient à faire comprendre ce qui se passe dans l'esprit, et le corps, de cette jeune et élégante beauté.
La manière de rendre la tête, en particulier le fin pointillé qui lui donne cet effet de modelé, de plénitude, révèle la main du peintre Chokha, célèbre pour l'érotisme qu'il savait impartir à ses personnages féminins.

Bibliographie :
Voir le nº 4.

52
Princesse s'appliquant une marque sur le front

Gouache sur papier.
École moghole, troisième quart du XVIIe siècle.
Patna Museum, Patna ; nº 586.

Une jeune femme élégante, seule dans un jardin, porte la main droite vers son front, l'index tendu. On ne comprend cependant son geste qu'en voyant sa main gauche, levée elle aussi, au même niveau : on voit alors le minuscule miroir fixé sur la bague, *arsi,* qu'elle porte au pouce de la main gauche. Elle s'y regarde car elle se met sur le front un petit point circulaire, le *bindi,* qui est à la fois favorable et décoratif : le miroir l'aide aussi à en vérifier l'effet. Toute la peinture est d'une grande finesse d'exécution, un grand soin ayant été porté aux vêtements brodés d'un superbe modèle, au *pyjama* imprimé, au corsage court, *choli,* au long voile, *dupatta,* drapant le haut du corps et couvrant en partie la tête. L'apparence est encore rehaussée par les joyaux très travaillés, bracelets et anneaux de cheville, rangs de perles et boucles d'oreille. Le peintre a encore accentué cette élégance, à sa façon, par la touche inattendue, du minuscule miroir sur la bague portée au pouce. En un certain sens, ce petit détail remplace la fleur ou la coupe de vin tenue à la main que l'on voit sur tant d'autres peintures mogholes de princesses et de courtisanes représentées seules, en plein air, comme ici. Le peintre a achevé le tableau en y ajoutant deux plantes en fleurs, une de chaque côté de la femme, ainsi que quelques petits buissons au premier plan. Mais tout ramène sans cesse l'œil sur la femme qui symbolise la séduction féminine, non avec la franchise et la sensualité propres à tant d'œuvres rajpoutes, mais avec une sorte de retenue, de discrétion.
La peinture a été montée sur page d'album beaucoup plus tardive. L'étroite bordure florale autour de la peinture est manifestement un enrichissement maladroit, elle nuit à la peinture plus qu'elle ne l'embellit !

53
Jeune fille à l'antilope

Gouache sur papier.
Premier quart du XVIIIe siècle ; d'un atelier de Sawar.
27,5 × 21,5 cm.
Collection de M. Gopi Krishna Kanoria, Patna ; n° GK 196.

Certains éléments de cette peinture rappellent une des représentations de la Ragini Todi : le saule pleureur, l'antilope, la jeune fille seule en plein air ; ici, cependant, l'esprit est tout autre, ce n'est pas une atmosphère de solitude, d'amour dans la séparation, mais de mutine coquetterie. Vêtue avec élégance, à la mode princière moghole, portant un gros turban et un *peshwaz* (cette robe « de style Empire », comme la définit souvent A.K. Coomaraswamy), ouverte sur le devant, cette jeune fille tient un bout de sa chemise évasée de la main droite et se retourne pour regarder une antilope qui semble avoir envie de lui courir après. On voit ici une sorte de jeu avec un animal familier, mais cette peinture a peut-être une autre signification. D'après Gopi Krishna Kanoria, l'antilope pourrait symboliser la bande de jeunes nobles qui, désespérément amoureux de la *nayika*, la poursuivent partout où elle va. Et elle, consciente de ses charmes et de leur ardeur, s'amuse de leurs sentiments, les excitant pour s'en moquer. L'atmosphère est pleine d'un remarquable émoi. Les autres éléments de la peinture, les nuages dans le ciel, la pièce d'eau avec des lotus, dans le bas, contribuent également à évoquer cette atmosphère badine.
Le peintre a figuré la jeune fille « au seuil de la jeunesse ». Un couplet de Bihari, le poète du XVIIe siècle, décrit une jeune fille que l'enfance n'a pas encore quittée, mais qui n'a pas encore grandi, « deux couleurs différentes se mélangeant ainsi en elle, mais restant chacune visible, comme en un taffetas changeant ». C'est peut-être une toute jeune *nayika* comme celle-ci que le peintre avait en tête quand il a peint cette œuvre. L'aspect d'innocence taquine du visage, le regard impatient de l'antilope et son allure fringante, tout s'harmonise bien au rythme linéaire dans cette œuvre simple, mais élégante, qui laisse tout loisir à l'œil de tout goûter, d'une manière douce, sans hâte.

54
Retrouvailles au clair de lune ; d'une série du *Bhagavata Purana*

Gouache sur papier.
École pahari, troisième ou dernier quart du XVIIIe siècle ; de l'atelier familial de Seu-Nainsukh.
Au dos, des vers en sanskrit.
28 × 36 cm.
Collection de M. Gopi Krishna Kanoria, Patna ; n° VK 119.

Le retour de Krishna, le bien-aimé des *gopis,* par ce brillant clair de lune, est cause de cette liesse. La souffrance de la séparation, quand il a quitté les *gopis* pour aviver leur passion à son égard et les rendre plus humbles, a maintenant disparu. Elles le voient en effet de retour, de nouveau parmi eux, « son visage de lotus souriant, avec ses vêtements de soie jaune, paré d'une guirlande de fleurs et d'un abord si charmeur que l'esprit de Kama lui-même en est distrait ». Les *gopis* réagissent différemment devant le retour de leur Seigneur : certaines se collent à lui « comme le lierre à l'arbre » ; certaines tendent la main pour le toucher, pour s'assurer que c'est bien lui ; d'autres pressent contre son corps « leurs seins enduits de baume de santal » ; certaines entonnent à haute voix un chant dévotionnel ou le regardent, les yeux emplis d'amour et

d'incrédulité. Sur le visage de quelques-unes, la tristesse ne s'est pas encore effacée, ainsi Krishna tend-il le bras et les touche-t-il pour les rassurer.
Sur cette rive fraîche et aréneuse de la Yamuna, les arbres et les lianes réagissent à ce drame humain et y font écho. Consciemment et avec une grande tendresse, ils s'emmêlent et s'enlacent les uns aux autres ; des branches se tendent vers le petit groupe du centre, semblant vouloir s'y mêler ; d'autres se contentent de porter des fleurs qui parfument l'air et chargent l'atmosphère d'une autre sorte de passion. Dans un petit médaillon, le village, un peu plus loin, chatoie au clair de lune, et rappelle les maisons que ces *gopis,* – ces âmes en quête de l'Absolu, – ont quittées par amour du Seigneur. Le peintre semble avoir parfaitement compris la signification, à tous les niveaux, de ces retrouvailles.
Cette entente limpide imprègne toute cette série qui, à juste titre, est considérée comme l'égale de la fameuse série du *Gita Govinda* (n° 36) et qui compte parmi « les plus grandes réalisations de la peinture » pahari. Comme le texte du *Bhagavata Purana,* aux livres 10 et 11, cette série est inspirée par les jeunes années de Krishna, sa naissance et son enfance, son adolescence parmi les bouviers, son amour débordant pour les *gopis* et, aussi, la mise à mort de nombreux démons, y compris Kamsa, et, plus tard, son couronnement au titre de grand roi de Dwarka ; les épisodes choisis donnent au peintre des occasions merveilleuses et dramatiques, séparées par de longs passages de tendresse et de beauté pleins de calme, comme ici. Sont particulièrement poétiques, dans leurs sentiments, les peintures qui illustrent le grand *râsa* de Krishna avec les *gopis* et les épisodes qui le précèdent ; de nombreux spécialistes considèrent qu'elles sont l'œuvre d'un maître encore plus grand que celui qui a exécuté le reste de la série, le « Maître du clair de lune », comme on l'appelle en raison des clairs de lune qui donnent un décor presque parfait à ce jeu de l'amour mystique de Krishna, ce paysage plein de « luxuriance fleurie et de recoins mystérieux ».
A une certaine époque, on a attribué cette série à l'artiste Purku, issu d'une famille de Kangra, mais on s'accorde généralement aujourd'hui à dire que cette œuvre est due aux membres de la famille, aux dons si extraordinaires, de Seu-Nainsukh, originaire de Guler. Son « naturalisme sans effort et... son traitement hardi et vif des personnages en pleine action » font tout de suite penser à un descendant de cette famille mais, aucun colophon n'ayant subsisté, il est difficile d'avancer un nom quelconque, même si l'on a parfois avancé ceux de Goudhu, le fils de Nainsukh, ou de Khushala, le fils de Manak.
Cette série, une fois terminée, dut avoir été fort importante (peut-être plus d'une centaine de peintures, comme l'a dit Archer), mais toutes les peintures ne sont pas arrivées jusqu'à nous. Un grand nombre de feuilles ont appartenu à la collection de M. Jagmohandas Modi (c'est pourquoi on l'appelle parfois le « Modi Bhagavata »), mais elles ont été maintenant dispersées pour la plupart dans des collections privées et publiques.

Bibliographie :
A.K. Coomaraswamy, *Catalogue of the Indian Collection in the Museum of Fine Arts, Boston,* partie V, Boston, 1926 ; Karl J. Khandalavala, *Pahari Miniature Painting,* Bombay, 1958 ; W.G. Archer, *The Loves of Krishna,* Londres, 1957 ; M.S. Randhawa, *Kangra Paintings of the Bhagavata Purana,* Delhi, 1960 ; B.M. Goswamy, « Pahari Paintings: The Family as the Basis of Style », *Marg,* vol. XXI, n° 4 ; W.G. Archer, *Indian Paintings from the Punjab Hills,* Londres, 1973, au chapitre « Kangra ».

55

La bossue Kubja et Krishna ; d'une série du *Bhagavata Purana*

Gouache sur papier.
Rajasthan, troisième quart du XVIe siècle ; d'un atelier d'Issarda
Sur la bordure supérieure, texte descriptif en sanskrit.
20 × 27 cm.
Collection de M. Gopi Krishna Kanoria, Patna ; n° GK 287.

C'est d'un inconcevable amour qu'il est question dans l'épisode de Kubja, la bossue que Krishna a rencontrée dans la ville de Mathura. Comme tout conduit inexorablement à l'ultime confrontation entre Krishna et Kamsa, le mauvais roi qui a tendu un piège à Krishna dans sa capitale, on a des préliminaires ironiques et des incidents insignifiants, quand Krishna et son frère Balarama, accompagnés de leurs amis bouviers, flânent dans les rues de la ville. Au cours de leur promenade, ils rencontrent cette bossue « aux yeux magnifiques, mais au dos aussi courbé qu'un éclair », Parfumeuse de profession, Kubja se dirige vers le palais royal, apportant un choix de parfums et d'onguents. Krishna s'intéresse à Kubja et lui parle aimablement. Impressionnée par ses manières et sa rayonnante beauté, elle lui offre, ainsi qu'à ses compagnons, tout ce qu'elle a. Tout à coup, ne pouvant s'en empêcher, très content d'elle, nous dit le texte, Krishna tend la main et la touche ; lui prenant le menton d'une main, il lui donne une vive secousse qui fait disparaître sa bosse. N'en croyant pas ses yeux, elle regarde son corps à présent droit et, le cœur plein de gratitude et d'amour envers Krishna, elle lui demande de rester avec elle. Krishna a autre chose à faire, mais lui promet d'aller la voir dans sa chambre, ce qu'il fait plus tard et Kubja se donnera entièrement au Seigneur.
Le peintre de cette somptueuse série provenant d'Issarda traduit librement, à sa manière, la scène de la rencontre de Krishna et de Kubja. Nous voyons soudainement le ciel s'étoiler même si une lumière incertaine s'estompe à l'horizon assez élevé ; une bordure à houppes décore toute la longueur de la page ; Balarama se retourne un moment vers les *gopas* qui se tiennent, comme les deux frères, dans une pose tendue mais animée, adoucie par leurs voiles flottants et ondoyants. Par comparaison, Krishna et Balarama paraissent somptueusement vêtus, tout comme Kubja ; ils attirent toute l'attention sur eux, se détachant sur un rouge passionné qui vient de nulle part et emplit l'espace dans lequel se tiennent les trois personnages, aux contours nets et précis.

Bibliographie :
Karl J. Khandalavala et Jagdish Mittal, « The *Bhagavata* MSS. from Palam and Isarda – A Consideration in Style », *Lalit Kala,* n° 16 ; Francis Hutchins, *Young Krishna,* West Franklin, 1980, pl. 26.

56
Tendres moments : Radha et Krishna sur une terrasse

Gouache sur toile de coton.
Troisième quart du XVIIIe siècle ; d'un atelier de Kishangarh.
Maharaja Sawai Mansingh Palace Museum, Jaipur ; nº 991.

Durant un bref moment, à Kishangarh, la peinture a acquis une touche de magie grâce à un artiste remarquablement doué, Nihal Chand. Comme on l'a fait remarquer, les sources d'inspiration de son style poétique et original, étaient « à tout le moins, peu prometteuses », c'était le style de la cour moghole à l'époque de sa décadence, durant la première moitié du XVIIIe siècle. Pourtant, avec ces éléments, il a fait une œuvre remarquable, inventant un type nouveau et fort élégant, qui a surtout servi pour les amants divins, Radha et Krishna, les idéalisant, exagérant les formes, leur donnant une beauté supra-terrestre. Des traits d'une finesse excessive, le menton pointu, le nez en lame de couteau mais, surtout, les yeux très allongés, en bouton de lotus, se recourbant vers le haut à proximité des oreilles et dont la courbe est soulignée par des sourcils très fins, très arqués, caractérisent ce type. Les corps sont souples, droits, de grande taille ; le regard un peu distant.
Radha, très souple, la plénitude de sa poitrine très légèrement soulignée – par comparaison avec les œuvres des autres peintres du Rajasthan – se fonderait, d'après la tradition locale et selon Nihal Chand, sur Bani Thani, « l'enchanteresse », qui chantait à la cour du souverain de Kishangarh, Savant Singh. Savant Singh était aussi un grand dévot de Krishna et il écrivit des poèmes à sa louange sous le pseudonyme de Nagaridas ; on récite encore ces poèmes aujourd'hui avec un certain respect. C'est cette « identification des deux passions de sa vie, la dévotion pour Krishna et un profond attachement pour sa bien-aimée » qui serait, dit-on, la raison pour laquelle Nihal Chand aurait peint pour lui, à Kishangarh, ce remarquable groupe de peintures.
Une part de rêve se dégage des meilleures œuvres du maître. Ici, les amants divins sont assis, leurs corps droits mais se touchant, avec des coussins derrière eux ; derrière, on voit une belle balustrade de marbre ; tout indique un moment de tendre passion entre les amants. Nimbé comme Radha, Krishna tend la main gauche pour saisir doucement le menton de Radha, comme pour lui demander de lever les yeux, de se départir de sa timidité, et de toute honte en cet instant d'union. De la main droite, il tient un *paan* qu'il vient de prendre dans un petit coffret que Radha lui offre de sa main droite tendue. Les bijoux fabuleux, les élégants vêtements des amants, tout s'insère dans la riche intimité de ce moment où les éléments semblent se figer ; les amants se parlent en silence, mais avec éloquence.

Bibliographie :
Eric Dickinson et Karl Khandalavala, *Kishangarh Painting,* Delhi, 1959 ; Karl Khandalavala, *Kishangarh Painting,* Lalit Kala Portfolio, Delhi ; Faiyas Ali Khan, « The Painters of Kishangarh », *Roopalekha*, vol. II, nº 1-2.

57
L'empereur Muhammad Shah et ses femmes dans un jardin

Gouache sur papier.
École moghole, deuxième quart du XVIIIe siècle.
Maharaja Sawai Mansingh Palace Museum, Jaipur ; nº AG.1128.

L'empereur Muhammad Shah (1719-1748) ne semble pas avoir été un bon successeur des Grands Moghols, ni pour sa sagesse politique, ni pour avoir su maintenir l'unité de cet empire tentaculaire, mais son amour des arts et sa vie indolente lui ont gagné le surnom de *Rangeela*, « le coloré ». Ici, il nous est représenté se divertissant dans un jardin de son palais, par une nuit de pleine lune, en compagnie de danseuses et de musiciennes, entouré de servantes et de compagnes. Comme il convient à un *mehfil*, ce genre de délassement intime, tout ce qui est nécessaire

a été soigneusement évoqué par le peintre. La pleine lune, haute dans le ciel, éclaire le marbre blanc et frais de la terrasse et du pavillon, à l'arrière-plan, les parterres de fleurs, les cours d'eau, les chandelles bien allumées dans leurs chandeliers d'apparat, les plateaux chargés de fleurs et de flacons de parfum, les coussins qui servent de sièges, sur le sol, le *huqqa* avec son tuyau courbe, la chambre d'amour fleurie à l'arrière-plan ; tout donne l'atmosphère voulue. On dirait que deux groupes différents de chanteuses se sont rassemblés : deux musiciennes sont assises en face du souverain, dominées par sa taille de géant, et elles se font accompagner par une rangée de femmes debout, qui jouent des cymbales et du tambour ; l'autre groupe, qui recherche aussi les faveurs de l'empereur, est assis et regarde, dans le coin du bas, à droite. Un instrument de musique classique compliqué, la *vina*, est posé par terre à côté d'un *rabab*, autre instrument à cordes, ce qui semble suggérer que ce groupe de musiciennes classiques n'approuve pas la musique légère que, pour l'instant, jouent les autres musiciennes. Il n'y a nulle tension dans l'atmosphère ; cette œuvre n'a qu'un seul but, illustrer une agréable soirée privée que l'empereur a organisée avec ses favorites, par une heureuse nuit de clair de lune. Si cette œuvre n'a pas la puissance des premières œuvres mogholes ni la précision et la pénétration des œuvres du XVIIe siècle, on y trouve cependant une réelle maîtrise et elle semble bien traduire l'atmosphère et l'esprit qui régnaient à la cour brillante de Muhammad Shah.
Cette feuille peinte est montée sur une page d'un album beaucoup plus tardive.

58
Krishna, Radha et ses compagnes dans un bosquet ; d'un manuscrit du *Bidagdha Madhava*

Feuille de palmier.
Orissa, XVIIIe siècle.
Orissa State Museum, Bhubaneswar ; n° L-48.

Dans la grande tradition qui a fait la renommée de l'Orissa, tradition qui s'est poursuivie jusqu'au XXe siècle et qui remonte à un millénaire, un grand nombre de manuscrits furent illustrés. Il n'en subsiste qu'un petit nombre, si on les compare aux manuscrits non illustrés, mais certains sont d'une grande beauté. Le *Bidagdha Madhava* est un poème lyrique écrit au XVIe siècle par Rupa Goswamy, grand dévot et poète. Non sans rapports avec la forme dramatique du *Gita Govinda* au centre de la vie en Orissa, il s'en écarte cependant par la trame. Il est manifeste que Radha et Krishna, appelé ici Madhava, sont les amants de cette œuvre, mais des personnages secondaires sont nommément ajoutés et l'histoire prend un autre cours. En dernière analyse, cependant tout est excuse, prétexte à louer l'amour passionné du couple divin. Le décor est pratiquement le même que dans le *Gita Govinda* : une charmille parfumée, luxuriante, vibrant du bourdonnement des abeilles et résonant des notes de la flûte enchantée de Krishna. Le drame de l'amour de Radha et de Krishna est ici exposé avec ses joies et ses peines, ses attentes et son union extatique.
Sur cette feuille, Krishna supplie Radha, dans un bosquet, alors que ses compagnes les regardent ; dans un coin retiré de la forêt, dans un médaillon séparé, nous le voyons aussi implorer les *sakhis*. Tout cela se passe dans une ambiance luxuriante et, peut-être, invraisemblable du point de vue de la végétation. Mais il est remarquable de voir le métier, l'adresse délicate avec lesquels sont disposés, sur ces feuilles, à une si petite échelle les figures qui meublent ce support si difficile. Le trait est d'une grande sûreté ; toute erreur serait impardonnable car la technique n'autorise aucune correction du dessin, celui-ci étant en effet gravé avec un stylet. C'est un plaisir que de regarder la façon dont sont traitées ces scènes, avec combien de soin sont rendus les costumes, les joyaux, les feuilles et les branches des arbres qui se balancent dans un joyeux abandon. Le style comporte des conventions rigides, bien établies, mais l'artiste y évolue avec liberté, afin d'évoquer avec la plus grande élégance des images d'une émouvante beauté.
Les hommes ont la poitrine large, virile ; les femmes procèdent de la grande tradition indienne : elles ont les seins généreux, forts, la taille étroite et de larges hanches. L'allongement des yeux qui couvrent presque tout le profil, les sourcils bien arqués, le menton marqué, les anneaux de nez, les joyaux exceptionnellement lourds et les coiffures compliquées, voilà ce qui caractérise ce style tout en définissant une certaine vision de la beauté. Le peintre a su insuffler beaucoup de vie à ces formes tendues et suggérer la passion qui les anime.

Bibliographie :
Subhash Pani, *Illustrated Palmleaf Manuscripts of Orissa*, Bhubaneswar, 1984, p. 38.

59

Les rapports amoureux d'Usha et d'Aniruddha ; d'un manuscrit illustré de l'*Usha Vilasa*

Feuille de palmier.
Orissa, XVIIIe siècle.
Orissa State Museum, Bhubaneswar ; n° OL/23.

L'histoire d'Usha et d'Aniruddha, le petit-fils de Krishna, tire son origine du *Bhagavata Purana,* mais elle a connu un développement propre, sous la plume d'écrivains plus tardifs qui y ont consacré des œuvres entières. Cette histoire est d'un grand intérêt, car on y trouve réunis de nombreux éléments : le romanesque, l'amour, la magie, des batailles prodigieuses et même des dissertations philosophiques. Dans la tradition rajpoute, aussi bien au Rajasthan que dans le Haut-Penjab, toute une série de peintures sont consacrées à ce thème ; ce manuscrit illustré sur feuille de palmier, du XVIIIe siècle, vient cependant d'Orissa ; il s'inspire d'un poème d'amour de Sishu Sankar Das qui l'a écrit au milieu du XVIe siècle.
C'est une histoire longue et complexe, au commencement lent et romanesque. Usha, la fille de Banasura, le puissant roi-démon aux mille bras, voit en rêve un prince d'une beauté sans pareille et en tombe désespérément amoureuse. Ne sachant cependant si son rêve a une quelconque signification, elle le raconte à son amie, Chitralekha, dont les dons sont remarquables et qui dispose de pouvoirs magiques ; celle-ci tire de sa mémoire les portraits de princes jeunes et beaux et Usha reconnaît celui à qui, dans ses rêves, elle a donné son cœur ; elle trouve le prince et l'amène à Usha, par la voie des airs, alors qu'il dort profondément dans son lit. Le prince se révèle être Aniruddha, fils de Pradyumna, l'incarnation même du dieu de l'amour, petit-fils de Krishna qui est alors roi de Dwarka. Comme on pouvait le prévoir, Aniruddha s'éprend d'Usha, mais cela doit rester un secret entre eux deux et leur confidente Chitralekha. A ce point, l'histoire nous conte avec quelle passion Usha et Aniruddha se font la cour, à l'insu de Banasura, le père d'Usha. Le secret filtre cependant à cause des gardes du palais et cela entraîne de graves conséquences qui amènent l'emprisonnement d'Aniruddha avec, ensuite, de grandes et longues batailles entre les puissantes armées de Banasura et celle de Krishna qui vient à l'aide de son petit-fils.
Ici, la feuille représente la cour que se font Usha et Aniruddha avec une franchise immense et passionnée. Comme cela arrive bien souvent, il semble que le peintre d'Orissa attende une occasion de décrire en détail comment on fait sa cour. Telle que la représente ici le peintre, la scène n'est pas très éloignée du monde des *ratibandhas*, descriptions de l'acte sexuel, dans lesquelles se complaît le peintre d'Orissa. On connaît un grand nombre de manuscrits illustrés sur ce thème, de qualité inégale : le peintre de l'*Usha Vilasa* nous livre donc un motif familier, dont il doit s'être inspiré dans d'autres contextes, avec toutes ses variations baroques. L'érotisme de ces peintures n'est cependant pas exempt d'une vraie délicatesse de sentiment et de tendresse. L'aspect des yeux et du corps, la grande force de l'acte sexuel, le retrait du reste du monde, sont autant de thèmes familiers à l'artiste d'Orissa habitué aux grands monuments, tel Konarak, qui sont tout proches. Il faut remarquer ici la clarté qu'il a su mettre dans son œuvre, à une si petite échelle et dans un espace si restreint.

Bibliographie :
Voir le n° 58.

60

La passion au cœur : Abhisarika ; d'une série du *nayika-bheda*

Gouache sur papier.
École pahari, premier quart du XVIIIe siècle ; d'un atelier de Mankot.
Sur le bord supérieur, en caractères Takri, les mots : « *abhisarika nayika* ».
18,9 × 17 cm.
Jagdish et Kamla Mittal Museum of Indian Art, Hyderabad ; n° 76.213.

Peu d'œuvres de cette série sont parvenues jusqu'à nous, mais il n'est guère malaisé d'en identifier le sujet. Non seulement le personnage est décrit par l'inscription takri portée au-dessus, mais nous ne connaissons que trop bien cette *nayika*. C'est elle qui sort dans la nuit, sans se soucier des dangers de toutes sortes, pour aller au rendez-vous pris avec son amant. Les poètes chantent sa résolution, sa dévotion pour son amant, le courage avec lequel elle sort dans la nuit hostile ; et les uns après les autres, les peintres l'ont représentée chacun à sa façon.
Lorsque cette *Abhisarika* sort de chez elle, le ciel est chargé de nuages et d'éclairs qui grondent ; elle est en route et la pluie commence à tomber. Il pleut sans cesse, mais elle ne se laisse pas arrêter. La forêt qu'elle traverse est pleine de serpents et de bêtes fauves, qui ne parviennent pas non plus à la retenir. Sur les illustrations les plus courantes, le peintre s'attarde sur les détails de la forêt inhospitalière, mais le peintre de Mankot, ici les néglige complètement et s'attache surtout à la pluie régulière qui tombe du ciel en filets de grosseur inégale. Il prête naturellement une certaine attention aux nuages et aux éclairs mais, à dire vrai, il a centré son intérêt sur le merveilleux rideau de pluie qui forme une dramatique toile de fond à la marche de la *nayika*. Un serpent s'accroche à sa cheville mais, comme le dit le poète, elle ne s'en rend même pas compte ; sa seule concession consiste à relever un peu sa jupe pour l'empêcher de se mouiller, ce qui donne aussi au peintre l'occasion de montrer, du moins en partie, sa jambe dénudée. La *nayika* est une vision de rêve, elle se détache dramatiquement sur l'obscurité du fond et se déplace avec une grâce certaine, une allure décidée. Nous avons déjà vue ses semblables dans un grand nombre de peintures provenant de Mankot, dans la série du *Bhagavata Purana,* par exemple, dans une *Ragamala* dont quelques feuilles nous sont parvenues. Pourtant, chaque fois que nous la voyons, nous restons surpris de sa fraîcheur.

61
Amant escaladant un mur

Gouache sur papier.
École pahari, premier quart du XIXe siècle ; de l'atelier familial de Seu-Nainsukh.
24,3 × 34,6 cm.
Jagdish et Kamla Mittal Museum of Indian Art, Hyderabad ; n° 76.286.

Décidé, avançant avec intrépidité dans la nuit, dans un décor séculier, ce personnage princier et élégant est rarement figuré dans la peinture rajpoute ; il quitte sa propre chambre, traverse la rue obscure et escalade un mur pour rejoindre sa bien-aimée ; si nous sommes surpris, elle ne l'est pas, elle : elle est éveillée et, manifestement, l'attend ; avec un certain découragement, cependant, elle indique du doigt les pièces à l'intérieur de la maison où, semble-t-elle dire, les membres de la maisonnée sont endormis, mais d'un sommeil encore léger. Les relations des deux amants sont naturellement le centre d'intérêt de cette page peinte avec élégance, mais la représentation de la vie nocturne à l'intérieur du palais et à l'extérieur ne sont pas sans charme ni sans intérêt. Les appartements des femmes semblent assez encombrés, car le même lit est partagé par une vieille femme, sans doute la belle-mère, et par une jeune femme presque nue : dans un autre lit, à droite, perpendiculaire au premier, un enfant déshabillé dort entre deux femmes ; et, à l'étage supérieur, un couple est étroitement enlacé sur un lit. Les femmes sont légèrement couvertes et leurs vêtements glissent de leur corps, le peintre profitant avec bonheur de cette occasion pour évoquer le nu féminin avec ses formes pleines. La lune et les étoiles brillent dans le ciel ; à peu de distance, la vie de la cité semble continuer, les boutiques sont ouvertes et des hommes se déplacent dans la rue à la lueur de torches. Le décor assez complexe, stylisé, avec des éléments architecturaux formant des angles inégaux, laissant des zones de profondeur dans l'ombre, forme le cadre de cet aimable petit drame de l'amour interdit, ou pour le moins clandestin. Les personnages sont dessinés avec la fluide aisance propres aux œuvres de cette famille d'artistes et les couleurs ont un doux éclat.

62
Dans l'attente de sa venue

Gouache sur papier.
École pahari, premier quart du XIXe siècle ; de l'atelier familial de Seu-Nainsukh.
24,3 x 19 cm.
Jagdish et Kamla Mittal Museum of Indian Art, Hyderabad ; no 76.296.

Dans la peinture de l'amour et dans les œuvres de rhétorique, une section mineure mais délicieuse est consacrée à ce que l'on appelle *nakha-shikha varnana,* c'est-à-dire littéralement les descriptions de la beauté de la bien-aimée « de la pointe des pieds à la tête ». Dans les comparaisons et les métaphores qui, avec le temps, sont devenues des clichés, les diverses parties du corps de la belle sont évoquées en grand détail. Le poète parle de la richesse de sa chevelure noire comme la nuit, de ses sourcils en forme d'arc, de ses yeux pareils à des lotus, de son nez acéré et aussi élégamment recourbé que le bec d'un perroquet, de ses lèvres charnues et rouges comme le fruit du *bimba* ; et c'est ainsi qu'il passe, à la lettre, de la tête à la pointe des pieds. Le peintre pahari tisse souvent ces descriptions pour représenter des *nayikas* se préparant à l'arrivée de leur amant, achevant leur toilette, vérifiant chaque détail, à la dernière minute, un instant avant sa venue. Ici, la jeune femme assise passe un bâton de fard sur ses beaux yeux allongés ; elle se retourne comme si elle avait tout à coup honte de son propre reflet dans le miroir que lui tient une servante ; elle vient d'apprendre l'arrivée de l'amant. A gauche, la *sakhi* fait peut-être une remarque facétieuse sur l'embarras qu'elle trahit ; une autre, assise à côté de la balustrade de marbre, sur le devant, fait de la main un geste de surprise devant la beauté de la *nayika* ; les servantes tenant un miroir, un coffret de fards ou des cadeaux recouverts d'un tissu brodé sont debout, à droite. L'état d'esprit de la *nayika* est indiqué par l'évasement et les torsions de sa jupe, gracieusement disposée devant elle, ainsi que par les fleurs parfumées qui attendent, au bord du tapis. Le fond est un peu sec, peut-être trop schématique, mais la partie principale de la peinture est riche et révèle l'attente et la timidité.

63
« Brûlé par les froids rayons de la lune » ; d'une série du *Gita Govinda*

Gouache sur papier.
Orissa, troisième quart du XVIIIe siècle.
Une strophe en sankrit dans le registre supérieur.
24,4 × 17,5 cm.
Jagdish et Kamla Mittal Museum of Indian Art, Hyderabad ; n° 76.499.

La strophe en sankrit, sur le panneau du haut, qui provient de la cinquième partie du grand poème lyrique d'amour de Jayadeva, identifie la scène. Une *sakhi,* compagne et confidente, supplie Radha pour le compte de Krishna. Il l'a envoyée comme messagère, la priant de répéter ses paroles à sa bien-aimée. Parles-lui, lui dit-il, de mon désespoir, de l'état dans lequel je me trouve, séparé d'elle. Dis-lui, ce que disent les vers :

Les froids rayons de lune le brûle,
Le menacent de mort,
Les traits de l'Amour tombent
et il pleure sur sa faiblesse.
Paré de fleurs sauvages, Krishna
Souffre de ta désertion, O amie.

C'est exactement ce que la *sakhi* semble faire, dans le registre supérieur sur fond rouge. La partie inférieure illustre la situation sur laquelle elle attire l'attention : Krishna est assis seul, dans une clairière, « brûlé par les rayons de la pleine lune » qui brille dans le ciel. A de nombreux égards, cette série est assez rare, car elle n'exploite pas les possibilités dramatiques du poème de Jayadeva, que les peintres du Rajasthan et des Collines ont saisies avec tant de bonheur. Le peintre de cette série, dans chaque partie de l'illustration, utilise toujours un fond plat de riches couleurs, créant ainsi un tableau mais, avec une apparence originelle statique et rigide et les surfaces ont un rythme différent. Si l'on regarde, par exemple, la plante grimpante, dans le haut, l'on voit ce que le peintre peut tirer d'un motif simple comme celui-ci. Alors que la plante s'évase et fait retomber ses branches vers le bas, ses rejets et ses feuilles forment des motifs quasi irréels qui donnent un effet remarquable. La poésie de cette situation semble se laisser prendre au piège de ces éléments. Il y a encore la ligne sinueuse qui se plie au caprice du peintre d'Orissa ; il ploie et courbe les formes, respectant bien les conventions de son style, quoique y ajoutant toujours un soupçon de surprise. Ces pages semblent trop ornées, encombrées de trop nombreux détails dans les joyaux et les vêtements ; heureusement, le fond plat y remédie.

64

L'amante offensée ; d'une série du *Rasikapriya*

Gouache sur papier.
Rajasthan, troisième quart du XVIIIe siècle ; d'un atelier de Bundi-Kota.
25,1 × 15,5 cm.
Jagdish et Kamla Mittal Museum of Indian Art, Hyderabad ; n° 76.139.

Comme n'importe quelle autre *nayika*, Radha aussi peut se sentir froissée, tant son amour pour Krishna est intense. Une *manini* peut reprocher bien des choses à son amant : les égards qu'il a pour « l'autre », son retard à un rendez-vous, une parole dont elle s'irrite, et ainsi de suite. Cependant, comme tout cela se produit dans un contexte d'immense amour, d'amour profond, ce n'est jamais qu'une courte crise qui, une fois surmontée, approfondit encore le sentiment amoureux et, alors, « la flamme brûle, plus brillante que jamais ».
Au sein de ce feuillage luxuriant et dense, que le peintre de Bundi et de Kota a pris tant de plaisir à peindre, Radha a attendu Krishna, la couche de l'amour prête ; quand il arrive enfin, elle montre sa mauvaise humeur, détourne la tête et refuse de lui parler. Amoureux fougueux et ardent, Krishna joue son rôle à la perfection, il supplie et cajole ; peut-être invente-t-il toute une histoire pour s'excuser. Ce petit drame se joue avec grande discrétion. Les personnages restent figés et l'on ressent un sentiment d'attente. Le décor est parfait pour ces jeux de l'amour : un coin sombre, retiré ; il fait nuit, comme l'indiquent la lune dans le ciel et la chandelle allumée sur le chandelier, à droite ; l'air est parfumé par les buissons en fleurs et par les fruits mûrs du manguier ; les doux clapotis de l'eau ; la froide terrasse de marbre. Des touches d'une beauté imprévue, comme l'arbuste qui pousse au bord de l'eau et la surplombe, les lotus qui fleurissent dans la pièce d'eau et les canards dont les cris rompent le silence de la nuit, tout contribue à la perfection de l'atmosphère et de cette œuvre aux superbes couleurs qui respire la magie de l'union.

65
Femme à sa toilette

Gouache sur papier.
Rajasthan, premier quart du XIXe siècle ; de l'atelier familial de Bagta-Chokha de Deogarh.
National Museum, Delhi ; nº 63.1783.

Entourée de ses compagnes, une jeune femme est assise sur un rocher, dans une clairière retirée, loin de toute habitation, au bord d'une petite pièce d'eau avec des lotus. A peine vêtue d'un voile diaphane qui lui ceint le corps, elle est assise, une jambe étendue, l'autre fléchie au genou et soulevée pour masquer en partie sa nudité. Ses longs cheveux sont libres et tombent en cascade sur son dos. Deux compagnes sont attentives à ses désirs : l'une d'elle, assise et presque entièrement nue, tient dans les mains le pied tendu de l'héroïne afin de le masser, tandis qu'une autre debout derrière l'asperge avec l'eau d'un récipient. Deux autres compagnes, qui semblent avoir suivi la dame jusqu'en cet endroit retiré, s'occupent surtout d'elles-mêmes : l'une cueille les fleurs d'un arbre qui en est chargé, l'autre est assise, détendue, et se frotte la plante du pied gauche avec une brosse qu'elle tient à la main droite.
A l'insu de ce groupe, qui profite sans aucune gêne, du calme de l'après-midi, loin de la ville dont elles viennent, on voit une tête d'homme derrière un taillis. C'est la tête de Krishna, à en juger par son teint sombre et la plumé de paon fichée dans son turban peu serré ; autour de lui, mais ne regardant pas la scène, se trouvent ses compagnons, les *gopas*. Plus loin, dans des médaillons, la vie du village est représentée : de petites pièces d'eau, un groupe de villageois, des vaches qui reviennent des pâturages.
Il ne s'agit certainement pas ici de l'illustration d'un épisode connu de l'histoire de Krishna. En réalité, il se peut que Krishna ait été ajouté ici après coup ; tout ce que le peintre a voulu nous montrer, c'est ce groupe de jolies femmes à leur toilette, en plein air, loin de se douter que leur intimité puisse être troublée. Cette occasion lui permet de peindre des femmes sous des angles différents, avec des attitudes et des gestes variés, pour son propre plaisir.

66
Krishna chatouille Radha pour la réveiller

Gouache sur papier.
Rajasthan, premier quart du XIXe siècle ; d'un atelier de Deogarh.
Au recto, sur trois côtés, vers en hindi.
National Museum, Delhi ; n° 63.178.

Caractéristique du puissant érotisme qui caractérise de nombreuses œuvres de Deogarh, cette peinture ne semble cependant être d'aucun des deux maîtres les plus renommés de ce centre. Il s'en dégage néanmoins beaucoup de passion et de sentiment. Radha dort sur une couche moelleuse, d'aspect confortable, placée sur une terrasse de marbre sous un ciel où l'on voit quelques nuages de pluie. Au pied du lit et à côté, se trouvent deux servantes qui, comme Radha, se sont assoupies et n'ont pas conscience de l'arrivée de Krishna. Manifestement, il ne fait pas nuit et les strophes parlent sans détour de « la fatigue de la nuit », due à l'évidence à des étreintes amoureuses passionnées, qui sont seules cause de cet assoupissement de la mi-journée. Krishna, lui, est plus alerte que jamais ; s'introduisant chez Radha, il la trouve endormie ; dans cette situation, il n'hésite pas longtemps. Ne voulant pas effrayer Radha ni la surprendre, il s'empare de sa flûte et la chatouille tendrement.
Comme le peintre nous a représenté Radha, allongée, détendue, la tête de côté reposant au creux de son bras droit, il nous permet d'admirer la fermeté et la souplesse de son corps. Le buste est entièrement nu, son voile découvrant ses seins et sa chevelure. Les servantes ne paraissent pas aussi confortablement installées et ne dévoilent pas autant d'elles-mêmes que leur maîtresse mais, elles aussi semblent parfaitement détendues et sont pareillement dévêtues. Le peintre « profite » entièrement de cette situation. Le désordre dans lequel les vêtements flous de Radha sont montrés est compensé par l'angle inhabituel de Krishna, penché, en partie masqué par le lit.
Les vers qui encadrent cette illustration, dans les marges, semblent avoir été inscrits ultérieurement ; ils évoquent le même sentiment, dans trois différents *kavittas*. On ne peut affirmer qu'ils aient inspiré cette peinture ; il se peut que ce soit l'inverse et que les vers aient été inspirés par la peinture. Peut-être sont-ils de la main d'un précédent propriétaire de cette feuille.

67
Prince attendant sa fiancée

Gouache sur papier.
École moghole, premier quart du XVIIIe siècle.
National Museum, Delhi ; n° 79.19.

Nous avons ici une variante du thème de la *nayika* attendant son amant et le peintre nous montre un amoureux qui attend avec impatience qu'on lui amène sa fiancée. Nous sommes en été, pendant la nuit, la pleine lune éclaire de ses froids rayons la terre, baignant cette élégante terrasse de marbre sur laquelle, sous un baldaquin, a été préparée une large couche. Une servante se préoccupe du confort du prince, elle agite un éventail pour doucement le rafraîchir dans la chaleur de la nuit. Tous les yeux sont attirés vers la gauche où la fiancée, jeune et timide, est lentement conduite vers le prince. Son pas est hésitant et sa confusion naturelle est celle de la *navodha nayika*. Ses compagnes la rassurent ; une d'elles lui passe le bras sur l'épaule et lui prend sa main dans la sienne, comme pour l'entraîner ; une autre regarde la jeune fiancée, ses gestes indiquant sa surprise devant tant de beauté et, probablement cette timidité excessive. On voit de l'émerveillement, même dans le geste de la servante qui se tient au loin, près du jeune et beau prince. Celui-ci est couché sur le ventre, mais se soulève pour regarder en direction de la fiancée. Tout autour, on voit les signes d'un grand confort, d'un grand luxe ; les coussins sur lesquels il repose, les deux autres coussins en pile, en réserve. A côté du lit, sur un très joli petit tapis, se trouvent des boissons, des fruits et un petit flacon ; les côtés du lit sont recouverts de panneaux de tissu avec de magnifiques motifs, tout en laissant entre chaque panneau la place voulue pour les pieds du lit. Habillé avec élégance, le prince fait preuve d'un grand goût et regarde avec délices sa fiancé qui s'approche.

Le peintre a un grand métier et soigne les moindres détails. L'impression de richesse générale que donne cette œuvre vient du soin extrême porté aux petits détails qui ont été l'objet d'un travail exquis : les pans et les fronces au bord du baldaquin, le tapis « naturel » avec un sol blanc qui va jusqu'au lit, les motifs des stores des fenêtres à gauche de la chambre, la petite courbure des tentures roulées au-dessus des deux portes de la chambre, les motifs floraux qui courent sur les lambris et, naturellement, les tissus et les bijoux portés non seulement par les deux personnages princiers, mais aussi par les autres femmes de ce groupe.

68
Krishna regarde Radha s'habiller

Gouache sur papier.
Rajasthan, troisième quart du XVIIIe siècle ; d'un atelier de Bundi-Kota.
National Museum, Delhi ; nº 56.35/19.

Les amants gardent le souvenir d'un moment bien particulier dans leur romanesque amour, celui où, pour la première fois, leurs yeux se sont rencontrés. On a aussi le souvenir de l'instant où l'un des amants a jeté un regard sur l'autre, lequel n'en était guère conscient. Ici, l'héroïne vient de se baigner et une servante l'aide, lui apportant les vêtements, qu'elle vient de chercher à l'intérieur de la maison ; elle se tient debout à côté de sa maîtresse. La *nayika* vient de se draper dans un voile transparent, qui ne cache pratiquement rien ; elle passe la jambe dans une jupe qu'elle tient des deux mains. A cet instant, le héros, qui vit dans la maison voisine, soulève par hasard le rideau d'une fenêtre de l'étage supérieur et contemple la beauté de sa bien-aimée. Il ne s'agit guère de voyeurisme, mais le jeune homme éprouve un coup de foudre.

Le décor est relativement simple : la cour carrelée de la maison de l'héroïne, où elle peut prendre un bain en toute sûreté, en plein air ; à gauche, un tabouret bas en bois ; une petite fenêtre s'ouvre dans le mur, dans le fond, par où l'on peut voir des troncs de bananiers, leurs feuilles dépassant au-dessus du mur, comme si elles ne pouvaient résister à la tentation de regarder à la dérobée cette belle *nayika*. D'autres suggestions ont de l'intérêt : les nuages dans le ciel, le miroir sur le mur, la petite pièce d'eau et la balustrade de marbre au premier plan. Pourtant, c'est naturellement l'échange humain, qui se fait d'une manière parfaitement imprévue, qui est digne d'intérêt, en raison de tout ce qui s'ensuivra. Le peintre de Bundi représente ses personnages avec une grande sûreté, il donne aux femmes, en particulier, une grande innocence et un grand charme. Les zones blanches, plates, sont ménagées à dessein, pour bien mettre en relief les couleurs vives et brillantes.

69
Les excuses de Radha

Gouache sur papier.
Rajasthan, dernier quart du XVIIIe siècle ; d'un atelier de Kishangarh.
National Museum, Delhi ; nº 63.797.

La situation retenue par le peintre de Kishangarh est la même que celle qu'a rendue le peintre pahari avec « La cage d'amour » (nº 38). Timide et décontenancée, Radha voudrait calmer l'impatience de Krishna ; alors qu'il tend la main pour l'attirer vers lui, cherchant à ôter son voile, elle se lance dans des excuses compliquées, atermoie : les deux oiseaux ne sont pas encore endormis ; le daim et les grues apprivoisés ne sont pas sortis ; la porte n'est pas fermée, et ainsi de suite. « Lisant en elle, – dit le poète Keshavadasa dans une des strophes qui a inspiré cette peinture – Krishna sourit. »
On voit ici beaucoup de la finesse et de la stylisation propre à la peinture de Kishangarh au XVIIIe siècle. Il est intéressant de comparer cette vision avec celle du peintre pahari et de constater comment les mêmes vers ont inspiré deux peintures totalement différentes, très loin l'une de l'autre, tant par la composition que par l'atmosphère. Ici, nous sommes sur une terrasse et non dans une chambre, comme dans l'œuvre pahari ; les animaux et les oiseaux sont disposés autrement ; l'effet nocturne est souligné, indiqué par les teintes sombres et la présence de la lune ; et nous avons une touche romanesque avec le bateau de plaisance ancré à quelque distance. Pourtant, malgré tous ses raffinements, cette peinture ne parvient pas entièrement à restituer toute la situation ; elle manque certainement de l'intimité, de l'impatience que nous percevons dans l'œuvre pahari. Ici, nous voyons toute la scène de loin, pourrait-on dire, et les attitudes prennent le caractère d'un rite très étudié, alors que la peinture pahari sur ce même thème a plus de chaleur, une plus grande immédiateté. Les amants y sont idéalisés, mais ils sont aussi plus réels que dans l'œuvre de Kishangarh où ils sont davantage stylisés.

Bibliographie :
Voir le nº 56. Pub. dans M.S. Randhawa and D.S. Randhawa, *Kishangarh Painting,* Bombay, 1983.

70
Amants pendant le mois de Pausha ; d'une série du *Laur-Chanda*

Gouache sur papier.
École pré-moghole, deuxième quart du XVIe siècle.
Chandigarh Museum, Chandigarh ; no K-7-30-C.

Provenant d'une série très appréciée et sur laquelle on a beaucoup écrit, qui a pour thème le long poème de Mulla Daud écrit en avadhi, le *Chandayana,* composé en 1379-80, cette peinture a été considérée, il y a longtemps, comme provenant d'une série du *Baramasa,* ainsi qu'une autre feuille du même genre exposée à Londres en 1948. Dans la poésie – et la peinture – le thème du *Baramasa* tourne autour des douze mois de l'année, dans un contexte amoureux qui répond aux beautés de la nature et au changement des saisons ; mais l'attrait de ce thème est si vaste qu'il vient, en général, souvent s'immiscer dans de longs poèmes narratifs, dès que l'occasion se présente à l'auteur. C'est ainsi qu'une peinture de cette série – peut-être la plus connue, parce que publiée le plus souvent – qui comportait une inscription avec le nom de « Shravan », le mois des pluies, a passé pendant un certain temps pour être une feuille du Baramasa. On sait pourtant maintenant, en dépit de toutes les références que l'on trouve dans certaines pages aux mois de l'année, que ces peintures appartiennent à une série du *Laur Chanda*.

Le mois hivernal de Pausha (décembre-janvier), ici désigné comme « Poos », est le mois des nuits froides, où les amants se blottissent sous des couvertures, se réchauffent devant un feu, profitent de leur commune présence, et non un mois pendant lequel l'amant se remet en route et repart en voyage. Mais tel est généralement le reproche que les héroïnes font, dans la poésie du *Baramasa,* et c'est bien ce qui semble se passer ici. L'énumération des beautés du mois, comme l'ensemble du conte, naturellement, est de l'auteur, Mulla Daud, qui est représenté dans chacune des peintures isolées que l'on connaît de cette série, dans un coin – en haut à droite – lisant un livre posé devant lui sur un lutrin. Le reste de la scène est partagé en plusieurs compartiments ; ici, nous voyons les amants qui bavardent, dans le bas, à gauche ; des chambres à coucher sont aussi représentées ; deux femmes, les co-épouses du héros, se parfument et se fardent, à l'aide de miroirs tenus à la main, à l'intérieur d'un palais. Il n'y a pas d'étreintes passionnées, pas d'élans irrésistibles de l'un vers l'autre : l'atmosphère amoureuse est établie par des détails suggestifs, significatifs, comme dans le reste de la série.

Cet ensemble forme la partie centrale d'un groupe de manuscrits illustrés, de style *Chaurapanchasika*, qu'il n'est pas facile de dater. Plusieurs indices indiquent cependant comme date le deuxième ou troisième quart du XVIe siècle. La similitude de la palette, celle du type des visages, des hommes comme des femmes, les conventions dans la décoration et dans l'architecture, la qualité du trait, tout indique un rapport étroit avec le manuscrit du *Chaurapanchasika* lui-même. La stylisation poussée de cette série ne nous empêche cependant pas de participer à une situation que le peintre a su rendre avec une merveilleuse franchise.

Le musée de Chandigarh ne possède que 10 des 24 feuilles qui se trouvaient autrefois au musée de Lahore et qui étaient, semble-t-il, les seules à avoir subsisté de cette série fort émouvante, mais très endommagée.

Bibliographie :
Basil Gray, au chapitre « Painting », dans *The Art of India and Pakistan,* Londres, 1950 ; Karl J. Khandalavala et Moti Chandra, *New Documents of Indian Painting,* Bombay, 1958, f. 91 ; Basil Gray, « The Lahore Laur-Chanda Pages Thirty Years After », *Chhavi,* II, Varanasi, 1981, p. 5-9.

Hâsya : le sentiment comique

L'État d'Émotion Durable, ou *sthayibhava,* qui conduit au *hasya* est le *hasa,* le rire. Bharata fait une nette distinction entre les deux modes dans lesquels tombe ce *rasa* : « il est centré sur lui ou sur les autres ». « Quand une personne rit, le sentiment est centré sur elle (le sentiment comique) mais, quand elle fait rire d'autres personnes, il (le sentiment comique en elle) est centré sur les autres ». Après cela, Bharata classe le rire en six variétés différentes : le Sourire Léger (*smita*), le Sourire (*hasita*), le Rire Doux (*vihasita*), le Rire du Ridicule (*upahasita*), le Rire Vulgaire (*apahasita*) et le Rire Excessif (*atihasita*). « Selon lui, ces comiques vont « deux par deux », – c'est-à-dire les deux premiers, suivis des deux suivants, et ainsi de suite –, ils appartiennent respectivement à des personnes du type supérieur, moyen et inférieur. » Ainsi : « aux personnes du type supérieur appartiennent le sourire léger et le sourire ; à celles du type moyen, le rire doux et le rire du ridicule ; à celles qui sont d'un type inférieur, le rire vulgaire et le rire excessif ».

Les *vibhabas,* ou Déterminants, dont on parle dans le contexte du *hasya,* comprennent « le port de vêtements ou d'ornements inconvenants, l'impudence, l'avidité, les querelles, les membres estropiés, l'utilisation de mots incongrus, l'indication de divers défauts et d'autres éléments analogues ». La représentation « sur la scène » doit se faire par des *anubhavas* ou Conséquents « comme le tremblement des lèvres, du nez et des joues, l'ouverture en grand des yeux ou leur fermeture, la transpiration, la coloration du visage et le fait de se mettre de côté ». Les *vyabhicharibhavas,* ou États d'Émotions Complémentaires, que provoque le sentiment sont « l'indolence, la dissimulation, l'assoupissement, le sommeil, le rêve, l'insomnie, l'envie et ainsi de suite ». Il existe d'autres raffinements, du point de vue du jeu stylisé des acteurs, sur la scène, ils portent sur l'attitude et sur les gestes, etc. qui doivent être utilisés. Ainsi, le sourire léger (*smita*) des gens d'un type supérieur doit être « caractérisé par des joues légèrement gonflées et par des regards élégants, sans montrer les dents » ; il faut, cependant, que le sourire (*hasita*) « soit distingué par l'épanouissement des yeux, du visage et des joues, qui laisse un peu voir les dents ». Et cela se continue, jusqu'au rire vulgaire et excessif, où l'on comprend « le rire dans des conditions anormales ou par de violents mouvements des épaules et de la tête » ou par « l'écarquillement des yeux et par un bruit fort, excessif ».

Il est clair que Bharata pense au monde du théâtre, et que c'est ce monde qu'il décrit. On pense à un prototype du caractère comique, le *vidushaka,* du drame sanskrit, et les gestes, les allures stylisés dont on parle ici rappellent immédiatement le spectacle dansé originaire du Kerala, le Kathakali. En sculpture et en peinture, il n'est pas aussi fréquent, ni aussi facile de représenter le rire, et ce n'est pas toujours commode de le saisir, car les différences culturelles demeurent vastes et les stylisations ne sont pas toujours aisément comprises. En fait, dans certaines œuvres, on peut même se méprendre sur les intentions de l'artiste. Mais, en contrepartie, on peut croire que, par le *hasa,* le sculpteur et le peintre vont au-delà du comique évident, qu'ils comprennent que l'atmosphère doit être celle du badinage et de la gaieté. Selon les représentations dans les arts plastiques, ce n'est pas souvent une plaisanterie (comme dans le cas du théâtre) qui est une occasion de *hasa,* mais un certain esprit, ou un joyeux laisser-aller. Des personnages qui font des gambades ou qui sont fantasques, des *ganas* joyeux et ventrus, qui feignent la colère, des compagnons qui se montrent taquins, font des imitations et tournent quelqu'un en ridicule, tous y participent d'une manière ou d'une autre.

71
Un Gana de la suite de Shiva

Grès.
Ve siècle après J.-C. ; Khoh, Madhya Pradesh.
69,5 × 48 × 25 cm.
Musée du Prince de Galles, Bombay ; n° 61-1 ; (don de Mme Pupul Jayakar).

Quand il s'agit de Shiva, on ne peut s'empêcher de penser aux Ganas, au sens propre les « multitudes », qui sont ses disciples, en quelque sorte ses compagnons. Comme le dit S. Kramrisch, ce sont des « créatures de l'ambiance de Shiva, d'infinitisimaux reflets de son être ». Essentiellement, un *gana* est un état d'âme, « une unité d'énergie turbulante », sauf si celle-ci est maîtrisée par celui qui le suit.

En Inde, les sculptures les représentent comme des êtres agités mais respirant la joie, souvent de petite taille et difformes, ressemblant à des gnomes, curieux et toujours enjoués, comme de merveilleux garçonnets qui accompagnent le Dieu cosmique. La fréquence avec laquelle on les retrouve comme motifs décoratifs sur les temples et l'esprit d'invention avec lequel leurs formes sont rendues font que l'on peut à juste titre se demander si l'artiste n'a pas pris un plaisir particulier à les représenter ; en effet, peut-être lui ont-ils donné cette liberté d'invention que les rigueurs et les règles de l'iconographie lui interdisent pour représenter les grands dieux, ces règles qu'il ne peut en aucun cas négliger.

Quand on regarde ce *gana*, en l'isolant, il ne semble pas particulièrement heureux, il semble même dégager un certain sentiment de colère. Nous pouvons cependant assurer que sa posture est une réaction à une situation donnée : il doit avoir fait partie d'une frise ou d'un groupe qui, dans son ensemble, doit être empreint de cette gaieté caractéristique des représentations de *ganas* dans l'art indien. Nous sommes en fait tellement habitués aux gnomes folâtres, qui jouent des pieds et des mains, qui courent et qui se mettent en boule que nous pouvons presque imaginer la scène que nous ne voyons plus aujourd'hui ; la position de ce *gana* est un délice en elle-même.

Ce qui caractérise cette sculpture, c'est la remarquable assurance des formes et de la posture que l'on associe aux œuvres gupta à leur apogée. La forme volumineuse, quoique naine a été rendue avec originalité, les plans se mêlant sans efforts, la chair flasque tout agitée par le mouvement. Les boucles de cheveux élaborées qui volent derrière la tête restent mobiles même quand il regarde son compagnon invisible avec une fureur contrefaite. Parmi les joyaux que porte ce petit être balonné, on remarque les boucles d'oreille, les brassards, les bracelets et, surtout, un grand pendentif en forme de griffe de tigre (*vyaghranakha*) que l'on croit efficace contre le mal. Une ceinture de tissu s'efforce en vain de contenir le tour de taille de ce membre turbulent de la grande famille de Shiva.

Bibliographie :
V.S. Agrawala, « A Survey of Gupta Art and Some Sculpture from Nachna Kuthara and Khoh », *Lalit Kala,* n° 9, Delhi, 1961, fig. 4 ; Moti Chandra, *Stone Sculptures in the Prince of Wales Museum,* Bombay 1974, p. 25-26, fig. 73.

72
Femme avec un « baladin »

Terre cuite.
V^e-VIe siècle après J.-C. ; Mathura, Uttar Pradesh.
20 × 25 cm.
Government Museum, Mathura ; n° 38-39/2795.

La nature exacte du sujet représenté par cette terre cuite n'est pas facile à déterminer, mais on pense à des passages de pièces sanskrites où un acteur comique passe parmi des personnages royaux, princes et princesses, et leurs compagnons et amis comiques, un *vidushaka*. La conversation est à *double sens*, l'un répétant les paroles de l'autre mais en les déformant, en les coupant d'une autre manière, parfois même avec grossièreté. La façon dont la jeune et éloquente dame, à gauche, tire sur l'écharpe portée par l'homme, son geste de dissimulation derrière sa main levée tout en regardant, un peu de biais, loin de la dame, suggère qu'elle vient d'entendre quelque chose qui l'irrite un peu. Mais tout cela, semble-t-il, avec bonne humeur car ni la colère ni la raillerie ne sont prises sérieusement.

Il n'est pas invraisemblable que cette terre cuite où tout prouve qu'elle a appartenu à la haute époque des terres cuites sous les guptas, a fait partie d'un relief narratif continu qui décorait le mur extérieur d'un temple. Le style est adroit, on peut penser que ces deux personnages se tenaient, légèrement, sur un seuil, à l'origine ; la dame, peut-être de haute naissance, a les seins nus mais somptueusement ornés de bijoux. Elle a une coiffure élégante et complexe ; lui, c'est un majestueux brahmane qui ose faire de grosses plaisanteries. Les formes sont d'une grande sûreté et de petits détails, comme les lignes parallèles gravées sur la jupe de la femme ou comme sa coiffure, trahissent un artiste connaissant parfaitement la matière qu'il travaille et les formes qu'il représente. Le traitement des yeux et la sensibilité de la bouche sont caractéristiques de la haute époque de ces œuvres de terre cuite de « l'Inde centrale ».

Bibliographie :
Journal of the Uttar Pradesh Historical Society, vol. XVIII, n° 9 ; *Trésors de l'art de l'Inde,* Paris, 1960, pl. 32 ; Sherman E. Lee, *Ancient Sculpture from India,* Cleveland 1964, fig. 79 ; *Inde : Cinq mille ans d'art,* Paris, 1978, n° 47.

73
Yaksha riant

Grès.
IIe-Ier siècle avant J.-C. ; Pitalkhora, Maharashtra.
Portant l'inscription, en caractères brahmi : « *Kanhadasena Hiranakarena Kata* » (fait par l'orfèvre Kanhadasa).
103 × 60,5 × 37 cm.
National Museum, New Delhi ; n° 67.195.

Cette silhouette, amusante, appartient à l'évidence à la catégorie des *Yakshas* joueurs et dispensateurs champêtres des faveurs et bontés qu'ils pouvaient accorder. Pourtant, les *Yakshas* pouvaient aussi bien être malveillants que bienveillants. Ils n'étaient pas toujours considérés comme des dieux lointains à n'approcher qu'avec respect et révérence ; ils se « mêlaient » facilement avec les gens, on les voyait bavarder avec eux. Ils sont souvent représentées irrévérencieusement, avec enjouement.

Le *Yaksha* a une allure légèrement comique avec sa tête, son corps petit, ses bras et ses jambes courtes ; il a une expression gaie. Avec ses bras, dont l'un est aujourd'hui cassé, il tient à la main un bol peu profond, peut-être un récipient contenant du vin que ce *Yaksha* doit partager avec ses compagnons, ou avec son supérieur, à qui il le porte. Sur sa personne, on voit des signes d'opulence : de lourdes boucles d'oreille, des bracelets en torsade et un collier, grand et proéminent, sur les « perles » duquel sont taillés des objets qui ont la forme de têtes humaines. On peut douter que l'intention ait été de représenter des têtes comme celles que portaient si souvent les divinités *ugra* ; peut-être ne s'agit-il que de figurines simples, décorées, en argent ou en or. Sur la tête, les cheveux sont disposés, de manière décorative, en courtes boucles qui, à leur tour, ont une apparence perlée. La *dhoti* que porte le *Yaksha* est tenue en place par une ceinture, tandis qu'une écharpe, qui paraît une variante du cordon sacré, remonte sur un côté du ventre prospère. Les replis de chair flasque autour du corps, n'échappent pas à l'œil du sculpteur et c'est par ces touches de naturalisme que le sculpteur fait du *Yaksha* un personnage amical, que l'on peut approcher, qui a lui-même des défauts et éprouve des émotions humaines.

Cette pièce provient de Pitalkhora, à une vingtaine de kilomètres d'Aurangabad, et fait partie d'un groupe de pièces découvertes lors de fouilles, il y a moins de trente ans. Depuis lors ce petit Yaksha amical a acquis une renommée mondiale, plus qu'aucun autre de ses collègues connus depuis beaucoup plus longtemps.

Bibliographie :
M.N. Deshpande, « The Rock Cut Caves of Pitalkhora », *Ancient India,* n° 15 ; Mario Bussagli et C. Sivaramamurti, *5000 years of the Art of India,* New York, 1978 ; *Inde, Cinq mille ans d'art,* n° 9 ; Pramod Chandra, *The Sculpture of India,* Washington, 1985, n° 6.

74
Personnages folâtres sur un jambage

Grès.
XIe siècle après J.-C. ; Khajuraho, Madhya Pradesh.
76 × 35 cm.
Archeological Museum, Khajuraho ; n° 1058.

Le plaisir que le sculpteur indien prenait aux petites choses ordinaires qui l'entouraient trouve une expression imprévue dans des reliefs comme celui-ci. Cette catégorie de sculptures ne célèbre aucun événement particulier ; il n'existe guère de références littéraires ou mythologiques à leur sujet. Nous voyons simplement une expression d'exubérance, une approche joyeuse de la vie qui nous entoure. Sur ce fragment de jambage le rinceau de feuillage cursif, élaboré, sur le côté convient parfaitement à la décoration du genre de monument médiéval dont il devait provenir. Trois couples de jeunes garçons joueurs, cependant, entraînent tout à coup l'œuvre dans une autre direction. La paire du haut semble imiter des adultes pieux, dévots, celle du milieu prend modèle sur des danseurs et des musiciens et les deux silhouettes les plus petites, en bas, sont assises de part et d'autre d'un lutrin et paraissent étudier sérieusement. Il n'y a peut-être nulle intention de caricaturer les activités imitées ici et certainement pas de se moquer de personnalités connues. Il s'agit seulement de mettre un peu d'humour chez des garçons, qui jouent des rôles qui ne sont pas de leur âge. La taille est d'une remarquable sûreté, le sculpteur étant parfaitement à l'aise avec son matériau et son sujet. De petits détails, comme la représentation des joues poupines, comme les ventres des garçons pendant qu'ils se déplacent et dansent, laissent une forte impression, et l'adresse du sculpteur pour tourner et retourner les formes sous différents angles est le fruit de la grande expérience acquise au cours de cette période. Les silhouettes sont en haut relief et semblent sortir de l'ombre des niches dans lesquelles elles ont été placées. Il s'agit là d'une pièce dont les rinceaux et le travail décoratifs, fouillent bien plus que la seule surface de la pierre, comme dans les œuvres médiévales.

75
Krishna dansant sur le serpent Kaliya

Bronze.
XVIe siècle après J.-C. ; Nilappadi, Tamil Nadu.
Haut. 75 cm.
Government Museum, Madras ; nº 123.

La grande et délicieuse histoire de Krishna enfant sautant dans les eaux de la Yamuna pour dompter le serpent à plusieurs têtes Kaliya qui empoisonnait les eaux du fleuve et menaçait la vie de tous les proches de Krishna se trouve racontée avec une grande saveur car elle combine en elle-même de nombreuses émotions. Il y a la crainte que l'on éprouve pour la vie de Krishna encore petit enfant, car, ses parents et ses amis ne pensaient pas que ses forces pourraient s'opposer à celles du serpent ; il y a la colère de Krishna contre Kaliya qui ose venir en cet endroit de la Yamuna pour y faire son antre délétère ; il y a l'immense énergie dépensée quand s'engage la bataille entre Krishna et le roi-serpent ; il y a aussi de la compassion et de la pitié quand, le Naga vaincu, ses nombreuses femmes supplient Krishna d'épargner sa vie ; et, enfin, il y a la joie et la jubilation quand Krishna émerge des eaux profondes, dansant triomphalement et joyeusement sur les capuchons du serpent. Quand les artistes de l'Inde du sud se sont, cependant, consacrés à ce sujet, la plupart d'entre eux ont décidé de représenter dans le bronze le couronnement de la légende, car il contient en lui-même tous les épisodes précédents. Ils nous représentent Krishna dansant alors sur un rythme lent, aisé, sur les nombreux capuchons du serpent dont nous voyons l'aspect thériomorphe (mais aussi, dans certains cas, anthropomorphe), tenant l'extrémité de sa longue queue de la main gauche, à hauteur de l'épaule, et tendant la main droite, dans le geste qui accorde une courageuse protection à ceux qui se reconnaissent comme les siens. Cet accent mis sur l'aspect léger, joyeux de l'exploit de Krishna donne au bronze un air de célébration, de bonheur dans le triomphe du seigneur. C'est sa *lila,* son jeu divin, qui reste au centre de l'intention de l'artiste.
Le travail de cette pièce, postérieur à la haute époque des bronzes du sud, reste cependant un lien avec les remarquables niveaux atteints entre le IXe et le XIe siècles. Le caractère dramatique de cet épisode est parfaitement compris, mais reste subordonné aux sentiments de joie exprimés par l'artiste qui maintient un équilibre fin et délicat entre les détails décoratifs et l'intention expressive.

Bibliographie :
F.H. Gravely et T.N. Ramachandran, « Catalogue of Metal Images in the Madras Govt. Museum », *Bulletin of the Madras Government Museum,* Madras, 1932 ; V.N. Srinivasa Desikan, *Guide to the Bronze Gallery, Govt. Museum,* Madras, 1983.

79
Jeune garçon dansant avec joie

Terre cuite.
IVe-Ve siècle après J.-C. ; Harwan, Cachemire.
49 × 45 cm.
Sri Partap Singh Museum, Srinagar ; n° 3250 D.

A moins de trois kilomètres des célèbres jardins de Shalamar, au Cachemire, se trouve le modeste village de Harwan, ancien Shadarahawan (le « bocage des six saints »), où l'on découvrit l'une des plus remarquables trouvailles archéologiques faites au Cachemire au cours du XXe siècle. La découverte de petites tablettes votives et de fragments épars portant des reliefs de *stupa* a incité à faire des fouilles dans un tertre à une hauteur où, finalement, on mit au jour le merveilleux pavage d'un grand temple absidal. Le pavage avait la forme d'un grand disque avec plusieurs cercles concentriques autour d'une unique pièce centrale. Chaque cercle était composé d'une série de dalles en forme d'arc, chacune portant l'empreinte d'un motif, ces motifs allant d'une oie qui court, de béliers combattant à des dames portant des vases de fleurs, des guerriers chassant le cerf et des jeunes gens portant des guirlandes de fleurs. Il est évident que la décoration suivait ici un ordre très strict, à en juger par les numéros, en caractères kharoshti, portés sur chaque carreau, de façon à ce que leur place suive un ordre précis.
Plusieurs dalles portent l'empreinte de têtes d'hommes et de femmes évoquant l'Asie centrale, d'après R.C. Kak qui, il y a longtemps, a étudié en détail cette découverte. C'est lui aussi qui a supposé que ces représentations peuvent avoir été à l'image du donateur et de sa femme qui, par esprit d'humilité, auraient pu les faire poser au sol, afin que les gens les plus ordinaires les foulent au pied avant d'atteindre le temple.
Cela n'explique cependant pas la signification décorative de l'ensemble du dallage, car il y a une vaste gamme de motifs et les dalles ne sont pas obligatoirement reliées les unes aux autres par le sujet. Cette dalle représente un moment joyeux de la vie d'un jeune homme qui se met à danser avec fougue, bondissant dans l'air, le corps empli de joie intérieure, son écharpe voltigeant et donnant à la silhouette un merveilleux mouvement. Ici, nous sommes loin des ascètes qui se replient sur eux-mêmes ou des guerriers qui chassent : on ne peut que faire des suppositions sur les causes de cette joie, mais celle-ci est indéniable et contagieuse. Tout autour de la dalle, on trouve une ornementation qui devait se raccorder aux dalles de droite et de gauche.
Les spécialistes ne sont pas d'accord sur la date d'Harwan ; Kak la fait remonter assez loin, aux alentours de 300 après J.-C. alors que d'autres penchent pour une date plus tardive d'un siècle, sinon plus.

Bibliographie :
R.C. Kak, *Ancient Monuments of Kashmir*, Londres, 1933.

80
Balwant singh se faisant tailler la barbe

Gouache sur papier.
École Pahari, troisième quart du XVIIIe siècle ; par Nainsukh de Guler.
Prince of Wales Museum, Bombay ; n° 33-110.

Dans l'œuvre de Nainsukh, un certain esprit apparaît dans quelques portraits de Balwant Singh et de sa cour, à Jasrota. Lorsque Balwant Singh se fait distraire par des danseurs, nous voyons des *naqqals*, mimes professionnels, – prenant la même posture que le prince, fumant, avec prétention, un *huqqa* imaginaire ; pendant une chasse, on le trouve qui suit furtivement un canard, caché derrière un buffle ; alors que son cheval tue d'une ruade un sanglier, avec une certaine nonchalance, Balwant Singh ne se montre que modérément surpris ; s'il est assis dans un camp, en train d'écrire une lettre, le serviteur, derrière lui, commence à s'assoupir tout en agitant un morne éventail au-dessus de son maître. Ici, Nainsukh représente, naturellement avec l'assentiment de son mécène, un rite matinal : un barbier lui taille la barbe. Balwant Singh est corpulent, il porte une calotte très ajustée qu'il met probablement pendant la soirée et au petit matin, – car elle ne fait pas partie du costume de cour, – et un lourd manteau le protège de la fraîcheur matinale. Prisonnier de son barbier, il a les mains croisées sur le ventre et ferme les paupières de crainte de recevoir un poil dans les yeux, alors que le barbier agite ses ciseaux. C'est peut-être là un jeu quotidien entre le maître et le serviteur : un air amusé, dans les yeux du barbier, semble le suggérer. Cette œuvre de Nainsukh, merveilleusement chaleureuse et espiègle, anime ce moment ordinaire de la vie de tous les jours.

Bibliographie :
Karl J. Khandalavala, « Balwant Singh of Jammu », *Bulletin of the Prince of Wales Museum, Bombay*, n° 2, p. 71-81, et *Pahari Miniature Painting*, Bombay, 1958, n° 96 ; Study Supplement. Sur Balwant Singh et sur Nainsukh, voir W.G. Archer, *Indian Painting from the Punjab Hills*, Londres, 1973, p. 194-209.

81

Radha habillée en Krishna

Gouache sur papier.
Rajasthan, milieu du XVIIIe siècle ; d'un atelier de Kota-Bundi.
27,7 × 16,2 cm.
Prince of Wales Museum, Bombay ; n° 53.90.

Quand on n'entend plus le son de la flûte de Krishna, quand le Seigneur, pour une raison quelconque, s'est éloigné, un voile descend sur le village. Pourtant, dès que l'on apprend que cette absence n'est pas définitive, qu'il n'est retenu que par une cause passagère, les *gopis* revivent et entament toutes sortes de jeux amoureux en évoquant Krishna. Radha, tout à coup, a une inspiration : elle rentre à la maison, met le costume de Krishna et ressort, en jouant de la flûte. Le son aimé perce la tranquillité de la nuit et les *gopis* tendent l'oreille, sortent en hâte de chez elles pour gagner la clairière, dans la forêt, et répondre à l'appel. C'est seulement en arrivant qu'elles comprennent la ruse de Radha ; bientôt, pourtant, émues par l'air que joue celle-ci, elles restent immobiles et finissent presque par voir en elle Krishna lui-même.
L'impatience des *gopis* et leur trouble, quand elles sortent deux par deux de chez elles, sont rendus par le peintre avec sensibilité. Elles éprouvent naturellement des émotions diverses, qui vont de l'incrédulité à la joie ou à la déception ; elles se pressent les unes aux autres ou se retournent pour parler à leurs compagnes ; mais aucune ne reste indifférente. Même les vaches couchées sur le sol se relèvent soudainement en entendant la flûte et nous en voyons une tendre le cou pour chercher à voir le Seigneur. Les deux autres, faisant écho à l'incertitude des *gopis*, expriment un autre état d'esprit, mais aucune ne résiste à l'appel. A mi-distance, un épais bosquet ombreux, avec des bananiers et des manguiers verdoyants rappelle la présence de Krishna. Dans l'intervalle, Radha joue le rôle de Krishna, elle porte sa jupe aux nombreux plis, sa couronne ornée de plumes de paon, la longue guirlande de fleurs qui se balance quand il bouge ; elle semble curieusement émue par le rôle qu'elle assume. Le peintre l'a même dotée d'un nimbe.
Ce n'est que lorsqu'on a bien compris le sujet de la peinture, que ses qualités se dévoilent d'elles-mêmes. Plus rien ne ressemble à ce que l'on voit au moment où, pour la première fois, l'œil se pose sur la peinture ; c'est comme si le peintre jouait avec nous le même jeu que Radha avec ses compagnes, et cela avec l'élégance fraîche et colorée des œuvres de Bundi-Kota au XVIIIe siècle.

82
Les jeux aquatiques de Krishna et de ses compagnons

Gouache sur papier.
Rajasthan, deuxième quart du XVIIIe siècle ; d'un atelier de Bundi-Kota.
13,9 × 10,2 cm.
Prince of Wales Museum, Bombay ; nº 52.20.

Le *jala-vihara,* ou jeux aquatiques, de Krishna et des *gopis* revêtent de nombreuses formes. Quand il sort avec elles dans la forêt, par une nuit de pleine lune, il joue de la flûte, danse avec elles sa grande danse circulaire, le *raasa,* et les conduit jusqu'aux eaux fraîches de la Yamuna ; cet épisode prend un sens mystique qui a été longuement commenté par les auteurs du *Bhagavata Purana.* Le peintre illustre cependant ici un *jala-vihara* différent, une activité ludique de Krishna et de ses amis bouviers. Ils sont tous réunis sur un *ghat,* l'escalier qui conduit à un réservoir d'eau, lorsque Radha arrive avec ses *sakhis,* ses compagnes, dans l'intention de se baigner. Les *gopas* sont malicieux : ils ont quitté leurs vêtements, posés en tas sur le parapet, sous le banian au feuillage touffu ; l'un d'eux commence à se balancer sur une racine qui s'écarte de l'arbre, un autre se prépare à sauter dans l'eau, alors qu'un troisième se balance. De leur côté, les bouvières se sont aussi déshabillées et descendent dans l'eau pour nager : elles se pressent les unes aux autres, par modestie, car elles voient les garçons sur le *ghat* mais, une fois dans l'eau, elles s'éclaboussent mutuellement et s'amusent à leur manière. Krishna aperçoit Radha non loin de lui, saute alors dans l'eau, l'étreint, peut-être même l'embrasse-t-il. C'est là une situation qu'un poète comme Keshavadasa pouvait imaginer et célébrer.
Avec vivacité et entrain, le peintre tire parti de toute l'innocence et de toute la beauté de la situation. Cette page fourmille de détails significatifs, comme le *shivalinga* sur un parapet, le couple de paons énamourés dans l'arbre, mais la note dominante est la joie chargée des rires innocents qui éclatent dans l'air.

83
Krishna voleur de beurre ; d'une série du *Bhagavata Purana*

Gouache sur papier.
École Pahari, premier quart du XVIIIe siècle ; d'un atelier de Mankot.
Mention descriptive en takri, sur la bordure supérieure.
20,5 × 31 cm.
Chandigarh Museum, Chandigarh ; nº 1301.

Cette feuille provient d'une des plus belles séries inspirées par le *Bhagavata Purana,* – ce texte ancien d'une importance capitale pour le culte de Vishnou, particulièrement sous la forme de Krishna, sa huitième incarnation. Cette œuvre est d'un des maîtres anonymes de Mankot, petit État des collines, et date des premières années du XVIIIe siècle ; c'est une série pleine « de verve, d'allant et d'un esprit de gaieté anarchique », comme le dit W.G. Archer, avec des « rythmes tourbillonnants, des éruptions impulsives de formes fortes et vigoureuses, l'insouciance avec laquelle des formes sont lancées avec violence, en évitant tous les détails riches ou compliqués, sa concentration théâtrale sur les éléments essentiels de base et, peut-être, par-dessus tout, son air de fière exaltation ». Il est peu vraisemblable que les peintres de cette étonnante série aient illustré la totalité du *Bhagavata Purana* : seul nous est parvenu le Livre Dix qui raconte l'histoire de Krishna avec force détails.
Cette feuille est consacrée à l'un des épisodes les plus appréciés de l'enfance de Krishna, passée dans la maison de ses parents adoptifs, Nanda et Yashoda. Enfant malicieux, il n'en est que mieux aimé ; on chante encore

aujourd'hui, avec joie et dévotion comment, avec ses manières irrésistibles, il taquinait tout le monde dans le village, de sa mère aux servantes et aux chefs de famille du voisinage. Pour ses tours, il s'alliait souvent à ses petits amis, les bouviers, et, ici, nous le voyons avec ses compagnons, en train de voler du beurre. Comme le dit l'inscription sur la bordure supérieure, sa mère Yashoda interrompt un moment le barattage de la crème, pour rentrer chez elle où le lait est sur le feu, près de bouillir. Profitant de l'occasion, Krishna réunit rapidement ses amis, bondit sur le dos de l'un d'eux et atteint le pot de terre cuite qui pend au plafond et contient les appétissantes mottes de beurre. Non seulement il prend du beurre pour lui-même, mais aussi pour tous ses compagnons, parmi lesquels on voit un singe et deux vaches qui semblent s'amuser tout autant de la situation que Krishna lui-même et ses amis, les *gopas*. Sur le point d'être pris sur le fait par sa mère, Krishna pousse un gémissement et proteste de sa complète innocence. Le poète aveugle de Mathura, Surdasa, a chanté avec passion au XVIe siècle, cet épisode joyeux. D'après lui. Krishna commence par rejeter la faute sur ses amis, les *gopas,* qui sont plus âgés que lui ; comment, en effet, aurait-il pu atteindre ce pot de beurre qui pend au plafond, tellement plus haut que lui ? Il n'avait pas besoin de beurre, dit-il, les *gopas* l'ont forcé à en manger ; n'a-t-il pas la figure encore toute barbouillée. Et l'on voit combien sa mère s'amuse, et feint seulement la colère devant son enfant tendrement aimé.

Comme dans le reste de cette série, le peintre fait preuve d'une compréhension parfaite, intuitive, de chaque situation, de chaque épisode, en en saisissant l'essence même. Le manque d'attention, soudain, encore que provisoire, de Yashoda qui rentre surveiller le lait qui bout, l'air, tour à tour méfiant et sournois, que l'on voit sur le visage de Krishna et de ses compagnons ; la chaîne établie avec soin des ordres et des actions, qui part de Krishna, passe par les *gopas* et aboutit au singe, décisions qui sont toutes bien pesées. Le peintre a inséré d'innombrables détails dans les vêtements de Yashoda, les piliers, les coupoles étroites, le pot de terre d'où s'écoule un peu de petit lait.

Deux autres feuilles illustrant le même thème, provenant de Mankot, et d'une facture très proche, sont parvenues jusqu'à nous, mais elles sont d'un format vertical. Elles n'ont cependant pas la haute qualité de la présente série, dont la disposition est horizontale. On dirait que le format vertical gêne le peintre d'une manière ou d'une autre, ne lui permettant pas de s'étendre comme il en a l'habitude.

Bibliographie :
M.S. Randhawa, *Basohli Painting,* Delhi, 1959 ; W.G. Archer, *Indian Paintings from the Punjab Hills,* Londres, 1973, au chapitre « Mankot » ; B.N. Goswamy, *The Bhagavata Paintings from Mankot,* 1978 ; *Krishna the Divine Lover,* Lausanne, 1982 ; Francis Hutchins, *Young Krishna,* West Franklin, 1980.

84
Célébrations pour la naissance de Krishna ; de la même série du *Bhagavata Purana* que le nº 56

Gouache sur papier.
École Pahari, premier quart du XVIIIe siècle ; d'un atelier de Mankot.
20,5 × 31 cm.
Chandigarh Museum, Chandigarh ; nº 1275.

L'annonce de la « naissance » de Krishna dans la maison de Nanda est l'occasion d'une grande fête dans tout le pays et le peintre de ce *Bhagavata Purana*, partageant à sa manière la joie de l'événement, consacre toute une feuille à la musique jouée durant cette célébration. Les descriptions habituelles des fêtes que l'on trouve dans le *Purana* n'oublient pas la musique qu'on y joue mais, ici, le peintre fait figurer, avec une verve merveilleuse, une autre gamme d'instruments, ceux qu'il a connus dans son propre milieu : le *dhol* à deux têtes, les doubles timbales, le *shehnai* à l'allure de clarinette, et de longues trompes complexes de trois types différents, qui sont habituelles dans la musique populaire du pays Pahari. Pendant que l'on joue de la musique, deux jeunes *gopas* se mettent à danser, ne pouvant, semble-t-il, contenir leur joie, et leurs voiles qui voltigent traduisent leurs sentiments. En disposant ses personnages, qui ne sont pas assis en rangs figés ni dans un ordre logique, le peintre emplit toute la page d'une joie envahissante. Quant aux quatre musiciens qui soufflent dans leurs instruments à vent, les joues distendues par l'effort, ils ont, comme les autres personnages, une expression qui révèle leur bonheur intérieur. Une fois de plus, le peintre montre son souci des motifs et le flair avec lequel il sait choisir ses couleurs, les répartir sur toute la page, sur un fond uni et brillant ; cette préoccupation de l'artiste demeure cependant discrète et ne domine pas l'œuvre, qui demeure emplie d'un sentiment de joie soutenue.

Bibliographie :
Voir le nº 56.

85
Un moment de gêne : le serpent de Shiva s'enfuit quand Vishnou arrive sur Garuda

Gouache sur papier.
École Pahari, premier quart du XIXe siècle.
Chandigarh Museum, Chandigarh ; nº 2380.

Avec cette œuvre, le peintre a seulement l'intention de s'amuser ; il ne fait pas allusion à un épisode connu tiré d'un mythe ou d'une histoire : il se contente de rassembler quelques faits communs aux personnages qu'il met dans une situation entièrement imaginée. Shiva, le divin mendiant, est assis avec sa compagne, Parvati, dans son séjour favori, le Kailasha : comme de nombreux solitaires, il n'est vêtu que d'un pagne étroit qui masque à peine sa nudité ; seulement, ce pagne qu'il porte autour des reins est un serpent, ce qui est normal puisqu'il en est le seigneur et se sent bien avec eux. Shiva se tient sur une peau de tigre, il a près de lui une calebasse, un simple feu le protège du froid et sa monture, le taureau Nandi, se tient derrière lui. Alors que le couple est assis, Vishnou vient le voir à l'improviste. Étant donné que la monture de Vishnou est le grand oiseau-solaire, Garuda, l'ennemi naturel des serpents, la situation devient délicate. Dès que Vishnou

descend de sa monture, l'oiseau avance instinctivement vers le serpent lové autour des reins de Shiva et, voyant cela, le serpent quitte en hâte Shiva et se précipite dans une fourmilière. Parvati, soucieuse de la modestie de son mari, détourne vivement la tête tout en déchirant une bande de tissu de son *sari* pour l'offrir à Shiva, afin qu'il s'en couvre. Vishnou regarde la scène avec amusement.
On pourrait dire que la plaisanterie est presque trop poussée, car l'initié qui regarde la scène doit saisir la situation d'un simple coup d'œil. Doit-on ajouter que le peintre a inventé un épisode amusant, mais n'a pas eu l'intention de se montrer irrévérencieux.

86

Européens avec des enfants

Peinture inachevée sur papier.
Rajasthan, deuxième quart du XIXe siècle ; d'un atelier de Kota ou de Nathdwara.
Bharat Kala Bhavan, Bénarès ; n° 4292.

Il serait difficile d'identifier avec précision les personnages de cette feuille, provenant d'un carnet de croquis, mais on ne peut guère douter qu'il s'agisse d'européens. L'homme de petite taille, à la grosse moustache et à l'immense chapeau, qui porte une guirlande autour du cou et a la main sur la poignée d'une courte épée, est sans doute quelque petit fonctionnaire attaché au service du Résident britannique. Les deux personnages de droite, avec de longs manteaux, des châles et des chapeaux, sont probablement des Européennes venant du même couvent. L'une d'elles porte un enfant dans les bras, et l'autre a la main posée sur un autre debout.
Malgré les signes de rapidité, le caractère de relative ébauche du dessin, cette œuvre attire l'attention sur l'air de fatuité que la plupart des Européens affichaient en Inde, même dans les situations les plus ordinaires. L'artiste n'a pas fait là une caricature, mais veut nous amuser par l'allure de suffisance et l'apparence singulière des personnages.
Cary Welch a publié plusieurs dessins comparables d'européens, exécutés à Kota. Les personnages de la « Compagnie des Indes », que nous voyons sur cette œuvre, peuvent avoir été parmi les premiers arrivés à Kota, car Kota fut le premier État du Rajasthan à avoir conclu une alliance formelle avec la Compagnie des Indes Orientales.

Bibliographie :
Stuart Cary Welch, *Room for Wonder,* New York, 1978, n° 61.

87

La confusion de Radha ; d'une série du *Rasikapriya*

Gouache sur papier.
École Pahari, premier quart du XIXe siècle.
Bharat Kala Bhavan, Bénarès ; n° 369.

Parmi les nombreux jeux de l'amour, ces innocentes délices, les poètes indiens décrivent avec délectation la confusion des amants. Cette confusion survient dans toutes sortes de situations amoureuses : quand les amants sont découverts par d'autres, quand ils se laissent décevoir, quand les déguisements deviennent inutiles, et ainsi de suite. Ici, le peintre a évoqué le *vibhrama hava,* simple état de confusion. Radha et Krishna, qui s'aiment en cachette, passent ensemble la nuit dans la chambre de Krishna. A l'aurore, Radha se lève, s'habille rapidement et va vers la porte, espérant pouvoir rentrer chez elle avant que le reste du village ne soit éveillé. Krishna aperçoit alors le vêtement qu'elle drape sur ses épaules. Au lieu de son propre vêtement, dans sa hâte et sa confusion, elle a pris le vêtement jaune, le *pitavastra,* de Krishna et se prépare à sortir dans cette tenue. Étant donné que tous les villageois savent que ce vêtement est celui de Krishna, – c'est même sa tenue préférée –, il la rappelle et tend le bras pour la retenir. Si elle sortait ainsi vêtue, dit le poète, le jeu se terminerait, le secret serait éventé.
Il faut un peu réfléchir pour saisir l'importance d'une peinture comme celle-ci car, si l'on ne connaît pas le contexte, et que l'on voit ce vêtement jaune, on peut fort bien passer « à côté » du sujet ; on pourrait n'y voir qu'une autre élégante illustration ayant pour thème Radha et Krishna. C'est pourtant à de telles situations que nous préparent le peintre et le poète. Le spectateur initié, sensibilisé à ces situations et à ces sentiments, « perçoit » facilement les divers niveaux de cette œuvre.
On trouve dans plusieurs collections, publiques et privées, d'autres peintures d'une ressemblance telle qu'il est presque impossible de les distinguer de celle-ci, ce qui donne une idée du ravissement dans lequel ce sujet a plongé les peintres et les amateurs du passé.

88

Des ours et un singe folâtrant ; d'un manuscrit de l'*Anvar-i-Suhaili*

Gouache sur papier.
École moghole, 1596 après J.C. ; par Shankar.
Bharat Kala Bhavan, Bénarès ; n° 9069/18.

De l'ensemble de fables délicieuses qui constitue l'*Anvar-i-Suhaili,* – œuvre qui a manifestement été la source favorite des peintres moghols, si l'on pense au nombre de manuscrits illustrés que nous avons – le peintre Shankar a choisi l'épisode des ours et du singe en train de folâtrer. Cet épisode fait partie d'un récit plus long, qui est le thème de la fable ; mais le peintre a travaillé pour lui, il a exécuté une étude, principalement des ours représentés dans une remarquable variété d'attitudes. Ils prennent presque des postures humaines et certains ont à coup sûr des expressions d'hommes ; nous voyons des ours couchés, accroupis sur leurs pattes comme des voyageurs autour d'un feu, installés pour de vains bavardages amicaux, épluchant les racines d'un arbre, s'adossant contre un voisin, blottis contre son ventre, la tête retournée, levant une patte antérieure à hauteur de l'œil, sagement assis comme pour donner un avis, ou se dissimulant derrière un arbre pour jouer à cache-cache. Le peintre a manifestement évoqué, par cet astucieux rassemblement de quelques ours, certaines « familles » dont les membres se réunissent pour parler, pour bouder ou pour s'amuser les uns des autres. Au centre, un singe a sauté sur le dos d'un ours qui marche vers la droite ; les deux animaux semblent continuer de parler à un autre ours assis devant eux, qui s'oppose probablement à quelque chose et leur barre la route.

Il est évident que le peintre a pris grand plaisir à travailler sur cette feuille, comme le prouve la variété des attitudes et des allures qu'il a données aux animaux : le doute et le soupçon, la sagesse et la malice se retrouvent dans ces animaux, alors qu'ils font généralement défaut dans les splendides études d'animaux isolés exécutées par les peintres moghols.

Le décor est constitué par une étendue de terre nue au bord de l'eau, mais on voit, non loin, des arbres, des arbustes et des buissons, éparpillés tout autour ; au loin, apparaît, minuscule, une ville peinte à la manière bien connue des peintres Akbari. Le dessin, la superbe palette et la précision de l'observation, sont à la hauteur de ce que l'on peut attendre d'une œuvre moghole de cette époque.

Bibliographie :
Publié dans *In the Image of Man,* Londres, 1982, p. 81.

89
Krishna voleur de beurre ; d'une série du *Bhagavata Purana*

Gouache sur papier.
École pré-moghole, milieu du XVIIe siècle.
17,5 × 23 cm.
Bharat Kala Bhavan, Bénarès ; n° 10663.

Cette feuille délicieuse et éclatante provient du célèbre *Bhagavata Purana,* aujourd'hui dispersé (dont la provenance demeure incertaine, malgré le grand nombre d'études qui lui ont été consacrées) ; elle rappelle un épisode simple et habituel de la vie de Krishna adolescent dans la maison de ses parents nourriciers. Faisant les cent coups, sans aucune contrainte, chaque fois que l'occasion s'en présente, il s'empare de pots de lait caillé et de beurre, ce qui lui a valu un de ses noms, celui de *navnitpriya* (le friand de beurre). Alors que sa mère est assise et bavarde avec une compagne dans une chambre, à gauche, Krishna se lève furieusement, les yeux attirés par les pots de terre emplis de beurre qui pendent à une ficelle accrochée au plafond ou sont placés dans une profonde niche, hors de portée elle aussi. Mais cela ne l'arrête pas le moins du monde. Il met en place un petit tabouret de bois sur lequel il place un mortier, lui-même surmonté par un autre *chauki* bas ; ensuite, montant sur cet échafaudage, il parvient à atteindre les pots qui offrent à sa vue une si grand tentation. Parmi ses compagnons, on ne voit pas seulement ses amis les *gopas,* mais aussi deux singes. Nous le voyons d'abord prendre quelques mottes de beurre et les donner aux deux singes malicieux qui se tiennent comme de jeunes garçons, les mains tendues pour recevoir le produit du vol. Ensuite, peut-être parce que le beurre n'est pas assez frais, Krishna grimpe sur les épaules de ses compagnons, atteint un autre pot, dans la niche et prend du beurre qu'il distribue à ses six amis, certainement sans s'oublier au passage.

Bien dans l'esprit de cette superbe série, le peintre comprend à la perfection le sentiment de chacun des épisodes qu'il illustre. Il représente ici, de manière plaisante, les gamineries de Krishna enfant, dispensateur d'une grande joie, et sujet de tant de poésies et de tant de chansons. La clef de cette peinture se trouve dans l'attitude de Krishna, représenté deux fois. On dirait qu'il ne repose nulle part fermement sur ses pieds ; les jambes esquissent un mouvement de danse, joyeux et plein d'entrain. Cet esprit se communique rapidement de lui à ses compagnons, aux singes avides et aux *gopas* enjoués, à droite. Tous ces jeunes personnages sont nus, comme les petits villageois qui vivent dans un climat chaud. Ils ne portent que de petites ceintures tintinnabulantes autour de la taille et, naturellement, des bijoux, sans oublier, bien en vue, la griffe de tigre qu'ils se pendent au cou pour se protéger contre les mauvaises influences. La palette est aussi soignée, sur cette feuille, que sur les autres de la même série ; on voit aussi une certaine imprécision du trait, dans certaines zones comme dans les bordures, mais cela ajoute à l'œuvre un certain charme rustique ; à sa façon, cette œuvre est d'une extrême complexité, l'artiste ayant soigneusement élaboré son vocabulaire et son langage avant de

commencer sa série. Les couleurs sont merveilleusement vibrantes et évocatrices.
En haut, à gauche de la bordure de cette peinture, une inscription en Devanagari indique « *Sa Mitha Ram* ». Ce nom, avec celui de *Nana,* se trouve, comme on le sait, sur plusieurs feuilles de cette série. On ne sait pas avec certitude si ces noms sont ceux d'anciens propriétaires de ces pages ou s'ils en désignent les auteurs. S'il s'agit des peintres, le mot *Sa* peut fort bien remplacer le mot *sakht,* qui signifie « œuvre de ». Cette série a un rapport évident avec le groupe du *Chaurapancasika,* mais il faut encore déterminer à quel moment du XVIe siècle l'attribuer. On a proposé comme origine de cette œuvre le petit village de Palam, dans le voisinage de Delhi, où se trouve aujourd'hui son aéroport. Plusieurs autres spécialistes pensent cependant qu'elle doit provenir du Rajasthan, peut-être du Mewar.

Bibliographie :
Publié dans *Chhavi,* I. Bénarès, 1971 ; voir également Karl J. Khandalavala et Moti Chandra, *New Document of Indian Painting,* Bombay, 1969, p. 83-85 ; J.P. Losty, *The Art of the Book of India,* Londres, 1982, p. 64 ; Daniel J. Ehnbom, œuvre inédite sur le Bhagavata Purana dispersé, Université de Chicago.

90
Européen légèrement ivre

Gouache sur papier.
Rajasthan, milieu du XVIIIe siècle ; d'un atelier de Bundi ou du Mewar.
Bharat Kala Bhavan, Bénarès ; no 559.

La présence d'Européens en Inde, au moins à partir du XVIe siècle, a suscité diverses réactions quant à leur aspect, leurs coutumes, leur comportement général ; ces réactions allaient de la curiosité et du respect à l'incrédulité et à l'hilarité. C'est devenu un vrai cliché, pour la peinture indienne, que de représenter un Européen légèrement ivre. Certes, de nombreux Européens ont dû boire ; une fois en Inde, de nombreux éléments – la solitude, l'insécurité, l'anonymat – peuvent fort bien avoir poussé certains à dépasser la mesure, ce que de nombreux Indiens, y compris les peintres, ont remarqué. Il convient de citer un Anglais du XIXe siècle : « Ici, nous nous trouvons, dans un vaste pays, une poignée de blancs au milieu de trois cents millions de vassaux hostiles » ; cette constatation doit avoir été aussi vraie au XVIIe et au XVIIIe siècles qu'au XIXe. Dans cette situation, toute légère ébriété devait constituer une sorte d'évasion.
Autre chose a naturellement frappé les Indiens, chez les Européens : les vêtements qu'ils portaient, de « bizarres » chapeaux, des tuniques et des culottes, de longues bottes et ainsi de suite.

L'auteur de cette œuvre amusante illustre avec esprit les deux aspects d'un Européen. Le costume extravagant, où l'on perçoit une influence indienne sous la forme d'une chemise transparente et d'une écharpe, l'extraordinaire chapeau à aigrette et à plumes, la tunique à col haut, coupée à la dernière mode, tout cela donne beaucoup de brillant à ce gentilhomme qui se promène, un faucon sur sa main gantée et une canne dans l'autre. Ce qui, pour un Indien, complète le portrait, c'est l'inclinaison de la tête et le regard légèrement vitreux. Il est facile de deviner que cet homme devait avoir la parole assez embrouillée.

91
Un étrange mendiant

Gouache sur papier.
Rajasthan, milieu du XVIIIe siècle ; d'un atelier du Mewar.
State Museum, Lucknow ; nº 57.54.

Nous ne voyons pas ici deux personnages, mais bien deux fois le même. Nous le voyons d'abord assis sur une couche plate, en bois, à gauche, enroulé dans un châle, ou *chaddar*, fumant un *huqqa* ; il semble être un de ces *sadhus* barbus, pleins de dignité, que l'on a habitude de voir représentés sur les peintures. Il est évident qu'il aime fumer car, par terre au pied de sa couche, se trouve un foyer à charbon contre lequel est appuyée une demi douzaine au moins de petits *huqqas*. On voit tout autour d'autres objets, gourdes et calebasses, ce qui indique que cet homme est un mendiant vivant retiré du monde. Puis nous le revoyons, debout cette fois, à droite ; il fume toujours, mais sans sa couverture qu'il doit avoir rejetée. Il semble maintenant tout autre : nous ne le soupçonnions pas, mais son corps est osseux et rachitique, ses jambes maigres, son aspect comique ; il n'a plus maintenant cette dignité qui lui était naturelle quand il était assis, enveloppé dans sa couverture. Son aspect est si différent que son propre chien, a peine à le reconnaître, et aboie de surprise. Dans le froid qui l'entoure, il n'a plus de châle, peut-être frissonne-t-il, car le long tuyau de son *huqqa* semble trembler.

On saisit mal le sens d'une telle peinture ; il ne s'agit certainement pas d'un portrait d'après nature ni d'un hommage de l'abnégation du mendiant et de son ascèse. On devine que le peintre se contente de représenter et de manifester la surprise et l'amusement qu'il peut avoir ressentis devant ce mendiant, aux deux aspects, aux deux « visages ».

92
Le maharana Ari Singh de Mewar « chassant » le poisson

Gouache sur papier.
Rajasthan, troisième quart du XVIIIe siècle ; attribué à Bakhta du Mewar.
State Museum, Lucknow ; nº 57.122.

Les douze années de règne du Maharana Ari Singh, de 1761 à 1773, marquées par « le caractère bas et tyrannique » du souverain, furent aussi au Mewar, une époque de remarquable activité picturale. Certaines des plus belles œuvres de cette période ont une vraie qualité d'entrain et de gaieté. Manifestement amateur de chasse, surtout à l'ours, Ari Singh est représenté dans différents décors : dans la jungle, dans une chambre à l'intérieur de son palais d'Udaipur, ce palais qu'il avait embelli avec des carreaux de faïence hollandaise et des verres de couleur, dans la campagne aussi. Ici, nous le voyons dans une autre partie du palais, il regarde sous lui le grand lac d'Udaipur et tire des flèches sur les poissons qui se rassemblent en quête de nourriture sous le pavillon royal où le Maharana est assis avec ses deux compagnes. Nous le voyons une nouvelle fois, dans le fond, assis en compagnie d'une partie de son harem ; de nombreuses femmes sont assises en face de lui, d'autres portent des chasse-mouches et les emblèmes de l'État, debout dans le petit jardin en contre-bas de la chambre, elle aussi, ornée à profusion de carreaux de faïence hollandais. Cette peinture n'est pas dénuée de poésie, avec l'emphase de son architecture blanche et grise, son ornementation et ses sculptures complexes, sur les murs, les coupoles ou le sol, mais il faut surtout remarquer cette étrange chasse aux poissons à l'arc. Cet « amusement » du Maharana est peut-être évoqué par le peintre à titre de contraste avec son habitude, plus virile, de nourrir les crocodiles du lac Jagmandir, coutume qu'il illustre sur une peinture de l'époque du Maharana Sangram Singh (Topsfield, *infra*, nº 72).

Par le style et l'atmosphère, cette peinture est très proche d'une œuvre datée de Bakhta représentant le durbar du Maharana Ari Singh, conservée aujourd'hui à Melbourne (voir Topsfield, nº 167) et que l'on peut attribuer au même peintre. C'est certainement le même Bakhta (Bagta) qui travailla ensuite pour les Rawats de Deogarh et qui est l'auteur d'œuvres délicieuses, marquées par cette « vigoureuse variante locale » du style d'Udaipur. Il semble avoir, ici, pris particulièrement intérêt aux carreaux de faïence hollandais, avec lesquels il joue à sa manière, y ajoutant des motifs nouveaux et inédits, qui lui sont propres.

Bibliographie :
R.K. Vashishtha, *Mewar Ki Chitrankan Parampara*, Jaipur, 1984 ; Andrew Topsfield, *Paintings from Rajasthan in the National Gallery of Victoria*, Melbourne, 1980.

93
La fête printanière de Holi

Gouache sur papier.
École Pahari, troisième quart du XVIIIe siècle.
Portant le nom « Gursahai » au verso.
Indian Museum, Calcutta ; nº 267/526.

L'éclosion du printemps, occasion de nombre de festivités et de célébrations, ne passe pas inaperçue pour Krishna et ses compagnons, les bouviers et les *gopis*, et donne au poète et au peintre une occasion supplémentaire d'évoquer leurs relations. Alors que tous les autres célèbrent cette fête comme on le fait encore aujourd'hui en Inde, – en jetant des poudres de couleurs, en s'aspergeant mutuellement au moyen de seringues d'eau colorée, en chantant des chansons parfois innocentes, parfois paillardes, – la célébration de Holi prend une autre signification pour Krishna et Radha. Soudain, au milieu de tant de bruit et d'activité, leurs yeux « se ferment », comme dit le poète, et ils sont immergés dans leur mutuel amour, tout comme ils sont aspergés par l'eau qui jaillit autour d'eux.
Beaucoup de peintures ont pour thème la célébration de Holi à Vraja, – ce pays entourant Mathura, où se déroulent aujourd'hui encore des fêtes d'une remarquable spiritualité, – mais celle-ci est parmi les plus belles. La merveilleuse atmosphère de fête, le groupement des personnages qui laisse de la place, au centre, pour que Radha et Krishna soient mis en relief, la gamme de postures et de gestes, les petits médaillons animés, tout est traité avec une maîtrise extraordinaire. Mais cette œuvre va au-delà et l'œil est attiré, grâce au regard tendre, encourageant, des compagnes de Radha, vers les deux amants qui sont ici immobilisés, comme dans un tableau. C'est là qu'on découvre l'attachement passionné, le *raga*, dans son paroxisme ; et, certaines des musiciennes s'arrêtent et s'immobilisent, beaucoup plus désireuses de voir ce qui se passe que de jouer de la musique.
Cette œuvre est certainement due à un membre de la famille de Seu-Nainsukh ; on pense à Manak ou à Fattu, son fils. L'inscription figurant au dos induit donc en erreur, car elle porte le nom de Gursahai, un petit-fils de Nainsukh qui a vécu au début du XIXe siècle. Cette inscription avait peut-être seulement pour but d'indiquer que cette œuvre provenait de la maison de Gursahai (comme c'est le cas de plusieurs autres peintures dues à cette famille) ou qu'elle y avait été acquise.

Bibliographie :
Karl J. Khandalavala, *Pahari Miniature Painting,* Bombay, 1959, p. 329 ; W.G. Archer, *Indian Paintings from the Punjab Hills,* Londres, 1973, pl. 137, p. 140-143 ; B.N. Goswamy, « Pahari Painting: The Family as the Basis of Style », *Marg,* sept. 1968.

94

Approche furtive ; de la même série de la *Rasamanjari* que le n° 46

Gouache sur papier.
École Pahari, troisième quart du XVIIe siècle ; d'un atelier de Basohli.
Au dos, vers en sanskrit ; les mots *dhira jeshtha Kanishtha* (les patients, vieux et jeune) en takri, sur la bordure du haut.
24 × 32 cm.
Dogra Art Gallery, Jammu ; n° 354.

Avec cette série de la *Rasamanjari*, le peintre nous rapproche remarquablement de l'action, non pour nous transformer en *voyeurs*, mais pour bien nous imprégner de l'esprit de la situation. Tout est peint avec hardiesse et, pourrait-on dire, exposé parfaitement en vue, à portée de main. Ici, la situation que le poète imagine est celle où sont confrontées les deux « héroïnes », peut-être la première épouse et l'autre femme, celle que le héros aime avec le plus d'ardeur, du moins à cet instant. Certains événements qui ont précédé ce curieux moment doivent être considérés acquis, pendant lesquels les deux femmes sont *dhiras*, « furieuses en raison de la même faute, du même délit dont il s'est rendu coupable, mais assez patientes pour ne pas le montrer ». La nuit, le héros voudrait réparer, prouver peut-être son innocence, mais seulement auprès de sa « bien-aimée », pas de l'autre. Il voit cependant, à regret, que les héroïnes partagent le même lit, – ce qui arrive souvent dans cette série, – et il décide de se rapprocher de l'aimée à sa manière, adroitement, furtivement ; comme le dit le poème :

Quand le *nayaka,* relevant la tête, voit ses deux aimées aux yeux de lotus dormant ensemble dans le même lit, l'une s'étant voilé le visage, il s'approche furtivement de l'autre, tire doucement sur son sari et l'éveille.

(18)

Ici, les lits paraissent sous un angle inhabituel, s'ils sont ainsi disposés, c'est évidemment pour donner une visibilité optimale. Krishna est simplement vêtu de sa culotte courte et d'une écharpe. Il sort furtivement de son lit... on voit avec quelle délicatesse il prend le *sari* de sa bien-aimée du bout des doigts pour le tirer doucement, afin de ne pas réveiller l'autre femme. Le regard avide, impatient de Krishna, les yeux grand ouverts dans la nuit, contraste avec les yeux fermés des deux bien-aimées « endormies ». Pourtant, le plus grand contraste se manifeste dans la manière dont sont recouvertes les deux femmes : celle qui dort vraiment est couverte d'un drap relativement plat, tandis que l'autre, sur le point de s'éveiller (mais elle est peut-être déjà éveillée et feint de dormir) est recouverte d'un châle rayé qui ondule et s'agite avec le désir qui la gagne.

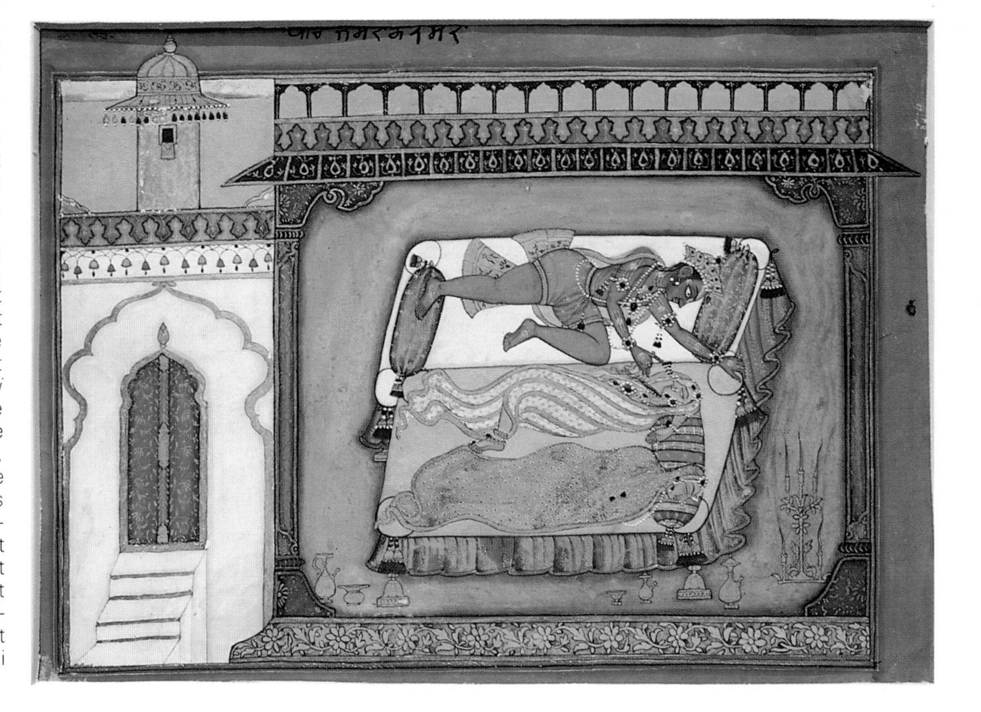

Bibliographie :
Voir le n° 46.

95

Avec un sourire pour réponse, de la même série de la *Rasamanjari* que le n° 46

Gouache sur papier.
École Pahari, troisième quart du XVIIe siècle ; d'un atelier de Basohli. Au verso, vers en sankrit ; les mots *sakhi parihas* (« raillerie d'un ami ») sont écrits en caractères takri sur la bordure supérieure.
24 × 35 cm.
Dogra Art Gallery, Jammu ; n° 391.

Les railleries et les devinettes significatives, toujours dans un contexte amoureux, font partie de la littérature concernant le *shringara*. Ce petit jeu amical se déroule entre la *sakhi* et l'héroïne ; il s'agit ici de Sita, la compagne de Rama. Il faut penser ici à la convention, strictement respectée dans les temps anciens, selon laquelle, par respect, les femmes ne devaient pas prononcer le nom de leur mari et ne devaient le désigner qu'indirectement, par des circonlocutions. Essayant de prendre Sita par surprise, sa *sakhi* lui pose à l'improviste une question :
« O Sita, qui était le Septième ? demande la *sakhi*, en désignant les dix panneaux peints sur le mur de la chambre, qui représentent les (dix) incarnations du Dieu (Vishnou). Et Sita lève les yeux et se contente de sourire. Dans son sourire était sa réponse. »
Tout le monde apprend par cœur les noms des dix *avatars*, comme une litanie, et comme leur ordre est immuable, nommer « le Septième » reviendrait à nommer Rama, ce que Sita ne peut faire, puisque c'est le nom de son mari qui était lui-même la Septième incarnation. Sita a rapidement compris le piège malicieux de la *sakhi*, elle reste calme et sourit. Comme le dit le poète, « Dans son sourire était sa réponse ».
Les représentations des dix incarnations, sur le mur, sont d'un rare intérêt, car elles nous livrent les compositions habituelles des peintres Pahari à cette date relativement ancienne. La *sakhi* désigne du doigt le « Septième », mais on peut aussi reconnaître facilement tous les autres, malgré leur très petite taille. De petites choses attirent notre attention : nous reconnaissons ainsi Sita qui est debout à gauche parce que son statut élevé est indiqué par le coussin derrière elle ; la chambre a des proportions inhabituelles, le peintre l'a allongée pour recevoir les dix panneaux peints sur le mur du fond ; les couleurs sont relativement douces, car la passion habituelle est ici exclue.
Il est intéressant, aussi, de se rappeler l'illustration des dix *avatars* peints sur un mur dans une représentation du *Gita Govinda* (n° 271), même si le contexte, ici, est totalement différent.

Bibliographie :
Voir le n° 46.

96
Ganesha, en dansant, rivalise avec Shiva

Gouache sur papier.
École Pahari, dernier quart du XVIIIe siècle ; de l'atelier familial de Seu-Nainsukh.
23,7 x 18,2 cm.
Himachal Pradesh State Museum, Simla ; nº 75.27.

La danse à laquelle nous voyons ici Shiva se livrer n'est pas la danse cosmique qui lui est associée sous son aspect de Nataraja. Elle est beaucoup plus intime et n'est pas empreinte de la signification de la grande danse de destruction et de création. On croirait que le peintre a seulement désiré nous faire jeter ici un coup d'œil sur la vie de famille de Shiva. Maître de la danse, il se met tout à coup à danser et c'est pour sa famille l'occasion de se joindre à lui. Parvati apporte sa *vina* à double calebasse et en pince les cordes ; le petit Karttikeya, avec ses six têtes, prend un tambourin, une timbale et bat la mesure ; un serviteur simiesque souffle dans un instrument à vent. Cependant, tous les yeux se portent sur Ganesha qui rivalise avec Shiva. Le père et le fils sont tous deux à peine vêtus : Shiva porte un pagne court autour de la taille, ainsi que Ganesha ; le serpent lové autour du corps de Shiva fait pendant au voile que Ganesha a enroulé sur ses épaules et sur son torse. On voit nettement que la légèreté avec laquelle Shiva soulève le pied droit n'est pas à la portée de Ganesha, son énorme masse s'y oppose ; il se contente donc de battre la mesure, en claquant des mains, comme son père.
Quant un peintre Pahari représente la « sainte famille », comme cela arrive souvent, au complet, avec les deux enfants de Shiva et de Parvati, il résiste rarement à la tentation d'ajouter à la scène une pointe d'humour domestique. Il peut ainsi nous représenter Ganesha et Karttikeya se disputant dans un coin, alors que leurs parents sont assis l'un près de l'autre ; ou bien ils poursuivent leurs propres montures, quelque part à l'arrière-plan ; ou tirent la queue de Nandi, le taureau, ou encore regardent furtivement par une ouverture pour voir un geste de tendresse de Shiva à l'égard de Parvati. C'est ce caractère d'intimité qui emplit toute la scène d'un sentiment chaud et humain. Ici, le peintre a décidé de se montrer un peu plus explicite dans sa représentation d'un épisode amusant de la vie de la « sainte famille ». Une douce raillerie souligne les formes éléphantines de Ganesha, le peintre le rendant encore plus maladroit dans ses gestes en le dotant de quatre bras alors que, dans cette scène, Shiva n'en a que deux. On imagine l'amusement général devant Shiva qui esquisse volontairement un pas de danse que Ganesha est incapable d'imiter en raison de son énorme poids.
L'introduction d'Hanuman, en général associé à Rama, ne cause pas une vraie surprise car, tardivement, quand il acquière un caractère tantrique, il est parfois représenté précédant Parvati, la femme de Shiva, ou Durga, sur le lion qui lui sert de monture, comme s'il était un *gana*.
Cette peinture vient de la collection de la famille Wazir, qui fut achetée à Nurpur par le State Museum et partagée avec le National Museum de Delhi. Comme tant d'autres peintures de cette collection, elle est partiellement brûlée sur un côté.

97
Caricature d'ascètes vishnouites

Dessin au pinceau et détrempe sur papier.
École Pahari, XVIIIe siècle ; peut-être d'un atelier de Chamba.
Chandigarh Museum, Chandigarh ; nº J-37.

Au milieu de tant de lyrisme et d'innocence d'ordinaire associés à la peinture Pahari, survient à l'occasion, une œuvre satirique, surprenante, comme cette caricature d'ascètes. Les hommes « pas-si-saints » représentés ici sont tous des Vaishnavas, adorateurs de Vishnou, comme on le voit clairement d'après les marques sectaires sur leur front et les rosaires de grains de *tulsi* qu'ils portent et ont à la main. Pourtant, leur conduite est exactement celle qui est interdite aux hommes de dieu, particulièrement aux Vaishnavas : ils boivent du vin, fréquentent des femmes, tiennent des propos licencieux et ont des postures irrévérencieuses. Au centre du dessin, nous voyons un homme à la barbe touffue, dans la position classique d'un anachorète : il est assis les jambes croisées sur un tapis, les yeux clos, faisant rouler entre les doigts les perles d'un rosaire, un accoudoir, ou *bairagan*, sous le bras droit. Il a pourtant l'autre bras autour d'une femme au sourire niais, toute ratatinée, lascivement assise sur sa cuisse. Deux disciples se trouvent derrière eux, l'un avec un oiseau perché de façon dérisoire sur la tête, tenant un miroir et une coupe de vin, caressant le crâne chauve de son compagnon. Deux autres, l'un avec de longues boucles de cheveux, l'autre le crâne rasé, éclatent de rire dans le fond, tandis

qu'un « dévot » s'accouple sensuellement avec une dévote ou une religieuse dont nous ne pouvons voir le visage en raison des dommages subis par le dessin, mais dont les seins tombent, un pied porte contre le menton d'un autre « homme de dieu », ce qui ne laisse guère de doute sur ce qui se passe dans ce coin. Pendant ce temps, le groupe bigarré s'amuse d'une danseuse en lambeaux et de son joueur de tambour, lequel porte un enfant sur l'épaule.
Provenant de la région Pahari, il existe d'autres dessins amusants d'opiomanes et de musiciens ivres, mais leur comportement est bien innocent en regard de celui des personnages dépeints ici. On trouve un dessin, aussi cruel, d'une composition analogue, au musée de Lahore, dessin caricaturant également des ascètes Vaishnavas qu'une inscription (postérieure ?) permet d'identifier comme des personnages historiques, des hommes aussi vénérés que Tulasidasa, l'auteur du grand *Ramacharitamanasa,* Gharibdas, un autre saint renommé, vétéran du Vaishnavisme, entre autres. Il est clair qu'il ne s'agit pas ici d'une raillerie gratuite mais de commentaires négatifs, choisis. Derrière ces œuvres, peut-être faut-il voir la lutte amère contre le Vaishnavisme, adopté assez tardivement dans le pays Pahari, qui peut avoir été en conflit avec les cultes plus anciens fermement enracinés dans ces régions.
Ce qui fait de ces dessins des œuvres d'art à part, c'est la manière choisie par l'artiste pour traduire ses intentions. Les jambes fuselées supportant d'énormes bedaines, les barbes luxuriantes dans des scènes d'amour, les visages qui rient bêtement et les regards intimidés, tout cela étant rendu avec un trait remarquablement précis et assuré. La couleur n'est pas utilisée, l'inexistence du fond, les espaces vides, tout fait écho aux esprits creux des hommes peints ici.
A propos de ces caricatures dont il trouvait le sujet repoussant, Ananda Coomaraswamy a écrit en 1912 : « il est rare qu'une caricature, d'une époque ou d'un pays quelconque, atteigne un tel mordant. »

Bibliographie :
Ananda K. Coomaraswamy, *Rajput Paintaing,* Londres, 1916, pl. 35(b) ; S.N. Gupta, *Catalogue of Paintings in the Central Museum, Lahore,* Calcutta, 1922, pl. 11 ; Karl J. Khandalavala, *Pahari Miniature Paintings,* Bombay, 1958, nº 308 ; Karuna Goswamy, *Vaishnavism in the Panjab Hills and Pahari Painting* (Panjab University Doctoral dissertation), Chandigarh, 1968, p. 118-120, pl. 4-5 ; F.S. Aijazuddin, *Pahari Paintings and Sikh Portraits in the Lahore Museum,* Londres, 1977, p. 18..

98
Le prêtre et le dévot

Dessin au pinceau et lavis sur papier.
École Pahari, troisième quart du XVIIIe siècle ; de l'atelier familial de Seu-Nainsukh.
Chandigarh Museum, Chandigarh ; nº J-40.

Toujours à la recherche de vues rares, d'événements curieux et étranges, le peintre Pahari a souvent tourné son regard sur de simples maisonnées qui doivent avoir été très semblables à son humble demeure. Dans les installations les moins prétentieuses, à l'intérieur d'une cour sans meubles, sans aucun confort, il doit avoir trouvé des modèles de décors villageois exigés par un texte narratif tel que le *Bhagavata Purana.* Ici, dans cette cour, il a trouvé des occasions d'amusement. Un vieux dévot, d'un âge avancé, a invité chez lui un prêtre, manifestement pour présider quelque cérémonie rituelle. Au cours de cette cérémonie, le prêtre sombre et corpulent a été copieusement nourri, la fête est terminée et des cadeaux ont été faits, parmi lesquels une pièce de tissu, comme c'est toujours l'usage, et une vache avec son veau, comme l'indique la toile rituelle sur le dos de la vache. En remerciement, le prêtre impose la marque du *tilak* en signe de bénédiction, sur le front du maître de maison ; celui-ci est assis, il fait porter le poids de son corps sur ses pieds, il n'a pas les jambes croisées comme le prêtre. En se tenant ainsi, à son insu et à l'insu du prêtre, il se dénude involontairement et ses parties génitales apparaissent sous son pauvre *dhoti.* C'est là un motif d'amusement pour le couple qui est assis dans un coin de la cour, et ne participe pas à la cérémonie, car ce sont de simples spectateurs. D'un seul coup, la solennité du moment disparaît ; et ce n'est pas la vache qui lèche un plateau où il y a les reliefs de la fête qui pourrait arranger les choses. L'irrespect et l'amusement sont le sujet de cette image.
Le dessin est fluide, le fond dénué de couleurs n'est pas sans rappeler l'œuvre de Nainsukh. Les deux spectateurs sont légèrement dessinés, si on les compare aux deux personnages principaux et à la vache accompagnée de son veau.

99
Guerrier Nihang blessé

Aquarelle sur papier.
Plaines du Penjab, premier quart du XIXe siècle.
Chandigarh Museum, Chandigarh ; nº Q-23.

Malgré le relâchement sensible des styles et des techniques au XIXe siècle, sous l'impact d'œuvres européennes, de la photographie et d'artistes britanniques travaillant en Inde, certaines œuvres d'un grand intérêt furent néanmoins exécutées dans plusieurs centres, surtout dans le nord. Au Penjab, toujours prompt à accueillir des idées neuves, certains artistes sikhs se sont mis à peindre des scènes de genre, enregistrant, comme le désiraient parfois les Britanniques, la vie telle qu'ils la voyaient autour d'eux. Dépassant le niveau de nombre des œuvres de la Compagnie des Indes qui visaient à l'exactitude aux dépens du sentiment, deux artistes au moins, Kehar Singh et Kapur Singh, ont laissé une quantité importante de croquis et de dessins, aujourd'hui dispersés. A la différence de la production habituelle de bazar illustrant des métiers et des professions typiques de l'Inde à cette époque, ces œuvres montrent une profondeur d'esprit certaine et de réelles qualités picturales, même si elles constituent une rupture consciente avec les traditions.

Ce croquis brocarde un guerrier de l'ordre Nihang. Personnages colorés et braves du Penjab, les Nihangs formaient un groupe fondé au début du XVIIIe siècle, groupe qui eut beaucoup d'influence sur les événements lorsque le Maharaja Ranjit Singh monta sur le trône un siècle plus tard. Le personnage que nous voyons ici, quoique Nihang, n'est aucunement représentatif de ce groupe : c'est une exception qui doit avoir éveillé l'esprit critique de l'artiste. Ce guerrier borgne, édenté, meurtri, a un bras déformé et une jambe atrophiée ; il est plus vêtu de bandages que de vêtements et il a cependant une posture guerrière, levant furieusement un bâton d'une main, alors même qu'il s'appuie sur une béquille.

Dans le bas, une inscription ultérieure attribue cette œuvre à Kapur Singh. Il est cependant plus probable que l'artiste ait été Kehar Singh, qui était certainement le plus doué des deux et le plus adroit tant pour la couleur que pour le trait.

Bibliographie :
M.S. Randhawa, « Two Panjab Artists of the Nineteenth Century: Kehar Singh and Kapur Singh », *Chhavi*, I, Benarès, 1971, p. 67-69, fig. 178.

100
Péchés de goinfrerie

Dessin sur papier.
École Pahari, troisième quart du XVIIIe siècle.
Chandigarh Museum, Chandigarh ; nº 258.

Une catégorie de Brahmanes, en Inde, ceux qui président les cérémonies *sraddha* qui se terminent par une fête tenue chaque année en l'honneur des membres disparus de la famille, a un appétit légendaire. Qu'ils aient été l'objet de remarques facétieuses, même deux cents ans plus tard, est évident si l'on en juge par ce dessin représentant un *pandit* géant assis les jambes croisées, la nuit, se servant un repas qui a été disposé pour lui par une femme minuscule, assise sur un siège bas en bois, face à lui, Le *pandit* est nu, sombre, il porte sur tout le corps les marques de caste bien visibles, qui indiquent que c'est un adorateur de Shiva ; il domine son entourage. Il est évident qu'il a déjà consommé presque tout ce qui est en vue, tout ce que lui a fait cuire la pauvre maîtresse de maison, à en juger par les plats vides. La femme lui offre maintenant le reste d'un bol de carry et la dernière *chapati*, comme le veut la politesse, tout en l'interrogeant du regard, dans l'espoir peut-être qu'il va refuser.

Il se peut que la scène représentée ici ne nous montre qu'un mari vorace nourri par sa femme, mais il semble plus vraisemblable qu'il s'agisse d'une occasion spéciale, où un grand nombre de friandises ont été préparées,

même dans cette pauvre maisonnée. Peut-être le peintre nous montre-t-il un de ces *pandits* qui mange à satiété dans la maison d'un membre de sa clientèle, puis va chez un autre, ne refusant jamais de nourriture d'aucun d'entre eux.

Dans la tradition Pahari, on trouve un humour naturel et nous avons des études amusantes, soit d'un grand artiste comme Nainsukh qui a de fines remarques à faire, soit de quelque maître inconnu au pinceau plus direct et plus ironique. Cette œuvre d'un dessin très sûr est d'un rare intérêt, à un autre point de vue : elle nous permet de jeter un coup d'œil à l'intérieur de la maison d'un pauvre, bien différente des palais, des riches demeures dans lesquels se situent tant de récits poétiques ou mythologiques. Il convient de bien regarder la cuisine toute simple, avec ses ustensiles, les légumes rangés dans les niches du mur, le petit reliquaire portatif qui se trouve dans le fond et, surtout, la petite maîtresse de maison rongée d'inquiétude.

101

Groupe de mangeurs d'opium ; d'une série de Mulla-do-Piaza

Gouache sur papier.
Rajasthan, premier quart du XVIIIe siècle ; d'un atelier du Mewar.
Sur le bord supérieur, deux lignes en caractères Devanagari ; sur le bord inférieur, une ligne en persan.
Government Museum, Udaipur.

Les mots d'esprit de Mulla-do-Piaza, qui aurait été le rival du célèbre Birbal, à la cour de l'empereur moghol Akbar, sont célèbres pour leur concision et ont fait l'objet, chez les peintres du Mewar, d'une longue et inépuisable série de peintures. Dans chacune d'elles, le Mulla âgé, d'aspect vénérable, ayant sur la tête un énorme turban avec un ornement saillant en bois, est représenté assis dans un coin, généralement en haut à droite, un disciple en face de lui ; entre eux, se trouve un lutrin avec un livre, à l'évidence celui des bons mots du Mulla. Le disciple est humblement assis devant le Mulla et écoute avec avidité la vérité que le maître distille à travers ses observations de l'homme et des coutumes.

Cette feuille illustre le mot selon lequel « il faut faire peu de cas des promesses d'un mangeur d'opium », un mangeur d'opium ne maîtrisant jamais complètement sa parole et tendant à faire des déclarations et des promesses excessives sous l'effet de la drogue. Cela donne au peintre l'occasion de nous montrer un groupe délicieux et espiègle de sept hommes et d'un chien, tous sous l'influence de l'opium, préparant quelque drogue plus douce. Nous voyons ainsi deux hommes préparant du *bhang*, ou marijuana, dans un tissu ; deux autres fument un *huqqa* contenant manifestement de l'opium ; un autre fume ; un autre encore fume un *huqqa* et regarde fixement le chien docilement couché à ses pieds. Tous ces hommes ne portent qu'un pagne court, le reste du corps étant nu ; tous ont le regard perdu, un peu distant ; et tous sont représentés le corps déformé, singulièrement anguleux. Le peintre paraît avoir pris plaisir en peignant ce groupe, manifestement d'après nature. Il a dû bien connaître ces hommes, ou ce genre d'hommes, si l'on pense combien l'usage de l'opium était répandu au Rajasthan. Dans ce groupe finement dessiné, il a inséré quantités de coiffures, de moustaches, de barbes et, surtout, d'attitudes. Les mangeurs d'opium sont une cible évidente et favorite pour l'esprit du peintre, esprit qui est encore aiguisé par le mot de Mulla-do-Piaza.

On retrouve ici toutes les conventions habituelles du Mewar : la petite pièce avec un mur rouge uni, le manguier stylisé, le bananier, les ruisseaux jaillissants, et ainsi de suite. Ce qui donne à toute cette série un intérêt particulier, c'est que le peintre, prenant les mots du Mulla comme point de départ, donne un reflet fidèle de la société de son temps et de son pays. Dans toute la peinture indienne, on trouve bien peu d'exemples qui témoignent aussi directement d'une époque, comme le fait cette délicieuse série.

102

Les hypocrites : les formes Pakhandi d'Indra ; de la même série du *Bhagavata Purana* que le nº 141.

Gouache sur papier.
École Pahari, deuxième quart du XVIIIe siècle ; de l'atelier familial de Seu-Nainsukh.
Rajasthan Oriental Research Institute, Udaipur ; nº 1527-86.

Merveilleusement observé, ce groupe d'ascètes, de dévots et de saints de toutes sortes apppartient, ce qui est surprenant, à un épisode du chapitre 19 du quatrième livre du *Bhagavata Purana*. Le grand roi Prithu célèbre son empire sur la terre par une centaine d'*ashvamedhas,* ou sacrifice de chevaux, et de grandes réjouissances. Mais Indra, jaloux comme toujours lorsque quelqu'un s'avise de rivaliser avec sa gloire, décide d'intervenir et de partir avec le cheval qui constitue une partie si importante de l'*ashvamedha.* Alors qu'il se hâte, avec le cheval, dans les airs, il est épié par un sage qui informe le fils de Prithu des agissements d'Indra. Celui-ci est poursuivi, mais change tout à coup d'apparence et se déguise en saint homme, le corps couvert de cendres, les cheveux hirsutes. Le fils de Prithu se laisse abuser, ne soupçonne pas ce saint homme et le laisse aller. Pourtant, Indra insiste et recommence, change sans cesse de déguisement. Finalement, Vijitashva, le fils de Prithu, devine le jeu d'Indra et le vainc. Mais, disent les textes, les formes hypocrites prises par Indra, ces déguisements « saints » qu'il a endossés, ont été ceux de toutes sortes de gens qui ont commencé à errer sur terre, les « Nagnas », les « Raktambaras », les « Kapalikas » et autres du même acabit. Manifestement, le *Purana* fait allusion aux saints hommes en dehors de la religion, certainement en dehors du culte de Vishnou, et il met les vrais dévots en garde contre eux.

Le peintre part de cet épisode et regarde autour de lui, nous présente ce groupe, merveilleusement étudié, de sept hommes ayant des aspects et des goûts différents, et qui se font passer pour saints ou dévots. Nous voyons un yogi Natha, un sanyasi à la peau sombre, un Suthra, un Aghori et d'autres, c'est-à-dire les sept types choisis par le peintre, pour adresser ses remarques vives et acerbes au sujet de ces personnages qu'il a connus dans son entourage. Il ne s'agit pas d'une caricature, mais seulement du contexte d'hypocrisie dans lequel le peintre a placé ses personnages, afin d'exprimer son avis.

Bibliographie :
Voir le nº 141.

103
Le prêtre et le corbeau

Aquarelle sur papier.
Kalighat, deuxième moitié du XIXe siècle.
Asutosh Museum of Indian Art, Université de Calcutta, Calcutta.

Longtemps connues comme les « peintures de bazar de Calcutta », ce qui est une description assez dédaigneuse, les peintures de Kalighat ont mis un certain temps pour éveiller l'intérêt des historiens d'art sérieux. Les critiques et les écrivains sensibles y ont cependant rapidement vu un remarquable couplet rythmé, un délice de couleurs et une fermeté de trait qui leur a fait évoquer Fernand Léger, et la longue tradition des nobles déformations et des audacieuses simplifications de la peinture indienne classique. Les œuvres des *patuas,* ces simples artisans qui peignaient des sujets populaires pour l'homme ordinaire et les emportaient parfois pour les exposer, en les accompagnant de chants, pendant les foires et les fêtes à l'extérieur des temples, accusaient toujours, en elles-mêmes, un certain détachement quant au choix du sujet, et de rapides ajustements quant au style. Quand les influences européennes commencèrent à se faire sentir, au XIXe siècle, au répertoire de sujets religieux qui avait toujours été une si bonne affaire pour eux, les *patuas* ajoutèrent des thèmes contemporains, certains sérieux, d'autres satiriques, conformes aux remarques qu'ils avaient l'habitude de faire pendant qu'ils exposaient ces peintures comme des « peintres-forains ».
La religion et l'humour se mêlaient parfois, comme dans cette splendide étude d'un saint homme par un peintre inconnu. Les membres des ordres religieux étaient souvent les victimes de remarques qui n'étaient pas toujours respectueuses ; ce prêtre Vaishnava, bien nourri et s'intéressant fort à ses biens, n'a pas été l'objet d'une faveur quelconque. Il est typique de sa classe, il a le crâne rasé, son corps est presque nu et son vêtement est simple, il arbore une grosse touffe de cheveux, la *choti,* sur la nuque ; ce prêtre est assis plutôt incommodément, un oiseau moqueur est perché sur la tête. La peinture est fortement stylisée, employant la technique bien connue de « l'entourage des zones de couleur encore humide avec un trait de couleur plus foncé », ce qui donne de la force au dessin. Ce qui donne surtout une fraîcheur remarquable à cette œuvre, c'est la manière incisive avec laquelle le sujet a été considéré.

Bibliographie :
Ajit Ghose, « Old Bengal Paintings », *Rupam,* n° 27-28 ; W.G. Archer, *Kalighat Paintings,* Londres, 1971.

104
Krishna dansant avec des mottes de beurre

Gouache sur tissu.
Dernier quart du XVIIIe siècle ; d'un atelier de Mysore.
Jagdish and Kamla Mittal Museum of Indian Art, Hyderabad ; nº 76.536.

Quand il vole du beurre, l'enfant Krishna est une cause de grande joie et de grand amusement pour ceux qui l'entourent. Yashoda, sa mère, se met tout naturellement en colère et le châtie périodiquement mais sa colère, la plupart du temps, est feinte. Qu'elle soit réelle ou feinte, cela fait cependant peu de différence pour Krishna, car il continue gaiement, montant sur le dos de ses amis les bouviers pour atteindre les pots de beurre qui pendent au plafond, montant sur une échelle, dans le même but, plongeant dans les grands récipients de terre dans lesquels sa mère baratte la crème. C'est vraiment un « amateur de beurre ». Et tout cela fait à l'évidence partie de sa *lila,* son jeu divin. Les dévots savent qu'il est le Seigneur de l'Univers mais, quand il était enfant dans le petit village de Gokula, il avait plaisir à jouer son rôle et, chaque fois qu'il pouvait voler du beurre, il se mettait à danser joyeusement.

Tel que nous le voyons ici, il a dans les yeux une lueur de triomphe et d'espièglerie, car il est enfin parvenu à donner le change à ceux qui l'éloignent de ce qu'il aime tant. On imagine ses lourds bijoux qui tintent quand il bouge ; comme un acrobate, il tient des mottes de beurre et, de la manière dont l'artiste a rempli de lotus les espaces à l'intérieur de la voûte, on a l'impression que ces objets sont maintenus en l'air, comme par un jongleur.

Cette œuvre est extraordinairement stylisée, avec des exagérations et des déformations. Le lourd personnage joufflu, les surfaces fortement modelées où l'on voit des protubérances et des joints, les contours épais, les traits soulignés fortement, comme les yeux et la bouche qui sont rendus avec les nobles artifices d'un masque de danseur, tout cela semble un peu étrange au premier abord, mais présente une puissante attraction. Ce n'est pas tellement la décoration qui nous plaît dans cette œuvre, c'est plutôt les rythmes et la fluidité, la facilité qui lui donnent un charme puissant.

Une inscription en devanagari, en haut à droite, identifie le personnage comme « Bala Mukund Ji ; Sri Krishna Ji », ce qui est simplement une étiquette pour identifier la peinture.

Au dos de cette peinture se trouve une image peinte de Vishnou en Venkateshwara, avec quatre bras, portant sur le front un *tilak* bien marqué et, sur la tête, une grande couronne *kirita.* Mais, alors que celle-ci a l'air d'une image religieuse, un peu raide et figée, le joyeux personnage de l'enfant Krishna dansant est empli d'un mouvement qui évoque la douceur du miel.

Bibliographie :
Cf. Walter Spink, *Krishnamandala,* Ann Arbor, 1971, fig. 21.

105

Krishna vole les vêtements des bouvières ; de la même série du *Bhagavata Purana* que le nº 54

Gouache sur papier.
École Pahari, dernier quart du XVIIIe siècle ; de l'atelier familial de Seu-Nainsukh.
Texte sanskrit au verso.
National Museum, Delhi ; nº 58.18/11.

L'amour des *gopis*, les bouvières, ennuyait Krishna, « l'irritait comme la lune » (selon l'expression indienne), chacune le désirant à sa manière, comme le dit le texte du *Bhagavata Purana*. Elles imaginaient donc toutes sortes de manières de s'unir à lui ; elles jeûnaient et faisaient pénitence, elles quittaient leur domicile pour aller dans les bois où il jouait de sa flutte bien aimée ; elles prenaient toutes sortes de prétextes pour aller voir Nanda, juste pour jeter à la dérobée un coup d'œil sur celui qui « avait ravi leur cœur », leur *chit chor*. A une certaine époque, plusieurs des *gopis* se réunirent et décidèrent d'observer un *vrata*, un jeûne spécial en l'honneur de la déesse Katyayani, pour que celle-ci exauçât les désirs de leur cœur. Le *vrata* impliquait d'aller tôt se baigner dans la Yamuna, ce que les *gopis* faisaient sans hésitation car, c'est dans le fleuve qu'elles allaient chercher l'eau. Là, elles devraient se déshabiller, se baigner et jouer dans l'eau, tous les jours, avec l'innocence qui n'appartient qu'à la jeunesse. Il se trouva que Krishna vint à l'apprendre et décida, un jour, de gagner discrètement le fleuve. Une fois les *gopis* occupées à leurs ébats, il vola leurs vêtements et monta dans un arbre, en les emportant. Le bain terminé, quand les *gopis* sortirent de l'eau, leurs vêtements s'étaient envolés. Fort alarmées, elles regardèrent partout autour d'elles jusqu'au moment où l'une d'elles remarqua la présence de Krishna en haut de l'arbre Kadamba, avec leurs vêtements ; il regardait vers le bas et souriait malicieusement. Honteuses et furieuses, les jeunes filles se remirent tranquillement à l'eau et lui firent des reproches ; mais Krishna ne se laissa pas toucher : il ne leur rendrait leurs vêtements que si elles sortaient de l'eau, toutes nues et le suppliaient en joignant les mains. Les *gopis* eurent diverses réactions, d'hésitation, de colère, de timidité, et aussi d'acquiescement. Elles essayèrent tout mais rien n'eut d'effet sur Krishna, ni les menaces ni les prières. A la fin, elles décidèrent de sortir de l'eau, complètement nues, n'ayant pas même l'autorisation de cacher de leurs mains leur intimité, comme certaines avaient d'abord essayé de le faire. Quand elles sortirent ainsi, Krishna leur rendit leurs vêtements tout en leur donnant une leçon, – l'idée ne lui en est venue manifestement qu'après coup, – sur le respect dû au dieu des eaux, qui leur interdisait de se baigner nues dans le fleuve.

Ce tour de Krishna, le *vastra harana* comme on l'appelle, est très apprécié, on le célèbre souvent par des chants et sur les peintures. Le peintre de cette œuvre splendide a nettement profité de cette occasion pour présenter tant de belles nudités réunies, mais il n'est pas inconscient de la nécessité de représenter les diverses réactions devant cette situation qui sort de l'ordinaire. Parmi les jeunes filles, il y en a qui se résignent et montrent sans gêne leur nudité, comme celle qui est près de l'arbre ; d'autres se collent les unes aux autres, pour se protéger autant que possible ; d'autres, encore, ferment les yeux ou regardent au loin ; trois n'ont pas eu assez de courage pour quitter l'écran protecteur de l'eau.

La peinture a la brillante coloration et la fluidité du trait qui sont habituelles dans cette superbe série. On peut aussi remarquer une lente évolution dans ce spectacle : on sent, en regardant cette œuvre, que de l'embarras certaines des baigneuses passent à un certain contentement.

Bibliographie :
Voir le nº 54.

Karuna : le sentiment pathétique

Le *karuna* provient du *sthayibhava,* ou Sentiment d'Émotion Durable du *shoka,* la tristesse. Les *vibhavas* ou Déterminants dans le contexte du *shoka* comprennent des éléments comme « l'affliction provoquée par une malédiction, la séparation d'avec des êtres chers, la perte de la santé, la mort, la captivité, la fuite, des accidents ou tout autre malheur ». Les *anubhavas,* ou Conséquents, qui d'après Bharata, conviennent à cet état sont « les larmes, les lamentations, la sécheresse de la bouche, le changement de couleur, les bras qui tombent, l'essoufflement, la perte de mémoire et ainsi de suite ». Les *vyabhicharibhavas,* ou États d'Émotions Complémentaires, reliés au *shoka* couvrent une vaste plage qui va de « l'indifférence, de la langueur et de l'inquiétude » à « l'ardeur, à l'excitation, à l'illusion, à l'évanouissement, à la tristesse, au découragement, à la maladie, à l'oisiveté, à l'insécurité, à l'épilepsie, à la peur, à l'indolence, à la mort, à la paralysie, aux tremblements, aux changements de couleur, aux pleurs, à la perte de la voix, et ainsi de suite ».

On a beaucoup parlé de la relation du Sentiment Pathétique avec l'émotion que l'on éprouve dans l'amour. Étant donné que l'amour dans la séparation, *vipralambha,* est traité en profondeur dans la littérature et que l'on ne dénombre pas moins de dix conditions différentes pour les personnes qui sont séparées de l'objet de leur amour, conditions considérées comme étant pathétiques par les écrivains qui se sont penchés sur l'*ars amatoria,* les spécialistes ont senti qu'il fallait évidemment faire de claires distinctions. De nombreux commentateurs et auteurs conviennent que ce qui distingue la tristesse venant de l'amour dans la séparation et la tristesse qui conduit au Sentiment Pathétique, c'est que le premier connaît l'anticipation de la réunion et que la tristesse éprouvée ne s'accompagne pas d'une certaine finalité, si profonde que la tristesse puisse être sur le moment. En revanche, le Sentiment Pathétique en soi traite d'une tristesse d'un ordre différent, qui implique une séparation définitive par suite de la mort, de la captivité, d'un malheur, etc. Comme le dit Bharata : « Le Sentiment Pathétique concerne une condition de désespoir, dû à l'affliction en raison d'une malédiction, de la mort ou de la captivité, alors que le Sentiment Érotique fondé sur la séparation se rapporte à un état où l'on reste optimiste par envie et par désir. Le Sentiment Pathétique et le Sentiment Érotique dans la séparation sont donc différents ». Ainsi énoncée et interprétée, la distinction semble valide mais, quand il s'agit de la représenter, on doit y apporter des variantes. Outre le fait que le Sentiment Pathétique n'est pas un thème favori dans beaucoup d'œuvres littéraires et que les œuvres plastiques le représentant sont moins encouragées que sa peinture dans des décors privés et intimes, les sculpteurs et les peintres se sont souvent préoccupés des aspects plus modérés, « moins définitifs » du pathos, qu'ils semblent traiter comme s'ils tombaient dans la catégorie du *karuna.* Un certain nombre des œuvres exposées ici tomberaient au sens strict, pour des théoriciens rigoureux, dans la classe du sentiment de l'amour dans la séparation ; mais il semblerait que, par consensus, le pathétique venant de la séparation dans l'amour ou la séparation provisoire, mais pénible, seraient devenus, avec le temps, une part centrale du *karuna rasa.* Manifestement, les conditions provoquées par la mort et par l'affliction font partie du *karuna ;* mais c'est le cas de beaucoup d'autres qui, à une période ancienne, en auraient été exclues.

On peut considérer qu'une autre catégorie d'œuvres ressortissent au *karuna,* celles qui sont centrées autour de la compassion, incorporant le *daya* ou *anukampa* comme faisant partie du *karuna.* La tristesse qu'un Bodhisattva enlève aux hommes et aux femmes, qui devient une partie de lui-même, s'approche du *karuna,* comme semblent l'avoir compris les sculpteurs et les peintres. Dans cette section, donc, il semblerait que l'on se soit écarté des strictes exigences de la théorie et que l'on ait pris des libertés en plaçant des objets dans cette catégorie. Mais cela a été fait selon un point de vue différent qui est légitimé par l'usage, sinon par la doctrine.

106
Tête du bouddha jeunant

Schiste gris foncé.
IIe-IIIe siècle après J.-C. ; région du Gandhara, aujourd'hui au Pakistan.
26 x 15 x 15 cm.
Bharat Kala Bhavan, Bénarès ; no 735.

Les épreuves et la quête de la vérité que Gautama a expérimentées avant de parvenir à l'illumination sont abondamment racontées dans les textes. Après s'être séparé de son maître Rudraka et avoir renoncé à suivre le chemin de la méditation, Gautama a décidé de se mortifier, se privant de nourriture, livrant son corps à des contorsions presque impossibles, supportant la brûlure du soleil et des feux qu'il allumait autour de lui. La conclusion à laquelle il était déjà parvenu, que des efforts comme ceux-ci n'avaient pas de raison d'être, rend cet épisode assez obscur mais peut-être estimait-il nécessaire de subir ce régime pour supprimer de cette manière toute trace d'attachement à la vie du monde, avant de parvenir à un royaume plus élevé. Des textes comme le *Lalitavistara* donnent des descriptions frappantes de l'état auquel il s'était réduit ; caché sous un rocher, il était devenu un cadavre vivant, un squelette. Au Bouddha lui-même on attribue, dans un de ces textes, l'affirmation qu'à cette époque « ses membres ressemblaient à des rotins noueux, que son buste semblait une carapace de crabe et que ses yeux donnaient l'apparence d'étoiles se réfléchissant au fond d'un puits presque tari ».
L'artiste indien, en général, ne prête pas grande attention à cet épisode quand il évoque et reconstitue la vie du Bouddha mais, dans l'art du Gandhara, avec son intérêt marqué pour le naturalisme et la précision anatomique, certains sculpteurs adoptèrent ce thème avec enthousiasme, comme en témoigne cette tête émaciée qui, à l'évidence, a appartenu à une grande statue en position assise. Le visage est tendu d'une peau fine comme du papier, les yeux sont noyés dans les orbites carverneuses, les os du visage saillants, les joues desséchées et les lèvres portent les stigmates de cette lutte interne dominée par une extraordinaire volonté. Le front reste large, mais fragile et les cheveux frisés sont repoussés en arrière, recouvrant la grande protubérance crânienne, *ushnisha,* qui indique qu'il ne s'agit là de nul autre que du futur Bouddha. Alors que ses veines palpitent sur ses tempes et que son nez se réduit à des os, le Bouddha demeure immuable : voilà ce qui est suggéré. On ne peut rester insensible quand on regarde cette image de renoncement volontaire et de souffrance corporelle.
Il subsiste, provenant aussi du Gandhara, de remarquables représentations de ce même sujet : l'une, provenant de Sikri, se trouve au musée de Lahore et une autre, qui vient de Takht-i-Bahi, est aujourd'hui à Peshawar. Dans toutes ces œuvres, on retrouve un sentiment tout à fait remarquable, celui d'une certaine indianité qui parvient à s'imposer malgré les idéaux héllénistiques qui ont inspiré tant d'œuvres du Gandhara.

Bibliographie :
Eliky Zannas, « Two Gandharan Masterpieces », *Chhavi* I, Bénarès, 1971, p. 309-15, pl. 25-26 ; Pramod Chandra, *Sculpture of India,* Washington, 1985, no 17.

107
Une douleur accablante

Terre cuite.
IVe siècle après J.-C. ; Mathura, Uttar Pradesh.
20 × 30 cm.
Government Museum, Mathura ; nº 61.5217.

Il n'est pas facile de définir le sujet de ce fragment de terre cuite, car il n'y a que très peu d'éléments ; une sorte de douleur diffuse semble cependant planer dans l'air. Les deux silhouettes féminines ont été immobilisées, par le sculpteur, dans des postures fermes, expressives. La jeune femme de droite étend son bras droit légèrement au-dessus de l'épaule et regarde vers le haut, avec quelque inquiétude ; elle a les yeux fixes et la bouche entr'ouverte. On dirait qu'elle cherche à attirer l'attention sur un événement malencontreux. Sa compagne semble accablée, le haut du corps, à partir de la taille, est courbé, ramené à l'horizontale, ses cheveux pendent, dépeignés, elle se masque le visage de son bras gauche replié. On voit dans son regard un mélange de tristesse et de crainte, son corps est écrasé sous le poids d'une peine inconnue. Une partie de sa chevelure repose sur le garde-fou contre lequel elle s'appuie mais elle semble n'en avoir nulle conscience. Les lignes incisées profondes mais irrégulières, visibles à l'arrière-plan, sont d'une interprétation difficile et l'on peut se demander si elles ne représentent pas des flammes qui pourraient bien être la cause de la désolation dans laquelle nous voyons les deux dames sur ce fragment. Dans les terres cuites, il n'est pas rare de trouver des reliefs représentant des scènes de genre ou des thèmes séculaires et nous pouvons fort bien avoir là le récit d'un événement sans aucune relation avec un récit classique ou un mythe connu.
Les formes sont rendues avec une sûreté extrême, même si l'œuvre est d'origine villageoise et si elle n'a pas la complexité habituelle de la sculpture sur pierre de cette période. Le modelage est net et ferme, les attitudes extraordinairement expressives, les visages éloquents. Ce petit fragment a pour effet d'attirer l'attention de qui le regarde, de faire participer, en quelque sorte, à cet épisode de souffrance et de désespoir.

108
Lamentations à la mort du Bouddha

Schiste gris.
IIIe siècle après J.-C. ; Région du Gandhara.
35 × 60 cm.
Indian Museum, Calcutta ; nº 2402.

Le Départ du Bienheureux, quand « il s'est éteint comme s'éteint une flamme par manque de combustible », ne fut pas un événement ordinaire, mais ne constitue pas cependant un thème adopté bien souvent par le sculpteur travaillant dans le courant principal de la tradition indienne. Pour le sculpteur du Gandhara, toutefois, c'est devenu un grand thème, un thème souvent repris. Pour lui, quand il conte la vie du Bouddha, la scène de sa mort et de sa crémation doit être survenue comme un sommet naturel ; mais sa représentation est très variée, même au sein de la production du Gandhara. Ici, le sculpteur revient à ses souvenirs gréco-romains et nous montre le corps du Bouddha dans un cercueil, tout prêt pour les obsèques. On ne peut se tromper sur la forme du cercueil, long et horizontal, avec les trois charnières en saillie qui sont représentées. Ce qui a encore plus d'intérêt, cependant, c'est l'expression évidente de souffrance qui, de l'avis du sculpteur, doit être vraiment au centre d'une telle scène. Entre les deux arbres qui dressent aussi leurs branches vers le ciel, comme des mains impuissantes, nous voyons les silhouettes de deux *bhikshus,* à l'évidence les disciples du Bouddha, et derrière eux, au centre, le Bodhisattva barbu Vajrapani qui tient à la main droite son attribut à la taille exagérée. Le moine de gauche, qui paraît assez émacié et vieux, étend ses deux bras, dans un geste de protection, au-dessus du cercueil, alors que le plus jeune moine, à droite, pose un bras sur le cercueil et lève l'autre vers sa tête, dans un geste de souffrance et de lamentation. L'expression du visage du moine le plus âgé est accentuée, comme celle de Vajrapani, derrière lui, et la peine et la tristesse gravent de profondes rides sur ces visages. A l'extrême droite, un autre moine, Mahakashyapa probablement, a aussi le visage creusé par l'anxiété, alors qu'il lève la main droite en un geste rassurant ou pour offrir sa consolation, mais la silhouette, d'allure royale, à l'extrême gauche, appuyée contre le parapet sur lequel est placé le cercueil, est, elle-aussi, accablée de souffrance, la tête inclinée, soutenue de la main gauche ouverte.
Par comparaison avec quelques autres reliefs du Gandhara sur le même sujet, le sculpteur a ici usé d'une considérable réserve. Malgré cela, cependant, l'expression de peine, tout extérieure, adoptée ici distingue ce genre d'œuvre de celles que le sculpteur indien de « l'Inde moyenne » a consacrées au même thème.

Bibliographie :
Prem Goswamy, *Catalogue Raisonné of Gandhara Sculptures in the Chandigarh Museum,* (thèse de doctorat inédite, Université du Pendjab), Chandigarh.

109
Femme dans la peine

Terre cuite.
IIe-IIIe siècle après J.-C. ; Ghoshi, Azamgarh, Uttar Pradesh.
Haut. 15 cm.
State Museum, Lucknow ; no G-348.

Cette tête assez gauche, d'allure archaïque, a manifestement appartenu à un « personnage séculier », sans aucune connotation rituelle ou religieuse. On a pensé que le fait de se couvrir l'œil gauche de la main gauche suggérait qu'une sorte de « maladie des yeux » était représentée ici, mais il est beaucoup plus vraisemblable que l'auteur de cette image ait voulu simplement exprimer un état de tristesse. Les lèvres écartées par la souffrance, l'œil droit grand ouvert et le geste de se couvrir en partie le visage indiquent un trouble intérieur, bien plus qu'une maladie physique. L'excès du geste qui attire tellement l'attention ne surprend pas si l'on pense au contexte stylistique auquel appartient cette œuvre, et dont le propre semble être la franchise des sentiments. Le personnage, semble suggérer le sculpteur, serait une femme de haute naissance, ce qu'indiquerait sa coiffure compliquée et les joyaux qu'elle porte autour du cou et que l'on voit nettement, même sur ce fragment. Pourtant, la souffrance n'épargne personne et la peine de cette jeune femme a retenu l'attention du sculpteur.
Le modelé est simple, au point d'être grossier, et empreint d'un certain caractère populaire, mais le message est perçu clairement et l'image reste très frappante pour nous.

110
Femme se cachant le visage

Grès.
IIe siècle après J.-C. ; Sarnath, Uttar Pradesh.
15,5 × 23,5 cm.
National Museum, Delhi ; no 60.474.

On a pensé que cette petite figure, provenant d'un fragment d'une ancienne balustrade, pourrait avoir fait partie, à l'origine, d'une scène plus importante représentant le rêve de la reine Maya, mère de celui qui devait être le Bouddha, car on voit vers la droite ce qui pourrait être une lampe, indiquant une scène nocturne. Il est cependant peu vraisemblable qu'il en soit ainsi, car la forme du fragment en question indique que celui-ci a été inséré lui-même dans un coin pour remplir un espace, plutôt que comme élément d'une scène plus complexe. En réalité, il est probable que, de l'autre côté de la courbe formée par cet arc qui n'existe plus aujourd'hui, une autre figure devait faire pendant à celle que nous avons ici. De toute manière, cette jeune femme, telle qu'elle est représentée, semble en proie à la souffrance et non pas au sommeil. Toute son attitude, alors qu'elle se courbe et laisse sa tête reposer sur ses genoux, la cachant dans ses bras qui l'entourent, suggère le désespoir, la fatigue de l'esprit, non la fatigue du corps. Il est vrai que les représentations d'une souffrance isolée comme celle-ci ne sont pas habituelles, mais on trouve dans cette figure un écart avec le sujet, du même ordre que celui que ce fragment présentait avec le style précédent. Le sculpteur nous montre la silhouette entièrement de profil, ce qui contraste avec la frontalité marquée des œuvres plus anciennes, et il joue librement avec les courbes du corps vues de cet angle. Il peut tout aussi bien avoir décidé de s'accommoder d'un sujet différent. La grande fleur stylisée, à gauche, appartenait, semble-t-il, à un élément de décor, mais son épanouissement et sa fraîcheur soulignent le contraste avec la silhouette courbée et attristée de la femme. Elle est probablement issue d'un milieu riche, si l'on en juge par sa tête couverte d'un voile élaboré et la ceinture ornée qui maintient son vêtement.

Bibliographie :
Archaeological Survey of India, Annual report, 1906-07, p. 94 ; O.C. Gangoly, « A New Page from Early Indian Art », *Rupam,* Calcutta, no 19-20, juillet-décembre 1924 ; *Inde : cinq mille ans d'art,* Paris, 1978, no 12.

111
Tête d'homme affligé

Terre cuite.
IIIe-IVe siècle après J.-C. ; Région du Gandhara.
20 × 20 × 15 cm.
National Museum, New Delhi ; nº 49.20/36.

Cette singulière tête d'homme, observée de près, donne une impression d'affliction. Publiant cette tête, Sivaramamurti y a vu celle d'un homme à l'agonie : c'est peut-être là une interprétation excessive mais l'affliction sur ce visage est évidente. Les sourcils froncés, les yeux grands ouverts, la sévérité de la bouche et la tension du visage, en général, l'indiquent avec une grande évidence. On voit une inquiétude marquée mais, comme la tête n'est plus attachée au corps, il est impossible d'en deviner la cause. Cette tête semble avoir été modelée d'après nature, inspirée par une personne connue de l'artiste. Le traitement inhabituel de la chevelure évoque les figures sylvestres de l'art classique de l'occident, et invite à une autre interprétation, celle d'un bon vivant, amateur de vin et autres joies de la vie. Pourtant, l'expression du visage contredit assez vigoureusement cette suggestion.
Le métier est très sûr et le visage a été modelé avec une grande adresse. Ce n'est cependant que du Gandhara, ou de régions ayant fortement subi son influence, que proviennent des portraits d'après nature de ce genre. On a supposé que cette puissante tête aurait été modelée d'après les traits d'un Scythe, peuple qui vivait aux frontières nord-ouest de l'Inde, dans les premières années de notre ère.

Bibliographie :
C. Sivaramamurti, *L'art en Inde*, Paris, 1974, fig. 445 ; *Inde : cinq mille ans d'art*, Paris, 1978, nº 28.

112
Le dévôt Kannappan offre son œil à Shiva

Bronze.
975 après J.-C. env. ; Thiruvenkadu, Tamil Nadu.
Haut. 65 cm.
Thanjavur Art Gallery, Thanjavur ; nº 174.

De tous les saints et dévots ayant voué leur vie à Shiva, aucun ne surpasse sans doute Kannappan, l'habitant de la forêt, par son innocente ingénuité. Kannappan était un jeune chasseur qui avait pour mission de prendre soin du *linga*, le symbole phallique de Shiva, mais ne savait comment s'y prendre. Dans son ignorance ingénue, il s'en occupait du mieux qu'il le pouvait, le traitant comme un être vivant, comme un membre de sa tribu. C'est ainsi qu'il lui faisait des offrandes, qu'il le nettoyait et, parfois repoussait du pied les fleurs qui lui étaient offertes, versant sur lui l'eau dont il emplissait sa bouche au ruisseau voisin. Il avait vu faire cela à un *linga* et n'avait pas assez de discernement pour comprendre tout seul que les rites qu'il suivait, – la nourriture, le nettoyage et le bain, – étaient corrects, mais que sa manière de faire était grossière et blasphématoire. Jamais, pourtant, il ne manqua de les observer à sa façon. Un jour, d'après la légende, il vit pleurer un des yeux de la face de Shiva gravée sur le *linga*. Sans un instant d'hésitation, il prit un de ses propres yeux pour l'offrir au Seigneur, en remplacement, et se mit à danser pendant qu'il agissait ainsi, heureux de pouvoir au moins faire quelque chose pour celui qu'il adorait. Quand, plus tard, le deuxième œil de Shiva commença à saigner, Kannappan se prépara à enlever son deuxième œil à lui, à l'aide de sa grossière flèche de chasseur, quand Shiva, heureux d'une telle abnégation, apparut en personne pour le bénir.
Comme le sculpteur chola le représente sur ce bronze remarquable, nous voyons Kannappan debout, tenant à la main l'œil qu'il vient tout juste d'enlever de son orbite droite, maintenant vide. De l'autre main, il devait probablement tenir une flèche, avec laquelle il a arraché son œil. Ses lèvres légèrement écartées indiquent sa souffrance, mais tout est subordonné au sentiment général qui envahit son être ; il semble regarder le Seigneur, lui parler mentalement, espérant que son humble offrande sera acceptée. La posture pleine d'espoir, innocente, le sentiment d'attente sont rendus sur ce bronze avec une étonnante conviction. Beaucoup d'éléments attirent l'attention ; le costume du chasseur, avec sa jupe et ses sandales de cuir, les ornements sertis de coquillages, les plumes piquées dans la coiffure ; on remarque aussi comment, s'écartant légèrement de la légende, le bronze représente ici Kannappan sous la forme d'un adulte, avec des moustaches, plutôt que comme un jeune garçon. Ce que nous transmet cette œuvre, c'est l'intensité du sentiment. En la regardant, nous sommes émus par un mélange d'admiration et de compassion pour cet être consacré tout empreint de son innocent amour pour Shiva. C'est avec raison que Appar, le saint poète tamoul, chante : « Aucun amour pour Toi, Seigneur, ne peut surpasser celui de Kannappan ».

Bibliographie :
R. Nagaswamy, *Masterpieces of Early South Indian Bronzes*, Delhi, 1983, nº 34, fig. 108-110 ; Pramod Chandra, *The Sculpture of India*, Washington, 1985, nº 97.

113
Shiva portant le cadavre de Sati

Bronze.
XIIe siècle ; Inde du Sud.
Haut. 75 cm.
Government Museum, Trivandrum ; n° 339.

D'un intérêt exceptionnel, ce bronze d'une grande rareté représente un des plus tragiques épisodes de la vie de Shiva. Incapable de supporter l'idée de l'insulte faite à son mari qui n'a pas été invité au grand sacrifice offert par son père Daksha Prajapati, l'épouse dévouée de Shiva, Sati, se jette elle-même dans le brasier allumé pour le sacrifice. Quand Shiva l'apprend, il est pris d'une colère folle et envoie ses hordes détruire le sacrifice de Daksha, ainsi que tout ce qui se trouve alentour. Ensuite, il paraît en personne et se saisit du cadavre brûlé de Sati, le hisse sur son épaule et repart, accablé de douleur. Le mythe dépasse la seule souffrance de Shiva, pour devenir celle du reste de l'univers. C'est dans cet état qu'il abandonne les fonctions qui lui sont associées : la destruction, la « liquidation des vies », une de ses fonctions essentielles, ayant été abandonnée, la terre commence à tournoyer sous l'effet de la pression. L'équilibre des trois mondes est compromis et les dieux se réunissent afin de faire face à cette situation. Aucun d'eux n'ose parler à Shiva, tant qu'il porte sur l'épaule le cadavre de Sati ; aucun d'eux n'ose lui rappeler l'impérieuse nécessité de reprendre ses fonctions destructrices. Les dieux imaginent alors d'enlever le corps de Sati à coups de flèches, en tirant à distance, de façon à ce que son poids ne disparaisse pas immédiatement des épaules de Shiva et que sa colère ne se retourne pas contre eux. Et, d'après la légende, morceaux par morceaux, membre après membre, les restes brûlés de Sati tombent en divers lieux de l'Inde, chacun de ces endroits devenant, avec le temps, un *tirtha,* lieu de pèlerinage sacré pour les dévots de Shiva et de la déesse.
Ce thème est si rare dans l'art indien, surtout dans les bronze du sud, qu'il est difficile de comparer cette pièce à quoi que ce soit. On voit une certaine gaucherie dans la petite silhouette raidie du cadavre de Sati, pesant sur l'épaule gauche de Shiva, mais le sculpteur a remarquablement rendu l'agitation du dieu. Ce n'est pas la danse de destruction à laquelle se livre Shiva, – en fait, toute destruction a cessé en raison de l'inaction de Shiva due à sa douleur profonde, inconsolable, – mais un mouvement naissant, qui révèle le grand trouble intérieur du dieu, dont le sculpteur a su rendre le caractère essentiel. La jambe droite est légèrement pliée et la gauche, levée, s'abaisse afin de fouler du pied la tête d'un petit personnage accroupi qui joue du double cor. Shiva a quatre bras qui portent ses attributs habituels. L'auréole formée par ses tresses de cheveux agitées par la danse est cassée.

Bibliographie :
Publié dans *5000 Jahre Kunst aus Indien,* Essen, 1959, p. 184.

114

Les lamentations du héros Laurik ; de la même série du *Laur-Chanda* que le n° 23

Gouache sur papier.
Époque des Sultanats, première moitié du XVIe siècle.
21 × 15 cm.
Prince of Wales Museum, Bombay ; n° 57.1/62.

Quand l'héroïne, Chanda, git sans vie sous un arbre, au milieu d'un paysage désolé, le héros du conte, Laurik, est pris d'un amer désespoir et se lamente. Elle a été mordue par un serpent et, maintenant, elle est morte, comme le dit le texte, tout cela étant arrivé pendant qu'il s'était éloigné pour peu de temps, au cours de leurs malheureuses errances : l'épée et le bouclier que nous voyons attachés à l'arbre sont les siens. Comme Laurik, nous ne voyons pas le serpent, nous ne faisons qu'en deviner la présence dans le décor ; la forme incurvée devant la couche de Chanda n'est que le turban défait de Laurik, tombé de sa tête dans ce moment de souffrance, et non le serpent. C'est le désespoir qui est le sujet de cette peinture et le peintre l'indique de nombreuses manières : l'aspect du héros, tête nue, la chevelure flottant derrière la tête, le corps courbé, les bras tendus ; le turban est tombé par terre ; sur l'arbre isolé, aucun oiseau, nul signe de vie ; et, pour finir, la forme inerte de Chanda. Il est clair que le peintre devait faire comprendre que Chanda est morte, non pas endormie, et il a choisi pour cela de lui peindre les yeux sans la pupille, ce qui est une convention bien établie. Si l'arrière-plan est toujours empli de motifs décoratifs « d'orfèvrerie dorée » et si les tympans des arcades de cette composition comportent des arabesques, le peintre ne se libère cependant pas des conventions décoratives qu'il respecte dans le reste du manuscrit. Seuls les fonds varient, jamais il ne sont laissés nus.
Le conte se poursuit en disant que Chanda n'était pas réellement morte, car elle fut guérie de cette morsure de serpent par un médecin itinérant. Plus tard, la souffrance de Laurik disparaîtra donc mais, au moment où nous le voyons, il est plongé dans le désespoir, il a perdu celle qui était la plus chère à son cœur.

Bibliographie :
Voir le n° 23.

115

Radha se languit de Krishna ; de la même série du *Gita Govinda* que le n° 24

Gouache sur papier.
École pré-moghole, première moitié du XVIe siècle.
16 × 21,7 cm.
Prince of Wales Museum, Bombay ; n° 54.39.

Provenant de la même série du *Gita Govinda* que le n° 24, cette peinture porte, au sommet, les vers suivants :
Les femmes solitaires des voyageurs gémissent dans leurs rêves d'amour fou.
Les abeilles grouillent sur les bouquets qui emplissent les branches de mimosa.
Quand éclôt le printemps, Hari se promène ici,
Pour danser avec les jeunes femmes, ô ami,
Et le temps est cruel aux amants délaissés.

Il est clair que nous sommes ici dans une atmosphère, un *bhava*, de séparation, au milieu d'une extraordinaire luxuriance de feuillage, encore tout parfumé des souvenirs de l'union avec l'amant. Tout autour de Rhada, éclate la richesse du printemps : la clairière est emplie d'abeilles, les arbres et les plantes grimpantes sont en pleine floraison ; à droite, la petite tonnelle coquettement construite déborde de l'odeur suave des pensées, et pourtant ! Rhada est désolée. Rien n'a plus d'importance ; en fait, tout ce qui l'entoure ravive sa peine car, maintenant, elle est séparée de son amant. L'œil voit d'abord la tête inclinée, le menton reposant légèrement sur la main gauche, le regard désespéré et la fatigue certaine qui envahit son corps, tout cela nous indique l'atmosphère de cette œuvre. Le fond rouge uni, que l'on retrouvera ultérieurement avec la mode plus stylisée et

plus décorative de la peinture du XVIIe siècle au Mewar, symbolise ici la passion de Radha, peut-être non payée de retour. Les ornements et les motifs des costumes de Radha sont très intéressants, ainsi que le feuillage des arbres, la structure de la tonnelle, la ligne ondulée qui limite l'horizon ; pourtant, en dernière analyse, tout est subordonné à la situation humaine de cette peinture qui est d'une singulière « clarté ».

Bibliographie :
Voir le nº 24.

116
L'égarement des bien-aimées de Krishna ; de la même série du *Bhagavata Purana* que le nº 54

Gouache sur papier.
École Pahari, dernier quart du XVIIIe siècle.
22,5 × 30,5 cm.
Collection de Smt. Madhuri Desai, Bombay ; prêté au L.D. Museum, Ahmedabad.

Quand, pour rabaisser leur fierté, Krishna disparaît d'entre ses *gopis* bien-aimées, qu'il a conduites sur les rives de la Yamuna, leur consternation est grande. En effet, comme le disent les *gopis* : « N'était-il pas ici il n'y a qu'un instant. Comment le Seigneur a-t-il pu disparaître ? » Et quand elles ne le trouvent pas, raconte le *Bhagavata Purana,* elles sont plongées dans une grande agitation. Tout le reste subsiste : la pleine lune dans toute sa gloire, la clairière verdoyante avec ses plantes grimpantes en fleurs et ses arbres luxuriants ; seul, Celui qui a donné la vie à toutes choses les a quittées. Affolées et angoissées, les *gopis* entament leur quête de Krishna, elles vont ici ou là, se posant des questions, en posant aux animaux qui passent, aux arbres même sous lesquels le Seigneur s'amusait avec elles il n'y a encore qu'un instant. « Qui nous indiquera où il se trouve ? » Au *tulsi* sacré, elles demandent : « O Tulsi, tellement aimé de Krishna, est-il venu te voir aujourd'hui ? Il ne veut jamais, pourtant, te séparer de son corps ! » Elles envient l'*asvattha*, le *plaksha,* le *nyagrodha,* ces arbres qui ont naturellement vu le Seigneur maintenant hors de leur vue à elles. Certaines d'entre elles ont vu les traces des pieds de Krishna sur le sol, elles les ont reconnues à cause de leurs marques

sacrées, elles essaient de remonter la piste ; d'autres posent des questions décousues à un groupe de jeunes daims. Les femmes de Vraja se lamentent ainsi d'être séparées de Krishna.
Le peintre de cette remarquable série a été inspiré par cette situation. Il rend partiellement ce que dit le texte dans la partie du *Purana* que l'on appelle le *Rasa Panchadhyayi*, mais il va plus loin et, à sa manière, il interprète leur état d'esprit. Il assure aussi une liaison avec ce qui suit, car il nous montre une des *gopis* qui, ayant abandonné la poursuite, commence à se distraire en se rappelant, en imitant les gestes de Krishna, quand il joue de sa flûte enchantée. Dans une peinture qui suit celle-ci, – une des plus belles de cette série, aujourd'hui dans la collection de Wendy Findlay à New York, – les *gopis* commencent à reproduire avec enthousiasme les hauts faits de Krishna, quand il a tué Putana, la démone ; quand il a déraciné des arbres jumeaux, pour libérer deux esprits emprisonnés ; quand il a soulevé le mont Govardhana ; quand il a dompté le serpent Kaliya. Un peu plus tard, naturellement, Krishna reviendra.
La limpidité, la clarté de cette série de peintures les ont fait attribuer au « Maître du clair de lune », certainement un membre de la famille Seu-Nainsukh.

Bibliographie :
Voir le nº 54.

117
La désolation de Krishna ; de la même série du *Gita Govinda* que le nº 30.

Gouache sur papier.
École Pahari, 1730 après J.C., de Manak de Guler.
Vers en sanskrit au verso.
21 × 30,7 cm.
Chandigarh Museum, Chandigarh ; nº I-41.

Dans le Chant intitulé « Krishna aux yeux de lotus se meurt d'Amour », Jayadeva conte les tourments endurés par Krishna quand Radha, offensée et fière, ne vient plus le rejoindre. Demandant à l'amie de Radha de lui servir de messager, Krishna la presse, dans ces passages dramatiques, d'aller voir Radha et de lui répéter ses paroles. Dis à Radha, demande-t-il à la *sakhi*, que lorsque « les abeilles s'assemblent, bourdonnant d'amour », il se bouche les oreilles. « Les froids rayons de la lune le brûlent, / le menaçant de mort.../ lui infligeant des souffrances, nuit après nuit ». Va lui dire, la prie-t-il, que :
Il demeure dans les sauvages profondeurs de la forêt,
Ayant quitté sa luxueuse maison.
Il s'est jeté sur sa couche de terre,
Appelant frénétiquement ton nom
Krishna aux guirlandes de fleurs sauvages
Souffre de ta désertion, O mon amie ».
(V.5)

Le peintre reste très près de ces détails : la maison luxueuse abandonnée, l'agitation sur la couche de terre, la guirlande de fleurs sauvages ; mais il omet la nouvelle habitation dans les profondeurs sauvages de la forêt. Cette omission est significative car le peintre fait la part de l'exagération dans le discours de Krishna. Il pourrait aussi avoir pensé que, s'il devait représenter aussi la forêt, ce bosquet aurait pu être pris pour le lieu de leur amour, ce qui aurait induit à mal interpréter le poème. Sil a omis quelque chose, il a aussi ajouté, car il interprète l'état de désolation de Krishna. Le bâton de bouvier et sa flûte bien aimée son posés et forment un angle curieux, comme si Krishna les avaient jetés dans un accès de désespoir, ils insistent sur son état d'esprit ; et c'est aussi ce que font les bras tendus, l'ondulation de la guirlande et toute la posture de Krishna. La chambre vide, avec son lit vide et la porte à demi ouverte complètent cette image de la désolation. Un soupçon, seulement un soupçon, de conflit intérieur apparaît sur le visage de Krishna, au teint de lotus, lui qui est habituellement tellement frais et tellement rayonnant.
Il est intéressant de comparer cette œuvre avec la feuille provenant d'Orissa (nº 63), car c'est exactement les mêmes vers qu'elles illustrent. Pourtant les états d'esprits évoqués par les deux feuilles sont sensiblement différents.

Bibliographie :
Voir le nº 30.

118
L'héroïne est consolée par son amie

Gouache sur papier.
École Pahari, dernier quart du XVIIIe siècle ; de l'atelier familial de Seu-Nainsukh.
Bharat Kala Bhavan, Bénarès ; nº 142.

Il n'est pas sûr que cette œuvre appartienne à une série ; il est possible qu'il s'agisse du personnage de Damayanti, l'héroïne de la célèbre romance de Nala et Damayanti, qui semble avoir été une source favorite d'inspiration pour les peintres Pahari. Mais la jeune femme abattue, assise sur un siège en bois, peut être aussi bien n'importe qu'elle *virahini nayika* dans un moment où elle perd le contrôle d'elle-même et où elle est sur le point de s'effondrer. La tête courbée, une main sur les yeux, comme pour essuyer une larme, l'expression de tristesse du visage, sa pose, comme si elle avait à ce moment perdu toute espérance, témoignent de son état d'esprit.
L'amie assise en face de la jeune femme, légèrement plus âgée mais parlant avec une merveilleuse animation, affiche une profonde sympathie, et a des gestes rassurants et très éloquents. Il est évident qu'elle a beaucoup vu, beaucoup entendu et qu'elle veut consoler la *nayika*. Le peintre n'ajoute guère à son œuvre : le décor est relativement simple, sans complication ; on voit des signes d'aisance, d'une certaine classe sociale, mais l'auteur n'insiste pas sur eux. Le seul détail significatif que le peintre a donné est constitué par les buissons fleuris, dans le fond, juste au-dessus du mur, que l'on voit beaucoup mieux par la fenêtre ouverte dans le mur du fond. Comme s'il voulait nous apprendre que le printemps est arrivé, et que l'amant n'est pas encore revenu. C'est là la cause de la peine de la jeune femme et c'est manifestement le sujet de sa conversation.
Le peintre a un métier assuré, il se plaît à jouer de touches raffinées : les motifs du sol, la manière de traiter les bords festonnés des jupes ou des vêtements portés par les femmes, la lourde couverture réversible portée par l'amie, ses broderies d'une extrême finesse avec des lignes parallèles en zig-zag et un centre circulaire ; le coin ouvragé du traversin sur lequel s'appuie la *nayika*. Cette peinture ne nous frappe pas immédiatement par l'éloquence avec laquelle elle exprime un état d'esprit, mais elle prend lentement de l'intensité quand on la regarde avec attention et sans hâte.

119
L'héroïne abandonnée

Gouache sur papier.
École Pahari, premier quart du XIXe siècle.
Bharat Kala Bhavan, Bénarès ; nº 375.

Le décor suggère un rendez-vous. La jeune et attirante *nayika* se tient dans un coin retiré ; la terrasse de marbre est longée par une petite pièce d'eau ; les lotus fleurissent avec luxuriance ; au-dessus de la tête de la *nayika*, l'arbre est chargé de mangues, des plantes grimpantes s'entrelacent aux branches, alors même que d'autres plantes rampantes fleurissent, embaumant fortement l'autre côté de la clairière ; des grues se déplacent en silence un peu plus loin ; et la ville d'où est venue la *nayika*, pour rencontrer son amant, est fort éloignée, on n'aperçoit que l'extrémité des toits, bien loin, à l'arrière-plan. La *nayika* a pris grand soin de sa parure : elle est richement vêtue, elle porte tous ses bijoux, les petites clochettes de sa ceinture tintent à chaque courant d'air qui agite son voile.
Malgré tout cela, il est évident qu'elle est passée de l'attente heureuse à la tristesse. Il semblerait que la *nayika* ait attendu son amant pendant des heures, et qu'il ne soit pas venu. Le désir est devenu de la frustration et tout cela est exprimé par son attitude. Le visage n'est plus éclairé par l'espoir et elle ne regarde plus au loin, dans la direction où devrait apparaître son amant. Elle penche la tête et son regard n'accuse plus aucune impatience, elle a les yeux dirigés vers le sol, elle ne regarde rien de précis. Avec subtilité, le peintre nous fait part de sa déception, de sa lassitude. On voit avec intérêt comment il utilise ici presque tous les *vibhavas*, ces stimulants de l'émotion, dont il se serait servi pour rendre l'union dans l'amour. Seuls, les *anubhavas*, les « Conséquents », sont modifiés, par l'attitude, la disposition du corps. Connaissant d'une manière générale la situation des héroïnes abandonnées, notre imagination

nous permet de remplir le reste de l'image et, pour nous, la tristesse de la *nayika* devient l'émotion principale qui se dégage de cette œuvre. Il faut cependant ne pas aller trop vite, ne pas négliger les petits indices, sous peine de mal interpréter cette peinture. C'est là qu'intervient un *rasika,* que celui-ci joue un rôle ; c'est sa conscience et son *utsaha* qui acquièrent une pertinence immédiate pour l'œuvre d'art.

Dans cette peinture, certains détails, tout riches qu'ils sont, ont une qualité ordinaire. Ainsi, par exemple, le feuillage et les oiseaux dans les arbres ; certaines zones sont cependant d'une remarquable fraîcheur, comme la pièce d'eau avec les lotus, ou les feuilles, les fleurs, les bourgeons et les fruits qui ploient les branches, oscillent, s'entremêlent en motifs merveilleux. Le peintre a exécuté cette petite vignette avec un grand goût. Il faut aussi remarquer une autre touche de sensibilité, les mules, à côté des pieds de la *nayika,* elle-même étant pieds nus. Nous ne voyons pas ses pieds recouverts par les plis de sa jupe *peshwaz* qui tombe jusqu'à terre, mais on en devine la délicatesse par la forme d'une extrême minceur que le peintre a donnée aux mules.

120
Todi Ragini ; d'une série de *Ragamala*

Gouache sur papier.
Rajasthan, premier quart du XVIIe siècle.
Sur la marge supérieure, vers en sanskrit.
17 × 18,5 cm.
Bharat Kala Bhavan, Bénarès ; n° 9147.

Cette jeune femme se promène seule dans une épaisse forêt, elle joue de la musique sur son instrument à cordes ; c'est Todi, l'une des *raginis* que l'on reconnaît le plus facilement dans toute la gamme des peintures de *Ragamala.* Ces « guirlandes de mélodies », illustrées par les peintres s'inspirant des textes des poètes et des musiciens, sont d'un caractère difficile à interpréter. Il y a des confusions de textes et des erreurs d'interprétation, mais l'idée reste une des plus plaisantes dans le contexte de l'art indien. Étant donné que les *ragas* « doivent supporter une quelconque phase de l'amour, que ce soit l'union ou la séparation », c'est un état d'âme qui domine leur illustration. Pour la Todi Ragini, cet état d'âme est donc fait de solitude, de séparation et nous avons une atmosphère pastorale. Le texte inscrit ici au haut de la page concerne Todi, il ne parle pas obligatoirement de cette solitude, il se contente de déclarer : « Avec un visage magnifique, comme un lotus coloré... séduisant avec une poignée d'herbe un jeune daim aux lisières de la forêt. Voici Todi, dont le charme évoque une guirlande de lotus ». On comprend qu'elle ne se promène pas sans raison seule dans la forêt ; ici, le daim symbolise d'une manière ou d'une autre l'amant absent ; la musique qu'elle joue ne peut être qu'emplie de la souffrance de la séparation. Un autre texte rend plus explicite le sujet de cette peinture : « Séparée de son bien-aimé, malheureuse dans son amour comme une sainte femme qui renonce au monde, Todi reste dans la clairière et charme le cœur des daims ».

La série d'où provient cette peinture est reliée, d'une part, aux œuvres du Malwa et, de l'autre, du Mewar. Certaines peintures de cette série se trouvent dans la collection de Mr. Gopi Krishna Kanoria.

Bibliographie :
Anand Krishna, *Malwa Painting,* Varanasi, 1963, pl. 8 ; Hiren Mukherjee, « Two Early Rajasthani Ragini Pictures », *Lalit Kala,* n° 12 ; O.C. Gangoly, *Ragas and Raginis,* Calcutta, 1935 ; Klaus Ebeling, *Ragamala Painting,* Bâle, 1973 ; A.L. Dahmen Dallapiccola, *Ragamala Miniatures,* Wiesbaden, 1975.

।विचित्रपंकेरुहरम्यवक्त्रा।कुरंगशावंकलमंकुरेण।प्रलोभयंतीविपिनो
पकंठे॥दोलायमिंदीवरदामरम्या॥१५॥ टोडीरागे॥ ॥श्री॥

121
Cheval étique et palefrenier

Peinture au pinceau et lavis sur papier.
École moghole, dernier quart du XVIe siècle.
Inscription en persan : *amal-i-Basawan* (« œuvre de Basawan »).
27 × 36,5 cm.
Indian Museum, Calcutta ; n° 307/581.

Cette œuvre n'est pas comique, même si dans la poésie persane, nous trouvons d'amusantes descriptions de vieilles haridelles dont les « veines sont saillantes sur le corps comme les lignes gravées d'un calendrier », montures en général de personnages en détresse. Ce dessin est une étude pleine de gravité des *embarras* dans lesquels peuvent se retrouver hommes et bêtes. Le maître du cheval porte une gourde, il est nu et ressemble à un derviche, il n'a plus que la peau sur les os, ses bras et ses jambes sont osseux, sa cage thoracique laisse voir toutes ses côtes, il aiguillonne le misérable animal avec une branche d'arbre qu'il porte comme un fouet, à la main droite. La carcasse de l'animal qui peine et titube fait écho à celle du maître ; ses jointures sont noueuses, sa robe desséchée. Il y a un autre personnage, un chien qui appartient au derviche et n'est guère mieux loti que son maître ou le cheval. Il n'y a qu'un seul acteur enjoué dans ce dessin, le renard qui court en avant et qui, par son agilité, se moque des trois crève-la-faim. Tous les autres éléments, le paysage désolé, les buissons noueux et sans feuilles, les touffes d'herbe sèche, accentuent l'atmosphère de désespoir.
Ce « dessin profond et pénible », comme le qualifie Cary Welch, est attribué, par une inscription, à Basawan, le grand peintre d'Akbar. Cela semble plausible, à en juger par les autres œuvres de Basawan que l'on connaît, parmi lesquelles le portrait d'un homme corpulent et demi nu conservé à l'India Office Library. Basawan se livrait en outre aux études d'après nature, qui l'élevèrent au-dessus de son temps et firent de lui un artiste universel.
Au verso, une inscription indique que c'est le « portrait de Qais, fils d'Amir, plus connu sous le nom de Majnun, par Basawan ».

Bibliographie :
S.C. Welch, *Indian Drawings and Painted Sketches,* New York, 1976, n° 8 ; Nihar Ranjan Ray, *Mughal Court Painting,* Calcutta, 1975, pl. lv.

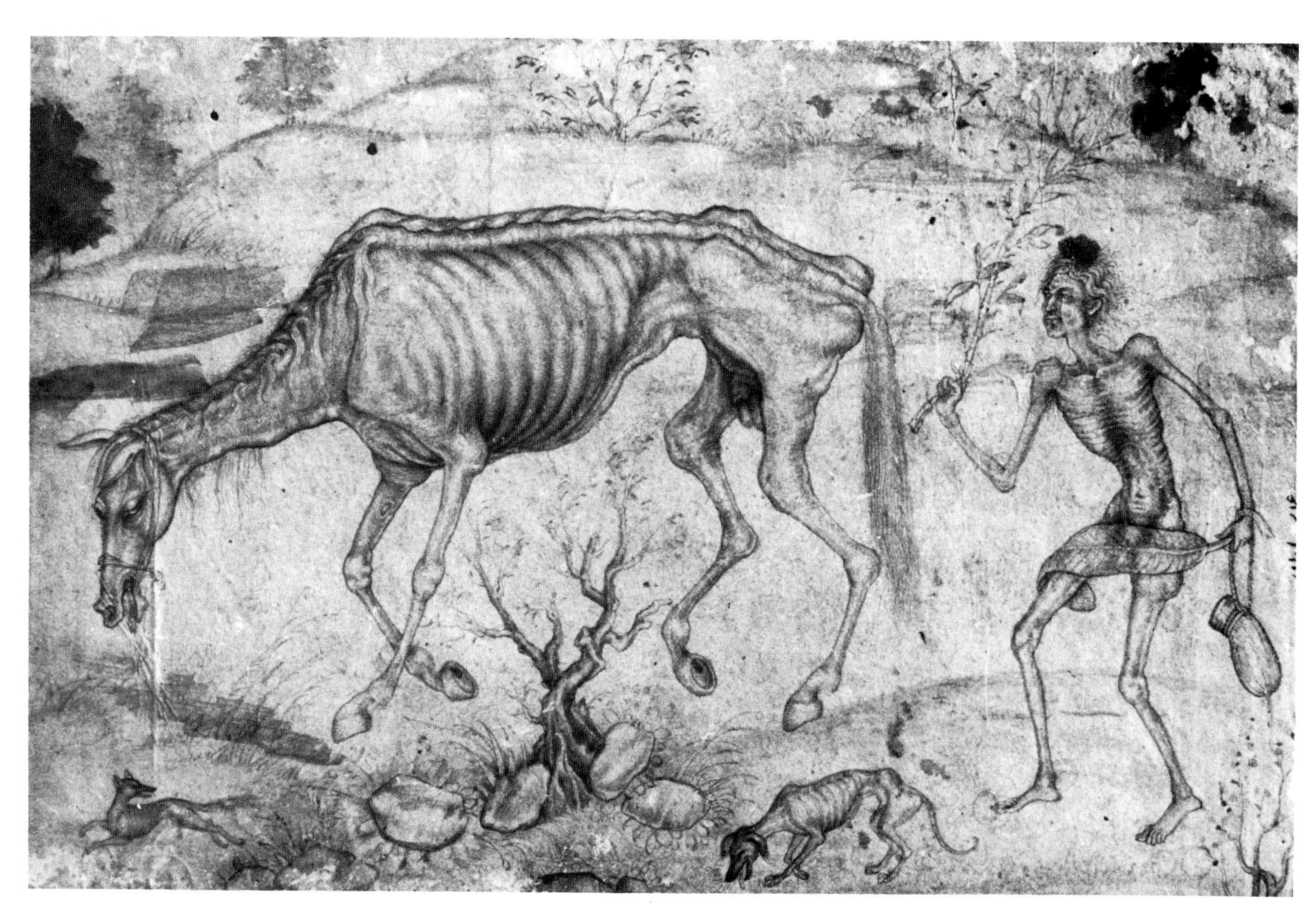

122

Rama et Lakshmana apprennent la mort de leur père ; d'une série du *Ramayana*

Gouache sur papier.
École Pahari, troisième quart du XVIIIe siècle, de l'atelier familial de Seu-Nainsukh.
24 x 35 cm.
Collection de Mr. Suresh Neotia, Calcutta.

Dans leur exil, au fond de la forêt où ils ont passé quatorze années de leur vie, Rama, le roi idéal, le héros de la grande épopée sanskrite, le *Ramayana*, et son frère cadet, Lakshmana, apprennent la mort de leur père. La nouvelle leur est apportée d'Ayodhya, par Bharata, le frère de Rama, qui est venu dans la forêt dans le vain espoir de ramener Rama afin que celui-ci occupe le trône qui lui appartient légitimement. Cette nouvelle frappe de stupeur les exilés que nous voyons ici, assis avec Sita, la femme de Rama, devant leur simple hutte, essayant vainement de contenir leur peine. Mais, se reprenant, ils pensent que leur premier devoir envers le disparu est de faire un *shraddha*, ce que seul l'aîné de la famille, Rama, a le droit de faire.
Le peintre réunit divers éléments de cet épisode : l'arrivée de Bharata, l'annonce de la nouvelle, la célébration du *shraddha*, offrande du sacrifice aux mânes. Pour finir, Rama, Lakshmana et Sita entrent dans le fleuve, pour leurs ablutions rituelles et purificatrices. En sortant de l'onde, Rama met une *dhoti* de cérémonie et s'assied sur une peau de cerf, devant sa femme et son frère, et commence à célébrer la cérémonie que Bharata et ses compagnons regardent avec respect.
L'auteur de cette série poétique du *Ramayana*, impeccablement colorée, caractérisée par des personnages d'une rare petitesse de taille et par un brillant traitement du paysage, traduit le sentiment de souffrance avec une réserve et une subtilité extraordinaires. On voit des signes discrets d'une tristesse indicible sur le visage des trois exilés princiers mais, mieux que cela, leur peine nous est indiquée par leur attitude, leurs gestes pleins de résignation : un poids semble peser sur tout leur être.
Cette série du *Ramayana*, qui est l'une des plus récentes découvertes des œuvres de la famille Seu-Nainsukh est aujourd'hui largement dispersée.

Bibliographie :
Pour d'autres exemples : W.G. Archer, *Visions of courtly India*, Washington, 1976, nº 40-42 ; et Pratapaditya Pal, *The Classical Tradition in Rajput Painting*, New York, 1978, nº 67.

123

Douloureux souvenir ; de la même série de la *Rasamanjari* que le nº 46

Gouache sur papier.
École Pahari, troisième quart du XVIIe siècle ; d'un atelier de Basohli.
Des vers en sanskrit au verso ; les mots *Virahi Simran dasa* (« l'état du souvenir dans la séparation ») inscrits en caractères takri, en haut.
24 × 33 cm.
Dogra Art Gallery, Jammu ; nº 340.

Parmi les différents *dashas,* les états dans lesquels tombent les amants quand ils sont séparés et qu'ils se désirent mutuellement, *smriti,* le souvenir douloureux, a été illustré par les poètes à travers le personnage de Rama, le héros du *Ramayana,* quand il est séparé de Sita qui, enlevée par Ravana, a été emmenée dans la lointaine Lanka. Cette représentation, qui s'écarte de la convention de figurer le *nayaka* sous les traits de Krishna, semble nous dire que, si Krishna est également séparé de sa bien-aimée, et s'il languit, il n'y a cependant pas de séparation longue et pénible sur une longue période de temps, comme c'est le cas pour Rama et Sita. Le *Ramayana* fourmille de passages éloquents, magnifiques, décrivant l'état dans lequel se trouve Rama, lors de ce *viraha,* cette séparation d'avec Sita, et ces passages peuvent aussi avoir dicté ce choix. Nous avons ici une illustration superbe et rare de ce sujet. Voici les vers de Bhanudatta :
Craignant que la douleur de Lakshmana ne se prolonge, Rama n'exprime pas sa propre souffrance, ne pousse pas de gros soupirs, ne laisse pas ses yeux s'emplir de larmes. Se languissant dans la fièvre de l'amour, qui le brûle comme un feux ardent attisé par un vent violent, il ne cesse de se rappeler Sita.

(126)

Dans la forêt, indiquée par les bosquets d'arbres stylisés de chaque côté, nous voyons les deux frères armés de leur arc ; Rama, au teint bleu sombre, et Lakshmana au teint clair, se font face ; de la main, Rama fait un geste de bénédiction, à moins qu'il ne souligne une de ses paroles. C'est le visage de Rama qui retient l'attention, car le peintre l'a

raviné de profondes rides et l'a doté d'un corps manifestement émacié. C'est ainsi qu'il exprime la souffrance, et non par des soupirs ou des pleurs, comme le dit le poète. Cette peinture, d'une belle palette, d'un trait sûr, se distingue du reste de la série par ce remarquable écart avec les normes.
Il n'est sans doute pas sans intérêt de signaler que la peinture, du même sujet, qui se trouve au Victoria et Albert Museum et qui a été publiée par W.G. Archer, semble provenir d'une autre série ; la présente peinture, sur ce thème, est bien l'illustration tirée de cette série de la *Rasamanjari*.

Bibliographie :
Voir le nº 46.

Il est curieux de voir que le peintre souligne ici des éléments d'une autre manière que dans une peinture évoquant l'union amoureuse. Ici, ces éléments deviennent source de souffrance et de nostalgie, au lieu d'être les délices que se partagent les amants. Le point essentiel, pour comprendre cette peinture, c'est le personnage de Rama.
On ne retrouve pas dans cette œuvre la verve ou la finesse de trait qui caractérisent tant de peintures Pahari de cette période, mais elle nous émeut cependant et nous fait partager l'état d'esprit de son personnage principal.

124
Rama se languit de Sita

Gouache sur papier.
École Pahari, premier quart du XIXe siècle ; d'un atelier de Kangra.
26,5 × 33 cm.
Collection de Mr. Gopi Krishna Kanoria, Patna ; nº PK 120.

Rama étant l'incarnation même de la *dhairya*, la patience, nous ne le voyons pas souvent trahir ses émotions. Quand sa compagne Sita a été enlevée, Rama est accablé car la vie, pour lui, a perdu tout sens. Dans les descriptions du temps que Rama passa, en compagnie de son frère Lakshmana, dans la forêt, n'ayant encore aucun indice sur les pérégrinations de Sita, l'auteur de l'épopée a inséré des passages d'une grande beauté où il exprime la souffrance de Rama. Quand la pluie arrive, surtout, et que la terre desséchée reverdit, que la sève s'écoule de nouveau, la douleur de Rama est exacerbée et devient insupportable. Tout autour de lui, on voit des signes de joie : les oiseaux volent en formation dans le ciel, les lotus fleurissent dans les pièces d'eau, la paonne attend l'appel du mâle et les nuages couvrent la terre et le ciel de leur noble grondement. Mais Rama ne peut penser à autre chose qu'à Sita.
Le peintre nous montre Rama et Lakshmana assis dans une grotte, dans un lieu montagneux. On reconnaît Rama à son accoutrement d'exilé, – longue chevelure emmêlée, peau d'antilope autour des reins, – à son teint bleu, et aussi à ses attributs, l'arc et les flèches qui sont pendus au plafond de la grotte. Devant lui, son frère et compagnon, Lakshmana, un peu mieux habillé que Rama, mais également banni dans la forêt, porte une coiffe de feuilles sauvages. Il semble faire des remontrances à Rama, lui donnant, pourrait-on dire, l'assurance qu'ils parviendront finalement à savoir où se trouve Sita ; le caractère désespéré de la situation, est souligné par les gestes et l'attitude accablée de Rama, appuyé contre le rocher.

125
Les épouses de Dasharatha se lamentent ; d'une série du *Ramayana*

Gouache sur papier.
Rajasthan, troisième quart du XVIIIe siècle ; d'un atelier de Uniara.
Collection de Rao Raja Rajendra Singh d'Uniara, Jaipur.

On ne rencontre pas si souvent, évoqué dans la peinture indienne, ce genre de douleur et de désolation, car il y a généralement beaucoup plus de discrétion dans l'expression. Ici, Dasharatha, roi d'Ayodhya, père de Rama, est couché, mort, n'ayant pu supporter d'être séparé de son fils préféré parti en exil avec sa femme, Sita, et son frère cadet, Lakshmana. La mort de Dasharatha a été plusieurs fois illustrée, car on s'y attarde beaucoup dans le *Ramayana*. Ici, cependant, elle provoque une émotion qui vous prend par surprise. La chambre, à gauche, fait partie du grand palais d'Ayodhya, elle est partagée en deux zones bien distinctes. Sur le sol, à l'intérieur d'un pavillon, trois femmes sont assises ; ce sont manifestement les trois épouses de Dasharatha, elles ont des attitudes de grand chagrin, mais se contrôlent ; les têtes sont inclinées, les mains sont portées aux yeux, les corps sont effondrés sous le poids de l'émotion. Sur le toit de la chambre, où gît maintenant le corps du roi mort, d'autres femmes de la maison royale se sont réunies et se lamentent à grand bruit, les mains levées, le corps penché pour toucher et sentir leur seigneur bien aimé. Pourtant, les exigences de la vie et les rites ne peuvent attendre ; il faut organiser les cérémonies qui suivent la mort et les saints brahmanes ont été convoqués. On a construit un pavillon provisoire, sous lequel a été allumé le feu sacré. On a rassemblé un groupe de vaches et de veaux, pour les donner pieusement aux brahmanes, au nom du mort, une fois la cérémonie terminée. Toute la scène se passe de nuit, la lune et les étoiles sont bien visibles dans le ciel. Peut-être cela suggère-t-il qu' à la fin de la nuit, les cérémonies pourront commencer. Pour l'instant, on prépare tout.
Cette série du *Ramayana*, d'où provient une autre feuille (nº 195), ne semble pas l'œuvre d'un artiste unique. Entre l'autre peinture représentant Rama tuant la démone Taraka et cette feuille-ci, il n'y a qu'un « air de famille » et un format identique.

Bibliographie :
Voir le nº 145.

126
« Quand les plantes grimpantes perdent leurs feuilles » ; de la même série de la *Rasamanjari* que le nº 46

Gouache sur papier.
École Pahari, troisième quart du XVIIe siècle ; d'un atelier de Basohli.
Au verso, des vers en sanskrit ; les mots *anushyana sanketa nashana* (« La nayika malheureuse de voir son lieu de rendez-vous détruit ») en caractère takri sur la bordure supérieure.
24 × 33 cm.
Sri Pratap Singh Museum, Srinagar ; nº 1970 (N).

En présentant d'une manière assez compliquée le genre de *nayika* que l'on appelle *anushyana*, le poète explique qu'il s'agit de celle qui pleure sur le lieu, devenu inutilisable, de ses rendez-vous secrets avec son amant. Dans la littérature concernant le *shringara*, il s'agit généralement d'un bosquet, des restes d'un temple ou de ruines où les amoureux ont décidé de se rencontrer en secret. Quand cet endroit ne peut plus être utilisé, soit parce qu'il a été « découvert », soit parce qu'il a été détruit pour une raison quelconque, c'est la désolation. Il y a trois sortes de *nayika* du genre *anushyana*. Cette peinture illustre la première catégorie décrite par le poète :
La nayika aux doux yeux pâlit comme les feuilles d'un palmier rondier quand elle découvrit que les girofliers qui poussaient sur son lieu de rendez-vous avaient commencé à perdre leurs feuilles, avec l'arrivée du mois de Chaitra (février-mars).

(27)

La vigoureuse croissance des plantes grimpantes odorantes que l'on appelle les *lavangalatas* servait manifestement à abriter les amants des regards indiscrets. Leurs rencontres secrètes se poursuivirent longtemps, mais la *nayika* n'avait pas tenu compte du fait inhabituel que cette plante grimpante perd ses feuilles non pas en automne, mais à l'arrivée du printemps. De là son geste de surprise et de désespoir, la main portée au menton et son regard triste et peiné.

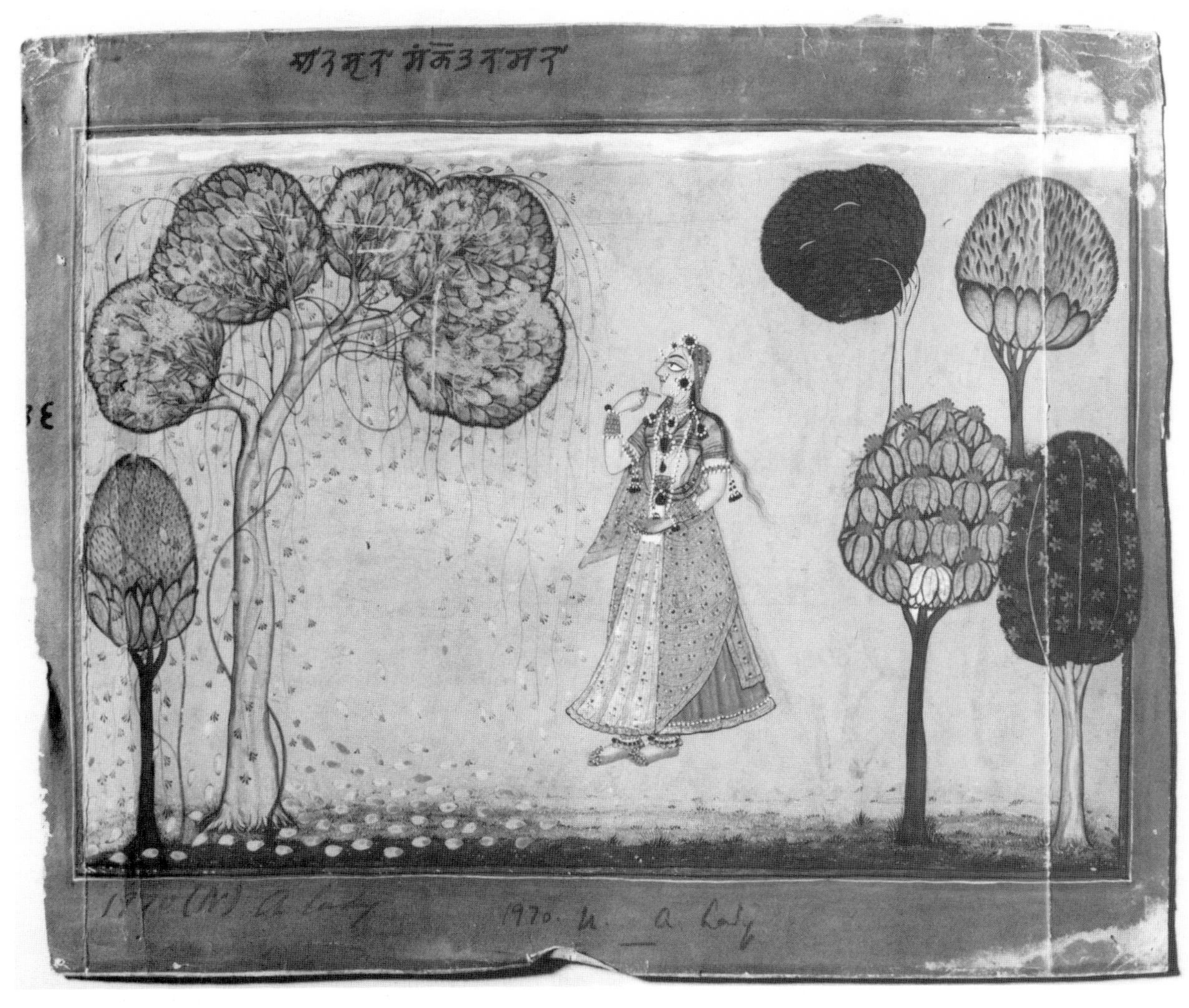

Le peintre n'a aucune idée de ce qu'est une plante grimpante *lavangalata,* car celle-ci ne pousse pas sur ces collines. C'est pourquoi il a représenté une plante grimpante qu'il connaissait ; ce n'est pas non plus ainsi que les plantes grimpantes perdent leurs feuilles, mais cela n'a pas d'importance : ce qui compte, c'est l'intention, celle de symboliser l'état d'esprit de la *nayika*. Les arbres, avec leurs formes fermes, représentent bien un bosquet, d'une manière générale, mais ils représentent aussi, peut-être, le monde immuable sans intérêt pour les amants. Les couleurs anormales des troncs et la forme de leur cîme ne sont, une fois de plus, aucunement fondées sur la réalité ; c'est une autre réalité qui intéresse le peintre et le poète, celle de l'émotion de la *nayika*, qui est ressentie tout autant par elle-même que par son amant.

Bibliographie :
Voir le n° 46.

127

« La nuit me perce comme une épée » ; de la même série de la *Rasamanjari* que le n° 46

Gouache sur papier.
École Pahari, troisième quart du XVIIe siècle ; d'un atelier de Basohli.
Vers en sanskrit au verso ; sur la bordure supérieure, en caractères takri : *Udvega dasha* (l'état d'agitation).
24 × 33 cm.
Sri Pratap Singh Museum, Srinagar ; n° 1970 (L).

Dans la séparation, le héros ou l'héroïne peuvent passer d'un état d'inquiétude et de souvenir teinté de souffrance, à celui du rappel des qualités de l'aimé avec le cœur lourd, à celui d'une profonde agitation, comme ici. Le désespoir semble prendre le dessus et le *nayaka* parle de lui-même.
La lune agit sur moi comme un poison ; le printemps lui-même a pris pour moi la lourdeur de l'éléphant qui arrache les douces pensées comme les lotus d'une pièce d'eau : cette nuit me perce le cœur comme l'épée que porte Kamadeva, le dieu de l'amour. Alors, alors, que puis-je faire ?

(128)

On trouve des couleurs très rarement utilisées dans cette série, couleurs qui donnent une palette riche et saturée, la peinture, dans son ensemble, paraissant dominée par un blanc froid sur lequel se détachent bien le teint bleu sombre de Krishna et l'orange flamboyant de sa *dhoti.* Ce n'est aucunement la seule peinture où la lune est représentée dans le ciel, mais la pâle lumière blanche qu'elle projette ici a un aspect rare : pendant un moment, on a peine à relier cette feuille au reste de la série en raison de cette douce coloration. Une fois de plus, nous avons ici un feuillage très différent : ces arbres à gros tronc, à frondaison en boule, qui se détachent nettement sur les autres feuilles de cette série sont ici remplacés par de grands végétaux lancéolés qui envoient vers le ciel leurs branches minces « comme l'épée de Kama, pointue et mordante ». Il est surprenant de voir négligée la pièce d'eau aux lotus car, habituellement, le peintre se délecte à la représenter ; la décision du peintre semble pourtant, ici, de ne pas interpréter à la lettre chaque détail, – mais, inversement, on imagine un peintre comme Sahibdin, auteur de la *Rasikapriya* (n° 295-306) le faire avec enthousiasme, – il veut plutôt saisir la situation dans son essence. Pour cela, il n'hésite pas à utiliser des gestes grandiloquents, comme le *nayaka* qui, par désespoir, lève une main en l'air et, de l'autre main, désigne son front, comme pour déplorer son destin et maudire les étoiles qui lui imposent l'état dans lequel nous le voyons.

Bibliographie :
Voir le n° 46.

128
Sassi pleure Punnu, son bien-aimé

Gouache sur papier.
École Pahari, troisième quart du XVIIIe siècle ; de l'atelier familial de Seu-Nainsukh.
National Museum, Delhi ; n° 51-207/22.

Un autre conte populaire concerne des amants malheureux, qui inspirèrent ultérieurement plusieurs poètes ; les noms de Sassi, l'héroïne, et de Punnu, son amant, sont des noms de familles connues au Penjab. Des plaines d'où provient cette histoire, le conte a gagné le pays Pahari, il y a été admiré et, peut-être, chanté pour sa beauté pathétique. Abandonnée par ses parents à la suite d'une prophétie cruelle, Sassi est élevée par un blanchisseur musulman ; elle grandit dans l'humble demeure de ses parents adoptifs et devient très belle. Fils d'un grand chef, Punnu tombe désespérément amoureux d'elle et ils se marient secrètement. Punnu vient dans le village où elle habite, déguisé en marchand par crainte de sa propre famille qui pourrait s'opposer à une alliance aussi inégale. Le bonheur des amants ne dure pas longtemps. Un jour, quand ils apprennent que leur fils a épousé une jeune fille d'une condition très inférieure, ses parents arrivent à l'improviste et, alors que Punnu est endormi, drogué peut-être, ils l'enlèvent à dos de chameau, laissant la pauvre Sassi pleurer et se désoler. Plus tard, celle-ci se met en route pour chercher son amant, mais il lui arrive des malheurs et elle meurt, « la terre s'entrouvant pour l'accueillir ! » Elle est suivie dans la mort par son amant, et tous deux sont enfin unis dans la tombe.
On ne connaît pas beaucoup de peintures ayant pour sujet Sassi et Punnu, provenant soit des plaines du Penjab, soit du pays Pahari ; pourtant, celle-ci, qui a subsisté, nous représente le point fort de ce conte, la séparation des amants, avec une grande finesse. C'est avec une grande sûreté qu'est décrit l'état d'inconscience dans lequel Punnu est transporté à dos de chameau, la tête légèrement tournée, pendante, et l'on voit la peine de Sassi qui lève un bras en l'air dans un inutile geste de protestation, d'appel, de désespoir. Le trait et le métier, d'une grande sûreté, font penser que c'est l'œuvre d'un membre de la famille de Nainsukh.

Bibliographie :
O.C. Gangoly, « Sashi and Punnu », *Rupam*, n° 30 ; Karl J. Khandalavala, *Pahari Miniature Painting*, Bombay, 1958, supplément à une étude, n° 90.

129
Le suicide de Farhad

Gouache sur papier.
Rajasthan, premier quart du XIXe siècle ; d'un atelier de Jodhpur.
Birla Academy of Art, Calcutta ; n° A-160.

Les noms de Shirin, dame de haute naissance, et de Farhad, son amoureux, se détachent parmi les couples d'amants légendaires et tragiques, de la littérature persane. Le héros pathétique de cette histoire, Farhad, est prêt à faire n'importe quoi pour obtenir la main de sa bien-aimée. Il a entrepris la tâche impossible de tailler, à mains nues, et avec un simple pic, un canal traversant une montagne rocheuse ; il relève le défi et se met au travail. Mais cela ne lui sert à rien car, quand il apprend que sa bien-aimée s'est mariée, après qu'il ait, pendant des années, creusé à la pioche des pierres insensibles, il ne peut supporter le choc et se suicide en se servant du pic qu'il a utilisé pour son travail.

Malgré sa faveur dans la littérature et dans les contes populaires, l'histoire de Shirin et de Farhad ne figure pas souvent dans la peinture indienne. Cette feuille de Jodhpur nous prend donc un peu par surprise car, dans les œuvres provenant de cet Éat, on ne trouve pas associés beaucoup de sujets se rapportant à l'Islam. La peinture n'a pas la qualité de couleurs ni la composition novatrice qui distinguent certaines œuvres de Jodhpur qui, généralement, montrent une certaine faiblesse et de nombreuses répétitions quant aux sujets. On sent cependant une compréhension réelle de ce tragique épisode.

130
Majnun parmi les animaux sauvages

Dessin au pinceau et lavis sur papier.
École moghole, 1614 après J.C. ; par Massood.
24 x 15 cm.
National Museum, Delhi ; nº 58.20/29.

De tous les épisodes tirés de la tragédie de Laila, « belle comme le cœur de la nuit », et de Majnun, qui constitue le thème de tant de poèmes (le plus célèbre provenant du *Khamseh* de Nizami), les peintres ont souvent repris ce thème pour illustrer la souffrance des amants malheureux. Trahi par le destin, moqué de tous, rendu fou par ses amours malheureuses, Majnun renonce au monde et gagne un pays sauvage. Amaigri, négligé, il y vit dans la solitude, tout espoir étant en lui « éteint comme l'est un feu ». Dans cet état d'esprit, il ne craint rien, il n'espère rien. Dans ce décor impitoyable, des animaux sauvages viennent à lui, car aucune compagnie humaine ne convient plus à « l'insensé ».
Le peintre a choisi un paysage qui lui est habituel, dans son style, pourrait-on dire : des formations rocheuses, quelques arbres rares, un peu d'eau vive, en médaillon, dans un coin, une ville éloignée. Même avec ce format classique, le peintre sait utiliser les éléments pour souligner l'atmosphère. L'unique chèvre au bord des rochers, qui semble guetter quelqu'un, l'arbre isolé en haut, dans le coin de droite, les racines de l'arbre, qui semblent irritées, tout contribue à servir ce sujet. Puis il y a les bêtes sauvages qui regardent Majnun, un peu intriguées, avec aussi un peu d'amitié ; elles comprennent toutes, aucunes d'elles n'est vraiment hostile. Au centre de ce dessin d'une grande finesse on trouve naturellement la silhouette squelettique de Majnun, le visage ravagé, étude remarquable du désespoir et de la souffrance.
On trouve dans la collection Binney un dessin sur le même thème, très proche de cette œuvre par le sentiment et la forme. Ici, les études d'animaux sont très sûres, bien dans la tradition des grandes études animalières de cette période, provenant de la cour des Moghols. L'intérêt qu'elles présentent est cependant d'un autre ordre.

Bibliographie :
Publié dans O.P. Sharma, *Indian Miniature Painting*, Bruxelles, 1974, pl. 5 ; *Inde : cinq mille ans d'art*, Paris, 1978, nº 130.

131
Yogini avec une vina

Gouache sur papier.
Deccan, dernier quart du XVIe siècle ; d'un atelier de Bijapur.
15,3 × 9,8 cm.
Jagdish and Kamla Mittal Museum of Indian Art, Hyderabad ; n° 76.404.

Lorsque les chants populaires parlent de femmes dont l'amour n'est pas payé de retour et qui « deviennent jog » (se livrent au Yoga), ils semblent faire allusion à une situation comme celle que représente cette peinture. Cette femme peut fort bien « ne pas se discipliner dans la solitude par pur amour » mais, certainement, elle est habitée par la nostalgie alors qu'elle se promène sur les collines et dans les vallons, jouant des airs nostalgiques sur son magnifique instrument. On voit souvent des images de « Yogini » comme celle-ci, provenant du Deccan ; elles n'ont jamais été vraiment correctement expliquées, peut-être ont-elles une autre dimension qui nous échappe ? Pourtant, presque toujours, elles nous emplissent d'un certain malaise. Il est certain qu'elles illustrent des situations rares, car il n'est pas courant que des jeunes filles élégantes et belles se promènent seules, en chantant, sauf si, naturellement, elles personifient des modes musicaux selon les traditions établies des *Ragamalas*. Ces Yoginis ne sont pas non plus nécessairement des « femmes d'imagination », des jeteuses de sort, comme cela a parfois été suggéré. Elles ne sont peut-être que ce qu'elles paraissent : des femmes énamourées, inconsolées dans leurs amours, maintenant détachées, pourrait-on dire, de tout lien.

Cette Yogini est superbement figurée, en couleurs, elle porte un vêtement qui se rapproche fortement de ceux en usage à la cour d'Akbar au XVIe siècle ; elle vient du Deccan où le style de la cour d'Ibrahim Adil Shah (1580-1627) de Bijapur, qui était un grand mécène, alliait « une grandeur somptueuse à une magnificence désabusée », selon l'expression de W.G. Archer. Avec l'éclat de ses couleurs, qui rappellent des joyaux, cette œuvre est d'autant plus émouvante qu'elle est véritablement d'une très petite taille.

La belle marge décorative de la peinture comporte des vers en *nastaliq,* de la main du célèbre Abdullah, « à la plume embaumée », qui vivait à la cour de l'Empereur Jahangir.

Bibliographie :
Mark Zebrowski, *Deccani Painting,* Londres, 1983 ;
In the Image of Man, Londres, 1982, n° 162.

Raudra : le sentiment furieux Vîra : le sentiment héroïque

Le Sentiment de Fureur provient du *sthayibhava,* ou état d'Émotion Permanent du *krodha,* la colère. Dans son étude, Bharata en fait remonter l'origine aux « *Rakshasas,* aux *Danavas* et aux hommes hautains » et il déclare qu'il est « provoqué par les combats ». Les *vibhavas,* ou Déterminants, qui le suscitent comprennent « l'enlèvement, le viol, les insultes, les calomnies, les exorcismes, les menaces, la vengeance, la jalousie et ainsi de suite » ; ses actions sont « les coups, les ruptures, les écrasements, les combats, le fait de faire couler le sang et autres actes analogues ». Les *anubhavas,* ou Conséquents, par lesquels s'exprime le *krodha* comprennent « les yeux rouges, les froncements de sourcils, les bravades, le fait de se mordre les lèvres, les effets de joues, les mains pressées l'une contre l'autre, et ainsi de suite ». Les *vyabhicharibhavas,* ou États d'Émotions Complémentaires, associés à la naissance de ce Sentiment, nous dit Bharata, sont « la présence d'esprit, la détermination, l'énergie, l'indignation, l'obstination, la fureur, la transpiration, le tremblement, l'horripilation, l'étranglement de la voix, et ainsi de suite ».

La mention de personnages démoniaques comme les Rakshasas et les Danavas par Bharata pose un problème auquel il répond en disant que « dans le cas des autres, aussi, ce sentiment peut surgir » ; mais, en ce qui concerne les Rakshasas, « il faut bien comprendre que c'est leur fonction même ». « A l'état naturel, ils sont furieux, car ils ont beaucoup d'armes, de nombreuses bouches, ils ont les cheveux dressés et ébouriffés d'une couleur brune et ils ont un physique prodigieux, et un teint noir. Tout ce qu'ils cherchent à faire, parler, bouger ou tout autre effort, est furieux par nature même. »

Étudiant l'État d'Émotion Durable du *krodha,* la colère, Bharata la divise en cinq: catégories : « la colère provoquée par les ennemis, par des supérieurs, par des amants, par des serviteurs et par la colère feinte ». Chacune de ces classes peut s'exprimer différemment, dans le contexte d'une pièce de théâtre. Ainsi, alors que « l'on doit exprimer la colère contre la maîtrise exercée par l'ennemi en fronçant les sourcils, par un regard féroce, en se mordant les lèvres, en se serrant les mains l'une contre l'autre et par une attitude menaçante des bras, des épaules et de la poitrine », la colère contre la bien-aimée s'exprimera « par un très léger mouvement du corps, par des pleurs, par un froncement de sourcil et par des regards de côté, par des tremblements des lèvres ». D''autres détails sont donnés pour les autres types de colère.

Différent du Sentiment de Fureur, l'Héroïsme provient du *sthayibhava* d'*utsaha,* l'énergie, et se conçoit pour des personnes d'un « type supérieur ». Les *vibhavas,* ou Déterminants, dont il est question dans ce contexte, sont « l'absence de tristesse, la puissance, la patience, l'héroïsme et ainsi de suite ». Il s'exprime sur scène par les *anubhavas* ou « Conséquents », comme « la fermeté, la munificence, la hardiesse dans une entreprise, et ainsi de suite ». Les autres « Conséquents » mentionnés sont « la fermeté, la patience, l'héroïsme, la charité, la diplomatie, etc. ». Les *vyabhicharibavas,* ou États d'Émotions Complémentaires, qui vont avec le *bhava* de l'*utsaha* sont « le contentement, le jugement, la fierté, l'agitation, l'énergie, la détermination des objectifs, l'indignation, la mémoire, l'énervement, etc. » Les écrivains ultérieurs parlent de quatre variétés différentes du sentiment héroïque : la « libéralité héroïque », l'« héroïsme du devoir », l'« héroïsme de la guerre » et l'« héroïsme de la bienveillance ». L'auteur du *Sahitya Darpana,* Vishswanatha, donne des exemples complexes des différentes sortes d'héroïsme dans la littérature. Ainsi, pour l'héroïsme de bienveillance », il cite le discours de Jimutavahana à un vautour affamé qui s'est arrêté de le dévorer : « Le sang circule toujours dans mes veines et il demeure de la chair sur mon corps... je ne crois pas que tu sois encore repu... pourquoi, alors, ô oiseau, t'es-tu arrêté de dévorer ? » L'« héroïsme de la guerre » est illustré par ce qu'Angada dit à Ravana, dans le *Ramayana* ; demandant au roi de Lanka de revenir à la raison et de restituer Sita, Angada donne un net avertissement pour le compte de Rama : « si tu ne le fais pas, cette flèche que j'ai, qui est déjà tachée du sang tiré au cou de tes amis Khara, Dushana et Trisiras, une fois qu'elle aura quitté la corde de mon arc, ne pourra plus pardonner. »

La distinction entre la Fureur et l'Héroïsme est subtile, elle n'est pas toujours aisée à saisir. Le très célèbre Vishwanatha, en fait, voit beaucoup de ce qui est commun à ces deux sentiments, l'excitant principal étant, dans les deux cas, « un adversaire » et les gestes qui les expriment étant très proches les uns des autres. Mais la question reste ouverte. Bharata a lui-même fait une distinction importante en indiquant que le Sentiment Héroïque découle essentiellement d'un *utsaha* qui appartient à des personnes « d'un type supérieur », alors que la colère appartient à beaucoup et, en particulier, aux Rakshasas, aux Danavas, etc. En sculpture et en peinture, comme dans la littérature, naturellement, on associe également la colère aux sages et aux êtres divins. On pense donc à la fureur d'une incarnation de Vishnou comme Narasimha ou à une émanation de Shiva, comme Sharabha. Quand Rama envoie des hordes de démons ou quand Krishna vainc furieusement les démons envoyés par Kamsa, les uns après les autres, l'état qui domine est la colère. Il y a des représentations superbes, dans la sculpture et dans la peinture, et on ne peut, en les voyant, garder le moindre doute sur l'intention de l'artiste ou sur son interprétation d'une situation. *Vira,* né de l'*utsaha* ou énergie, ne prend pas obligatoirement un ennemi ou un adversaire comme point de départ. Alors que les gestes peuvent, en tant qu'*anubhavas,* être parfois les mêmes dans le *vira* que dans les représentations du *krodha,* ou colère, l'énergie n'est pas obligatoirement dirigée contre un adversaire donné, mais on la voit informer la personne d'un héros. On voit ainsi des portraits de gouverneurs, de héros à la chasse ou tirant à l'arc. et l'on ne peut se méprendre sur l'intention de l'artiste. Manifestement, ce qu'il dépeint, c'est « la fermeté, la patience, la détermination, l'héroïsme » du personnage en question. Parmi les représentations les plus émouvantes de l'énergie, il y a ces portraits autoritaires, monumentaux, tant en sculpture qu'en peinture, qui soulignent, par la stylisation et par l'atténuation de la forme, la puissance, la dignité, l'air d'autorité qui sont le propre d'un grand personnage. Dans ces œuvres, la situation ne se prête pas d'elle-même au théâtre : il n'y a aucun adversaire ; on n'indique aucun objectif particulier. Et cependant, on voit se communiquer, avec éloquence, une énergie remarquable qui conduit à saisir le Sentiment Héroïque.

132
La déesse terrassant le démon Mahishasura

Pierre.
XIe siècle après J.-C. ; Karnataka.
Indian Museum, Calcutta ; no 25241/6314.

Parmi tous les récits de la grande lutte entre les innombrables hordes de démons et la grande Déesse, qui représente l'énergie concentrée – *Shakti* – des dieux, la mise à mort du puissant démon-buffle, Mahishasura, est l'un des thèmes favoris du sculpteur indien. C'est comme si ce grand fait, cet acte énergique auquel elle s'est livrée résumait ses pouvoirs de Shakti. Mahishasura n'est aucunement le démon tué lors du dernier combat qui vient couronner les actes courageux de la Déesse sur le champ de bataille ; il est tué bien plus tôt, du moins selon le récit de ce grand texte inspiré qu'est le *Devi Mahatmya* du *Markandeya Purana*. Mais il semble incarner le pouvoir immense et non maîtrisé, qui subsiste au-delà des limites de la loi cosmique.
Selon les différentes époques, la mise à mort de Mahishasura a pris des formes différentes, et aussi selon les diverses régions de l'Inde. Nous voyons, sur les terres cuites anciennes, la Déesse le frapper à mort en appuyant sa main nue sur la colonne vertébrale du buffle ; sur d'autres représentations, la Déesse l'écrase du pied, tout en l'empalant sur son trident, alors même qu'elle soulève son arrière-train en le prenant par la queue. Dans d'autres représentations, encore, nous voyons le démon émergeant, sous sa forme humaine, du cou du buffle, une fois sa tête de buffle coupée et gisant à terre. Il existe aussi des représentations où la mise à mort est éludée et où l'on voit simplement la Déesse triomphante, debout sur la tête du démon ou un pied posé sur son cadavre écroulé.
Ici, sur cette image superbe, la représentation est quelque peu différente, car Mahisha, avec un corps d'homme et une tête de buffle, est tué par la Déesse qui lui transperce la poitrine de son trident, tout en tordant vers l'arrière sa puissante encolure. Cela ajoute beaucoup à l'effet dramatique, car la tête de Mahisha a maintenant perdu toute morgue et, sur le point d'être arrachée du corps, elle est tournée vers nous, inclinée mais parfaitement visible. Son épée pend inerte de sa main droite, ce n'est plus maintenant qu'un accessoire inutile et, pendant que le démon meurt, le lion de la Déesse fait entendre un fort rugissement.
Le centre d'intérêt de l'image quitte le démon mourant au profit de la forme, puissante mais toujours essentiellement féminine, de la Déesse dont le corps oscille avec un grand mouvement rythmé, surplombant le malheureux Mahisha. Elle agite autour d'elle ses dix bras, qui tiennent les armes données par les dieux dont elle est l'énergie. Ainsi, outre son propre trident, ou celui de Shiva, elle tient le disque et la conque de Vishnou, l'épée et le bouclier qui, d'après les textes sacrés, lui appartiennent ; d'une main passée dans son dos, elle tire une flèche de son carquois. Il est significatif que son visage ne trahisse pas une grande émotion ; il reste serein et on discerne

même un sourire sur ses lèvres. C'est comme si mettre à mort un démon aussi puissant que Mahisha était, pour elle, une tâche toute quotidienne.
L'accent est porté sur ses formes féminines, les seins parfaitement formés et fermes, la taille fine, et les cuisses charnues ; mais aussi sur la décoration, depuis sa couronne, *mukuta*, haute et fort ciselée, qui se détache sur un nimbe, derrière la tête, jusqu'aux joyaux élégants et nombreux qu'elle porte sur le buste, autour de la taille, sur les bras et les jambes. Ce qui est intéressant, c'est sa manière de « porter » des attributs comme le disque et la conque : le sculpteur a respecté la convention dans l'Inde du sud, que l'on remarque sur les statues de bronze ou de pierre, de représenter ces attributs légèrement maintenus au bout de deux doigts tendus, plutôt que saisis à pleine main.

Bibliographie :
Publié dans Indu Rakshit, « The Concept of Durga Mahishamardini and Its Iconographic Representation », *Roopalekha,* vol. XLI, n° 1-2, p. 62.

133
Narasimha : L'avatar de l'homme-lion

Grès.
Xe siècle après J.-C. ; Uttar Pradesh.
State Museum, Lucknow ; n° H-125.

Dans sa lutte sans relâche contre les puissances de la nuit, Vishnou, le grand protecteur, descend sur terre, d'âge en âge, pour restaurer l'équilibre et maintenir le *dharma,* la loi du bien, l'ordre cosmique. Quand tous les pouvoirs parviennent entre les mains d'Hiranyakashipu, le grand roi des démons, dont le mépris de toute moralité trouve sa source dans la confiance en sa propre immortalité et dont l'oppression se fait sentir même sur son propre fils, Prahlada, dévot de Vishnou, le Seigneur décide de s'incarner. Sachant que Hiranyakashipu a reçu des dieux eux-mêmes la faveur de ne pouvoir être tué ni par un homme ni par un animal, ni de nuit ni de jour, ni sur terre ni dans les cieux, il décide de prendre la forme composite, peu habituelle, d'un homme-lion, Narasimha et fait irruption à l'heure du crépuscule, surgissant de toute sa violence d'un des piliers du palais du démon. Quand le roi des démons voit cette vision terrifiante, toute énergie l'abandonne, son épée pend inerte entre ses mains et ses genoux fléchissent sous la peur. Le ramassant, Narasimha le prend alors sur ses genoux (ni sur terre ni dans l'air) et le déchire de ses griffes nues. Les dévots peuvent de nouveau respirer ; le *dharma* triomphe.
Les récits du quatrième des dix avatars de Vishnou sont inspirés, alors qu'ils entrent dans les détails de cette *raudra rupa,* l'aspect effrayant de ce dieu généralement serein. Les yeux flamboyants, la crinière d'or hérissée de colère et « chassant même les nuages du ciel », la voix forte grondant comme le tonnerre, les griffes acérées comme des poignards, Narasimha est l'incarnation même de la fureur. Dans cette œuvre, nous le voyons accomplir l'exploit promis, mettant fin au démon alors que fidèles et dévots s'inclinent par obéissance et que Hiranyakashipu tombe sous le pied levé de Narasimha pour être ensuite étripé par le dieu. Il y a, tout autour, des personnages secondaires, des lions rampants décoratifs, mais l'intérêt porte manifestement sur la représentation de l'incarnation, aux yeux (et ce n'est pas habituel) non pas allongés, mais grands ouverts et furieux, « comme des conques spiralées », les deux bras supérieurs écartant les cheveux sur les côtés, dans un geste qui rappelle Durga, la déesse belliqueuse, qui s'apprête à combattre les démons. Ce relief n'atteint pas la grandeur ni l'énergie de certaines représentations monumentales de Narasimha, mais il communique bien la flamme et l'énergie propres aux récits.

134
Hanuman combattant l'ennemi

Terre cuite.
Ve siècle après J.-C. ; Shravasti, Uttar Pradesh.
31 x 40 cm.
State Museum, Lucknow ; n° 287.

L'énergie d'Hanuman, le chef des singes, qui joue un rôle crucial dans les dernières parties du *Ramayana,* est légendaire. Ses prodiges de courage, la traversée des océans, la mise à feu de Lanka, la quête fructueuse de l'herbe salvatrice pour ressusciter Lakshmana, sont les sujets d'hymnes qui le glorifient. Ce n'est cependant pas pour cela seulement que l'on célèbre Hanuman ; c'est aussi le plus célèbre des dévots et des adorateurs de Rama, entièrement consacré à lui et tombant en extase à la seule mention du Seigneur. C'est à lui, à ses pouvoirs, à sa dévotion qu'est consacré l'hymne célèbre de quarante strophes, l'*Hanumana Chalisa,* du saint poète Tulasidasa, que récitent encore tous les jours des millions de fidèles.
Ici, nous voyons Hanuman sous son aspect féroce, courageux, quand il bondit dans l'air pour combattre son adversaire.
Dans l'espace limité d'un carreau du genre qui a été si bien utilisé par les sculpteurs gupta, nous avons là l'essence même de l'énergie d'Hanuman. Nous le reconnaissons, aisément avec son visage de singe, avec ses cheveux et sa culotte courte ; seul son adversaire reste anonyme. Du point de vue du sculpteur, celui qu'Hanuman est sur le point de vaincre n'a aucune importance, il suffit d'établir qu'il vainc un démon, l'incarnation du mal.
Ici, l'adversaire d'Hanuman est représenté avec une face humaine ; il a une épée et la seule indication de sa nature diabolique est donnée par ses sourcils très froncés. C'est souvent par ces moyens simples, que les artistes gupta travaillaient les terres cuites. Et cela ne les empêchait pas de donner à leurs œuvres une grande puissance d'expression, en soulignant des détails sans importance comme un voile qui s'envole, la courbure d'un corps ou l'arc d'un sourcil.
Des carreaux de ce genre, en terre cuite, de production villageoise, ont été découverts en très grand nombre au cours des fouilles faites à Sahet Mahet, l'ancienne Shravasti. Comme l'a fait remarquer Vogel, beaucoup d'entre eux étaient marqués de chiffres, indiquant la position qu'ils occupaient dans une frise.

Bibliographie :
J. Ph. Vogel, « Excavations at Sahet Mahet », *Archaeological Survey of India, Annual Report,* 1906-08, pl. XXVII.

135
Shiva, destructeur de démons

Grès.
Xe siècle après J.-C. ; Gyaraspur, Madhya Pradesh.
Haut. 210 cm.
State Archeological Museum, Gwalior ; n° 178.

Parmi les multitudes des forces du mal, que Shiva détruit, se trouve Gajasura, l'éléphant, qui n'est autre que le démon Nila, « le Sombre », prenant cette forme afin de tuer Shiva ; mais, comme tant d'autres qui s'y sont, avant lui, essayé avec la même énergie, non seulement il échoue, mais encore il est lui-même tué par Shiva. Dans sa lutte contre Gajasura, Shiva est tellement courroucé, sa rage est telle, qu'après avoir tué le démon, il l'écorche sans attendre et, tenant sa peau entre les mains, au-dessus de sa tête, se met à danser avec frénésie. Cette danse de Shiva, une danse de rage et de destruction, est représentée sur des images majestueuses, dans l'Inde ancienne, et même quand, plus tard, ces images de la mise à mort de Gajasura deviennent un peu démodées, la dépouille de l'éléphant demeure avec le Seigneur, car elle lui tient lieu de pagne ou de natte où s'asseoir parfois avec sa famille.
Dans certains cas, la représentation de Shiva tuant Gajasura se combine à son apparence, quand il tue Andhaka ou quand il prend sa terrible forme de Bhairava. Sous ces trois aspects, tout l'être de Shiva est imbu de fureur et met en jeu ses pouvoirs de destruction infinis. Dans les représentations où il tue Andhakasura, on voit le démon empalé au bout d'une lance que Shiva tient des deux mains et, d'après le mythe, l'effroyable déesse Yogeshwari, est représentée aux pieds de Shiva, lapant le sang qui s'écoule du cadavre d'Andhaka.
Cette œuvre vibrante, d'une merveilleuse énergie, fait penser à la réunion de ces trois aspects de Shiva. Quand il lève la jambe gauche, dans la posture de l'*alidha*, et qu'il pose le pied sur la tête d'un démon vaincu, on voit derrière sa tête massive la tête et la trompe d'un éléphant, manifestement celles

Cette représentation médiévale massive est d'une grande puissance. La tête est représentée légèrement disproportionnée par rapport au reste du corps, convention souvent utilisée à cette période, qui avait peut-être à voir avec la mise en place des images. Comme nous voyons maintenant cette sculpture, plus ou moins au niveau de l'œil, cette disproportion semble plus importante qu'elle ne le serait si cette sculpture avait été placée, comme à l'origine, à une certaine hauteur. Des considérations de ce genre ont certainement eu une grande part dans la conception des œuvres par le sculpteur, de même que sur tous les éléments entrant dans le contexte d'un temple.

Bibliographie :
Publié dans M.B. Garde, *A Guide to the Archaeological Museum at Gwalior,* Gwalior, 1928, vol. XV(a) ; S.R. Thakore, *Catalogue of the Archaeological Museum at Gwalior.*

de Gajasura, écorché vif. La main droite posée sur la longue épée fait penser à la manière de tenir la lance sur laquelle mourra Andhakasura, même si les détériorations de la stèle font qu'il est difficile de savoir ce qui s'y trouvait à l'origine. Pourtant, la femme émaciée à l'air hagard, dans le bas à droite, est manifestement là pour lécher le sang d'Andhaka en train de mourir. Dans le même temps, l'effrayant rugissement que Shiva lance à pleine gorge, les longues guirlandes d'ossements qu'il porte et son aspect effrayant évoquent sa forme de Bhairava. Le démon qui meurt sous le pied gauche de Shiva, avec l'épée habituelle tenue à la main, est peut-être Nila, qui a pris en vain la forme d'un éléphant.

136
La déesse Durga terrasse le démon Mahishasura

Grès.
Ve siècle après J.-C. ; Bhumara, dist. de Satna, Madhya Pradesh.
55 × 74 cm.
Allahabad Museum, Allahabad ; nº 152 (BS).

Nous voyons ici, une nouvelle fois, un acte d'héroïsme de Durga, la déesse guerrière, triomphant de Mahishasura, le démon qu'elle vient juste de vaincre et de tuer dans la bataille. Sauvant les dieux sur le point d'être écrasés par des légions de démons, elle défie l'ennemi, livre combat après combat, comme nous le conte le *Devi Mahatmya,* appelé ausi la *Durga Saptashati,* qui est par excellence, le texte sacré aujourd'hui encore, pour les adorateurs de la déesse. Mahishasura est fourbe, courageux et puissant, au-delà de tout ce que l'on peut imaginer, mais, malgré tout, il n'est pas de taille devant la déesse. Quand elle le vainc finalement, après un terrible combat, dans les cieux, les dieux entonnent des chants à sa gloire. C'est probablement ce moment même que célèbre le sculpteur de ce relief délicat, plein d'énergie. La déesse aux quatre bras, pose avec mépris le pied sur la tête du démon vaincu, elle l'a pris par la queue et soulève son arrière-train, pour le transpercer de son trident. Alors qu'elle ne semble guère émue par ce qui vient de se passer, – comme si c'était la chose la plus simple que de tuer un démon aussi puissant que Mahishasura, – pour les dieux, cet acte sauveur est un grand soulagement et c'est en termes passionnés qu'est fait son éloge. Ici, la gloire de la déesse est rapidement établie par une silhouette masculine, trapue qui ressemble tellement à un *gana* de Shiva, que l'on a pensé qu'il n'était peut-être là que parce qu'elle n'est autre que la compagne du grand Dieu. La chevelure bouclée de l'assistant, comme celle de la déesse elle-même, est très élaborée, dans le style de l'époque.

La scène se trouve dans un médaillon circulaire faisant partie d'une *chandrashala,* motif ornemental en forme d'arc qui perpétue à l'époque gupta l'ancienne baie en *chaitya.* Cette *chandrashala,* avec son relief harmonieux, provient du temple de Bhumara, qui a livré de si belles sculptures.

Bibliographie :
R.D. Banerji, *The Temple of Shiva at Bhumara: Memoir of the Archaeological Survey of India,* N° 16, Calcutta, 1924 ; Pramod Chandra, *Stone Sculptures in the Allahabad Museum,* Varanasi, 1970, n° 130.

137
Le Vyala : un animal imaginaire

Khondalite.
XIIIe siècle après J.-C. ; Konarak, Orissa.
163 × 82 × 59 cm.
Archaeological Museum, Konarak ; n° 854.

Dans la remarquable ménagerie d'animaux composites imaginés par le sculpteur indien, le Vyala ou Shardula est celui qui fait le plus d'impression dans les temples médiévaux. Placés dans les parties en retrait des murs, les Vyalas mettent en relief la beauté tentatrice des *Surasundaris,* « les belles femmes des dieux », qui ornent d'innombrables temples, debout sur des arcs-boutants ou des saillies, attirant l'attention sur elles-mêmes. Ce qu'il convient de remarquer, cependant, c'est la façon dont coexistent ces deux représentations, ces beautés et ces bêtes féroces, qui créent ensemble une étrange harmonie. S'intégrant dans le plan général d'un temple, les Vyalas sont représentés prêts à bondir, sous la forme de lions rampants, plus proches cependant du tigre que du lion et ils accentuent la puissance de la construction et son impression de verticalité. Qu'on les considère comme de « puissantes présences de la nature, concentrées et symboliques », comme les « emblèmes vivants de puissances omniprésentes, auto-régénérantes du monde créateur » ou simplement comme des « créatures bonnes et sanctifiantes » ; ils sont omniprésents, tour à tour pleins d'énergie et de fureur. L'adjectif *« vyala »* signifie « pervers » ou « vicieux » ; en ce sens, nous pouvons aussi y voir les formes qui écartent définitivement le mauvais œil des bâtiments auspicieux. Leur intérêt dépasse cependant leur signification symbolique ou fonctionnelle. Ils constituent des formes exécutées avec finesse, se suffisant à elles-mêmes.

Ce Vyala, qui se retourne en montrant les dents de fureur, comme s'il avait reçu un coup sur le poitrail, a été, de la part du sculpteur, l'objet d'autant de soins que les jeunes filles célestes du Temple du Soleil à Konarak. Le souci décoratif dans le traitement de la crinière, des boucles, des enjolivures et des masses « nuageuses » du poil, la délicatesse des narines dilatées ou des yeux exorbités de fureur, qui semblent prêts à jaillir de la tête comme des globes de feu, ces rangées de crocs inégaux, aigüs, tout a été travaillé avec énormément de soin et de précision. Qu'il ne s'agisse pas d'un animal ordinaire, cela se voit autant par les différentes parties du corps que par les beaux joyaux qui l'ornent. On croit entendre tinter ces cloches qui pendent, au bout de chaînes d'argent, autour de son cou et de son arrière-train, quand le Vyala tourne brusquement sa tête massive.

Bibliographie :
In the Image of Man, Londres, 1982, n° 33 ; Pramod Chandra, *The Sculpture of India,* Washington, 1985, n° 73.

138

La déesse sur le champ de bataille ; d'une série du *Durga Charitra*

Gouache sur papier.
48 × 128 cm.
Mehrangarh Fort Museum, Jodhpur ; nº 50 de la série.

Il semble se produire de nombreux événements, tous en même temps, dans cette feuille ambitieuse provenant d'une importante série du *Devi Mahatmya,* connue aussi sous le nom de *Durga Charitra* ou « Exploits de la grande Déesse Durga ». Lors du conflit titanesque qui fait rage entre les dieux et les démons, la déesse déchaîne ses énergies contre ses adversaires. Les *Shaktis,* ou « énergies féminines » des dieux eux-mêmes, viennent à son aide, chacune montée sur un *vahana* qui appartient à son compagnon ; ainsi, Vaishnavi, Maheshwari, Brahmi, Kaumari, Indrani, Yami et Narasimhi. Elle a aussi donné naissance à la noire Kali, dévoratrice du Temps, annihilatrice de tout ce qu'elle rencontre. Montant son lion magnifique, la Déesse rencontre elle-même les démons, les uns après les autres, écoute leurs demandes extraordinaires, sourit de leurs propositions amoureuses. Tout cela se trouve sur cette feuille et apparaît très clairement à qui la regarde. C'est quand on insiste sur les détails que l'on perçoit l'intention du peintre, car il attire notre attention sur les multiples aspects de la Déesse : sa beauté, même quand elle est assise sur son puissant *vahana*, armée jusqu'aux dents, chacun de ses huit bras tenant une arme destructrice ; sa farouche énergie alors qu'elle s'avance à la tête des *Shaktis* à la rencontre d'un démon menaçant ; ses noirs pouvoirs, quand elle déchiquette les têtes et les cadavres jonchant le champ de bataille, les broyant dans ses puissantes mâchoires. Sa gloire immense et resplendissante comble les dieux eux-mêmes dans les cieux, quand ils descendent dans leurs véhicules aériens, portant des guirlandes de fleurs afin de lui rendre hommage.

La palette de toute cette série a l'éclat habituel de l'école de Jodhpur. La série est constituée de 56 feuilles dont la plupart sont aujourd'hui réparties entre le Mehrangarh Fort Museum et la collection personnelle du Maharaja de Jodhpur conservée à l'Umaid Bhawan Palace. Cette série du *Durga Charitra* n'est pas datée, mais une publication du musée, portant la date de 1924 lui attribue « une centaine d'année environ d'ancienneté », ce qui donne une bonne estimation de date.

Bibliographie :
Vishweshwar Nath Reu, *Introduction to the Durga Charitra Series in the Sardar Museum,* Jodhpur, 1924.

139

Vishnou tue Madhu et Kaitabha ; de la même série du *Durga Charitra* que le nº 138

Gouache sur papier.
Rajasthan, premier quart du XIXᵉ siècle ; d'un atelier de Jodhpur.
48 × 128 cm.
Collection du Maharaja Gaj Singhji, Umaid Bhawan Palace, Jodhpur.

Il est surprenant que l'auteur du *Devi Mahatmya* – extrait du *Markandeya Purana*, ce texte si éloquent à la gloire de la Grande Déesse – présente au premier chapitre un exploit de Vishnou. Alors qu'il dort de son sommeil Brahma, assis sur le lotus cosmique, émerge du nombril profond de Vishnou. Il est tout à
du nombril profond de Vishnou. Il est tout à
coup menacé par deux démons, Madhu et Kaitabha, « nés de l'impureté des oreilles de

Vishnou ». Incapable, d'affronter les démons et, trouvant Vishnou plongé dans un profond sommeil, car il est sous l'emprise de la Déesse Yoganidra, Brahma la prie de quitter le corps de Vishnou pour que celui-ci puisse s'éveiller et répondre à ce défi inattendu. Apaisée par les hommages et les supplications de Brahma, Yoganidra accepte et Vishnou s'éveille pour trouver les démons prenant des postures menaçantes à l'égard de Brahma. Pris de fureur, Vishnou les combat, mais les démons ont de remarquables pouvoirs et livrent à Vishnou « une bataille qui dura cinq mille ans ». Tout à coup, leur jugement est obscurci par la grâce de la Déesse et, se tournant vers Vishnou, lui disent leur satisfaction devant son courage et lui demandent s'il aimerait faire un vœu. Saisissant l'occasion, Vishnou exprime le vœu de les faire mourir de ses propres mains ; les deux démons se livrent alors et Vishnou les saisit par le cou et par les bras, les couche sur ses genoux et les tue de son grand disque.

Dans ce chapitre où il décrit la mise à mort de Madhu et de Kaitabha, l'auteur du *Purana* nous prépare à la suite de ce texte Shakta qui fait autorité. Cependant, pour l'instant, l'intérêt est centré sur Vishnou que nous voyons ici, le corps bleu, avec quatre bras, se courbant énergiquement en avant pour saisir les deux démons, alors que Brahma, placide et paisible, le regarde.

Le peintre a magnifiquement rendu l'étendue des eaux ; il a utilisé le motif familier, stylisé, des entrecroisements jumelés, avec une grande discrétion. La palette est vive et brillante, la scène se détache sur l'arrière-plan sombre et or du plan d'eau, tout semble avoir vu avec un relief merveilleux. Sur cette feuille, l'emploi de l'or est judicieux et efficace, sans les excès si souvent présents dans les œuvres de cette période à Jodhpur.

Bibliographie :
Voir le nº 138.

140
Rama détruit les armées des démons ; d'une série du *Ramayana*

Gouache sur papier.
École Pahari, premier quart du XVIIIe siècle ; de l'atelier de Seu-Nainsukh.
Description en sanskrit, au verso.
22 × 31 cm.
Chandigarh Museum, Chandigarh ; nº E-103.

Le *Ramayana,* la grande épopée sanskrite de l'Inde antique, a laissé un souvenir profond dans l'âme indienne, car c'est l'histoire de Rama, septième incarnation de Vishnou, qui est tenu pour le roi idéal, pour qui la *maryada*, – la contrainte, l'équilibre et la bonne conduite, – importait plus que tout. Défenseur du *dharma,* l'ordre moral, il prône les valeurs les plus élevées, même si les préférer à tout signifie la perte d'un royaume et de tout ce qui va avec. Les épreuves de Rama, contraint à un exil de quatorze années pour respecter une promesse faite inconsidérément par son père, occupent la plus grande partie du *Ramayana* : une vie d'extrême privation, la séparation d'avec sa femme toujours fidèle, Sita, les nombreux combats avec les *asuras,* les démons et enfin la grande bataille avec Ravana, le puissant seigneur de Lanka qui a emmené la femme de Rama dans son lointain royaume. Pourtant, dans toutes ces tribulations, toujours noble et ferme dans son pro-

pos, Rama ne s'écarte jamais de la voie qu'il s'est fixée.
Sans rival sur le champ de bataille, Rama n'oublie jamais son devoir de détruire le mal, car c'est la vraie raison de son incarnation, de sa « descente », sous forme humaine, sur la terre. Quand il est attaqué par un groupe de démons, alliés de Ravana, comme ici, il combat sans relâche. On le voit s'attaquer seul aux démons et les abattre des flèches décochées par son arc incomparable. Sur cette page éclatante, peuplée de *rakshasas*, ou démons, morts ou mourants, on devine la fureur de Rama sur le champ de bataille. Quand ses flèches s'abattent et transpercent les hordes qui l'assaillent, des « fleuves de sang » s'écoulent, les démons frappent le sol, dans un grand désordre de cornes, de mufles, de crocs et de membres poilus. La masse des démons, en pleine agitation, à gauche, la palette superbe et riche, de la page et l'étude précise de l'agonie et de la mort sont caractéristiques de cette page et de nombreuses autres de la même série.
Du point de vue du style, cette série du *Ramayana* se rapproche du célèbre *Gita Govinda* de 1730, qui comporte un colophon avec le nom de l'artiste Manaku et que l'on attribue généralement à l'école de Basohli. Manaku était pourtant le frère aîné de Nainsukh de Guler et cette série est un exemple du style de la famille Seu-Manaku-Nainsukh des premières années du XVIIIe siècle, avant que ne se ressente l'influence des œuvres mogholes. Peu de feuilles de cette série ont subsisté ; en dehors d'un groupe se trouvant dans le musée de Chandigarh, il en existe d'autres au Central Museum de Lahore. Un ensemble assez beau a dernièrement été découvert et acheté par le musée Rietberg de Zurich ; W.G. Archer attribue cette série à l'école de Nurpur.

Bibliographie :
B.N. Goswamy, « Pahary Painting: the Family as the Basis of Style », *Marq*, vol. XXI, nº 4 ; W.G. Archer, *Indian Paintings from the Punjab Hills*, Londres 1973, au chapitre « Nurpur » ; B.N. Goswamy, « Leaves from an early Pahari *Ramayana* series », *Artibus Asiae*, 1981 ; F.S. Aijazzuddin, *Pahari Paintings and Sikh Portraits in the Lahore Museum*, Londres, 1977, au chapitre « Nurpur », nº 2(i) à (xv).

141
Varaha, le sanglier, incarnation de Vishnou, combat le démon, Hiranyaksha, d'une série du *Bhagavata Purana*

Gouache sur papier.
École Pahari, deuxième quart du XVIIIe siècle ; de l'atelier familial de Seu-Nainsukh.
Description en sanskrit, au verso.
27,8 × 31,5 cm.
Chandigarh Museum, Chandigarh ; nº E-125.

Lorsqu'on dit du *Bhagavata Purana* qu'il est un texte fécond pour la peinture rajpoute Rajasthani ou Pahari, c'est généralement en pensant à l'histoire de Krishna, qui est certainement le thème central du *Purana*, mais n'est narrée que dans les livres dix et onze de cette œuvre importante. On ne pense pas aux livres antérieurs du *Purana* dans le contexte de la peinture, car ils sont tellement encombrés de mythes magnifiques qu'ils ont été rarement illustrés ou dépeints. Du pays Pahari, nous est cependant parvenue une très remarquable série de peintures (appelées le « petit » *Bhagavata Purana* de Guler-Basohli par Archer [*infra*] et par Aijazuddin), qui sont remarquables non seulement par leur grande qualité, mais aussi par leur grand nombre. Un groupe important de feuilles traitant des livres trois et quatre sont venues au jour et il semblerait qu'il s'agisse d'un projet inachevé car des feuilles, de la même facture, mais inspirées des livres plus tardifs n'ont subsisté que sous la forme de dessins fort achevés.
S'agissant d'un texte vishnouite *par excellence*, les histoires de Vishnou et de ses nombreuses incarnations sont narrées avec passion et éloquence dans le *Purana*. Au livre Trois, on trouve un récit détaillé de la troisième incarnation de Vishnou, sous la forme d'un grand Sanglier, cette « descente » de Vishnou ayant été provoquée directement par l'emprise à laquelle était parvenu Hiranyaksha, le démon aux yeux d'or, qui avait conquis la terre et l'avait emportée avec lui au sein des eaux. Voué au sauvetage de la Terre, chaque fois qu'elle serait mise en danger, et au maintien du *dharma*, l'ordre moral cosmique, Vishnou décida d'entrer dans la mêlée et de se saisir d'Hiranyaksha. Il prit d'abord une forme animale, celle d'un sanglier, et entra dans les eaux, recherchant, en humant avec son grand boutoir, son chemin jusqu'à l'endroit où la terre a été dissimulée. Ensuite, quoique poursuivi par Hiranyaksha, soulevant la terre sur ses défenses, Vishnou commence par la mettre en sûreté. Après cela, comme le dit le texte, il prit une forme composite faite d'un corps humain et d'une tête de sanglier, puis il lança un défi à Hiranyaksha. Cet épisode, raconté avec beaucoup de verve dans plusieurs chapitres du livre Trois du *Purana*, semble avoir enflammé l'imagination du peintre Pahari, car nous connaissons près de quinze peintures, subsistant aujourd'hui, représentant les diverses péripéties de cette bataille. Le décor de ces peintures de la bataille entre Varaha et Hiranyaksha ne change pas : les eaux tournoyantes emplissent toujours toute la surface de chacune de ces peintures ; seules changent les attitudes des protagonistes, leurs tactiques. Ici, par exemple, mis dans une grande colère par l'arrogance du démon, Vishnou, sous la forme de Varaha, avance et frappe de la jambe gauche la hanche du démon, qui a laissé tomber de ses mains sa massue. On voit encore dans le regard du démon un défi, alors même qu'il fait entendre un rugissement ; Vishnou est magnifiquement rendu, avec son corps bleu-gris, vêtu de sa *dhoti* jaune et portant ses attributs familiers, la conque, le lotus, la massue et le disque ; il reste calme. Cette lutte de titans dure un temps anormal et le peintre semble se réjouir d'en décrire tous les instants.
Dans l'histoire de la peinture Pahari, cette série représente une phase importante dans l'élaboration à Guler du style de la famille de Pandit Seu et de ses deux fils, Manaku et Nainsukh. Elle vient *après* le fameux *Gita Govinda*, qui est daté, de la main de Manaku, de 1730, mais *avant* le grand *Bhagavata Purana* qui raconte l'histoire de Krishna. On peut la dater en gros, de 1740. W.G. Archer et Aijazuddin attribuent cependant cette série à Basohli et la datent de 1765 environ. Plusieurs feuilles de cette série font partie de la présente exposition car, même si la qualité en est inégale et s'il y a quelques pages un peu mièvres, comme celle-ci, on y retrouve une certaine grandeur.

Bibliographie :
Milo C. Beach, « A *Bhagavata Purana* from the Punjab Hills », *Bulletin of the Museum of Fine Arts, Boston*, vol. LXIII, nº 333 ; B.N. Goswamy, « Pahari Painting: the Family as the Basis of Style », *Marq*, vol. XXI, nº 4 ; W.G. Archer, *Indian Paintings from the Punjab Hills*, Londres 1973, au chapitre « Basohli » ; F.S. Aijazuddin, *Pahari Paintings and Sikh Portraits in the Lahore Museum*, Londres, 1977, au chapitre « Basohli ».

142

Krishna tue Keshi, le démon cheval ; de la même série du *Bhagavata Purana* que le nº 83

Gouache sur papier.
École Pahari, premier quart du XVIIIe siècle ; d'un atelier de Mankot.
Label descriptif en takri sur la bordure supérieure.
20,5 × 31 cm.
Chandigarh Museum, Chandigarh ; nº 1270.

Quand Krishna commença à grandir dans son village natal, choyé par ses parents adoptifs et par tous les habitants de Gokula, les nouvelles parviennent jusqu'à son oncle Kamsa, le mauvais roi de Mathura. Se sentant menacé tant que Krishna vivrait, car une prophétie avait déjà annoncé qu'il trouverait la mort des mains mêmes de Krishna, Kamsa ourdit un plan infâme pour le faire tuer. Ce plan prévoyait l'envoi de puissants démons, les uns après les autres, contre Krishna ; mais rien ne lui profite, car Krishna est l'enfant divin, l'incarnation même de Vishnou, qui voit tout et comprend tout. Les pages du *Bhagavata Purana* racontent avec beaucoup de saveur les divers épisodes où Krishna et son frère aîné, Balarama, tuent une horde de ces démons. Ainsi, Kamsa envoya un jour le démon Keshi, sous la forme d'un cheval d'une extraordinaire puissance, attaquer Krishna. Ce démon-cheval, de la taille d'une montagne, – dit-on, – chargea, ses sabots écrasant la terre et « sa crinière hérissée repoussant les nuées elles-mêmes dans le ciel ». Mais Krishna reste intrépide et se défend vaillamment, face au démon. Enragé, Keshi vient au grand galop sur Krishna qui reste solide « comme un roc » et continue de sourire avec courage. Tout à coup, il jette son bras gauche dans la bouche ouverte du cheval, sans peur, avec naturel, comme un serpent qui gagne sa tanière. La tendre main de lotus du Seigneur devint à ce moment chaude comme une barre de fer rougie au feu. Dès qu'il touche les dents de Keshi, celles-ci tombent les unes après les autres et, comme une maladie qui se développe quand on ne la soigne pas, le bras du Seigneur se met à gonfler, à se développer à l'intérieur de la bouche de Keshi. Il atteint de telles proportions que le cheval ne peut plus respirer ; en un clin d'œil, il se met à tituber, son corps se couvre de sueur, ses pupilles se voilent et il se met à expulser son crottin. Puis son corps massif tombe à terre avec un grand bruit sourd et meurt.

Sur cette feuille frémissante d'énergie et où l'on sent la fureur de Krishna mis au défi, le peintre a réalisé une des plus belles peintures de cette importante série. Avec une économie marquée, il isole les deux antagonistes, les séparant de la foule des villageois, et les fait fortement ressortir sur un fond d'un jaune chaud. Pleine de vitalité, la silhouette de Krishna semble planer en l'air, ce qui contraste avec le cheval dont les sabots s'ancrent fermement au sol. On ne peut douter de la force du cheval, mais on ne peut non plus douter de l'issue de la bataille. La peinture fourmille de magnifiques détails narratifs, comme le regard d'agonie dans les yeux du cheval, les mèches tournoyantes de sa crinière et l'agitation de sa queue, ou les crottins qu'il rejette. On sent une telle conviction dans cette œuvre que l'on a l'impression, l'espace d'un instant, que l'auteur a réellement vu ce combat se dérouler sous ses yeux.

Bibliographie :
Voir le nº 83.

143

Krishna et Balarama tuent le roi Kamsa ; de la même série du *Bhagavata Purana* que le n° 83

Gouache sur papier.
École Pahari, premier quart du XVIIIe siècle ; d'un atelier de Mankot.
Label descriptif en takri sur la bordure supérieure.
21,5 × 31 cm.
Chandigarh Museum, Chandigarh ; n° 1282.

Dans un épisode où la première partie de l'existence terrestre de Krishna arrive à son apogée, nous assistons à la mise à mort de Kamsa, par Krishna lui-même. Pendant des années, tout avait tendu vers ce dénouement, comme le raconte à sa manière passionnée et majestueuse le *Bhagavata Purana*. Toutes les tentatives de Kamsa pour faire tuer Krishna par des démons d'espèces diverses ayant échoué, il se résoud finalement à inviter Krishna et son frère aîné, Balarama, à Mathura, où doivent avoir lieu de grandes fêtes. Après certains incidents peu importants, les deux frères arrivent à la cour de Kamsa, ce n'est que pour voir se lever sur leur chemin obstacle après obstacle. Mais ils surmontent toutes les dificultés. Ils commencent par tuer les deux lutteurs gigantesques, Mushtaka et Chanura, qui les ont défiés, puis ils écartent Kuvalayapida, l'éléphant gros comme une montagne, qui a été lancé sur eux. Ce sont les défenses mêmes de cet éléphant, qu'ils ont vaincu et tué, toujours rougies de son sang, que les deux frères portent comme armes quand ils atteignent la partie la plus reculée de l'arène fortement gardée où siège Kamsa sur son trône.

Dans cette illustration, Krishna et Balarama arrivent à la cour, débordants de colère, déterminés à abattre Kamsa. Étant généralement le plus émotif des deux, Balarama tombe, un pas derrière Krishna, car la destinée veut que Kamsa meure des mains mêmes de Krishna. Portant sur l'épaule la puissante défense d'ivoire, Balarama lève le bras gauche en l'air, dans un geste volontaire, pour saluer, mais c'est Krishna qui se précipite et qui, saisissant Kamsa par les cheveux, l'arrache du trône qu'il avait usurpé. Sans défense contre le Seigneur, Kamsa tombe, sa couronne va être piétinée mais, dans un dernier et misérable geste, d'une main il touche le pied de Krishna car c'est là seulement qu'il peut trouver le salut. Les personnages secondaires arborent diverses expressions : l'homme assis, dont le turban glisse, est l'image de l'agonie, du désespoir, tandis que les deux serviteurs semblent résignés et éprouvent peut-être même une secrète satisfaction.

Avec sa palette de jaunes safran, de rouges, de verts, d'oranges et de bleus, le peintre a su saisir l'essence même de cet épisode. Dans d'autres œuvres, de tradition Pahari, la mise à mort de Kamsa a pour décor une énorme cour avec d'innombrables courtisans qui regardent Krishna détrôner Kamsa ; pourtant, malgré toute l'ambition de leur composition, elle n'approche pas la force concentrée que nous trouvons dans cette feuille-ci.

Bibliographie :
Voir le n° 83.

144
Mise à mort d'Arishtasura, le démon-taureau ; d'une série du *Bhagavata Purana*

Gouache sur papier.
École Pahari, troisième quart du XVIIIe siècle ; de l'atelier de la famille de Seu-Nainsukh.
Texte descriptif en sanskrit au verso.
Bharat Kala Bhavan, Bénarès ; nº 388.

Cette feuille provient d'un important ensemble de peintures, appelé par W.G. Archer le « cinquième » *Bhagavata Purana* de Basohli, qu'il date des années 1760-1765. Sur ce point, on peut discuter longtemps mais, ici, nous voulons seulement faire remarquer ses rapports avec le *Gita Govinda* daté de 1730, où l'on trouve le nom de l'artiste Manaku, fils de Seu, que l'on considère comme une œuvre tardive ayant subi l'influence de « Guler ». Archer et Binney ont aussi émis l'hypothèse, à un certain moment, que le principal artiste de cette série aurait pu être Fattu, le fils de Manaku et donc le neveu de Nainsukh.
Cette série est d'une qualité assez inégale mais, en ses meilleurs moments, comme dans cette feuille, elle atteint une force remarquable ; d'autres feuilles choisies sont aussi d'une grande qualité lyrique. La scène représentée ici nous montre le démon Arishtasura qui charge Krishna et ses compagnons, sous la forme d'un puissant taureau noir. Nous voyons deux fois le démon, une fois quand il arrive de la droite, labourant la terre avec arrogance et, la queue levée, avançant tête baissée ; on le revoit quand il est vaincu et qu'il s'abat devant Krishna, au milieu. Devant ce spectacle, les compagnons de Krishna, effrayés, s'enfuient, « les vaches et les veaux ayant la queue raidie par la peur », les jeunes gens criant et perdant presque leur turban. Seul, Krishna se retourne et, s'avançant, prend littéralement le taureau par les cornes et le projette en l'air en tordant sa massive encolure, « comme une ménagère tord des vêtements trempés ». La fureur concentrée qu'on lit dans les yeux de Krishna, son voile qui flotte au vent et le balancement de sa guirlande de fleurs, la queue flasque d'Arishtasura, son regard pitoyable quand il rend l'âme, le flot de sang qui s'écoule sur le sol, les dieux qui se rassemblent dans les cieux afin d'être témoins des actes héroïques de Krishna, tout doit être examiné de près.

Bibliographie :
Milo C. Beach, « *A Bhagavata Purana* from the Punjab Hills », *Bulletin of the Museum of Fine Arts,* Boston, vol. LXIII, nº 333 ; B.N. Goswamy, « Pahari Painting: The Family as the Basis of Style », *Marg,* vol. XXI, nº 4 ; W.G. Archer, *Indian Paintings from the Punjab Hills,* Londres, 1973, au chapitre « Basohli ».

145

Combat de Jatayu, le roi Vautour, et de Ravana ; d'une série du *Ramayana*

Gouache sur papier.
École Pahari, premier quart du XVIIIe siècle.
Bharat Kala Bhavan, Bénarès ; n° 11098.

Cet épisode tiré du *Ramayana* est fort apprécié en raison du sentiment de *bhakti*, dévotion, qui s'y exprime. Quand le puissant roi-démon de Lanka, Ravana, enlève Sita, la femme de Rama, et se dirige vers l'île où il habite, l'emmenant de force avec lui, Jatayu, le grand vautour, adorateur de Rama, entend alors ses lamentations et décide d'arrêter Ravana. C'est un acte de courage, voué à l'échec, car Jatayu n'est pas de force devant Ravana dont la puissance terrible est symbolisée par ses dix têtes et ses vingt bras. La lutte est cependant féroce entre les deux protagonistes, Jayatu y consacrant toutes ses forces. Pris par la rage, il fond sur Ravana, attaque du bec et des serres et parvient à enlever à son adversaire beaucoup de ses armes. Il a cependant le dessous et meurt des mains de Ravana, mais non sans avoir pu rencontrer son *ishta,* Rama, qu'il vénère, et lui dire dans quelle direction s'est dirigé Ravana. Cela déclenchera une autre série d'événements dont le point culminant sera l'attaque de Lanka.

Comme elle est représentée ici, la bataille est féroce, sanglante : Jatayu se dresse sur ses pattes et fond sur Ravana, essayant de lui enfoncer ses serres puissantes dans le corps, de lui crever les yeux avec son puissant bec. Devant ce courage, cette vaillance sans espoir, Sita est émerveillée et la fureur de Ravana exacerbée. Il a déjà transpercé le corps de Jatayu de sa lance et, maintenant, s'apprête à lui taillader ses puissantes ailes avec la hache, qui est l'une de ses innombrables armes.

Cette peinture appartient à une série importante (plus de 270 feuilles) que l'on appelle familièrement le *Ramayana* « Shangri », à cause de la petite localité de Kulu d'où beaucoup de ces feuilles furent achetées au gouverneur du lieu. W.G. Archer (cf. *infra*) répartit les feuilles « Shangri » en quatre styles et, d'après sa classification, cette feuille appartiendrait au « Style IV ».

Bibliographie :
(Pour le *Ramayana* « Shangri » en général) Karl J. Khandalavala, *Pahari Miniature Painting,* Bombay, 1958 ; M.S. Randhawa, *Basohli Painting,* Delhi, 1959 ; W.G. Archer, *Indian Paintings from the Punjab Hills,* Londres, 1973, au chapitre « Kulu ».

146
Combat de lions

Dessin sur papier.
École moghole, deuxième moitié du XVIIe siècle.
Indian Museum, Calcutta ; n° 561/733.

Dans la peinture indienne, on connaît de magnifiques études de combats de chameaux et d'éléphants, mais on ne peut citer beaucoup d'œuvres traitant de ce sujet. Deux lions se livrent un combat sans merci, ils se disputent peut-être le même territoire de forêt ou les mêmes lionnes. Celui de droite semble, pour l'instant, prendre le dessus, même si une de ses pattes se trouve saisie entre les mâchoires de l'autre. A ce moment. Il a les dents profondément enfoncées dans l'encolure de son rival, que l'on voit se tordre sur le dos, révélant son ventre et ses organes génitaux. C'est un fatras de corps : nous voyons des queues qui battent, des muscles tendus, des yeux brillants, des griffes détendues dans un spasme. On entend même le rugissement de ces nobles fauves, si l'on écoute bien.

Ce dessin d'une rare vigueur nous représente ces animaux d'un point de vue parfaitement inhabituel : où, ailleurs, voit-on un lion sur le dos, comme ici, le dessous de son menton et de sa gueule, vue d'en bas ? où voit-on un lion qui tord le corps ainsi à gauche, sous cet angle, tout en faisant fortement porter son poids sur ses pattes postérieures ? L'œuvre semble d'un maître moghol qui travaillait dans la deuxième moitié du dix-septième siècle. On peut cependant élever certains doutes ; est-ce seulement une œuvre moghole et est-elle bien du dix-septième siècle car, pour commencer, les caractéristiques des contours et l'absence de finesse dans les détails, comme les crinières, montrent qu'il s'agirait d'une œuvre « non moghole » ? Pourtant, ces caractéristiques semblent être celles de l'artiste qui aurait décidé d'adapter son trait à son sujet, et donc de s'écarter de sa manière habituelle. C'est en raison de ces changements que cette œuvre vibre d'une étrange énergie. Remarquer que les traits pourpres qui représentent le sang qui s'écoule semblent avoir été rajoutés ultérieurement.

147
Combat de la déesse avec les Asuras ; d'une série du *Devi Mahatmya*

Gouache sur papier.
Rajasthan, daté 1703, d'un atelier de « Sirohi ».
12,8 × 20,5 cm.
State Museum, Lucknow ; n° 65 135/2.

Une énergie passionnée emplit certains des manuscrits rajpoutes Rajasthani ou Pahari, qui racontent les exploits de la Déesse. Ce n'est pas que le présent texte donne des occasions uniques de nous montrer une action inspirée; d'autres textes le font aussi ; mais il semblerait que, dans la plupart de ces feuilles, se trouve une conviction particulière, en raison de la croyance largement répandue de l'efficacité de la récitation du texte du *Devi Mahatmya,* – coutume qui persiste aujourd'hui comme par le passé, – devant un grave danger ou quand un dévot fait un vœu particulier. En ayant foi dans ce texte, – en le récitant ou en l'illustrant, – on doit se concilier la bienveillance de la Déesse.
Cette feuille est inspirée par un épisode des

nombreuses rencontres de la Déesse avec les hordes de démons, ainsi que le texte le narre. Elle est assise, bien ferme sur son *vahana*, son tigre bondissant, et lance des armes sur l'ennemi, alors même qu'elle détruit les armes qui sont lancées contre elle. Avec deux de ses bras supérieurs, elle brandit une épée à deux tranchants ou *khanda* ; avec les deux autres bras, elle tient une autre arme qui rappelle un de ces fusils à mèche que l'on voit dans d'autres peintures de cette série. En face d'elle, les deux silhouettes équestres semblent avoir la même agilité qu'elle, particulièrement celle du haut qui tient une épée entre les dents et qui met toute son énergie à manier la lance qu'elle a à la main droite. L'autre démon à cheval, – il convient de remarquer que ces démons n'ont pas un aspect différent de l'espèce humaine ; ils ont probablement été imaginés d'après les généraux musulmans qui ont combattu les armées rajpoutes, – s'avance avec une nervosité si grande qu'il en louche, phénomène que l'on retrouve dans d'autres feuilles de cette série. A terre, plusieurs guerriers sont morts ou mourants, transpercés par les instruments de mort qui pleuvent sur ce sanglant champ de bataille.

On a d'abord pensé que cette série provenait de Sirohi, dans le sud du Rajasthan, mais une feuille de ce même manuscrit, récemment découverte, comporte un colophon où l'on trouve mention de la date de Samvat 1760 (soit 1703 après J.C.) et du lieu d'exécution, Balotra, à proximité de Jodhpur dans le Marwar. Ce manuscrit a été, malheureusement, largement dispersé et beaucoup de ses feuilles sont endommagées.

Bibliographie :
V.S. Agrawala, *Devi Mahatmya: The Glorification of the Great Goddess,* Varanasi, 1963 ; Pratapaditya Pal, *The Classical Tradition in Rajput Painting,* New York, 1978, nº 22.

148
Un regard amer ; de la même série de la *Rasamanjari* que le nº 46

Gouache sur papier.
École Pahari, troisième quart du XVIIe siècle ; d'un atelier de Basohli.
Au verso, des vers en sanskrit : les mots « *Praudha dhiradhira* (« l'héroïne d'âge mûr allie la patience à l'amertume »), inscrits en caractères takri dans le haut.
24 x 33 cm.
Dogra Art Gallery, Jammu ; nº 367.

La faute de l'amant, le *nayaka,* provoque diverses réactions chez les héroïnes, les *nayikas* : celle qui est jeune et sans expérience manque souvent de maîtrise dans sa parole et dans ses gestes ; l'héroïne qui a un peu d'expérience réagit avec certaines précautions ; mais celle qui est d'âge mûr, qui allie la patience à la ruse, réagit avec amertume, comme celle que voyons ici. Le *nayaka,* mu par un sentiment de culpabilité, – il est manifestement coupable d'infidélité –, vient voir sa bien-aimée, il en tremble et, pour cette raison, se fait accompagner par un ami qui lui apporte un soutien moral. Enfin, il se trouve devant sa bien-aimée. Sa colère se voit immédiatement, car elle est sortie du lit et est assise par terre. Il fait de grands gestes sans oser encore lui parler, mais :
Alors que l'amant s'approche du lit, la *nayika* aux yeux de biche détourne la tête. Quand elle l'entend la supplier, d'une voix sourde et tremblante, elle sourit et rougit. Mais, quand il pose la main sur les siennes, de ses grands yeux, elle lui jette un regard empli du rayonnement que renvoie le dos d'un poisson plongé dans la laque en fusion.

(17)

Le décor est dénué des habituelles décorations, avec des guirlandes de fleurs et des lampes brillamment éclairées, que l'on associe aux moments qui précèdent l'union. Le compagnon de Krishna, en retrait, assez timide, est un de ses amis bouviers, il est assis sur les marches, à l'extérieur et ne sait pas comment se terminera l'entreprise de Krishna. Les gestes conciliants de Krishna, son regard engageant, tout donne bon espoir mais l'attitude de la *nayika* ruine tout. Ces grands yeux, représentés d'une manière bizarre, inhabituelle, la pupille vers le coin de l'œil, évoquent bien les descriptions du poète, d'une extrême beauté, du « poisson plongé dans de la laque en fusion» qui émet des rayons éclatants. Il est évident que la comparaison de l'œil avec un poisson provient des descriptions classiques des belles héroïnes aux yeux allongés, en forme de poisson, et que la « laque en fusion » indique la couleur rouge que leur donne la fureur. A part le drame qui oppose ce couple, on remarque la porte à demi grillagée dans le mur du fond ; c'est exactement dans cet état que se trouve l'esprit de la *nayika,* elle est à demi consentante devant les avances de son amant.

Bibliographie :
Voir le nº 46.

149
Narasimha : Vishnou dans son incarnation d'homme-lion ; d'une série des *Dashavataras*

Gouache sur papier.
École Pahari, premier quart du XVIIIe siècle ; d'un atelier de Mankot.
16,5 x 23,5 cm.
Jagdish and Kamla Mittal Museum of Indian Art, Hyderabad ; nº 76.217.

Sur cette peinture éclatante, nous voyons le moment culminant de l'épisode du *Bhagavata Purana* qui conte la quatrième incarnation de Vishnou (d'une série de dix, que l'on appelle les *Dashavataras*), celle de Narasimha, mi homme mi lion. Cette « descente » de Vishnou sur la terre a été provoquée par la nécessité de mettre fin à la tyrannie du démon-roi Hiranyakashipu dont le pouvoir avait atteint des limites insupportables et qui ne laissait personne, même pas son propre fils, Prahlad, grand adorateur de Vishnou rendre hommage à celui-ci. L'excessive arrogance de Hiranyakashipu venait de la faveur reçue des dieux, selon laquelle il ne pourrait être tué ni par un homme ni par un animal, ni sur terre ni dans les eaux, ni de jour ni de nuit. Quand vint le moment de mettre fin aux dévastations de Hiranyakashipu, Vishnou prit cette forme inhabituelle de l'homme-lion (ni homme, ni animal), apparut à l'heure du crépuscule (ni de jour ni de nuit) et, jaillissant d'un pilier du palais de l'oppresseur, le prit sur ses propres genoux (ni sur terre ni dans les eaux) et, de ses griffes nues, l'étripa.
C'est la colère de Narasimha qui est le sujet de cette œuvre et on ne la voit pas seulement dans le sang qui jaillit du ventre du démon-roi, on la voit encore mieux dans la crinière d'or ébouriffée du lion, dans ses yeux injectés de sang, dans sa langue qu'il tire pour siffler comme un serpent, dans sa bouche qui ressemble à un foyer ardent. La massive silhouette aux huit bras, tenant dans ses diverses mains les attributs de Vishnou, ne se contente pas de déchirer le démon-roi qui tombe ; on voit encore son turban qui traîne sur le sol et ses armes brisées que tiennent des mains inertes. Narasimha va plus loin et s'entoure des entrailles qu'il a prélevées du ventre du démon. Cette apparition miraculeuse et effrayante est cependant l'objet d'une humble adoration de la part de Prahlad et, à droite de sa sœur qui est également une dévote.
De superbes couleurs, de stricte composition, cette œuvre est très proche de l'illustration que, sur le même thème, les peintres de l'atelier de Mankot ont exécutée sur commande pour la grande série du *Bhagavata* qui est actuellement au musée de Chandigarh.

Bibliographie :
Douglas Barrett et Basil Gray, *Painting of India,* Ascona, 1963, frontispice ; (pour documents s'y rapportant), W.G. Archer, *Indian Paintings from the Punjab Hills,* Londres, 1973, au chapitre « Mankot ».

150
Rawat Gokuldas de Deogarh chassant les sangliers

Gouache sur papier.
Rajasthan, daté de 1811 ; d'un atelier de Deogarh.
38 × 27 cm.
Prince of Wales Museum, Bombay ; n° 53.68.

Gokuldas, le Rawat de Deogarh, qui est représenté ici, était un grand et bel homme ; il a fait une grande impression sur le colonel Tod qui nous a laissé de lui une vivante description. Le Rawat a certainement fait aussi une forte impression sur les peintres qu'il employa dans sa cour, relativement petite, car ils l'ont très souvent représenté se livrant, comme ici, à des activités viriles. La chasse nocturne au sanglier semble avoir été l'une de ses distractions favorites et les deux lévriers afghans dont nous savons, par d'autres peintures, qu'ils portaient les noms de Naga et de Nagini, semblent avoir été ses compagnons de prédilection lors de ses excursions nocturnes. Nous voyons ici le Rawat, paraissant d'un poids un peu excessif, monté sur son fougueux cheval blanc ; il poursuit et finit par transpercer de sa lance le chef d'une compagnie de sangliers. Petites masses sombres et brutales, les sangliers courent dans le bas, labourant la terre de leurs sabots, alignés sur une diagonale ; ils sont suivis de près par les chiens qui, gueule ouverte, se préparent à leur déchiqueter les flancs. Le cheval les écrase aussi de ses antérieurs ; pourtant, c'est la posture courageuse, intrépide du Rawat qui est au centre de la peinture, car il abat sur eux la lance qu'il tient dans sa main droite.
Les éléments de la forêt et, naturellement, du reste du paysage, sont soigneusement mis en place, tout autour, afin de ne pas masquer le milieu de la page où est représenté le souverain avec toute sa vaillance. Pourtant, le reste de l'œuvre est l'occasion, pour les peintres, d'évoquer l'aspect sauvage de la jungle.

Bibliographie :
Voir le n° 4 ; et aussi, Edwin Binney, *Rajput Miniatures in the collection of Edwin Binney 3rd*, Portland, 1965, n° 10, p. 24.

151
Allégorie : faucon et grue

Dessin sur papier.
Rajasthan, daté de 1814 ; d'un atelier de Deogarh.
Lalbhai Dalpatbai Museum, Ahmedabad.

Quand nous voyons dans de nombreuses peintures de chasse, des faucons fondant sur des grues ou sur d'autres oiseaux, c'est qu'ils sont naturellement un élément essentiel de la chasse. Ici, sur cette œuvre acquise tout dernièrement, le peintre s'est tellement rapproché du faucon qui saisit une grue de ses serres que l'oiseau et sa proie deviennent le sujet même de ce magnifique dessin, plein de fougue. L'inscription en devanagari, dans les marges supérieure et inférieure ajoute cependant de l'intérêt à cette image, car elle mentionne le nom de Rawat Gokul Das, évidemment de Deogarth, que nous connaissons par tant d'autres œuvres provenant de son atelier, et encore d'un autre Rawat, éventuellement d'un autre fief, ou *thikana,* du voisinage ; l'inscription mentionne aussi que cette œuvre est du peintre Bagta, que nous connaissons aussi par beaucoup d'autres œuvres. Le nom du Rawat de Deogarh sur une peinture où il ne figure pas lui-même est surprenante, et l'on peut se demander si ce dessin ne se voudrait pas une quelconque allégorie qui symboliserait le Rawat Gokul Das triomphant d'un rival. Certainement, si notre interprétation est bonne, Gokul est représenté par le faucon et la grue est un adversaire abattu qu'il foule aux pieds.
Comme on le voit d'après de nombreuses sculptures anciennes et de nombreuses peintures mogholes, l'artiste indien porte manifestement un grand intérêt aux allégories ; derrière des illustrations qui paraissent d'une grande simplicité se cachent parfois des intentions plus profondes. D'après les autres œuvres qui sont parvenues jusqu'à nous, Bagta ne semble pas s'être adonné à des actions « politiques » comme celle que nous voyons ici. Avec ce dessin, il nous a transmis une œuvre aiguë et fine qui s'écarte de son attachement à son mécène, le Rawat de Deogarh, et à l'évocation de ses nombreuses passions.

152
Conducteur de char

Bronze.
2000-1500 avant J.-C. ; Daimabad, Maharashtra.
22 × 52 × 17,5 cm.
Archaeological Survey of India, New Delhi ; n° 74.77/4.
(En prêt au Prince of Wales Museum, Bombay).

Bien qu'ayant depuis longtemps cessé d'appartenir à la vie de l'Inde, le char continue de hanter l'imagination de l'Indien, car il lui est associée une certaine majesté, le sens du pouvoir. Ce bronze rare provenant de Daimabad dégage manifestement une atmosphère d'héroïsme. La silhouette debout du conducteur du char, nu, vêtu d'un pagne, porte une arme longue, en crochet, ressemblant à un harpon, qui repose légèrement sur l'image sculptée d'un chien ornant le char ; ce conducteur semble commander et les animaux, tout stylisés et lourds qu'ils sont, semblent participer de la même énergie que leur maître.
On ne devrait pas voir dans ce bronze un autre de ces jouets séduisants dont la culture de Harappa est si riche : il semble avoir eu, d'une manière ou d'une autre, une signification rituelle et solennelle. Le sculpteur a mis une distance considérable entre les animaux attelés et le char lui-même, donnant beaucoup d'espace dans cette pièce qui prend ainsi, curieusement, un air nerveux et vigoureux.
La date de cette pièce est incertaine car, bien qu'elle ait été mise à jour il n'y a qu'une dizaine d'années, en même temps que quelques autres bronzes provenant du site de Daimabad dans le district de Ahmednagar, au Maharashtra, qui a livré des poteries de la période tardive de Harappa elle ne provient pas de fouilles faites sous contrôle scientifique, ayant été découverte par un groupe

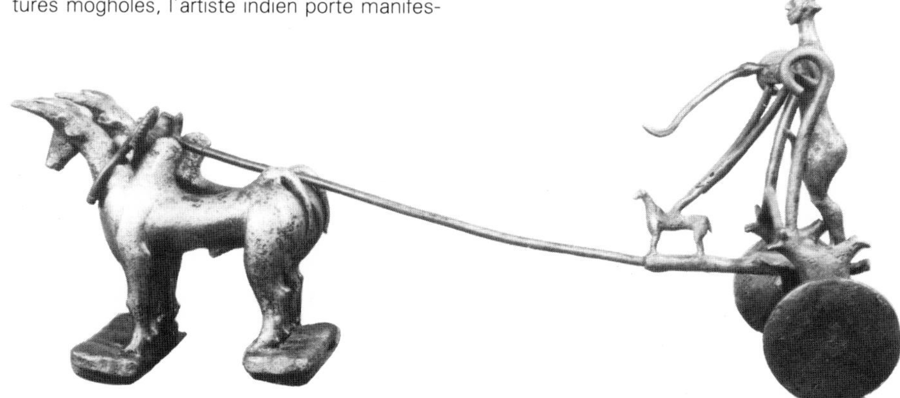

d'habitants de cet endroit. A cette circonstance défavorable s'ajoute le fait que la teneur en arsenic de l'alliage de cette pièce n'est pas la même que celle des autres sites chalcolithiques du Deccan. Dans l'ensemble, cependant, plusieurs spécialistes, s'appuyant sur d'autres éléments, dont le style, la rattachent aux productions harappéennes tardives.

Bibliographie :
S.R. Rao, « Bronzes from the Indus Valley », *Illustrated London News,* mars 1978 ; M.K. Dhavalikar, « Daimabad Bronzes in Harappa Civilization », dans *Harappa Civilization,* édité par Gregory Passehl, Delhi, 1982 ; Pramod Chandra, *The Sculpture of India,* Washington, 1985, n° 3.

153
Chashtana, Satrape Kushana

Grès rouge.
IIe siècle après J.-C. ; Mathura, Uttar Pradesh.
155 x 61 x 35 cm.
Government Museum, Mathura ; n° 12.212.

Cette sculpture célèbre, mais assez controversée, provient d'un groupe ayant manifestement appartenu à un *devakula,* galerie d'ancêtres des grands Kushanas. L'identification du personnage est surtout rendue difficile par suite de la mutilation de l'inscription qui figure sur l'ourlet de la tunique portée par ce prince. Il est généralement reconnu que cette inscription identifie le personnage comme étant « Chashtana », un grand satrape Shaka d'Ujjayin, même si la lecture en est légèrement différente et qu'aucun titre dans l'inscription ne peut nous aider. Il convient d'être très prudent avant d'accepter cette identification avec le puissant gouverneur qui gouverna au IIe siècle après J.C. Rosenfield, qui a étudié de manière détaillée ces indices, retient l'identification de ce personnage comme étant la « statue de Chashtana », mais précise en même temps que cette identification est incertaine, qu'il ne faut l'adopter qu'avec réserve.
Rappelant d'une certaine façon la grande statue – portrait de Kanishka, mais avec moins d'autorité, ce portrait précoce, maintenant privé de sa tête, demeure cependant une œuvre d'art remarquablement émouvante et une véritable « œuvre politique ». Il est difficile de ne pas tenir compte de son échelle réelle ni du « poids » de ce personnage. Certains détails sont superbes, comme la broderie sur le bord de la tunique et le col, comme la ceinture richement gravés de silhouettes de cavaliers et de tritons, comme le baudrier de l'épée qui lui barre le corps. Tout cela donne une impression de travail soigneux, précis, même si la tournure modifie l'impression ressentie. Il convient de remarquer la tunique, car elle est d'un genre rare avec son chevauchement en diagonale, sur le devant ; mais elle va bien avec le pantalon assez collant qui convient à un roi ou à un prince, qui devait passer de longs moments à cheval.

Bibliographie :
John Rosenfield, *The Dynastic Arts of the Kushanas,* Berkeley, 1967, p. 145-147, fig. 3 ; *In the Image of Man,* Londres, 1982, n° 115 ; *Ancient Sculptures of India,* Tokyo, 1985, n° 180.

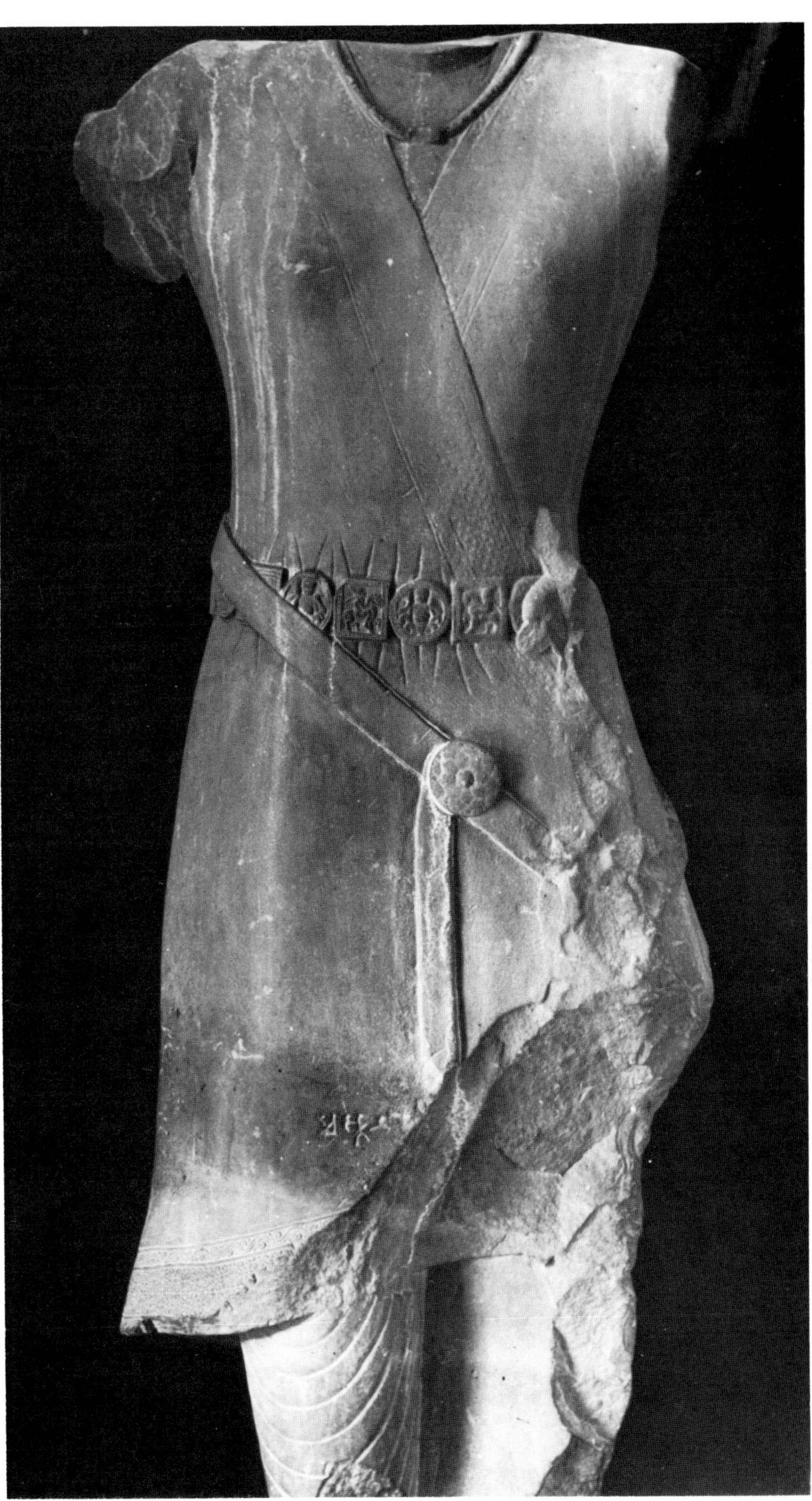

154
Lion

Grès rouge.
IIIe siècle après J.-C. ; Mathura, Uttar Pradesh.
94 x 49 x 31 cm.
Government Museum, Mathura ; n° 0.04.

Ce lion, en demi-ronde bosse, légèrement tourné vers la droite, la patte en avant et la gueule ouverte, la langue pendante, est l'un de ceux qui se trouvent au musée de Mathura, même si les autres ne sont pas de cette qualité. La partie arrière est lisse, seule la tête est sculptée ; l'existence d'une base fait supposer que ce lion était un élément architectural et formait peut-être la base d'un trône énorme. En Inde, le mot propre pour désigner un trône est « *simhasana* », le « siège du lion » ; même s'il ne subsiste pas beaucoup de trônes de l'époque ancienne, le grand nombre de sculptures de personnages royaux ou religieux avec des lions gravés en dessous du socle ne laisse aucun doute sur cette tradition. Dans son catalogue du musée de Mathura, Vogel dit que, dans l'ancien Gandhara, ces lions en demi-ronde bosse servaient à décorer les soubassements des *stupas*, qu'ils étaient supposés soutenir, et cette tradition a manifestement été adoptée à Mathura, à en juger par le nombre de lions sculptés découverts dans cette région.
Représentant autrefois le Bouddha, « le lion du clan des Shakya », comme sur les piliers maurya, et l'idée de la majesté même, le lion a une présence qui impose le respect. Dans l'art indien, le lion est cependant rarement représenté d'après nature, ce qui n'est pas le cas des autres animaux nobles de même taille et de même puissance. Ses images sont fortement stylisées, car elles ont été taillées dans l'intention de communiquer l'essence même de la majesté royale. Sur cette œuvre, donc, la crinière fortement stylisée, les sourcils en angle aigu, l'insistance sur la gueule grande ouverte et la langue, les puissantes pattes carrées, tout suggère que l'artiste a cherché l'abstraction dans l'intention évidente de représenter le « roi des animaux ».
Il est intéressant, dans ce contexte, d'évoquer la représentation des lions dans les peintures de l'école rajpoute, quand ils ne se trouvent pas dans leur milieu naturel, comme la forêt, mais qu'ils servent de véhicule, de monture à Durga, la grande déesse. Ils prennent alors des aspects curieux, fabuleux, avec des ébauches d'ailes, combinant les caractéristiques du tigre, paraissant beaucoup plus doucereux, plus agiles que nature.

Bibliographie :
J.-Ph. Vogel, *Catalogue of the Archaeological Museum of Mathura,* Allahabad, 1910 ; *Ancient Sculpture from India,* Tokyo, 1984, n° 34.

155
Atlante

Schiste gris.
IIIe siècle après J.-C. ; Région du Gandhara.
Haut. 35 cm.
Indian Museum, Calcutta ; n° 32240/5240.

On perçoit facilement les différences, entre les sculptures de Mathura et du Gandhara, car le sculpteur du Gandhara porte un bien plus grand intérêt aux caractères externes. Le naturalisme règne sur l'ensemble de son œuvre et le réalisme avec lequel il a rendu la structure musculaire du corps distingue nettement son œuvre de sa contrepartie contemporaine de Mathura. Il ne peut se dégager de l'héritage gréco-romain, même pour représenter des types purement indiens, comme le Bouddha et les Bodhisattvas. Quand il sculpte un atlante, comme ici, manifestement inspiré par des modèles occidentaux, il n'éprouve même pas le besoin de modifier son style et l'on s'éloigne de tout caractère d'indianité que possèdent, dans leur ensemble, les œuvres gandhariennes.
Cette silhouette doit avoir fait partie de la décoration d'un *stupa* ou de quelque autre monument. L'accent est mis sur l'aspect physique et l'énergie latente du personnage. Les épaules larges, la poitrine fortement musclée, la taille étroite, la tête forte aux traits accentués, les bras et les jambes d'allure massive, voilà les éléments qu'a réunis le sculpteur. La manière de s'asseoir, – une jambe repliée sous lui et l'autre disposée autrement, le genou levé, le poids portant sur le bras droit qui prend lui-même appui sur le genou, sont là encore des éléments manifestement étrangers à l'Inde. La taille de la barbe et les cheveux ondulés, indiquent eux aussi, une origine extérieure à l'Inde. Ce qui peut être indien, cependant, c'est l'expression relativement calme et absorbée du visage. L'accent, et cela est normal puisqu'il s'agit d'un atlante, est mis sur la puissance corporelle.
Il y a une certaine grossièreté dans la sculpture, bien différente des surfaces lisses que possèdent généralement les sculptures du Gandhara, mais qui impose à l'œuvre une réelle force brute.

Bibliographie :
Voir n° 36.

156
Parashurama : le guerrier à la hache

Terre cuite.
Ve siècle après J.-C. ; Shravasti, Uttar Pradesh.
State Museum, Lucknow ; n° 67.6.

Se rapprochant clairement, par la date et le style, de l'œuvre « Hanumana combattant l'ennemi » (n° 134), ce fragment représente, Parashurama, la sixième des dix incarnations de Vishnou. Portant son attribut distinctif, son arme favorite, la hache, Parashurama est un *avatar* qui personnifie la colère, sauvage et incontrôlable mais juste. Fils du sage Jamadagni, qui possédait la vache qui exauce les désirs, Kamadhenu, objet de la convoitise du puissant roi Kshatriya Sahasrabahu, Parashurama n'était pas, au commencement, enclin à la violence. Les méfaits de ce roi et de ses innombrables fils qui allèrent jusqu'à tuer le sage pour s'emparer de la vache merveilleuse, le fit jurer de débarrasser la terre de tous les Kshatriyas. De nombreuses peintures célèbrent la façon dont il a haché les bras innombrables de ses arrogants ennemis ; ce petit fragment semble décrire avec précision la vive colère dont parlent les textes qui narrent

l'anéantissement à vingt-et-une reprises des Kshatriyas par Parashurama. En soi, l'étude du caractère de Parashurama présente un grand intérêt, car il est célibataire, entièrement dévoué à ses parents, un brahmane-guerrier, ce qui est, au sens propre, contradictoire ; il fait partie des *dirghajivis,* « ceux qui vivent longtemps », au point qu'il paraît et reparaît dans des épisodes légendaires beaucoup plus tardifs et que certains dévots croient qu'il vit toujours en quelque lieu montagneux retiré.
Le sculpteur gupta, utilise une fois de plus ici des lignes finement incisées pour indiquer des traits et des ornements variés. Ces lignes définissent ainsi le court vêtement porté par ce guerrier, qui ressemble à un sage, ou encore le foulard noué qui voltige derrière lui quand il s'élance. On perçoit cependant mieux sa force quand on regarde son visage, aux narines dilatées, à la lèvre inférieure amère, aux yeux grand ouverts et aux sourcils froncés de colère. Sur la tête, les cheveux emmêlés sont noués sur le dessus ; il porte un collier, petit mais lourd, tandis que ses grandes boucles d'oreille se balancent d'un mouvement vigoureux.
Il n'est pas impossible que ce carreau de terre cuite, ait fait partie d'une séquence narrative.

Bibliographie :
Voir le nº 134.

157
La déesse assise sur le lion

Terre cuite.
Ve siècle après J.-C. ; Shravasti, Uttar Pradesh.
Diamètre : 35 cm.
State Museum, Lucknow ; nº B/592.

Au milieu de ses nombreux exploits, la Déesse se retire en elle-même et, il y a dans les textes, des moments de grand calme. Tout à coup, après la mise à mort d'un ennemi puissant, les dieux entonnent des hymnes à sa gloire, ne célébrant pas seulement ses prouesses, mais décrivant aussi sa grande beauté et louant la douceur de sa nature. Mère de l'univers, protectrice de tous ceux qui l'approchent à bon droit, elle est bienveillante et gracieuse. « Nous vous louons sans cesse, car vous êtes l'incarnation de la patience et de la paix sereine », lui disent les dieux.
Alors que, de tous les aspects qu'elle peut prendre, le sculpteur montre une prédilection pour celui où elle vainc le démon Mahishasura, il existe cependant aussi des œuvres d'une puissance tranquille où elle présente son aspect *saumya.* Ainsi, lorsqu'elle apparaît accordant des faveurs et répandant des grâces, le lion qui l'accompagne prend parfois l'aspect suave de la Déesse elle-même.
Ici, sur cette petite terre cuite de Shravasti, de style gupta, nous voyons la déesse nimbée, assise avec aisance sur un lion accroupi. De la main gauche, elle tient le trident et, de sa droite aujourd'hui cassée, elle devait dispenser ses faveurs. Le haut du corps est nu, elle a des seins fermes et magnifiques, la taille étroite, et elle porte des bijoux très élaborés qui ornent sa coiffure, son cou, ses bras, ses poignets, ses chevilles ; on lui voit à la taille une ceinture tintinnabulante. Il n'est pas sans intérêt de voir comment les auteurs décrivent avec force détails les joyaux portés par la Déesse, même quand ils évoquent les instants de grande violence de sa lutte continue contre l'ennemi. Comme si la belle femme, à l'innocence indicible, qui est aussi l'un des aspects de la déesse, ne quittait jamais l'esprit des dévots.
La silhouette de la déesse sur le dos du lion s'inscrit dans un médaillon circulaire bordé d'un motif de pétales de lotus, qui ajoutent encore à la douceur de l'image. Ici, la compagne de Siva, – Shivani ou, comme on l'appelle également, Bhavani, – a pris pour le sculpteur l'apparence de celle qui soutient le monde, lui est toute dévouée et qui peut accorder à ses dévots ce qu'ils lui demandent. On ne peut cependant jamais oublier les réserves d'énergie qu'elle a en elle-même.

Bibliographie :
V.S. Agrawala, *Devi Mahatmya : Glorification of the Great Goddess,* Varanasi, 1963 ; Balram Srivastava, *Iconography of Shakti,* Varanasi, 1978 ; p. 71.

158
Bataille entre Yudhishthira et Jayadratha

Terre cuite.
Ve siècle après J.-C. ; Ahichhatra, Uttar Pradesh.
National Museum, New Delhi ; n° 62.240.

Dans le récit de la titanesque bataille qui dura 18 jours, dans la plaine de Kurukshetra – sujet de l'épopée du *Mahabharata*, – le narrateur entre souvent dans les détails de l'affrontement entre deux guerriers désignés nommément. Ainsi, Arjuna, le héros des Pandava, se mesure un jour à Drona, du clan des Kaurava, à Bhishma le lendemain, à Karna un autre jour, et ainsi de suite. Pendant ce temps, les armées se livrent une lutte mortelle mais, dans son récit, le narrateur extrait des combats comme celui-ci, pour les mettre en relief. Cela lui donne l'occasion d'insister sur les prouesses des guerriers, leurs qualités, les armes qu'ils brandissent sur leurs adversaires, les procédés, les stratagèmes auxquels ils ont recours et, finalement, l'issue même du combat. La fortune des deux clans change chaque jour et des événements fort importants se déroulent. Le narrateur fait monter la tension, puis la fait retomber, mais continue régulièrement à acheminer son récit vers le dénouement.

Lors d'un épisode de la bataille que le sculpteur décrit ici, l'aîné des Pandava, Yudhishthira, affronte le redoutable Jayadratha. Nous les voyons tous deux dans leur char, l'un en face de l'autre décochant des flèches de leurs arcs bandés, tendus. Figurée de face entre les combattants, une silhouette joue un air martial sur une petite timbale.

L'auteur de cette terre cuite, ambitieuse et pleine d'énergie, a cherché à mettre en valeur le point crucial du combat. Le guerrier est immobilisé en pleine action, les chars tirés par des chevaux sont proches l'un de l'autre, l'issue du combat n'apparaît pas encore clairement et fait penser à une lutte sans fin. Les détériorations de ce panneau ne nous permettent pas de saisir tous les détails, mais ce qui subsiste indique l'intérêt porté par le sculpteur aux rayons des roues du char, à la construction de celui-ci, avec son recouvrement épais, en forme de rail de protection qui enveloppe les guerriers debout, aux bannières animales au-dessus des chars, aux détails des cheveux emmêlés, aux joyaux que portent les deux personnages. Il est intéressant de noter un trait inhabituel : alors que le guerrier de gauche est représenté tirant une flèche de la main droite, celui de droite tire sa flèche de

la main gauche, tenant son arc dans la main droite tendue. Cela ne suggère aucunement que le guerrier de droite soit gaucher : tout le souci du sculpteur est de donner une visibilité maximale de l'action, de façon charmante et naïve ; si le guerrier de droite avait été représenté comme un droitier, en train de tirer lui aussi sa flèche, nous n'aurions pu voir le geste, qui aurait manqué de clarté. Le sculpteur fait appel à notre imagination : nous ne voyons ni les flèches, ni les armées que commandent les deux guerriers, et ainsi de suite. C'est là précisément ce que, très souvent dans l'art indien, l'artiste demande au spectateur.

Bibliographie :
C. Sivaramamurti, *L'art en Inde,* Paris, 1974, nº 454.

159
Le roi Narasimhadeva en archer

Chlorite noire.
XIIIe siècle après J.-C. ; Konarak, Orissa.
85 × 50 cm.
National Museum, New Delhi ; nº 50.186.

Parmi les innombrables qualités que devait posséder le roi idéal dans l'Inde ancienne, du moins telles que les textes sacrés les énoncent, il y avait la vaillance personnelle. Lorsqu'on nous décrit ainsi en détail les occupations quotidiennes d'un roi, on voit que celui-ci s'exerçait tous les jours, entre autres, au tir à l'arc. C'était, semble-t-il, devenu la manière normale de juger du niveau de culture physique sur lequel un grand roi mettait l'accent et le degré d'adresse qui le plaçait au-dessus de ses contemporains.

Gardant en tête le désir de laisser une trace de ce grand constructeur et grand dévot d'Orissa, le roi Narasimhadeva de la dynastie des Ganga orientaux, les sculpteurs ont tout naturellement pris pour sujet l'adresse du roi. Dans un relief célèbre, ils l'ont représenté en grand dévot, rendant hommage à Jagannath, principale déité d'Orissa, et à d'autres dieux ; ils l'ont aussi représenté prenant ses aises, mollement assis sur une balançoire en compagnie de femmes de sa maisonnée, dans son palais ; ici, il tire à l'arc. Réunis, ces trois pièces vont manifestement ensemble et proviennent du même atelier : ils donnent du roi l'image d'un grand dévot, d'un bon chef de famille et d'un grand guerrier. Nous ne savons pas s'il y en avait d'autres du même genre, pour souligner d'autres qualités.
Il y a presque une apparence de divinité dans ce personnage de Narasimhadeva tel que nous le voyons sur ce relief, les jambes bien placées, écartées, le corps légèrement penché en avant, les bras tendus pour encocher une flèche sur son arc. Devant lui, se trouve une énorme planche de bois, placée de biais, sur laquelle le roi a déjà tiré toute une volée de flèches avec une telle puissance que les pointes dépassent de l'autre côté. Des personnages plus petits entourent le roi, certains devant rendre hommage aux dieux, les mains jointes au-dessus de leur tête, d'autres rendant hommage à ce dieu sur terre qu'était Narasimhadeva. Le petit homme barbu, à gauche, pourrait être le *gourou* du souverain. Au-dessus du pavillon finement sculpté qui surmonte la scène, des deux côtés se trouvent des *vidyadhara* en vol, ce qui ajoute encore à la notion de divinité associée au roi ; sur le registre inférieur, on voit des soldats armés jusqu'aux dents d'épées, de boucliers, d'arcs et de flèches. A l'extrême gauche, un cheval surmonté d'un parasol royal évoque le sacrifice suprême de l'Ashvamedha que le roi avait le droit d'offrir en vertu de ses grandes conquêtes.
Cette sculpture dénote un métier remarquable, notamment la silhouette du roi, qui dégage une impression de grande énergie. La posture masculine autoritaire, soulignée par les écharpes qui tourbillonnent et la souple charpente du roi, est bien mise en valeur. Les silhouettes secondaires ont été traitées avec moins de soin ; pourtant, la composition est disposée avec une grande sûreté, si bien que le regard est d'emblée attiré sur la personne du roi.

Bibliographie :
C. Sivaramamurti, *L'art en Inde,* Paris, 1974, fig. 572 ; *In the Image of Man,* Londres, 1982, fig. 120 ; Eberhard Fisher, Dinanath Pathy et consorts, *Orissa : Kunst und Kultur in Nordost Indien,* Zurich, 1980 ; et A. Eschmann, Hermann Kulke et consort, *The Cult of Jagannath and the Regional Tradition of Orissa,* Delhi, 1978, fig. 37-40.

160
L'avatar du sanglier : Varaha

Grès.
XIe siècle après J.-C. ; Khajuraho, Madhya Pradesh.
145 × 37 × 34 cm.
Archaelogical Museum, Khajuraho ; n° 861.

La légende cosmique du sauvetage de la Terre, narrée avec tant d'éloquence dans le *Bhagavata Purana,* a inspiré en Inde quelques grandes sculptures monumentales. L'échelle et les proportions de la représentation de cette légende, sur les parois d'une caverne taillée à même le roc, à Udayagiri, sont difficiles à égaler, mais cette œuvre a su capter en partie l'énergie et le drame du récit, la déesse Terre emmenée au plus profond des eaux par le démon Hiranyaksha, symbole des forces obscures qui commencent à étendre leur domination sur l'univers, et Vishnou qui, pour remplir la promesse faite à l'humanité, décide de prendre la forme de Varaha, le grand sanglier primitif, et plonge dans les eaux. Il s'ensuit une bataille titanesque, une bataille furieuse mais, triomphant comme toujours, Vishnou sort de l'eau, dans un grand effort, supportant la déesse Terre au creux de son bras levé ; tandis qu'elle s'accroche encore, toute tremblante, à son boutoir massif il lui soupire à l'oreille : « Ce chemin que, vous et moi, avons suivi à plusieurs reprises. »

Le sculpteur de cette stèle superbement taillée a une conscience aiguë de ce qu'implique le mythe. Plus que tout, c'est l'accent mis sur l'énergie des formes et la pose du Sauveur que saisit l'œil : tout le poids du corps est porté par la massive colonne qu'est sa jambe droite, la jambe gauche soulevée en *alidha* repose sur un lotus. La fierté de la tête tournée vers le haut, l'attitude assurée, la main droite, sur la cuisse, tout est rendu avec éloquence, et met en relief les formes merveilleusement féminines, bien qu'un peu timides et farouches, de la déesse qui repose maintenant en sûreté dans le creux du bras. Vishnou-Varaha porte tous les attributs qui lui sont propres : la conque, le disque, la massue ; mais il semble ici avoir confié le lotus à la déesse, qui le tient bien en vue dans sa main gauche. L'ondulation rythmée de la silhouette est soulignée par les bijoux et par la longue *vanamala*, guirlande de fleurs sauvages, que déplace Varaha en émergeant des profondeurs.

Les personnages secondaires entourant Varaha sont rendus avec le même soin, la même attention que le personnage principal. Deux créatures aquatiques, à l'allure de Nagas, sont assises, les mains jointes, enlacées, rendant hommage à Varaha ; les *ayudha-purushas,* attributs personnifiés de Vishnou, se tiennent de part et d'autre ; sages, demi-dieux et animaux, tous sont témoins de ce haut-fait miraculeux. Sur les bords de la stèle se trouvent les classiques animaux mythiques. Des musiciens divins descendent des cieux, cependant que Brahma, Shiva et Surya sont assis, regardant la scène de leurs demeures célestes. Le sculpteur a aussi inséré, en tout petit, les autres incarnations de Vishnou ; on discerne nettement le Poisson, la Tortue, Narasimha, Vamana et Parashurama. Tous ces détails, cet extraordinaire foisonnement de la stèle, sont exécutés avec la facilité et l'assurance qui caractérisent les sculpteurs de cette époque. Le jeu des surfaces lisses et ornementales, la souplesse des corps, les diverses expressions des visages, les effets d'ombre et de lumière de cette œuvre la font rapprocher de beaucoup d'autres provenant de Khajuraho et du reste du pays Chandella.

Bibliographie :

In the Image of Man, Londres, 1982, n° 370 ; Krishnadeva et V.S. Nayal, *The Archaeological Museum at Khajuraho,* Delhi, 1980, pl. 5.

161
Le triomphe de Durga

Grès.
Xe siècle après J.-C. ; Avani (Kolar) Karnataka.
130 x 64 cm.
Government Museum, Bangalore ; n° 19.

Il n'y a plus d'agitation, la grande Déesse est assise, triomphante et paisible, offrant sa protection, dispensant des grâces. On trouve cependant ici un rappel de la lutte féroce, de cette bataille sans merci contre les forces du mal, dont elle vient tout juste d'être victorieuse, dans la forme du démon, sous le siège, écrasé par le pied droit de la déesse. Il y a partout des signes du grand pouvoir d'anéantissement de la déesse, de son association avec la destruction et avec la mort : le collier de têtes humaines qui l'enveloppe comme un cordon sacré, les serpents qui lui entourent la poitrine et lui maintiennent les seins, les cheveux qui lui volent derrière la tête, et qu'elle agite avec violence, le tambourin qui perce et anihile tout ce qui se trouve sur le passage de la Déesse ; tous ces objets sont des rappels de ses exploits. Pour le moment, elle est assise, un peu absente, comme si elle savourait la paix obtenue par ses propres efforts. Il est cependant significatif que le sculpteur ait consacré une partie considérable de son œuvre à l'infortuné démon vaincu à ses pieds. On le voit ici sous un angle inhabituel, alors même qu'il tombe, son épée et son bouclier devenus inutiles, le visage déformé par l'agonie. C'est l'œuvre d'un sculpteur Nolamba, d'une si grande qualité que l'on regrette qu'il n'en subsiste aujourd'hui que si peu d'exemples.

162
Chasse

Grès.
XIe siècle après J.-C. ; Meo, dans l'ancien État de Rewa, Madhya Pradesh.
63 x 115 x 23 cm.
State Museum, Dhubela ; n° 757.

Il est difficile d'identifier avec certitude le sujet de ce fragment. On discerne trois chevaux au pas, montés par des « princes » relativement jeunes : le premier semble tourner la tête pour parler à ceux qui le suivent, sa position fait écho à celle de sa monture. Derrière les chevaux marchant côte à côte et, à droite contre la dalle de la stèle, des serviteurs portent divers objets : le premier est armé d'un sabre courbe et regarde derrière lui, celui du milieu porte la hampe d'un *chhatra* ou parasol royal, aujourd'hui cassé et, fermant la marche, le dernier porte un objet non identifié, peut-être une corbeille de fleurs. Au-dessus, en rang, des personnages volants, ressemblant à des amours, tiennent des guirlandes de fleurs, tandis que d'autres rendent hommage, comme s'ils apercevaient un personnage d'importance, sur terre, vraisemblablement le cavalier du milieu. Cette procession pourrait représenter le fils de Surya, Revanta, qui est souvent représenté en train de chasser.
L'arrière-plan est couvert de motifs floraux imbriqués géométriquement. On est intrigué par les petits animaux, peut-être des mangoustes, placés entre les jambes des chevaux, de face ; en dessous, on voit une frise finement ciselée. En dépit d'une stylisation marquée, ces cavaliers ont une apparence héroïque et l'expression solennelle, attentive, sur les visages des serviteurs allant à pied ajoute à cet effet.
Pas très éloigné des œuvres Chandella, de Khajuraho, ce panneau accuse, d'une manière générale, les mêmes écarts de style, des écarts suffisants pour indiquer une expression locale.

163
Subrahmanya, fils de Shiva

Bronze.
XIIe-XIIIe siècle après J.-C. ; Jambovanadai, Tamil Nadu.
Government Museum, Madras ; n° 1041/81.

On connaît ce fils de Shiva sous de nombreux noms : c'est Karttikeya, « celui qui a été nourri par les Krittikas, les pléïades » ; Skanda, « celui qui saute » ; Murugan, « le beau » ; Agni-bhu, « né du feu » ; Shanmukha, « le dieu aux six têtes » ; et naturellement, Subrahmanya. Il est évident que tous ces noms se rapportent à des épisodes de son mythe, au rôle qu'il y a joué. Mais il reste toujours Kumara, « le jeune », car c'est sous cette forme qu'il a conduit les armées des dieux contre Taraka, le démon presque invincible. Pour cette raison, il est aussi adoré comme commandant des armées divines, Senapati. Dans le mythe de la mise à mort de Taraka, Subrahmanya utilise sa grande lance, qui est l'un de ses attributs, l'arme favorite qu'il brandit tout en chevauchant sa monture, le paon.
Ici, le dieu aux quatre bras est représenté tenant dans les deux bras arrières la Shakti, sa lance, réduite ici au fer, sans la hampe, et un *vajra*, le foudre, l'arme adamantine. Les deux bras de devant font le geste de tenir un arc de la main gauche et une flèche de la droite. Il y a ici une volonté évidente de représenter Subrahamanya, le dieu-guerrier, mais au repos ; c'est, d'autre part, un dieu suprême, le dispensateur de tout ce qui est bon, que nous voyons ici. La silhouette est admirablement taillée avec, sur le corps, des ornements très complexes et travaillés avec soin. La haute couronne si caractéristique de cette période, dans le Sud, contribue à donner une certaine hauteur au personnage, mais il convient de remarquer que, étant « le jeune », Kumara, il est représenté d'une taille relativement petite. Les règles de l'iconométrie prévoient nettement que les représentations du dieu devaient être relativement de petite taille et les sculpteurs Chola du sud de l'Inde ont adopté cette conception. C'est la partie inférieure du corps, surtout, qui est courte.
Subrahmanya porte également un rosaire et un flacon à eau et, parfois, fait des mains le geste de dispenser des grâces, d'accorder sa protection ; mais il convient de remarquer l'insistance mise sur les armes, car il est « le protecteur » qui vient en aide à ses dévots :
Quand me manqueront tous les soutiens extérieurs,
Sois mon refuge... Viens avec Ta lance,
Monté sur le paon.
Fais que la peur me quitte quand le messager de la Mort viendra à moi.
Ces paroles sont celles du grand Shankaracharya, lorsqu'il s'adresse à Subrahmanya sous le nom de Guha, l'enfant du mystère.

164
Fragment avec Vyala et Cavalier

Grès.
Ve siècle après J.C. ; de Sarnath, Uttar Pradesh.
90 x 58 cm.
Archaeological Museum, Sarnath ; nº 4924.

Comme sur la pièce jumelle qui se trouve aujourd'hui au National Museum, cette superbe sculpture d'un animal mythique portant sur le dos un cavalier communique une merveilleuse sensation de force. La nature composite de l'animal, – une de ces créatures délicieuses, quoique d'allure effrayante, avec lesquelles les sculpteurs indiens ont si souvent joué, – ou ses proportions inattendues ne gênent pas cette sensation ; en effet, la tension de la pose car on sent l'animal prêt à sauter, et sa gueule à moitié fermée, grondante, lui donnent une verve très nette, qui n'est aucunement joyeuse. L'atmosphère est encore soulignée par les personnages humains, le guerrier à l'épée nue sur le dos du *vyala,* se tenant à sa crinière, et le fantassin qui s'avance avec frénésie, avec fermeté, tenant lui aussi à la main droite une épée nue, sur la pointe de laquelle le *vyala* semble poser la patte. Les deux personnages humains sont représentés presque complètement de face, ce qui contraste avec le *vyala* que l'on voit de profil ; ces deux personnages paraissent doués d'une puissance intérieure qu'ils peuvent déchaîner d'un instant à l'autre. L'arc des sourcils, le pli de la bouche, l'inclinaison des yeux, tous ces détails sont travaillés avec un grand soin, une grande conscience par le sculpteur Gupta. Le cavalier ne symbolise pas obligatoirement « le guerrier de l'esprit » chevauchant « la bête de la nature » mais, avec le fantassin, ils sont certainement les représentations d'une force remarquable.
Cette œuvre a l'élégante finition de tant de sculptures Gupta et par ses nombreuses caractéristiques, comme le style du visage, le traitement de la chevelure, la fusion et l'imbrication des plans, les éléments décoratifs compensés par des surfaces planes, lisses, peut-être attribuée à la haute période de l'art « classique ».

Bibliographie :
Inde, cinq mille ans d'art, Paris, 1978, nº 51 ; *Ancient Sculptures of India,* Tokyo, 1984, nº 48.

165

L'apparition de Varaha ; de la même série du *Bhagavata Purana* que le nº 83

Gouache sur papier.
École Pahari, deuxième quart du XVIIIᵉ siècle ; de l'atelier familial de Seu-Nainsukh.
21,5 × 32 cm.
Chandigarh Museum, Chandigarh ; nº E-131.

L'enjeu est important car la terre a été entraînée dans la profondeur des eaux par les démons aux ordres du puissant Hiranyaksha, le démon « aux yeux d'or ». Il appartient maintenant à Vishnou, comme le dit le texte du *Purana,* de la sauver. Pour cela, il descend sous la forme d'un grand sanglier, sa troisième incarnation dans la suite qui s'étend au cours de l'éternité des temps. Quand apparaît cette puissante émanation, Vishnou annonce, aux puissances de la terre et des régions infernales, qu'il est ici pour vaincre le mal et restaurer le *dharma,* la loi de la droiture, qui seul peut soutenir cet univers et le maintenir.
Quand Varaha se manifeste, « les trois mondes » tremblent en faisant entendre des craquements qui se répercutent dans toutes les directions. Le tonnerre et les éclairs déchirent l'atmosphère et, du ciel, tombent des pluies de serpents et des ruisseaux de sang. Des roches roulent à grand bruit et les ossements de ceux qui se sont fait broyer par les mâchoires du temps retombent avec fracas. Tremblants de peur, incapables de regarder ces puissantes visions, tous les êtres fuient dans la terreur, sages et dévots, démons et gobelins, les Gandharvas et vidyadharas de toutes sortes. Au milieu d'eux, se tient Varaha, personnification même de l'énergie, qui assure fermement ses pieds sur la terre et ne se contente pas de tenir, avec ses autres attributs, le disque flamboyant, son *chakra,* mais le fait tourner à une vitesse impétueuse autour de son doigt tendu dans l'air.
Suivra alors la lutte prolongée et cruelle contre le démon errant, sur laquelle le peintre de cette superbe série va longtemps s'attarder. Même lui, qui de son pinceau a donné naissance à des œuvres d'une telle énergie, tellement novatrices, a dû trouver difficile d'égaler la qualité de cette peinture car elle n'est pas seulement d'une palette magnifique, elle restitue avec conviction cette tumultueuse occasion. Nous imaginons de grands événements, à la seule vue de Varaha.

Bibliographie :
Voir le nº 83.

166

Krishna tue Kuvalayapida, l'éléphant ; de la même série du *Bhagavata Purana* que le n° 83

Gouache sur papier.
École Pahari, premier quart du XVIIIe siècle ; d'un atelier de Mankot.
20,5 × 31 cm.
Chandigarh Museum, Chandigarh ; n° 1299.

A l'entrée de l'arène où était assis Kamsa, dit le *Bhagavata Purana,* se trouvait son grand éléphant, Kuvalayapida, gros comme une montagne et effrayant comme Kala, le dieu de la mort lui-même. Quand Krishna et Balarama veulent pénétrer dans l'arène, le *mahout,* ou cornac, de l'éléphant fait venir Kuvalayapida pour leur barrer la route. Furieux, Krishna demande au *mahout* de faire bouger l'éléphant ; au lieu de le faire, le *mahout,* utilise son aiguillon pour mettre Kuvalayapida en fureur contre les deux garçons. Ne voyant pas d'autre moyen, Krishna s'avance alors, décidé à « donner une bonne leçon au *mahout* et à l'éléphant ». Il se précipite sur l'éléphant et le frappe rudement : barrissant furieusement, l'éléphant charge ; Krishna prend alors une autre tactique, il se cache derrière ses jambes, fait semblant de tomber par terre, et ainsi de suite. Et quand l'éléphant est bien éveillé, Krishna commence « à jouer avec lui ». Rampant derrière lui, Krishna tire l'éléphant par la queue, comme « Garuda tire un serpent ». Il fait ainsi peu de cas de l'effarante puissance de Kuvalayapida et, quand celui-ci est fatigué et désespéré, Krishna « le met à terre d'un seul coup », et l'éléphant s'écroule, tombe sur le dos, avec son *mahout.* Ensuite, Krishna saute sur son dos et, dans un grand effort, lui arrache les deux défenses que lui-même et Balarama portent maintenant en guise d'armes pour tuer les soldats de Kamsa et, finalement, Kamsa lui-même.

Nous voyons ici Krishna triomphant, alors que la bataille vient juste de se terminer. Sa posture héroïque ainsi que celle de son frère, Balarama, alors qu'ils se préparent à gagner l'arène de Kamsa, sont bien différentes de l'état pitoyable de l'éléphant qui saigne à profusion et de celui du *mahout* et des serviteurs. La composition est habile ; le tumulte de la lutte est évoqué par les formes chaotiques et contournées de l'éléphant mort et par les objets qui gisent, brisés, ici ou là : de massives chaînes de fer, un étendard, l'aiguillon de l'éléphant, le turban enroulé du *mahout.* Krishna et Balarama, avec leurs deux compagnons, paraissent très heureux de la tournure prise par les événements, et se meuvent avec leur fougue habituelle.

Bibliographie :
Voir le n° 83.

167
Portrait d'un guerrier

Gouache sur papier.
École Pahari, premier quart du XVIIIe siècle ; d'un atelier de Mankot.
Au verso, une inscription en takri : *Gujjar Hath Paniya* (« Le Gujjar, tenant dans son lit l'Épée Paniya ? »).
Chandigarh Museum, Chandigarh ; n° 1236.

La silhouette de cet homme à l'aspect résolu produit une vive impression ; il porte un beau *jama* fleuri et se détache sur un fond jaune vif, uni. On ne saisit pas d'un seul coup d'œil tous les détails, mais cet homme debout laisse une forte impression ; il tient de la main droite un long sabre courbe tandis que les doigts de la main gauche sont légèrement écartés. Tout s'accorde parfaitement à l'expression de son visage, ses lèvres minces serrées, son regard d'oiseau de proie. Bien d'autres éléments méritent notre attention ; le turban flamboyant avec des aigrettes de plumes et des tiges de fleurs, suivant la mode en vigueur dans les collines, les motifs et l'évasement du *jama,* la ceinture de tissu dont l'extrémité est pendante, les pantalons rayés à petits plis, sans oublier les babouches brodées. Ce que le peintre veut plus que tout nous montrer, sans doute, c'est le bras d'une taille rare, d'une forte musculature, qui tient le sabre. On ne peut douter qu'il ait représenté là l'un de ces guerriers ne connaissant pas la peur sur le champ de bataille.

Dans le contexte de l'art indien, le portrait pose un problème assez complexe : alors que de nombreux portraits moghols sont marqués par un sens aigu de l'observation et un certain réalisme, qualités qui les ont rendus justement célèbres, dans la tradition plus « indienne » des œuvres Rajasthani et Pahari, les portraits ont une signification différente, on y trouve plus d'idéalisation et d'abstraction, qui ne viennent pas détruire l'observation, mais s'y superposent. Ainsi, ce portrait n'est pas celui d'un prince dont nous connaissons l'histoire, mais celui d'un guerrier dont la grande puissance doit avoir fait l'admiration des siens. L'œuvre fait partie d'un groupe de portraits importants d'une rare qualité, qui proviennent d'un atelier de Mankot et datent du premier ou du deuxième quart du XVIIIe siècle.

Bibliographie :
M.S. Randhawa, « Paintings from Mankot », *Lalit Kala,* n° 6 ; W.G. Archer, *Indian Paintings from the Punjab Hills,* Londres, 1973, I, p. 371-381 ; B.N. Goswamy, « Essence and appearance: Some Notes on Indian Portraiture », dans *Facets of Indian Art,* Londres, 1985 (en préparation).

168
Raja Sidh Sen de Mandi, en incarnation de Shiva

Gouache sur papier.
École Pahari, premier quart du XIXe siècle ; d'un atelier de Mandi.
Bharat Kala Bhavan, Bénarès ; n° 10222.

Le souverain dont nous voyons ici le portrait, Sidh Sen (1684-1727), est resté bien vivant dans la mémoire du peuple de Mandi, cet État montagneux et éloigné de la région Pahari. On s'en souvient comme d'un « homme-montagne », doué de pouvoirs magiques, d'une force telle qu'il était capable d'écraser une noix de coco de sa seule main gauche ; c'était aussi un grand adorateur de Shiva et de la Déesse. Un grand nombre de portraits de lui sont parvenus jusqu'à nous, la plupart d'entre eux dans ce style rigide, assez sec mais porteur d'une grande émotion : il a parfois l'aspect d'un guerrier sur le champ de bataille, parfois il marche d'un pas résolu, suivi de serviteurs et de courtisans, parfois il est figuré

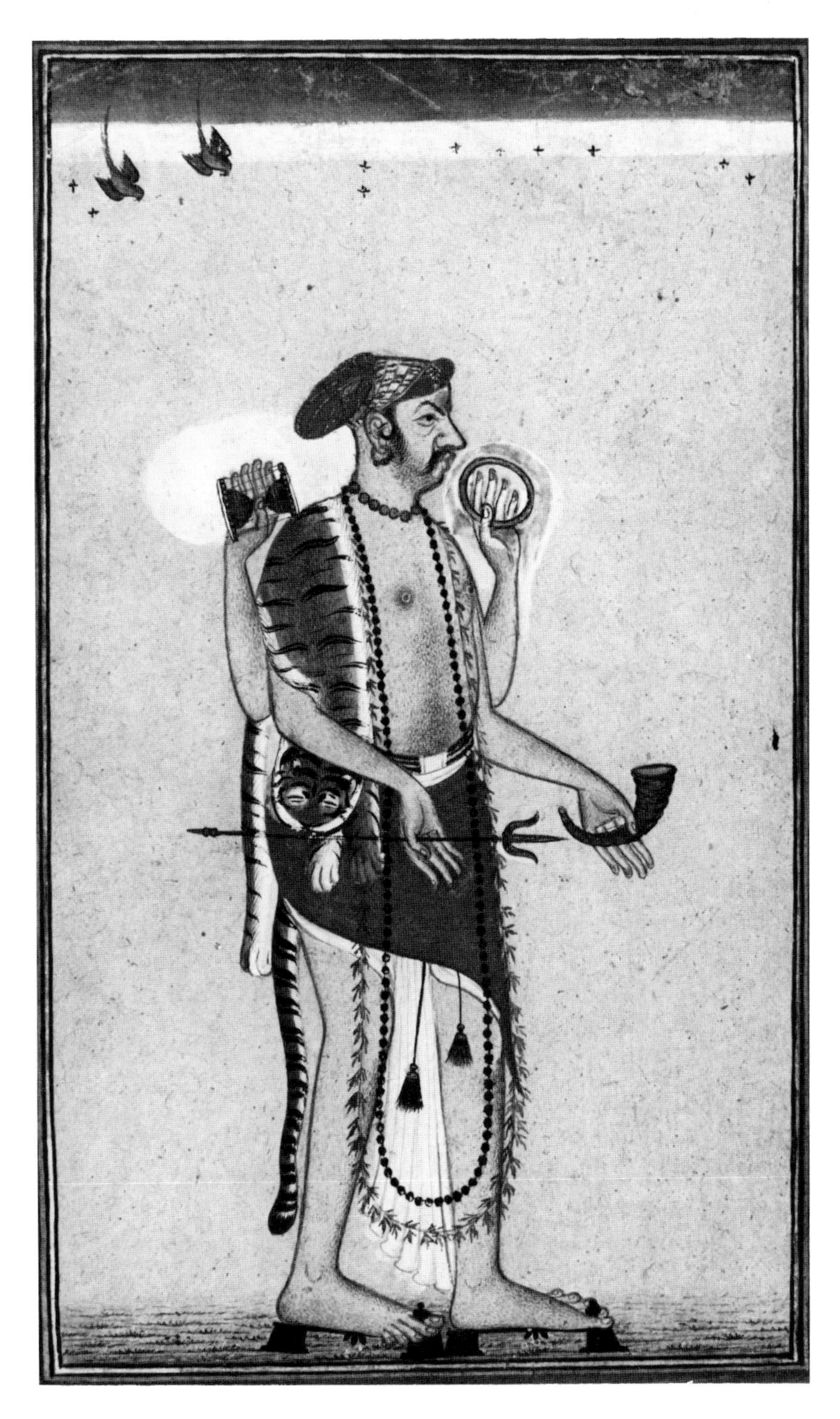

sous l'aspect d'un dévot se rendant au temple, tenant religieusement un plateau couvert d'objets rituels. Pourtant, presque toujours, ses portraits sont plus grands que nature, montrant une silhouette d'une stature énorme, puissante, et un visage peu soigné.
Ici, le peintre s'est, d'une certaine manière, surpassé, car il a identifié le souverain à Shiva lui-même, le dotant de quatre bras, le vêtant d'une peau de tigre, lui faisant porter de longues guirlandes de feuilles de *dhatura* et de grains de *rudraksha,* qui sont consacrés à Shiva. En Inde, comme dans certaines parties de l'Asie du sud-est, il est traditionnel de voir les rois coulés dans le moule des dieux eux-mêmes, – on pense ainsi au culte du Devaraja –, mais, même dans ce contexte, nous avons là un portrait surprenant. C'est le portrait de Sidh Sen et non une représentation de Shiva que nous voyons ici, sans l'ombre d'un doute, car Shiva est représenté différemment dans la peinture de Mandi. C'est donc la divinité de Shiva qui a été transférée au raja, représenté comme un véritable « dieu parmi les hommes ».
En dépit de cette forte ressemblance avec Shiva, le peintre a aussi cherché à combiner, dans cet aspect du souverain, certaines caractéristiques d'autres puissants dieux. Alors que le tambour et la corne sont nettement des attributs shivaïtes, le disque appartient, lui, à Vishnou, et le trident pourrait fort bien être celui de Durga, la Déesse.
Un autre portrait de Sidh Sen, sous le même aspect, se trouve au Jagdish and Kamla Mittal Museum of Art, à Hyderabad ; il a été exposé à Londres en 1982, avec la légende suivante : « Raja Sidh Sen en ascète ».

Bibliographie :
Karl J. Khandalavala, *Pahari Miniatures Painting,* Bombay, 1958 ; W.G. Archer, *Indian Paintings from the Punjab Hills,* Londres, 1973, au chapitre « Mandi » ; *In the Image of Man,* Londres, 1982, n° 292.

169
L'enlèvement : Laurik lance une corde à Chanda ; d'une série du Laur Chanda

Gouache sur papier.
École pré-moghole ; dernier quart du XVe siècle.
Au verso, vers avadhi en caractères persans.
Bharat Kala Bhavan, Bénarès ; n° 5440.

Le *Chandayan* de Mulla Daud qui nous parle « de l'amour de la cour, des souffrances de la séparation et des heureuses retrouvailles des amants séparés », est le poème dont provient cette feuille célèbre. Laurik, le héros, arrive devant le palais du père de Chanda, que l'on voit ici gardé par un soldat assis armé d'une hache. Il lance une corde en l'air, espérant qu'elle restera accrochée à l'étage supérieur du palais et que Chanda, sa bien-aimée,

pourra ainsi descendre et s'enfuir avec lui. Comme l'extrémité supérieure de la corde parvient dans son champ de vision, Chanda se précipite et, malgré sa servante et confidente, arrive à l'attraper. Cet épisode se passe de nuit : le bleu profond du ciel, parsemé de petits points, du haut en bas de la peinture, qui représentent les étoiles, la lampe à deux mèches, suspendue au plafond, le garde endormi à l'entrée, tout l'indique. Pourtant, c'est sur l'énergique personnage de Laurik, représenté d'une taille plus grande que les autres, que le peintre a insisté, alors même qu'il jette la corde d'un geste ferme et décidé ; sa silhouette se détache bien sur le fond piqueté d'étoiles. On trouve également une certaine énergie dans la démarche décidée et ferme de Chanda, cette énergie même qui a fait concevoir aux amants leur plan audacieux. Six feuilles peintes seulement de ce manuscrit semblent être parvenues jusqu'à nous et sont toutes au Bharat Kala Bhavan ; le style de l'illustration est extrêmement ferme, il a la simplicité des œuvres populaires. Les conventions, – l'œil exorbité, les femmes à la taille d'une extrême finesse et aux yeux de lotus, la force des hommes « au poitrail léonin », le bâtiment vu seulement de face comme une maison de carton –, ont toutes une longue tradition derrière elles, car on les retrouvent dans les peintures Jaines ou de l'Inde de l'ouest datant d'une période antérieure ; ici, elle sont utilisées avec une remarquable perspicacité. Ce n'est pas tant la qualité du travail que l'on admire dans cette œuvre, – dont le style a été qualifié, à juste titre, d'*apabhramsa* par Rai Krishnadasa –, que le sens de la composition et, globalement, la manière de nous narrer un conte dans un style ramassé, dense. Le manuscrit provient probablement d'un centre dans l'Uttar Pradesh et peut être daté des environs de 1500.

Bibliographie :
Karl Khandalavala, « Leaves from Rajasthan », *Marg,* vol. IV, n° 3 ; Rai Krishnadasa, « An illustrated Avadhi Ms. of Laur Chanda », *Lalit Kala,* n° 1-2, 1955-56 ; Karl Khandalavala et Moti Chandra, *New Documents of Indian Painting,* Bombay, 1969 ; p. 53 et sq.

170
Guerrier au long sabre

Gouache sur papier.
Deccan, milieu du XVIIe siècle ; d'un atelier de Bijapur.
Bharat Kala Bhavan, Bénarès ; n° 864.

Sur un fond nu, se détache la silhouette d'un jeune guerrier barbu, debout, les jambes légèrement écartées, comme s'il marchait lentement. Dans son bras droit levé, il tient une épée d'une rare longueur, dont la garde protège tout le bras. Le guerrier porte à la taille un autre sabre courbe, accroché à la ceinture et, pour faire bonne mesure, une dague, dont on ne voit que la poignée, dépasse de sa ceinture, du côté droit. Cette silhouette grande et majestueuse porte un turban légèrement penché sur la nuque. Le personnage est vêtu d'un *jama* noué sous le bras droit, dont les pans tombent jusqu'à la ceinture, à droite. Il porte des pantalons rayés, assez courts pour ne pas le gêner dans sa marche ; des chaussures pointues à l'arrière complètent ce portrait. L'accent est manifestement mis sur l'allure héroïque, martiale, de ce jeune homme. L'attitude, la main qui brandit l'épée et, par dessus tout, le ferme dessin de la bouche contribuent

à donner cette impression. Le peintre n'a pas voulu représenter une scène de bataille ni un quelconque acte d'héroïsme, il n'a voulu exécuter qu'un simple portrait lui permettant d'évoquer le caractère énergique et provoquant du personnage.
Une inscription en caractères persans, très effacée, se trouve dans le bas, à gauche : on n'en peut lire que le mot « Mirza ». On trouve dans cette œuvre quelques affinités avec la peinture du Deccan, indiquées par le style ainsi que par la forme de l'épée, propre au Deccan ou au Maharashtra.

171
Prince tirant à l'arc

Gouache sur papier.
École moghole, premier quart du XVIIIe siècle.
Indian Museum, Calcutta ; n° 340/286.

Lorsque les textes traditionnels énumèrent les vertus d'un chef ou décrivent sa vie quotidienne, ils prêtent attention aux exercices d'adresse dans lesquels celui-ci doit exceller. Il n'est donc pas surprenant de voir souvent les chefs, réels ou légendaires, représentés en train de s'exercer au tir à l'arc aux abords de leur palais. On connaît l'importante sculpture, représentant Narasimhadeva de la dynastie des Ganga orientaux, de l'Orissa (qui figure dans la présente exposition, n° 159) ; quand, dans le *Naishadhacharita* est décrite une journée de Nala, le héros de l'histoire de Nala et de Damayanti narrée dans le *Mahabharata,* nous le voyons s'exercer à l'arc, comme sur l'un des cinq dessins Pahari actuellement conservés au musée des Beaux-Arts de Boston. Ici, un chef, que n'identifie aucune inscription, se livre à la même activité, dans une enceinte dégagée de son palais : il a choisi une grande terrasse de marbre ; d'un côté, à droite, se trouve un panneau de bois avec une cible ; au milieu de la peinture, se tient le chef, un arc dans sa main tendue ; ses compagnons et serviteurs sont groupés, debout à peu de distance derrière lui. Un des hommes de ce groupe tient également une flèche, encochée sur son arc, attendant manifestement son tour de tirer sur la cible. Tous les yeux se tournent naturellement vers le chef, dont tous les hommes, en arrière, louent l'adresse. L'œuvre est exécutée avec une grande sûreté et une grande délicatesse, de minuscules détails ont

été ajoutés, avec beaucoup de soin, comme on le voit avec les arbres à mi-distance ou les parterres de fleurs géométriques dans le fond. On retrouve le même souci du détail dans les vêtements, leur poids, leur transparence étant rendus avec grand soin. Mais tout cela n'a pas grand chose à voir avec le sentiment qui se dégage de cette œuvre où tout concourt à faire ressortir la qualité du chef qui doit aussi avoir été le mécène du peintre.
Avec la précision des détails, cette œuvre semble de la main d'un des derniers maîtres moghols, comme Nidhamal, par exemple, qui a abandonné Delhi, ce centre du pouvoir, et trouva à s'employer dans une des « provinces » montantes telles que Oudh ou Murshidabad, où de nouveaux mécènes prodigues avaient hâte d'accorder aux artistes leur protection.

172
Shiva archer

Gouache sur papier.
École Pahari, troisième quart du XVIIIe siècle ; de l'atelier familial de Seu-Nainsukh.
Indian Museum, Calcutta ; n° 239/690.

Shiva, le yogi, est également Shiva le grand guerrier, le destructeur des trois cités et le vainqueur d'une multitude de démons. En plus de ses autres armes de destruction, la hache et le *trishula* ou trident, il porte le puissant arc Pinaka qui frappe de terreur le cœur de ses ennemis. C'est ce même arc qui lui vaut son nom de *Pinaka-pani* et qu'il tient à la main dans les grandes statues montrant Tripurantaka, en pierre ou en bronze. Sur une représentation peu courante, nous voyons Shiva assis sur sa noble monture, Nandi, faisant porter son poids sur ses pieds plutôt que sur son dos, comme il le ferait s'il était assis à califourchon. De son bras droit tendu bien droit devant lui, il tient son arc alors qu'il a le bras gauche encore relevé, comme s'il venait juste de décocher une flèche. Un carquois repose entre ses cuisses et son ventre. Il a une apparence anormalement simple : il a deux bras, une peau de léopard est jetée sur ses épaules, il porte une *dhoti* sur les jambes ; il n'a pratiquement pas de bijoux sur le corps ; ses cheveux sont noués en chignon ; on discerne nettement son troisième œil et le croissant de lune sur son front. Il a une expression de calme parfait, de douceur même, comme si détruire l'ennemi était un devoir qu'il accomplit avec légèreté, qui ne pèse ni à son corps, ni à son esprit. Un élément contraste avec ce calme, c'est l'excitation de Nandi, le taureau, qui galope comme s'il savait l'importance de la vitesse sur le champ de bataille. On ne voit pas l'ennemi sur cette peinture, mais le peintre semble nous dire que nous ne le connaissons que trop bien. En tout cas, il a voulu nous donner une impression nette, concise, de Shiva et de Nandi, sa monture, qui se détachent bien sur un fond rouge uni.

Cette peinture, quand elle fut publiée dans le n° 9 de *Rupam,* accompagnait un article sur les Ragas et les Raginis, mais était dépourvue de la moindre légende. Si l'intention avait été de représenter, d'une manière ou d'une autre, un Raga, comme Bhairava, cette suggestion ne serait guère convaincante car Bhairava a donné lieu à une iconographie toute différente, même en tenant compte des nombreuses variantes possibles.

Gouache sur papier :
Kannoomal, « Notes on Raginis », *Rupam,* p. 91-99 ; voir aussi Stella Kramrish, « Siva, the Archer », dans *Indologen Tagung,* 1971, Wiesbaden, 1973, p. 140-150.

173
Raja à la chasse

Gouache sur papier.
Rajasthan, dernier quart du XVIIIe siècle ; d'un atelier de Bikaner.
Collection de Mr. Suresh Neotia, Calcutta.

On trouve d'exquis détails dans cette peinture d'un souverain à la chasse. En selle sur un fougueux destrier blanc et gris, le prince et ses compagnons et serviteurs n'occupent que la moitié inférieure de la peinture ; le reste est consacré à une plaine unie, avec une petite éminence au milieu. On voit au loin le rivage abrupt d'un lac où, appartenant manifestement au prince, un éléphant se tient, dans ce paysage ondulé, en dessous de brillantes formations d'oiseaux en vol, avec des faucons qui, à mi-hauteur, foncent sur eux. Les couleurs des oiseaux qui prennent leur vol rapide et la vitesse des faucons qui plongent comme l'éclair, doivent être regardées avec grande attention car elles sont rendues avec une extrême précision.

Bien conforme à l'image virile, sportive que les chefs rajpouts ont développée avec tant de soin, le prince représenté ici se livre à sa passion pour les exercices au grand air. Cette chasse au vol a fait l'objet de préparations soigneuses ; des chiens de chasse et des serviteurs adroits entourent le raja ; des serviteurs et des cuisiniers sont venus pour dépouiller et pour faire cuire le gibier, et ainsi de suite. Les grands espaces, la liberté de l'air dans lequel s'ébattent les oiseaux et le vol lyrique des oiseaux de proie donnent à cette œuvre une étrange qualité poétique. Les détails du lavis ont été l'objet d'une grande attention, comme les arbres en pointe, chaque feuille bien dessinée, les hauts turbans, les harnais du cheval, la broderie des gants de fauconnerie, tous ces éléments ont été travaillés avec le plus grand soin.

174
Chasse au lion

Gouache sur papier.
Rajasthan, troisième quart du XVIIIe siècle ; d'un atelier d'Uniara.
Collection de Rao Raja Rajinder Singh de Uniara, Jaipur.

Cette scène d'une remarquable fougue, où l'on retrouve l'atmosphère des scènes de chasse, plus célèbres, provenant de Bundi et de Kota, est l'œuvre, elle, d'un atelier d'Uniara. Nous ne nous trouvons pas dans une épaisse forêt mais dans un terrain dégagé, inégal, bordé tout autour par des rochers. On voit, au centre, un prince, que l'on identifie par l'inscription placée au-dessus : « Kanwar Jaswant Singhji » ; il transperce de

sa longue lance la tête d'un lion qui le charge. Le lion n'avait réellement aucune chance, car une véritable armée de cavaliers et de fantassins, tous membres de la suite royale, partagent l'exploit du prince. Le corps du lion a été transpercé de flèches qui sont piquées dans son dos ; à droite, un cavalier le frappe de son épée nue et lui entaille le flanc ; d'autres soldats s'avancent vers le puissant fauve, avec des épées nues et des boucliers. Il semble cependant que le *coup de grâce* ait été donné par le prince monté sur son destrier blanc. La forêt n'est pas éloignée car, juste derrière une crête, au milieu, on voit des arbres et d'autres animaux, parmi lesquels un lion et des antilopes ; au premier plan, vers le bas de la peinture, on voit le couronnement d'autres arbres, que le peintre a représentés rabougris afin de dégager un espace suffisant au centre pour y situer l'action ; le bord de la pièce d'eau se trouve là et la course des chiens de chasse confère une grande force aux recoins.
La chasse prend ici l'aspect d'un rite, d'une cérémonie royale, pourrait-on dire, attestant les prouesses du prince que célèbre la peinture. L'ensemble de la scène est riche de couleurs et d'actions. Les arbres et les rochers dissimulent des surprises et l'on voit surgir des silhouettes où l'on s'y attend le moins. L'attention reste cependant attirée par le chasseur et sa victime, au centre même de l'œuvre.

Bibliographie :
Milo C. Beach, *Rajput Painting at Bundi and Kota,* Ascona, 1974.

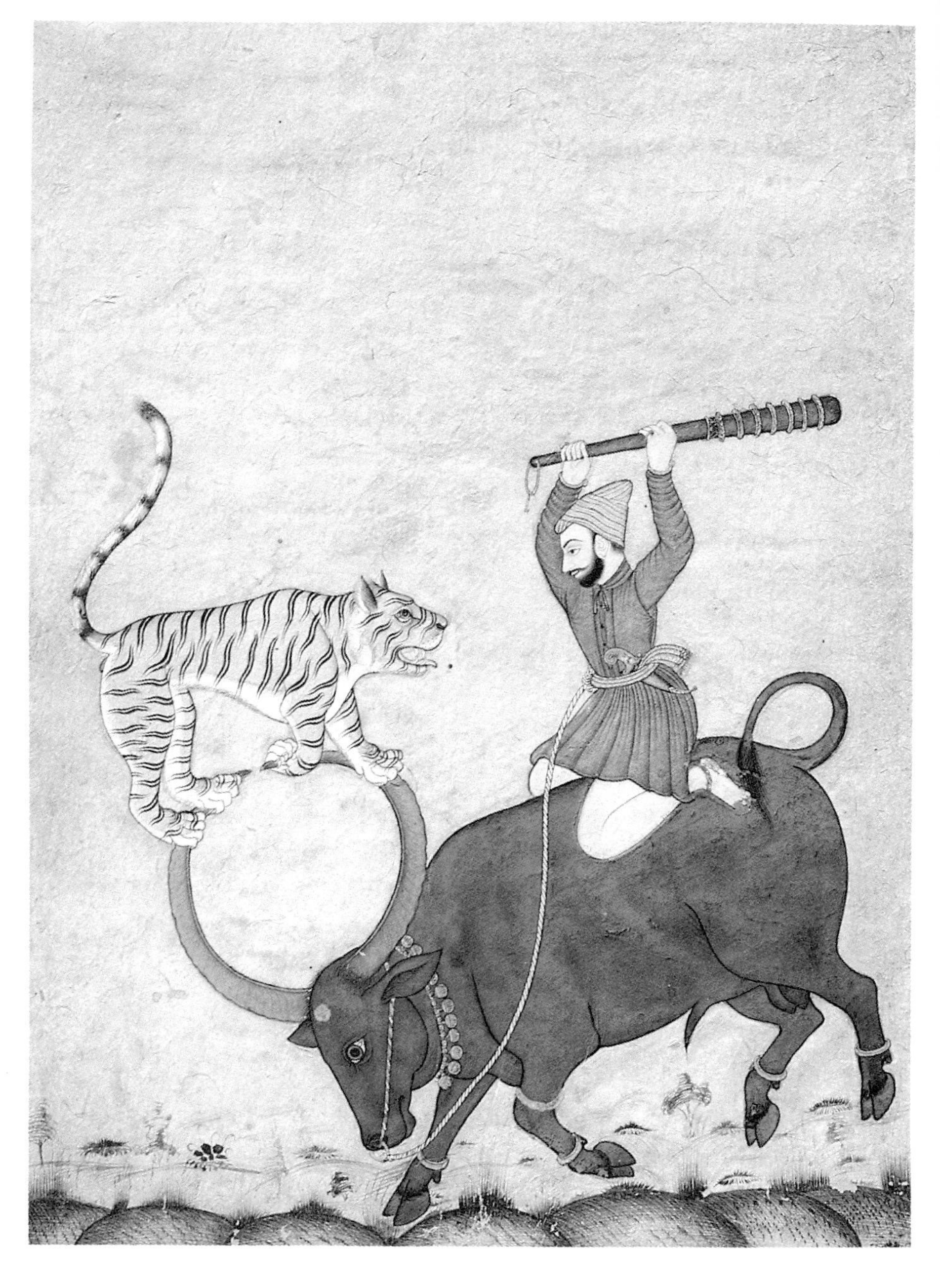

175

Homme monté sur un buffle frappant un tigre

Gouache sur papier.
Rajasthan, troisième quart du XVIIIe siècle ; d'un atelier d'Uniara.
Collection de Rao Rajendra Singh de Uniara, Jaipur.

S'il ne s'agit pas ici d'un rêve que le peintre a représenté, il faut reconnaître que c'est cependant une situation des plus rares. Un tigre a sauté sur les cornes énormes, longues et courbes d'un buffle et va être abattu par un homme qui est à califourchon sur le buffle et lève à deux mains une massue menaçante. Les cornes du buffle sont tellement recourbées, leurs pointes sont si proches l'une de l'autre qu'elles constituent pratiquement un pont sur lequel, rugissant et sortant ses crocs, la queue levée en l'air, le tigre a sauté et s'est perché... Mais le cavalier du buffle ne semble que moyennement troublé et parfaitement capable de faire face à cette situation inattendue.
Nous ne serions pas surpris qu'il y ait là quelque allusion à un taureau qui aurait été, dans cette région, réputé pour sa force incroyable. Le fait qu'il porte autour du cou une chaîne d'or avec des cloches, qu'il ait aux pieds des bracelets de cheville en or et une bossette d'or sur le front, tout cela nous indique qu'il s'agit d'une bête très spéciale. Sa force et sa posture de défi nous rappellent un peu certaines représentations de Mahishasura, le démon-buffle, qui, sous sa forme animale, charge la déesse dans le *Devi Mahatmya.* La massue, dans les mains du cavalier, fait également penser à Yama, mais il semble que ce soit une fausse piste car cet homme n'est manifestement pas un dieu. Peut-être l'explication la plus simple est-elle celle qui, au début, paraît la moins vraisemblable : que le peintre ait représenté ici un épisode bien réel ; peut-être faut-il y voir le rappel de l'intrépidité d'un buffle et de son propriétaire, célèbre sur le plan local.

176
Le jeune Raja Sidh Sen de Mandi

Gouache sur papier.
École Pahari, dernier quart du XVIIe siècle ; d'un atelier de Mandi.
Jagdish and Kamla Mittal Museum of Indian Art, Hyderabad ; n° 76.258.

Le raja que nous voyons ici est un personnage de légende : très grand et d'une vigueur remarquable, il était célèbre, même de son temps, pour ses pouvoirs extraordinaires ; en effet, on disait qu'il avait une petite *gutka* qu'il se mettait dans la bouche et qui lui permettait ensuite de voler dans les airs. Chaque jour, disait-on à mi-voix, à Mandi, il allait, tôt le matin aux sources du Gange et revenait au moment où la ville se levait, pour s'occuper des affaires de l'État. Ces pouvoirs, continuait la légende, lui avaient été donnés parce qu'il était grand adorateur de Shiva et de sa compagne, la grande Déesse. Pour le reste, c'était un homme d'un grand courage personnel, un guerrier coulé dans le moule des grands hommes du passé.
Sur cette œuvre assez ancienne, nous voyons le raja debout, les deux mains appuyées sur la garde de sa longue épée, devant ses *ishtas*, Shiva et la Devi. Derrière lui, un serviteur tient un grand éventail en plumes de paon, il est un peu écrasé par la stature de son maître. Le raja lui-même a la taille des deux divinités qu'il honore. La manière élaborée, colorée de dépeindre les divinités qui se superposent aux formules iconographiques standard, mérite qu'on s'y arrête : l'apparence sauvage de Shiva, avec ses cheveux fous, son collier de crânes humains, la peau de léopard qu'il porte autour des reins, et la déesse portant une tête coupée dans une de ses mains, comme une écuelle, sont rendus dans un style flamboyant. Pourtant, l'attention se détourne d'eux dès que l'on voit leurs montures, le taureau Nandi et le tigre, qui leur tournent le dos et regardent non pas les divinités, mais bien le raja, comme s'il était de plein droit une divinité lui-même, le reflet de la gloire du couple divin. Les pieds et mains énormes du raja, la dague à poignée à tête de tigre passée dans sa ceinture, son visage ferme et résolu et le grand évasement de sa robe, tout donne à sa silhouette du poids et de la présence. Un détail inattendu a été ajouté par le peintre, sous forme de petits pics montagneux en bas de la peinture, peut-être pour laisser entendre que ce face à face entre les divinités et leur adorateur, miroir de leur gloire sur terre, a eu lieu sur le mont Kailasha, la demeure éternelle de Shiva et de son épouse.

Bibliographie :
W.G. Archer, *Indian Paintings from the Punjab Hills*, Londres, 1973, au chapitre « Mandi ».

177
Krishna terrasse l'éléphant Kuvalayapida ; de la même série du *Bhagavata Purana* que le nº 89

Gouache sur papier.
École pré-moghole, deuxième quart du XVIe siècle.
Jagdish and Kamala Mittal Museum of Indian Art, Hyderabad ; nº 76.118.

Dans cette grande série du *Bhagavata,* l'élément poétique produit parfois, comme ici, une action tumultueuse. Quand Krishna et son frère aîné Balarama s'approchent de l'arène où Kamsa, son oncle, source de tant d'ennuis, a essayé de les attirer, ils rencontrent beaucoup d'obstacles. Parmi ceux-ci, se trouve le puissant éléphant Kuvalayapida, dont les cornacs ont reçu l'ordre impératif de le diriger dans la direction de Krishna, afin qu'il écrase sous ses pieds Krishna et ses compagnons. Krishna, qui vient tout juste de vaincre deux grands lutteurs, accepte cependant ce défi. Comme le dit le texte, il joue presque avec l'éléphant, se glissant un instant sous ses pieds, le tirant par la queue ; et, enfin, avec un grand effort, il prend l'éléphant et le heurte contre le sol, le tuant ainsi que ses cornacs. Nous voyons ici l'éléphant déjà mort, à terre, ses défenses arrachées, Krishna et Balarama en portant chacun une, et Krishna monte sur la forme énorme de l'éléphant pour saisir un des gardiens par les cheveux et le frapper à mort. Tout cela se passe devant Kamsa, le roi, perché avec tous ses atours sur le toit de son palais, avec des serviteurs à gauche, et à droite, Balarama avec un bouvier. On peut cependant interpréter autrement cette scène. Il est possible que le personnage battu à mort soit tout simplement Kamsa, que l'on verrait deux fois, une fois assis dans toute sa gloire, à gauche, et une autre fois, entraîné en bas et achevé sur le corps écartelé de l'éléphant mort. Certains indices le font supposer, comme la ressemblance de celui qui se fait tuer avec celui qui est assis, la seule différence importante étant l'absence du casque qui a dû tomber quand le roi a été arraché de son siège surélevé. Une autre peinture de cette même série représente Krishna luttant corps-à-corps avec Kuvalayapida ; la présente peinture viendrait donc immédiatement après, décrivant éventuellement les circonstances dans lesquelles Kamsa a été tué.
Cette magnifique peinture est d'une vigueur remarquable ; la forme bondissante de Krishna, le cadavre écroulé de l'éléphant, les silhouettes qui tombent et se blottissent, à gauche, tout est magnifique. Pourtant, l'énergie ne se trouve pas seulement dans les silhouettes en mouvement, elle anime aussi les personnages debout, qui regardent, comme Balarama, en haut à droite. Cette peinture a reçu un rythme sinueux grâce au mouvement des écharpes, des houppes, etc. qui ornent ces personnages. La composition, complexe mais très étudiée, l'accumulation d'un nombre extraordinaire de ce que l'on appellerait autrement des détails décoratifs, tout semble commencer à faire admettre que l'ensemble de cette série serait de Mitharam et de Nana, deux noms apparaissant sur de nombreuses feuilles et qui pourraient fort bien désigner les auteurs. En raison de toutes les détériorations subies par ces feuilles, il est remarquable que ces peintures produisent un tel effet, par leur brillante palette et la vie qui les anime.

Bibliographie :
Voir le nº 89 ; publié dans Karl J. Khandalavala et Jagdish Mittal, « The *Bhagavata* Mss from Palam and Issarda – A consideration in Style », *Lalit Kala,* nº 16, cliché XIV, figure 4 (a).

178
Tigre chassant de nuit

Gouache sur papier.
Rajasthan, premier quart du XIXe siècle ; d'un atelier de Kota.
Au verso, « Maharaja Sri Umed Singhji », en caractères devanagari.
Jagdish and Kamla Mittal Museum of Indian Art, Hyderabad ; nº 76.156.

La forêt, obscure et mystérieuse, que les peintres de Kota ont recréée dans leurs grandes scènes de chasse rappelait à W.G. Archer l'atmosphère de certaines des œuvres du douanier Rousseau. L'invraisemblance botanique de certains des arbres, la majesté et la poésie de cette forêt, l'apparition ou, au moins, l'anticipation de l'imprévu fait grande impression sur l'esprit. Certaines peintures de chasse extraordinaires des rajas dans les contrées sauvages entourant Kota ont été peintes par les artistes au service de l'État, la lutte inégale entre l'homme et l'animal prenant parfois, comme ici, des aspects dramatiques. Les fauves bondissent tout à coup de coins inattendus ou attaquent, au lieu du leurre, un membre de la suite du prince, de là s'ensuit un combat au lieu d'un coup de feu tiré à distance en pleine sécurité ; le plus souvent, cela se passe dans le calme de la nuit, des silhouettes se cachent derrière les arbres, à l'intérieur de huttes où l'on se met à l'affût, ou bien s'abritent sous des roches en surplomb.
La chasse qui est représentée sur cette œuvre semble cependant légèrement différente car, dans son état actuel, on ne voit aucun être humain et c'est le tigre qui rôde, qui est le chasseur. Alors que la forêt épaisse étend partout ses feuillages lancéolées, qu'un buffle domestique est attaché à côté d'une petite pièce d'eau et qu'il attend sans espoir, un tigre, souple et agile, descend de la roche et rampe furtivement dans les arbres, puis s'élance sur le buffle, lui enfonçant les crocs dans le dos. Mais, tout à coup, il tombe à terre, frappé par une balle partie d'un fusil qu'on ne voit pas. Ces événements successifs sont représentés avec beauté et l'on suit l'avance du tigre dans le profond silence, alors qu'il vient du côté droit et se dirige vers le milieu de la peinture. La mort du tigre reste inexpliquée, ce qui rehausse le mystère de cette œuvre. On devine à coup sûr que la balle est partie du fusil d'un chasseur caché dans la hutte de l'extrême gauche, mais rien n'est certain, et tout ce que l'on entend c'est le râle furieux du fauve bondissant sur sa proie et retombant ensuite, victime d'un misérable coup de feu.

Bibliographie :
Milo C. Beach, *Rajput Painting at Bundi and Kota*, Ascona, 1974.

179

Légende d'un guerrier-héros : Rouleau peint de la *Jamavanta Katha*

Gouache sur coton.
Andhra Pradesh, dernier quart du XVIIIe siècle ; sans doute de Nirmal.
82,5 × 920 cm.
Jagdish and Kamla Mittal Museum of Indian Art, Hyderabad ; n° 76.475.

Dans la longue et solide tradition de la peinture sur rouleaux, en Inde, les *patas* comme on les appelle dans le nord, certaines œuvres, très belles visuellement, étaient exécutées pour l'« homme de la rue ». Les « montreurs de peintures » transportaient de place en place ces rouleaux peints avec minutie, donnant des « représentations » ; ces personnages chantaient souvent à voix forte une ballade ; un autre baladin jouait d'un instrument de musique et battait la mesure de son pied auquel il avait attaché des clochettes ; un autre, encore, tenait une lampe devant chaque épisode, à mesure qu'on déroulait le rouleau, si le spectacle avait lieu de nuit. On peut lire de délicieux récits de ces représentations en plein air ; dans un décor désertique, au clair de lune, quand le sable est frais sous les pieds, les villageois se sont rassemblés et que le silence de la nuit n'est brisé que par la voix du chanteur, forte et chargée d'émotion ; les épisodes ; les uns après les autres, sont éclairés par la lampe tenue au devant, et le chant se poursuit. Le décor variait selon les endroits ; la disposition des différents groupes de montreurs de tableaux n'était pas immuable ; naturellement, ce n'était pas toujours la même légende ; mais ces rouleaux avaient essentiellement toujours la même fonction.

La tradition de la peinture sur *patta,* qui a reçu des noms divers selon les endroits, a manifestement gagné le sud. Ce *patta* vigoureux, de grande taille, vient de l'Andhra Pradesh ; il a reçu le nom populaire de « Jamavanta Katha », d'après le nom du héros dont les exploits figurent. Très populaire parmi les Dhads, une basse caste de l'Andhra, il est doté de cet héroïsme, de ce sens de la grandeur que l'on associe aux contes puraniques que narrent les hommes les plus saints et les plus cultivés. C'est une histoire compliquée, qui n'a pas été écrite en totalité, et qui raconte comment un héros a défendu son pays et sa communauté contre « l'ennemi » ; avec l'appui des dieux, il est parvenu à la réussite dans son entreprise courageuse. Il en perdit la vie mais fut reçu par les dieux, après sa mort, admis parmi eux. Comme d'habitude, le rouleau s'ouvre sur la silhouette de Ganesha, que l'on invoque au début de toutes les entreprises, et se termine par les courageux combats du héros et sa mort. Dans l'intervalle, on rencontre des myriades d'épisodes où se mêlent les dieux et les déesses, les héros et les maîtres de maison : on y vénère des épées, on traverse des forêts, on assiste à des consultations, on adore les dieux, des armées s'assemblent, et ainsi de suite. Dans un curieux mélange d'éléments de la mythologie classique et d'inventions folkloriques, nous suivons l'histoire de ce conte, l'action allant de droite à gauche, car c'est manifestement ainsi que le rouleau se déroulait progressivement. S'il y a des digressions, on en revient très rapidement à la narration visuelle et l'on retrouve le héros et ce qui semble être son « double ». Quand ils se lancent dans l'action, le champ de bataille devient jonché de têtes, de bras et de jambes coupés tandis que l'on entend le râle des tigres qui leur servent de montures, qui étouffent le barrissement des puissants éléphants de l'ennemi, et ainsi de suite.

Dans ce genre d'épopée héroïque, le style est parfaitement approprié. On y trouve de l'énergie, un feu étrange. Les couleurs sont sombres et veloutées, les silhouettes bondissent et se pavanent, les écharpes volent dans l'azur, les corps semblent emmaillotés dans des mètres et des mètres de tissu ; c'est une œuvre à la fois décorative et vitaliste. Dans la représentation, ce rouleau joue bien le rôle qui lui a été attribué : il transmet la légende au-delà des frontières du temps et de l'espace au bénéfice de spectateurs à l'esprit simple, mais avide.

180
Le couronnement de la grande déesse

Gouache sur papier.
École Pahari, dernier quart du XVIIe siècle ; d'un atelier de Basohli.
17 × 20 cm.
Sri Pratap Singh Museum, Srinagar ; nº 1970 (R).

Ce *rupa*, ou manifestation de la déesse procède du *rajas*, d'un ordre moyen : ni pur ni sans souillures, ni teinté par les sombres puissances de destruction qu'elle peut déchaîner. On la voit ici dans le rôle d'une « souveraine » qui exerce avec grande majesté son empire sur l'humanité. Le trône élevé, superbement sculpté, avec un haut dossier que l'on rencontre rarement, indique son statut royal ; le *chhatra*, ou ombrelle royale, au manche recourbé est tenue au-dessus de sa tête par une de ses servantes, cela ajoute encore à la gloire de la déesse. Représentant tous ceux qui sont sous ses ordres, une autre femme, à quatre bras, comme la servante qui se tient derrière elle, est debout devant la déesse, prête à obéir. Les deux silhouettes portent les emblèmes de la puissance de destruction, comme la grande épée et le trident qui sont tenus tout droit, parallèlement aux lignes verticales du trône à dossier élevé, mais leur aspect est adouci par les bourgeons de lotus qu'elles tiennent aussi à la main pour rendre hommage. La déesse elle-même, avec une couronne à cinq fleurons surmontés de bourgeons de lotus, est assise confortablement sur son trône, encore une fois dans une posture royale. Une longue guirlande de fleurs odoriférantes lui entoure le cou et retombe mollement par devant, sur la base du trône. Ce qui donne tout à coup une certaine animation à cette scène, c'est la présence de deux tigres au pied du trône ; ils sont aplatis sous le trône, et lèvent la tête, prêts à bondir. Leur présence, assez naturelle puisque le tigre est la monture de la déesse, ajoute encore à la signification du terme de *simhasana* (littéralement « siège-lion ») qui désigne un trône. Une délicate rangée de fleurs aux tiges souples occupe le bas de la peinture. Toute la scène est fixée en brillantes couleurs qui ressortent sur un fond sombre, seule une étroite bande de nuages occupe le haut de la surface peinte. Cet aspect de la déesse, qui rappelle ses formes de Bhuvaneshwari ou de Tripura-Sundari, doit se voir chargée d'un pouvoir latent. On ne nous propose pas un pouvoir *exercé*, comme c'est souvent le cas dans les portraits de la déesse, mais un pouvoir qui peut être exercé. A de nombreux égards, cette peinture nous fait penser à une autre œuvre superbe de la collection Archer où l'on voit la déesse sous sa forme resplendissante, traînée dans un chariot attelé de tigres.

Bibliographie :
W.G. Archer, *Indian Paintings from the Punjab Hills*, Londres, 1973, au chapitre « Basohli ».

181

Krishna dompte le serpent Kaliya ; série du *Bhagavata Purana*

Gouache sur papier.
Troisième quart du XVIIIe siècle ; de l'atelier familial de Seu-Nainsukh.
28 × 36 cm.
National Museum, Delhi, nº 58.18/10.

Parmi les actes de courage du jeune Krishna, l'épisode de sa victoire sur le serpent Kaliya est célébré, chanté avec passion par ses dévots. Un jour, dit la légende, la rivière qui donne la vie, la Yamuna, qui coule dans le pays Vraja, devient agent de mort car tous ceux qui boivent son eau tombent inanimés. Krishna en « sait » immédiatement la cause : il devine que les eaux ont été empoisonnées par Kaliya, « le Roi », « le roi des serpents, noir comme la suie », qui est allé dans une des boucles de la rivière. Décidé à en débarrasser la Yamuna, il plonge dans les eaux, au grand désespoir de ses compagnons et de ses parents car, s'il s'agit réellement d'un grand serpent dont les exhalaisons empoisonnent les eaux, que pourra faire le petit Krishna ? Mais Krishna est décidé et, pénétrant dans l'antre du serpent, il le provoque. Kaliya se met en rage en voyant sa calme retraite violée : « la partie supérieure de son corps s'enroule dans les airs comme d'épais nuages ; ses gueules s'embrasent, ses langues claquent et ses capuchons s'élargissent ». Entre le courageux Krishna et le serpent-roi enragé, commence alors un combat féroce. Ayant d'abord le dessous, Krishna parvient cependant à maîtriser son formidable ennemi, lui brisant les mâchoires et lui écrasant les capuchons de son poids qui a miraculeusement augmenté. Finalement, Kaliya demande grâce, ainsi que le font ses nombreuses femmes, et Krishna, généreux dans la victoire, épargne la vie de Kaliya et le laisse partir, à condition qu'il abandonne la Yamuna.

A la différence d'autres illustrations de cet épisode, cette peinture reste très près du texte car, une fois la lutte terminée, une fois Kaliya vaincu, comme le dit le texte, celui-ci gagne la terre ferme, Krishna continuant de lui écraser les capuchons d'un pied victorieux. Les sculpteurs du sud devaient donner, de cet épisode, leur propre version. Pourtant, au moins dans cette œuvre, la lutte n'est pas traitée comme si elle était terminée et la colère de Krishna donne du sens à ses actes. Il y a un contraste complet entre la forme affaiblie, convulsive de Kaliya, les silhouettes pitoyables et suppliantes des femmes-serpents, et la posture furieuse, pleine de défi de Krishna. L'œuvre est traitée avec le même style élégant que le reste de la série, avec des lignes sinueuses et fluides, une palette impeccable, une compréhension presque parfaite de l'essence de cet épisode.

182

Le champ de bataille : l'armée de Krishna en marche ; du même manuscrit de l'*Usha Vilasa* que le nº 59

Feuille de palmier.
Orissa, XVIIIe siècle.
Orissa State Museum, Bhubaneswar ; nº OL/23.

L'incarcération d'Aniruddha, petit-fils de Krishna, par le roi-démon Banasura, le père d'Usha, a provoqué de sanglants événements. Lorsqu'Aniruddha est découvert dans les appartements intérieurs d'Usha et doit faire face à la colère de Banasura, il se bat courageusement, mais est finalement arrêté par des flèches-serpents qui l'immobilisent. La nouvelle atteint Krishna. Il réunit une grande armée qui, partant de sa cité royale de Dwarka, va attaquer Banasura. Les descriptions que donnent les textes de la bataille sont emplies d'énergie et d'une grande vigueur ; en effet, si Krishna est invincible, Banasura a lui aussi de grandes ressources, car c'est un adorateur de Shiva, et le dieu viendra finalement à son secours. Chaque clan envoie sur l'autre les armes les plus effrayantes ; le combat dure longtemps. Tout se terminera bien pour Usha et pour Aniruddha mais, dans l'intervalle, beaucoup de sang sera versé et c'est de justesse qu'une confrontation personnelle sera évitée entre Krishna et Shiva.

Ici, l'avance des armées de Krishna se fait avec une grande énergie et un grand esprit d'invention, chaque attitude, chaque geste étant empli de cette force que les poètes chantent avec tant d'enthousiasme. On voit aussi une extraordinaire variété de soldats marchant sur le champ de bataille, sous une pluie de flèches qui couvrent la terre et le ciel. On voit Krishna, sous la forme de Vishnou, avec ses quatre bras, chevauchant l'oiseau solaire Garuda, à gauche de la peinture, avec, devant lui, des fantassins, des cavaliers, des éléphants et des chars. On joue de la musique militaire ; des adversaires se livrent des combats singuliers ; des bannières flottent dans l'air, des soldats intrépides partent à l'attaque. Les deux chars représentés sur la feuille ont un intérêt particulier, car ils ont été manifestement exécutés d'après les *rathas* associés au *Yatra* de Jagannath, la divinité protectrice de l'Orissa, qui n'est autre que Krishna lui-même. Une fois de plus, on est frappé par le talent du peintre qui a représenté tant de types divers dans un format si petit, qui a su courber, contourner et tordre ces silhouettes humaines dans un style hautement conventionnel et placer, sur une feuille unique tant d'énergie.

Bibliographie :
Voir le nº 59.

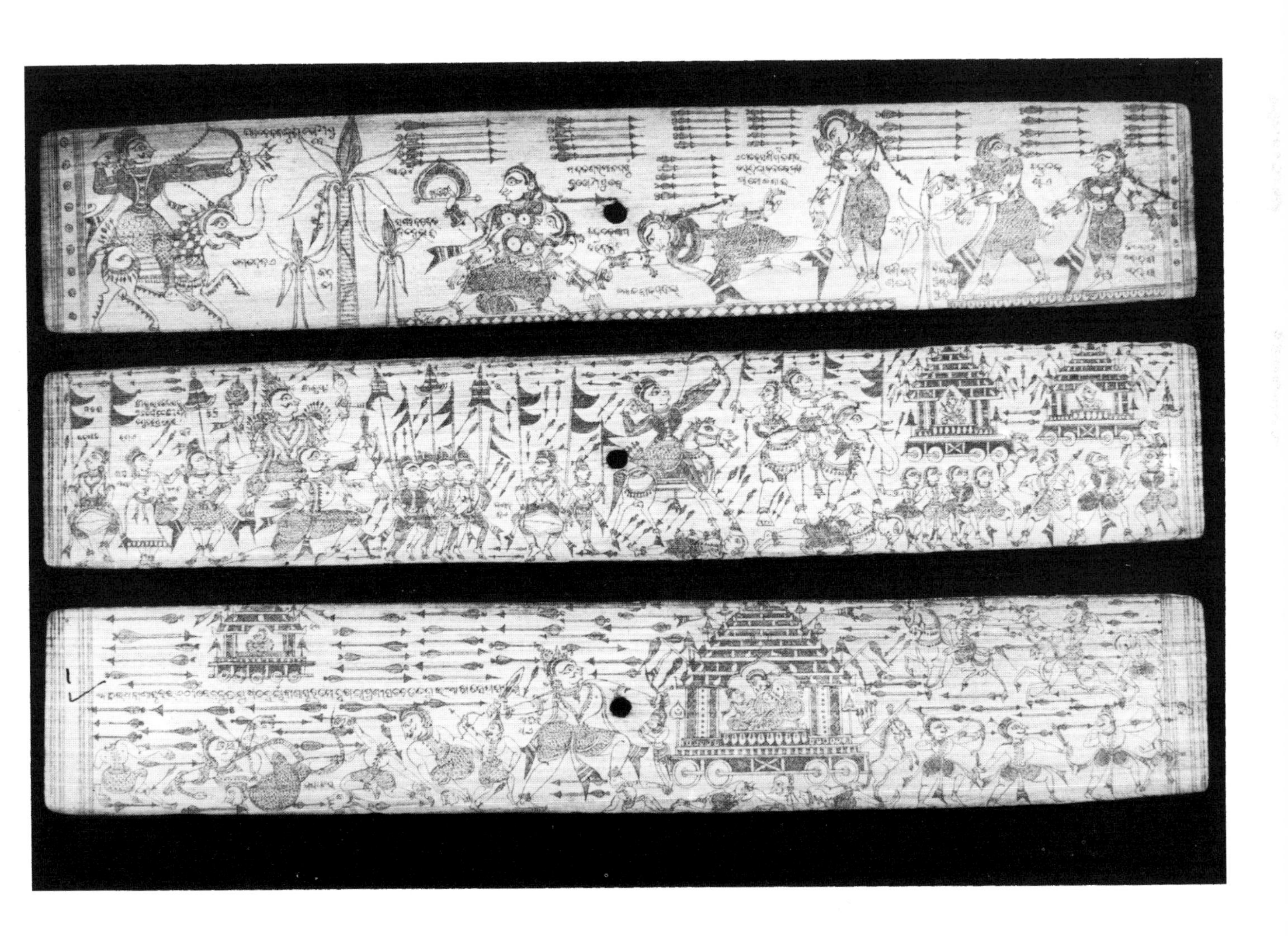

Bhayânaka: le sentiment de terreur

Bîbhatsa: le sentiment de l´odieux

B*haya,* la peur, est le Sentiment d'Émotion Durable qui conduit au Sentiment de Terreur. Les *vibhavas* ou Déterminants en sont des éléments comme « des bruits affreux, la vue de fantômes, la panique et l'angoisse dues aux chacals et aux hiboux (et finalement à leurs cris), dans une maison vide ou dans la forêt, à la vue de la mort ou de la captivité de personnes chéries, ou aux nouvelles qu'on en reçoit, ou encore des conversations à leur sujet ». Bharata indique que les « conséquents » ou *anubhavas* sont « le tremblement des mains et des pieds, l'horripilation, le changement de couleur ou la perte de la voix ». Les *vyabhicharibhavas,* ou États d'Émotions Complémentaires, sont « la paralysie, la transpiration, l'étouffement de la voix, la chair de poule, les tremblements, la perte de la voix, le changement de couleur, la crainte, la stupéfaction, la tristesse, l'agitation, l'inquiétude, l'inactivité, la peur, l'épilepsie, la mort et ainsi de suite ». Bharata parle aussi des caractéristiques de la crainte, « le relâchement des membres, de la bouche et des yeux, la paralysie des cuisses, le fait de regarder autour de soi avec inquiétude, la sécheresse de la bouche qui s'affaisse, les palpitations du cœur, etc. » Tout cela vient de la « crainte naturelle » ; mais la « crainte artificiellement exprimée » doit aussi, à son avis, se représenter par ces mêmes conditions à l'exception que, dans ce cas, ces indices « doivent être adoucis ».

Dans son étude de l'état de crainte, Bharata parle de la crainte qui vient de « l'embarras dû au fait que l'on offense ses supérieurs et le roi, que l'on voit des objets terribles et que l'on entend des choses affreuses ». Vishwanatha cite un passage du *Ramayana* où Hanuman arrive à Lanka et provoque de grandes destructions. « Les eunuques s'enfuirent, sans vergogne, parce qu'ils n'étaient pas reconnus parmi les hommes ; le nain, terrorisé, se niche dans les pantalons, vastes et non serrés, du chambellan ; les montagnards, les gardiens des frontières, tous agissent d'une manière qui correspond à leur situation, tandis que les bossus, craignant d'être vus par le singe qui est cause de tout ce trouble, se font tout petits et s'éclipsent furtivement ». Un spécialiste de la sculpture et de la peinture prendrait certainement d'autres exemples pour l'état de crainte, mais celui qu'a choisi Vishwanatha communique fort bien cette idée.

Peu éloigné de l'émotion de la crainte, il y a le dégoût ou l'aversion, *jugupsa,* qui conduit au Sentiment de l'Odieux, *bibhatsa.* Cet état est créé par des *vibhavas* ou « déterminants », comme « le fait d'entendre des choses déplaisantes, choquantes, impures et nuisibles, ou de les voir ou d'en parler ». Les *anubhavas* ou « Conséquents », pour le théâtre, sont « le fait de cesser tout mouvement des membres, de pincer la bouche, de vomir, de cracher, de trembler des membres (de dégoût), etc. ». Les *vyabhicharibhavas,* ou États d'Émotions Complémentaires, auxquels conduit l'état de dégoût sont

« l'accès d'épilepsie, les illusions, l'agitation, l'évanouissement, la maladie, la mort, entre autres ». A cet égard, on parle de tout ce qui peut apporter du dégoût, les vues, les saveurs, les odeurs, les contacts et les sons. Vishwanatha parle de « la puanteur, de la viande, des fibres et de la graisse ». A propos de l'Odieux, une illustration favorite pour les écrivains est tirée du *Malati Madhava* de Bhavabhuti (à l'acte V) :

« Après avoir déchiré la peau, l'avoir épluchée, puis après avoir dévoré les gros lambeaux de chair puants qu'il avait pu facilement arracher aux épaules, aux fesses et au dos... portant les yeux sur le squelette, découvrant les dents, le fantôme mange tranquillement ce qu'il tire du squelette mis sur ses genoux, arrachant la chair qui reste sur les os ou qu'il trouve sur les articulations ».

Le problème de savoir quel genre de « plaisir » peut surgir d'un passage comme celui qui précède ou que l'on peut tirer « en voyant ou en entendant ce qui provoque une aversion » a été étudié, quoique un peu rapidement, dans l'introduction. Cette transformation de la souffrance en plaisir, qui n'est possible qu'à la distance à laquelle se trouve le spectateur, est cependant un fait réel. Des visions et des événements pénibles en eux-mêmes ne sont pas obligatoirement repoussants quand « on les voit à distance psychique », comme s'exprime le texte, et ils peuvent parfaitement produire une expérience esthétique. En sculpture et en peinture, on rencontre de superbes illustrations de la crainte et du dégoût. Alors que le premier sentiment est parfois, pour le héros, un accompagnement obligatoire de la colère (car la crainte survient chez celui qui subit la colère), ce n'est pas dans ce seul contexte que l'on représente ou interprète la crainte : les peintres et les sculpteurs l'évoquent à partir d'autres situations. On comprend cependant plus facilement le dégoût. Les représentations de la Déesse sous ses aspects tantriques et effrayants, surtout en Yogini ou sous la forme d'une des dix Mahavidyas, donnent de nombreuses possibilités au sculpteur et au peintre et l'on a ainsi des œuvres singulièrement impressionnantes. Il ne convient pas de se détourner, quand on nous montre l'aspect effrayant d'une divinité, dans l'art de l'Inde, et ce sujet a été constamment traité avec enthousiasme car il fait, pour tous, partie de l'expérience humaine.

183
Virabhadra

Terre cuite.
Ve siècle après J.-C. ; Ahichhatra, Uttar Pradesh.
60 × 60 cm.
National Museum, Delhi ; n° 62.241.

Personnification de la fureur de Shiva, né d'une mèche de cheveux qu'il s'est arrachée dans sa colère, Virabhadra répand la crainte et la terreur dès qu'il apparaît. Outre la destruction du grand sacrifice de Daksha, Virabhadra est lui-même un message de mort ; sur l'image que nous voyons ici, il est armé d'armes multiples, sa tête est toute fureur, son troisième œil, vertical, brille au milieu du front, ses cheveux sont hérissés, tout dénote un grand pouvoir. A ses mains, les attributs sont aussi éloquents que des armes, les serpents qui s'enroulent autour de son corps lui tiennent lieu de guirlande et, de leur gueule riante et grande ouverte, semblent pousser des cris de colère et de triomphe, alors que Virbhadra s'avance nerveusement vers la gauche. D'une main, il tient la tête coupée d'un animal qu'il a jeté sur ses épaules. Mais ses autres mains se déploient de chaque côté, tenant un trident, un *khatvanga,* etc.
L'œuvre a été exécutée avec une rudesse mesurée, qui ne fait qu'augmenter la puissance primitive du personnage. la manière avec laquelle le cadre rectangulaire est traversé par le trident et par sa tête suggère une énergie qui rompt tous les liens et ne reconnaît que peu d'obstacles.
Cette terre cuite, comme d'autres carreaux du même genre provenant d'Ahichhatra, doit à l'origine, avoir fait partie de la décoration extérieure d'un monument, éventuellement de la structure de brique dédiée, en ce lieu, à Shiva. La plaque a souffert et la couche supérieure, épaisse, au niveau de l'abdomen, du coude, etc., s'est décollée.

Bibliographie :
V.S. Agrawala, « Terracotta figurines of Ahichhatra, Distt. Bareilly, Uttar Pradesh », *Ancient India,* n° 4, 1947-48, pl. LXIII, p. 104-179.

184
Bhairava : l'aspect terrible de Shiva

Grès.
XIe siècle après J.-C. ; Modi-Mandasor, Madhya Pradesh.
136 × 65 cm.
Central Museum, Indore ; n° 1/53-1617.

Puisque la mort n'est inéluctable que pour les hommes, elle comporte même, dans les calculs des dieux, un aspect joyeux, incessant. Quand Shiva prend la forme de Bhairava, tenant à la main la tête coupée de Brahma, il attache à lui une idée de péché et de souffrance. Cela aussi fait partie de la grande *lila* qui englobe la vie, la mort et l'essence même du temps. Quand le dieu erre sur la terre, portant un collier de crânes et un bol de mendiant, une terrible terreur s'attache à son apparence. Shiva est aussi représenté comme un jeune garçon qui demande l'aumône de porte en porte (*bhikshatana*), complètement nu à l'exception d'un petit joyau qui tinte sur son corps, tout particulièrement un anneau ou une clochette qui résonne à chacun de ses mouvements et avertit de l'approche d'un grand pécheur.
De ce curieux et transcendental mélange de divinité et de péché, de vie et de mort, naissent des images comme celle-ci. D'une conception somptueuse, comme un jeune

189

La naissance du crépuscule, de la même série du *Bhagavata Purana* que le nº 141

Gouache sur papier.
École Pahari, deuxième quart du XVIIIe siècle ; de l'atelier familial de Seu-Nainsukh.
Bharat Kala Bhavan, Bénarès ; nº 238.

Quand les mythes sont contés avec force détails et conviction, comme dans le *Bhagavata Purana*, les peintres ont de merveilleuses occasions de les illustrer. Le Troisième Livre du *Purana* décrit Brahma, le Créateur, qui se charge, sur l'ordre du tout-puissant Vishnou, de donner vie à toutes les catégories de créatures. Certaines sont pures – *sattvika* – de conception et d'aspect ; d'autres ont la nature intermédiaire des *rajasa* ; mais on ne peut passer sous silence l'aspect sombre de la création, *tamasa*. Dans le processus de création, Brahma donne naissance, à un certain moment, aux *asuras*, sombres de nature et d'aspect, nés de ses cuisses. Mus par la luxure dès leur création, ils s'en prennent à Brahma lui-même. Las et désorienté, Brahma cherche refuge auprès de Vishnou et lui demande conseil. Vishnou lui demande d'abandonner son corps actuel (et d'en prendre un autre) qui, alors prend la forme d'une jeune fille excessivement attrayante : Sandhya, ou le crépuscule. Les *asuras*, lascifs et impatients, s'interrogent sur la nature de cet être merveilleux. Ils parlent entre eux de sa vraie nature, ils sont pétrifiés par cette beauté surnaturelle, par son teint d'or, ses traits fins, son corps bien formé et son aspect plaisant. Enfin, stupéfaits de leur chance, ils s'emparent du crépuscule qu'ils font leurs.
Alors que la signification de ce mythe reste douteuse, du moins en partie, le peintre saisit l'occasion d'opposer l'aspect clair du monde des dieux et le domaine ténébreux des *asuras*. Dans toute cette série, chaque fois que les démons sont représentés, le peintre fait preuve d'imagination. A travers leur aspect effrayant, il explore les sombres recoins de l'esprit, beaucoup plus fascinants, pour l'œil, que le monde de Brahma aux quatre têtes et de Vishnou, le Sauveur. En peinture, Sandhya comble le fossé entre les deux mondes de la lumière et de l'obscurité.
Cette œuvre, quand elle fut publiée par W.G. Archer (*Indian Paintings from the Punjab Hills*, Londres, 1973, nº 23 (ii) au chapitre Basohli) a reçu le titre, qui induit légèrement en erreur, de « La terre harcelée par les démons ». Une feuille, précédant immédiatement celle-ci représente Brahma fuyant les démons ; elle se trouve au musée de Lahore (F.S. Aijazuddin, *Pahari Paintings and Sikh Portraits in the Lahore Museum*, Londres, 1977, nº 7 (x), au chapitre « Basohli »).

Bibliographie :
Voir le nº 141.

190

Un démon jette à terre un héros, de la même série du *Mrigavat* que le nº 40

Gouache sur papier.
École pré-moghole, deuxième quart du XVIe siècle.
18,9 × 17,8 cm.
Bharat Kala Bhavan, Bénarès ; nº 7926.

Dans le conte où l'on voit un prince s'éprendre de Mrigavati, l'héroïne aux yeux de biche de la romance Avadhi écrite au début du XVIe siècle, on ne sait pas où se place exactement cet épisode. L'aspect du démon, peut-être un sorcier, n'est cependant pas surprenant, puisque le conte comporte de nombreux épisodes de ce genre. Il semblerait que nous soyons au moment où le héros prend un bain avec une compagne, dans une pièce d'eau ; le démon saisit alors le jeune homme par les chevilles, l'élève malgré une résistance désespérée et le projette par terre. La compagne est toujours dans la pièce d'eau, jusqu'à la taille ; elle lève les mains, dans un geste de supplication et, en même temps, de surprise devant cette brusque apparition. On ne sait pas qui est ainsi soulevé par le démon ; l'habillement semble celui d'une femme, mais l'absence de tout tracé précis des seins et la présence du turban *kulahdar* qui tombe de sa tête indiquent que l'on a peut-être voulu représenter un homme. Le peintre a su doter cette feuille d'énergie et de mouvement. La silhouette effrayante du démon, avec ses grands yeux fixes, le rictus de sa bouche, ses dents saillantes, ses cheveux hérissés, produit une forte impression tout comme la noirceur de son corps, sa taille colossale, et la détermination de son geste. On voit que la femme toujours dans la pièce d'eau est saisie de peur et, d'une certaine manière, le peintre a transféré ses yeux grands ouverts aux deux poissons que l'on voit nager dans l'eau et se retourner pour regarder cette silhouette inhumaine, effrayante et tellement menaçante.

Bibliographie :
Voir le nº 40.

191
Déesse dans les flammes

Gouache sur papier.
École Pahari, premier quart du XVIIIe siècle ; d'un atelier de Mandi.
Bharat Kala Bhavan, Bénarès ; n° 413.

Ce n'est pas l'aspect serein, *saumya*, de la Déesse que le peintre a voulu représenter ici, mais bien sa grande énergie, la crainte qu'elle inspire quand elle le veut. Il la représente avec de grandes ailes déployées, ce qui est inhabituel dans le contexte des grandes divinités de la peinture Pahari, mais sa puissance vient en réalité de son attitude et de son aspect ; mieux encore, de la magnifique auréole de flammes qui l'entoure et qui aboutit à un dragon qui se trouve à ses pieds, étend son cou mince, couvert d'écailles et rejette des flammes par la gueule. La Déesse est représentée avec quatre bras, elle porte un livre, une épée, un bol fait d'un crâne et un rosaire... qui rappellent les diverses déesses dont elle incarne les qualités. Ce que l'on remarque le plus, c'est l'expression de son visage quand elle lève la tête vers le ciel, ainsi que la nervosité de son corps efflanqué, vêtu d'une longue robe d'épais lainage. Un tigre court agilement dans le bas de la peinture, comme pour marcher du même pas qu'elle, et trois oiseaux, parfois sacrifiés sur l'autel de la déesse, forment un groupe en bas à gauche. Cet image fait une remarquable impression d'ensemble, avec la robe orange vif de la déesse qui tranche sur le fond sombre. Son image, qui se détache vivement sur le fond uni parvient, finalement, à faire la même impression sur l'esprit du dévot ou du simple spectateur.
Il y a de fortes influences « Mandi » dans cette peinture : le visage avec des ombres rougeâtres sur les joues, la tête qui est petite, le style du tigre, on retrouve tous ces éléments sur d'autres œuvres que nous savons provenir de Mandi.
Cette peinture porte une inscription, peut-être rajoutée ultérieurement, qui identifie la déesse comme étant « Jalpa » ou « La Déesse Flamboyante », mais cette description a été faite par un ancien propriétaire, probablement à cause des flammes qu'on y voit. Quand elle a été publiée, précédemment, on l'a aussi décrite comme étant Tripurasundari, ce qui ne correspond pas à l'aspect de la déesse que nous voyons ici.

Bibliographie :
R. Prasad et consorts, *Nehru, A Birthday Book,* Calcutta, 1950 ; W.G. Archer, *Indian Paintings from the Punjab Hills,* Londres, 1973, n° 17, au chapitre « Mandi ».

192

Les puissances de l'ombre, de la même série du *Bhagavata Purana* que le n° 102

Gouache sur papier.
École Pahari, deuxième quart du XVIIIe siècle ; de l'atelier familial de Seu-Nainsukh.
21 × 31,5 cm.
State Museum, Lucknow ; n° 42.20.

Étant une partie de l'aspect négatif, sombre, de la création à laquelle Brahma a donné vie, – selon la description du troisième livre du *Purana,* – qui provenait de l'élément paresseux de sa propre nature, sont nés les *bhutas* et les *pishachas,* qui s'avancent nus, grimaçants, les cheveux ébouriffés. Brahma ne put supporter la vue de cette création qui était la sienne et ferma les yeux. De la même manière, son sommeil donna naissance à d'autres formes, quand Brahma commença à explorer l'aspect *tamasa* de ses propres pouvoirs.
Cette œuvre extraordinaire illustre les puissances négatives de l'ombre. Ces créatures effrayantes et diformes qui s'agitent dans la brume de l'inconnu sont les produits d'une puissante imagination. Le peintre a représenté toute une gamme de formes et de dimensions, de regards, de caractères dans ces êtres qui se faufilent, se cachent et apparaissent, l'air furieux, avide, incrédule et menaçant ; cela en fait l'une des plus belles feuilles de cette série du *Bhagavata Purana,* qui est généralement riche en innovations de cet ordre.
A sa première publication, M.S. Randhawa (cf. *infra*) a cité comme source le chapitre 20 du *Purana.* Ce chapitre est tiré du Troisième livre du *Purana* et le passage est constitué des vers 39 à 41 qui racontent l'apparition du Sommeil et de la Nonchalance.

Bibliographie :
Publié dans M.S. Randhawa, *Basohli painting,* Delhi, 1959 ; voir aussi le n° 102.

193

La déesse buvant une coupe de vin

Gouache sur papier.
École Pahari, troisième quart du XVIIe siècle ; d'un atelier de Basohli.
21,7 × 21,6 cm.
Chandigarh Museum, Chandigarh ; n° K-42.

Cette œuvre, généralement décrite comme provenant d'une « série de représentations tantriques de la Déesse », fait partie du plus ancien groupe de peintures attribué à Basohli et caractérisé par une certaine « intensité sauvage », comme l'a dit W.G. Archer. Des divinités mâles figurent aussi parfois dans cette série, mais les affiliations tantriques de cette œuvre sont manifestes. Quand la Devi est représentée en train de boire comme ici, ou bien de danser sur un cadavre, nous sommes dans le domaine certain des pratiques de la « main gauche », si difficile parfois à comprendre tant elles sont ésotériques. Cette Devi est désignée, par une inscription en takri, comme étant « Shyama », La Noire. Portant de riches joyaux, des ornements embellis par de brillantes élytres de scarabée, elle est debout, tenant d'une main une coupe qu'elle porte à ses lèvres, de l'autre main, deux lotus. Mais elle porte aussi à la main gauche ce qui paraît être une guirlande de boutons de lotus : ce n'est qu'en regardant de plus près que nous

voyons qu'il s'agit d'une guirlande de têtes humaines, qui évoque le pouvoir de destruction de cette émanation de la Déesse. Avec ce détail, c'est un ton différent qui est donné : la couleur sombre de la Déesse commence à prendre une connotation tantrique, en dépit de la beauté de la robe et des ornements que le peintre lui a donnés.
Cette série de peintures fut découverte dès 1918, quand six feuilles furent acquises par le musée de Lahore. Pendant de nombreuses années, elle a été au centre des études sur les origines de la peinture Pahari, car on lui reconnaissait à l'évidence une certaine ancienneté. L'intérêt se calma, pour reprendre dernièrement quand un autre groupe fut découvert, d'une manière parfaitement inattendue, aux U.S.A. et, une fois de plus, on parla beaucoup de « sa beauté barbare et de son air de luxe sauvage et sophistiqué ».

Bibliographie :
S.N. Gupta, *Catalogue of Paintings in the Central Museum, Lahore,* Calcutta, 1922 ; W.G. Archer, *Indian Paintings from the Punjab Hills,* Londres, 1973, au chapitre « Basohli » ; F.S. Aijazuddin, *Pahari Paintings and Sikh Portraits in the Lahore Museum,* Londres, 1977, au chapitre « Basohli ».

194
Apparition de Virabhadra à l'aspect effrayant, de la même série du *Bhagavata Purana* que le n° 102

Gouache sur papier.
École Pahari, deuxième quart du XVIIIe siècle ; de l'atelier familial de Seu-Nainsukh.
Au verso, texte sanskrit.
22 × 32,5 cm.
Rajasthan Oriental Research Institute, Udaipur ; n° 1527/18.

Dans un texte Vaishnava comme le *Bhagavata Purana,* il n'y a pas beaucoup de passage parlant avec enthousiasme de Shiva ; on trouve cependant l'épisode de la vengeance de Shiva sur Daksha, son beau-père, au Livre Quatre du *Purana* ; cet épisode est longuement décrit. Très irritée de l'insulte implicite que son père a infligée à son Seigneur en ne l'invitant pas au grand bûcher sacrificiel, le *yajna,* qu'il avait organisé, la femme de Shiva se jette dans ce même brasier, s'immolant par le feu. Quand cette bouleversante nouvelle atteint Shiva, il ne peut se contenir. Tremblant de colère, dit le texte, Shiva prend sa forme féroce, *ugra,* les lèvres serrées de colère, il s'arrache les cheveux, ces cheveux « aux reflets de feu, aveuglants comme l'éclair ». Ensuite, il jette avec une grande force cette mèche de cheveux sur la terre, éclatant d'un rire terrible qui sème la terreur dans tous les coins de l'univers. De cette mèche de cheveux devait sortir un être énorme, avec des milliers de bras, s'élevant haut dans le ciel, sombre comme les nuages, avec trois yeux brûlant de la chaleur desséchante du soleil, mordant comme lui, sévère. C'est Virabhadra, l'incarnation du pouvoir destructeur de Shiva, que le dieu a envoyé sur l'autel propitiatoire de Daksha, pour déchaîner une vaste destruction.

Le peintre a manifestement suivi la description littéraire de l'aspect effrayant de Virabhadra quand il a créé sa propre version de cet être. Ce faisant, il a su transmettre, en partie, le caractère effrayant de cette manifestation de Shiva, que nous voyons également sur la gauche, s'arrachant une mèche de cheveux en présence de Narada, le sage céleste.

Bibliographie :
Voir le n° 102.

195

Rama tue la démone Taraka, d'une série du *Ramayana*

Gouache sur papier.
Rajasthan, troisième quart du XVIIIe siècle ; attribué à Mira Bagas d'Uniara.
Collection de Rao Raja Rajendra Singh d'Uniara, Jaipur.

La première rencontre de Rama, le héros de la grande épopée, le *Ramayana,* avec un personnage démoniaque, – il devait en rencontrer plusieurs quelques années plus tard, – eut lieu quand il était encore adolescent. Un jour, le sage Vishwamitra alla trouver son père, Dasharatha, roi d'Ayodhya, pour demander que Rama l'accompagne dans la forêt ; là, en effet, dans les ermitages des *rishis,* qui procèdent sans cesse à des *yajnas,* des sacrifices du feu, des démons de toutes sortes souillent les bûchers sacrés, menaçant la vie des *rishis* et de leurs disciples. Malgré son très jeune âge, dit Vishwamitra, Rama, en véritable héritier du noble clan de Raghu, sera capable de protéger les sages. Avec quelque réticence, Dasharatha laisse partir Rama et envoie son fils cadet, Lakshmana, qui était aussi adroit que Rama au tir à l'arc et ne le cédait qu'à lui seul en matière de courage. Dans la forêt, les deux frères rencontrent la terrible ogresse Taraka, massive et hideuse, toujours prête à faire le mal, source d'un trouble profond pour les hommes droits. Quand Rama la voit, elle lui apparaît comme une « montagne de chair », sombre et énorme ; elle a des yeux brillants et des crocs saillants. Elle se précipite sur les deux frères, nue et éclatant de rire, mais rapidement Rama perce son corps de flèches et, ensanglantée, elle tombe à terre. Cette mise à mort est une grande action, une action glorieuse que regardent les dieux rassemblés dans les cieux, dans leurs véhicules célestes ; et ceux-ci font pleuvoir des pétales de fleurs pour la célébrer et rendre hommage à Rama.
Sur l'illustration faite par le peintre d'Uniara, nous voyons la démone Taraka occuper plus de la moitié de l'espace disponible car celle-ci apparaît deux fois, une fois transpercée par les flèches de Rama et, ensuite, quand elle est couchée, abattue par terre. Contrastant avec cette énorme masse, les personnages de Rama, de son frère et du sage semblent rapetissés ; en les présentant une deuxième fois, encore plus petits dans le coin inférieur gauche, le peintre a voulu encore accentuer l'effet dramatique de cet épisode. Il reste

manifestement beaucoup à montrer : le décor de la forêt, les dieux dans leurs véhicules, des bêtes effrayées qui fuient, mais la partie la plus intéressante de cette feuille est évidemment la silhouette gigantesque de la démone. Le peintre nous épargne l'horreur de regarder l'ogresse de face car, les deux fois, elle a le corps discrètement tourné, pour que nous ne voyons pas sa nudité ; mais ce que nous voyons d'elle est assez effrayant. Par un procédé inhabituel, il a donné à ses yeux engorgés de sang la forme d'appendices ailés, ce qui ajoute à son aspect monstrueux.
Cette feuille provient d'un important manuscrit du *Ramayana* se trouvant dans la collection d'Uniara. L'œuvre n'est pas datée, mais un autre manuscrit connexe, un *Bhagavata Purana*, se trouvant aussi dans la même collection, a été peint par Mira Bagas en 1759 après J.C. Ce peintre, que nous connaissons par quelques autres travaux exécutés pour la cour d'Uniara, a subi une forte influence de Bundi, mais certaines caractéristiques de style le distinguent de cette école. Toutes les feuilles de ce *Ramayana* n'ont pas la même verve et, au cours des chapitres, certaines sont traitées avec plus de somptuosité, avec de l'or, etc. mais, d'une manière générale, l'œuvre montre un vrai sens de l'innovation, le talent de recréer avec conviction des moments dramatiques.

Bibliographie :
Milo C. Beach, *Rajput Painting at Bundi and Kota*, Ascona, 1974.

196

Shiva en Vikral Bhairava, d'une série tantrique

Gouache sur papier.
École Pahari, troisième quart du XVIIe siècle.
Dans la bordure supérieure, en caractères takri, les mots : « Vikral Bhairava » ; au verso, vers en sanskrit.
16,6 × 16,1 cm.
Jagdish and Kamla Mittal Museum of Indian Art, Hyderabad ; n° 76.211.

Aux images de la Grande Déesse, appartenant aux œuvres les plus anciennes connues pendant longtemps dans la peinture Pahari, on a commencé à ajouter d'autres images tantriques de divinités mâles, surtout de Bhairava sous ses nombreuses formes. Des 64 principales formes de Shiva-Bhairava, celle que nous voyons ici est identifiée par une inscription en takri, sur la bordure supérieure, comme étant « Vikral Bhairava », le « Hideux » ; il est représentée assis, les jambes repliées, sur un cadavre de couleur sombre, dont les jambes sont étendues, les bras pliés au-dessus de la tête, les yeux « tournés vers l'intérieur », la bouche ouverte, béante. Bhairava, lui, n'est vêtu que d'une peau de léopard dont il a noué la queue autour de sa taille, comme une ceinture ; il est assis souplement, de la main gauche il tient un vase doré et un bourgeon de lotus ; il boit une coupe qu'il a dans la main droite. L'œil vertical, rougeâtre, sur le front, et le croissant de lune établissent l'identité de Shiva ; les longs cheveux emmêlés forment un chignon peu serré sur la nuque, mais une mèche folle retombe sur le front ; un serpent s'enroule deux fois autour du cou et repose sur les épaules, tirant une langue fourchue ; un cordon noir supporte horizontalement un petit objet contre sa poitrine, c'est certainement le petit sifflet que portent les ascètes shivaites. De petits détails viennent adoucir cette image, comme le nimbe doré avec des rais, les joyaux très ouvrés, cloutés de perles le bourgeon de lotus, et les marques de caste sur le corps, mais ces détails n'ont qu'une influence secondaire sur l'effet terrifiant de cette forme de Bhairava. A l'évidence, des images de cette sorte entrent dans les « pratiques de la main gauche » du rituel d'adoration de Shiva et de la Déesse.

197
Bhasura, un des nombreux Bhairavas

Gouache sur papier.
École Pahari, troisième quart du XVIIe siècle ; d'un atelier de Basohli.
Au verso, vers en sanskrit ; au sommet, en caractères takri, les mots « Bhasura Bhairava ».
Sri Pratap Singh Museum, Srinagar ; n° 1970(W).

Du même format que la série de « Devi » beaucoup plus célèbre, cette figure de Bhairava est identifiée par une inscription en takri sur la bordure supérieure ; elle appartient aussi à ce qui a dû constituer un groupe cohérent, homogène de manifestations tantriques des dieux. Relativement de petite taille, le corps sombre, couleur de cendres, Bhairava est représenté ici avec une évidente relation à Shiva : le troisième œil sur le front, le croissant de lune, le serpent enroulé autour du cou comme un ornement, le vêtement en peau de tigre, tout évoque avec éloquence cette relation. Il n'a cependant que deux bras et Bhairava porte ici deux objets dans les mains : un bouton de lotus et une conque, qui sont associés à Vishnou. On ne rencontre pas très souvent cette forme de Bhairava, appelée Bhasura, mais la liste habituelle des 64 Bhairava comporte de nombreuses variantes, selon les époques et les régions. Il semble qu'il y ait un indice de syncrétisme avec ces attributs vishnouites qui sont bien en vue. Une autre caractéristique importante, qui donne une sorte d'aura différente à la figure, est le rideau de flammes qui s'élève derrière le personnage, à hauteur des épaules et monte dans l'espace. Le personnage est placé sur un fond jaune uni, légèrement décoloré aujourd'hui ; la bande de terre, dans le bas, comporte une faible végétation et le ciel occupe, lui, une mince tranche à l'arrière-plan au sommet. Le peintre n'a pas cherché à représenter une silhouette de nature très effrayante, avec ce Bhairava, mais il est clair que cette divinité participe de la catégorie *ugra,* et une certaine terreur est presque toujours associée à cette forme.

198
Brahma et les autres dieux rendent hommage à la déesse

Gouache sur papier.
École Pahari, troisième quart du XIXe siècle ; d'un atelier de Basohli.
Sri Pratap Singh Museum, Srinagar ; n° 1970 (P).

Manifestement en rapport avec la célèbre série carrée de « Devi » d'une date antérieure, cette peinture accuse cependant certaines variantes et contient beaucoup plus de détails que la plupart des œuvres de cette série. La déesse est debout, elle a quatre bras et le teint sombre ; elle tient une longue épée, un trident, un tambour et une écuelle faite de la partie supérieure d'un crâne ; elle reçoit l'hommage des dieux les plus grands, Shiva, Vishnou et Brahma, qui répandent des fleurs à ses pieds ou sont debout, la tête inclinée, les mains jointes. On trouve un rappel des grands exploits de la déesse car, au-dessus de la scène, vers le coin gauche de la peinture, on voit les cadavres ensanglantés et mutilés des démons qu'elle vient de vaincre. On trouve aussi quelques arbres stylisés, les uns en haut à gauche, les autres dans le bas, ce qui est, une fois de plus, un écart avec les peintures habituelles de la série de « Devi » généralement, sur un fond uni et vide.
L'aspect féroce de la déesse est souligné par l'entassement sanglant des cadavres de démons, mis en pièces, à gauche, dont le traitement rappelle curieusement certains aspects du célèbre *Hamza Nameh* de la peinture moghole. C'est certainement là que le peintre a voulu placer le centre de l'œuvre. Tout naturellement, le peintre a cherché à établir la suprématie de la Déesse altérée de sang et conquérante, mais il se promène avec enthousiasme autour des cadavres mutilés des démons, qui représentent le mal, vaincu par les puissances du bien.
Par sa brillante palette, le trait d'une remarquable sûreté, par son style, enfin, cette peinture est très proche des grandes peintures de la *Rasamanjari* de cette région, dont de nombreuses pièces sont exposées ici (n° 287-295, par exemple). Le traitement des arbres, des trois divinités masculines, de la bande de ciel dans le haut en sont de fortes indications.

199

Kali consume le démon Raktabija, d'une série du *Devi Mahatmya*

Gouache sur papier.
École Pahari, dernier quart du XVIIIe siècle.
National Museum, Delhi ; n° 64.371.

Toutes les Shaktis, « les énergies féminines » des plus grands dieux, comme la Devi elle-même, sont déconcertées quand, sur le champ de bataille, elles sont confrontées au puissant Raktabija, car il semble qu'il n'y ait aucun moyen de l'abattre. En effet, en raison d'un don que les dieux eux-mêmes lui ont fait auparavant, chaque fois qu'une goutte de son sang tombe à terre, un autre Raktabija renaît. Dès qu'un Raktabija est tué par la déesse, toute une armée d'entre eux prend vie en rugissant. La Devi imagine finalement un stratagème et, grâce à ses pouvoirs, elle crée Kali la Noire, l'effrayante, au corps émacié, à la bouche grimaçante, à la langue énorme et longue, qu'elle peut faire jaillir de sa bouche à la vitesse de l'éclair. C'est elle que l'on voit sur ces scènes de carnage : elle tire sa grande langue et empêche les gouttes de sang de Raktabija de toucher le sol et donc de servir de semence pour d'autres émanations du démon. Recevant sur sa langue tout ce qui goutte du corps du démon, elle lèche tout et c'est seulement ainsi que Raktabija peut être tué.
Sur cette page provenant d'une série du *Devi Mahatmya,* la Déesse, chevauchant son lion, avec ses dix bras et toute son énergie, est représentée au centre, vers le haut, alors que son lion bondit en avant ; les Shaktis, dessinées avec grand soin, portent chacune l'attribut de sa contrepartie mâle ou chevauche son *vahana* ; elles sont groupées à gauche : nous voyons ainsi Maheshwari, Narasimhi, Varahi, Aindri, Brahmi, Vaishnavi et Yami. On voit deux fois Raktabija, une fois plein d'énergie et de défi alors qu'il pare les attaques que lui porte la Devi, et une autre fois, mort, en bas à droite.

200

Chamunda

Grès.
Xe siècle après J.-C. ; Hinglajgarh, Madhya Pradesh.
87 × 54 × 22 cm.
Central Museum, Indore ; n° 2 (195).

Plusieurs sources littéraires décrivent cette terrifiante déesse ; elles ne diffèrent que par des détails : le nombre de ses bras, les objets qu'elle porte ou sa monture préférée. Dans toutes, cependant, elle apparaît comme une puissante vision de mort et de destruction. Comme le dit le *Devi Mahatmya,* Chamunda n'est autre que Kali, la Noire. Quand, sur le champ de bataille, la déesse Durga est confrontée au démon Raktabija, pratiquement indestructible – les Matrikas elles-mêmes sont incapables d'endiguer les dégâts qu'il cause car, à chacune de ses blessures, de chaque goutte de son sang naît un autre démon, d'une égale puissance – la déesse demande à Chamunda d'en finir avec Raktabija, comme elle l'a fait elle-même avec Chanda et Munda. Recevant cet ordre, elle ouvre grand la bouche, tirant une langue d'une taille extraordinaire avec laquelle elle lèche chaque goutte de sang qui tombe du corps du démon, le rendant ainsi impuissant. Après avoir agi ainsi, « elle l'avala, ainsi que les innombrables autres démons nés de son sang, en savourant cette saveur et avide d'en avoir plus ».

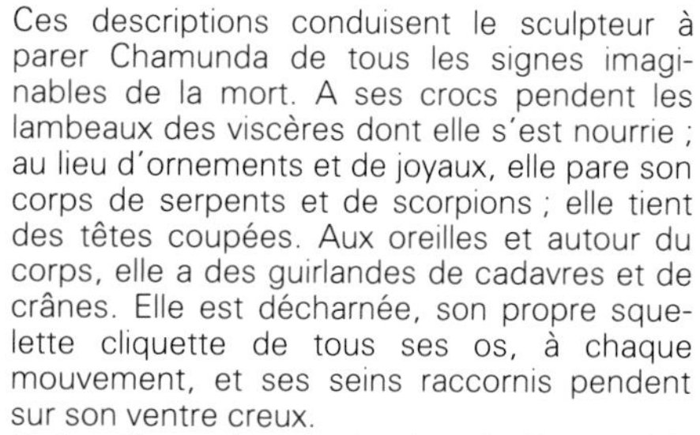

Ces descriptions conduisent le sculpteur à parer Chamunda de tous les signes imaginables de la mort. A ses crocs pendent les lambeaux des viscères dont elle s'est nourrie ; au lieu d'ornements et de joyaux, elle pare son corps de serpents et de scorpions ; elle tient des têtes coupées. Aux oreilles et autour du corps, elle a des guirlandes de cadavres et de crânes. Elle est décharnée, son propre squelette cliquette de tous ses os, à chaque mouvement, et ses seins raccornis pendent sur son ventre creux.

Cette dévoratrice de la vie, du Temps lui-même, a été magnifiquement conçue. Les insectes et serpents mortels qui s'enroulent autour d'elle et qui rampent sur son ventre conviennent parfaitement à l'idée d'une déesse exterminatrice. La bouche ouverte sur des abîmes dans lesquels des hordes entières peuvent disparaître, « comme des serpents dans leurs nids », les gros yeux protubérants, l'inclinaison de la tête et la flexion du corps, quand elle danse de joie devant les dévastations dont elle est cause, tout s'accorde parfaitement à la puissance terrifiante qui émane de cette statue.

Bibliographie :

R.S. Garg, *Shakta Pratimayen,* Bhopal, 1980 ; Pramod Chandra, *The Sculpture of India,* Washington, 1985, nº 47.

201
La Yogini Bha-Nava

Grès.
XIe siècle après J.-C. ; Shahdol, Madhya Pradesh.
80 × 50 × 22 cm.
State Museum, Dhubela ; nº 730.

Quand le mysticisme et l'occultisme se mêlent dans l'adoration de la Déesse, on entre dans le domaine des émanations de Devi elle-même. On ne comprend pas très clairement quand il s'agit de Tantrisme et de pratiques de la main gauche ; mais il est certain que quelque chose échappe aux « profanes ». Le culte des Yoginis n'est donc qu'imparfaitement compris par celui qui ne participe pas activement à ses rituels ésotériques. Cela dit, cependant, on remarque que certaines des représentations médiévales les plus remarquables, provenant certainement du Madhyadesha ou de l'Inde centrale, sont celles des Yoginis. Traditionnellement, on en compte soixante-quatre et il y a des temples sans toit de Bheraghet au Madhya Pradesh et d'Hirapur en Orissa, pour ne citer que ces deux lieux, où se pressent en rangs serrés des images de Yoginis. Les listes de leurs noms ne concordent pas et on trouve des variantes, même lorsque sont sculptées des déesses du même nom, les différences portant sur leurs véhicules, leurs attributs et leurs armes. Dès qu'on les voit, elles apparaissent cependant comme de puissantes déités symbolisant les divers aspects destructeurs de la Déesse, même si elles ne laissent deviner elles-mêmes aucune émotion face à des actes qui, dans un autre contexte, seraient décrits comme macabres et

sanguinaires. Ainsi les déesses se font-elles reconnaître en portant des têtes coupées à la main ou en s'asseyant sur des cadavres entourés tout autant d'adorateurs que d'animaux dévorant des carcasses ; cela parce que telle est leur nature, leur fonction, même si on les conçoit aussi comme des « femmes bien faites, aux seins pleins et haut placés, à la taille souple et aux hanches larges ».
La Yogini que nous voyons ici est identifiée par une inscription contemporaine sur le socle comme Bha-Nava ; elle est malheureusement fortement endommagée, aussi ne pouvons-nous bien nous représenter la série des armes, les *ayudhas,* qu'elle portait dans les mains ; on peut cependant facilement reconnaître deux objets : un *khetaka,* ou bouclier, et une tête coupée qu'elle tient par les cheveux. Sur le dessus et sur les côtés de la stèle sont figurés des serviteurs et des personnages secondaires, certains exprimant la même « avidité » que la Yogini, « l'Éclatante » elle-même. Ainsi, l'un d'eux est en train de mâcher une main coupée, tandis que d'autres tiennent des crânes humains et brandissent des coutelas. La figure qui se détache et traduit en fait la vraie nature des pouvoirs destructeurs de la Yogini, c'est le lion composite qui, tapi sous elle, tourne la tête et hurle férocement, tout en levant une patte menaçante. S'opposant à cela, on a l'expression sévère, distante, du visage de la Yogini, et la délicatesse avec laquelle elle pose légèrement son pied droit sur un lotus qui sort du sol, en dessous. On ne rencontre pas souvent Bha-Nava, ou la « Yogini Bha avec une variation » dans la liste des 64 Yoginis, mais elle procède peut-être des qualités des autres, telles Bha, Prabha, Vibha et Kanti qui traduisent les aspects rayonnants de Durga.
Cette sculpture proviendrait de Shahdol qui a livré quelques œuvres splendides mais, toute impressionnante qu'elle est, avec ses divers motifs et les conceptions générales qui l'accompagnent, elle n'atteint pas la qualité supérieure du Bhairava grandeur nature provenant, lui aussi, de Shahdol (n° 186).

Bibliographie :
S.K. Dikshit, *A Guide to the State Museum, Dhubela,* Nowgong, 1957 ; Vidya Dehejia, « The Yogini Temples of India », *Art international,* vol. XXV, 3.4, 1982, fig. 8-9, p. 6-28.

202
Tête de démon

Terre cuite.
Ier-IIe siècle après J.C.
Haut. 6 cm.
Patna Museum, Patna ; n° 8691.

Les pouvoirs démoniaques ont exercé une étrange fascination sur les sculpteurs de l'Inde ancienne, particulièrement au niveau du peuple, peut-être parce qu'ils vivaient en ayant en tête des images de ce genre, nombreuses dans la pensée et dans la littérature de cette époque. Cette tête de démon, avec des yeux saillants, de grandes narines irrégulières, des dents proéminentes et une grande langue pendante, est issue du même niveau de subconscient qui a produit tant d'œuvres brillantes de ce genre. Ici, le sculpteur a complété cette image dégoûtante, en dotant le visage d'oreilles longues et énormes qui ont pratiquement toute la hauteur de la tête, de sourcils coléreux qui partagent le front en deux, de lèvres striées, parallèles qui traversent les joues en diagonale, d'une chevelure ébouriffée, assez courte. Il a cependant curieusement essayé de rendre ce visage effrayant moins menaçant en en faisant une sorte de hochet, car cette tête fait du bruit quand on l'agite ; c'est manifestement un effet voulu. Ne dirait-on pas qu'il a essayé ici, dans cette tête fort déplaisante, de faire la synthèse de toutes les images qu'il avait à l'esprit, exorcisant ainsi une frayeur cachée quelque part en lui-même.

Bibliographie :
P.L. Gupta, *Patna Museum Catalogue of Antiquities,* Patna, 1965, p. 238.

203
Chamunda, la terrible

Grès.
Xe siècle après J.-C. ; Dharamshala, District de Cuttack, Orissa.
118 × 62 cm.
Orissa, State Museum, Bhubaneshwar ; n[o] Ay 166.

Quand certains textes parlent de « corps très émaciés, aux côtes saillantes entre lesquelles se cachent de jeunes reptiles », c'est à des images comme celle-ci que pensent leurs auteurs. Une fois l'idée de cette terrible divinité entrée dans sa pensée, le sculpteur extrait du plus profond de lui-même les expériences les plus choquantes, ses horreurs personnelles et fait apparaître ces images. Cette Chamunda, qui fait partie d'un groupe de Matrikas provenant d'Orissa, incarne bien une vision d'horreur insoutenable. Nous la voyons assise, avec aisance, une jambe pendante, pesant sur un cadavre couché sur le ventre, sous elle. Que le corps, sous son pied, ne soit pas celui d'une créature vivante, le sculpteur le fait bien remarquer par sa raideur apparente. Chamunda a quatre bras, dont trois sont cassés, mais on voit du moins deux mains : de l'une, elle porte une tête coupée qui se balance près de son genou gauche replié et, de l'autre, contre la poitrine, elle tient un grand bol, manifestement rempli de sang qu'elle boit avec délice. Elle a le corps, comme le visage, tout ridé, les côtes et les autres os faisant saillie, la chair complètement desséchée, l'ossature, recouverte d'un réseau de veines entrecroisées, en relief. Tout cela s'accorde bien au visage squelettique, hâve, avec des trous profonds à la place des orbites, des séries de rides sur les joues et le front, la bouche ouverte, pour recevoir ce qu'elle choisira, pour se nourrir, dans cette scène de carnage. Les cheveux sont coiffés curieusement comme une flamme élevée à la base de laquelle se trouve un serpent qui ondule et se retourne pour siffler. Tout autour d'elle se trouvent les emblèmes de la destruction qu'elle déchaîne ; elle ne porte qu'un seul vêtement, une guirlande de têtes humaines ; derrière elle, sur la dalle de pierre, on voit la peau d'un éléphant qu'elle a écorché et avec laquelle elle se prépare à danser ; des crânes de chacals entourent la base de son siège et de petits esprits de la mort dansent, alors que des adorateurs assis, en bas à gauche, lui rendent hommage. Il est clair que le sculpteur n'a pas cherché ici à représenter un personnage anatomiquement exact ; il s'est fixé une tout autre tâche, celle de représenter la Destructrice qui exige qu'on lui rende humblement hommage.

207

Animaux dévorant un cadavre ; d'un manuscrit de l'Anvar-i-Suhaili

Gouache sur papier.
École moghole, deuxième moitié du XVIe siècle.
Bharat Kala Bhavan, Bénarès ; n° 9069.

Un chameau mort est couché sur le sol et les habitants de la forêt dévorent son cadavre. Cet épisode fait parti des fables réunies dans l'*Anvar-i-Suhaili* (« les Lumières de Canope »). Une fois choisi ce sanglant sujet, le peintre semble s'y être remarquablement intéressé. Il ne nous montre pas seulement les charognards habituels qui ne laissent rien du cadavre ; dans une superbe composition, il a réuni toute une gamme de carnivores assemblés autour de la carcasse. Alors qu'un chacal mord la tête coupée du chameau, maintenant à une légère distance du corps, un lion plonge fortement ses griffes dans le cou, une panthère tachetée s'acharne sur une patte et un tigre rayé sur une autre. Un léopard prend entre les dents les entrailles qui ont été dénudées, quand le ventre du chameau a été étripé par les animaux, les uns après les autres. Un petit groupe de chacals dévore une patte qui, elle aussi, se trouve à une certaine distance du cadavre et un autre groupe de chacals s'éloigne avec une autre patte. Deux autres fauves avec de longues oreilles pointues et une queue raide, peut-être des hyènes, tirent sur des boyaux, dans le bas, et tout une population de fauves et de reptiles s'est réunie, tout autour ; horrifiés, fascinés, ils regardent ce qui se passe au milieu de la peinture. Cette œuvre est manifestement d'un grand maître qui aime à représenter les animaux en action et les dessine avec virtuosité. Si l'on examine cette page de près, on éprouve un sentiment de répulsion. Un peintre moghol ne s'est pas souvent intéressé à rendre d'un œil impassible un tel sujet avec tant de détails.

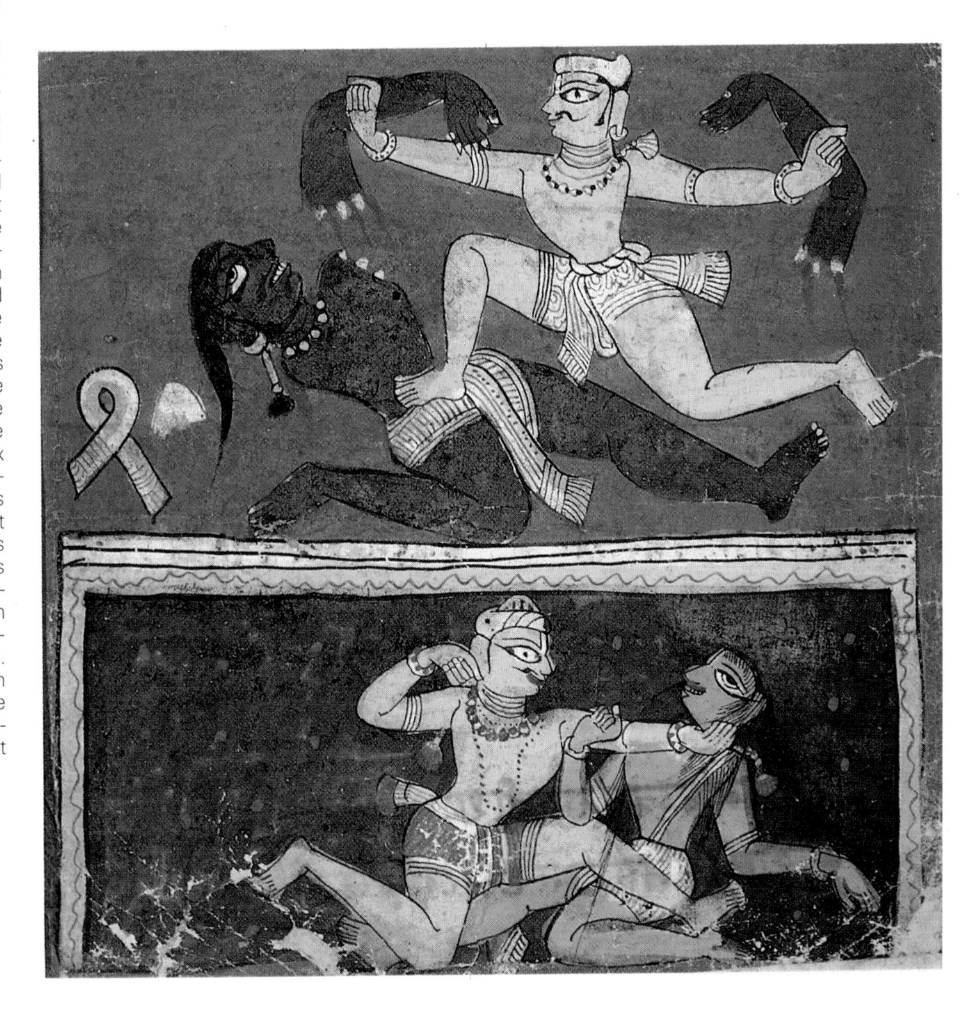

208

Un héro arrache les bras d'un démon ; de la même série du *Mrigavat* que le n° 40

Gouache sur papier.
École pré-moghole, deuxième quart du XVIe siècle.
18,9 × 17,8 cm.
Bharat Kala Bhavan, Bénarès ; n° 7879.

On trouve sur cette feuille une explosion d'énergie et de fureur, et le peintre nous montre deux phases d'une lutte féroce. Dans le bas, un homme maîtrise son adversaire qu'il tient par le cou, avec la main gauche, et s'apprête à le frapper du poing droit. On ne peut guère douter de celui qui va sortir victorieux, car l'homme de droite est manifestement sur le point de perdre, il est même mourant. Avec beaucoup d'adresse, le peintre nous donne des indications comme le corps qui commence à perdre de sa force et le regard d'agonie des yeux dont la pupille a « tourné ». Le personnage princier qui gagne est habillé pour la lutte, avec un vêtement court, serré, mais son rang est indiqué par les joyaux qu'il porte et par le turban, le *kulahdar* bien connu, sur la tête. Il n'est pas impossible que cette scène, qui est placée dans un cadre, représente un événement se passant dans une chambre, pendant qu'à l'extérieur, un autre héros, peut-être le compagnon de celui du bas, s'attaque avec une rare force à un démon. Le démon a déjà été vaincu ; le héros se penche sur le corps prostré, avec une grande énergie, une force contenue, lui prenant les deux bras et tirant fortement dessus, au point de les arracher des épaules ; il les tient alors élevés, pour montrer sa victoire. La forme tordue, démembrée, du démon, les pupilles révulsées, le visage défiguré par un rictus de mort, en font un spectacle pitoyable. Le sujet même du récit semble être l'impitoyable démembrement du démon, dont la destruction a sans doute été jurée par le héros et par son compagnon. Les taches du sang qui coule des bras arrachés, les articulations déboîtées, voilà ce que le peintre veut manifestement nous faire voir, car il les regarde lui-même avec impassibilité, les dépeint à loisir. Il n'utilise pas d'accessoires, pas de décor compliqué, il suit le texte de Qutban, dans son esprit, le peignant à sa manière, avec une simplicité dépouillée, comprenant en profondeur les émotions brutes qui s'y manifestent.

Bibliographie :
Voir le n° 40.

209
La déesse sous son aspect sombre

Gouache sur tissu.
École moghole, premier quart du XVIIe siècle.
Chandigarh Museum, Chandigarh ; n° K-2.

Sous son aspect *« tamasique »,* la Devi est essentiellement *samhara shakti,* Puissance de Destruction. Quand elle a l'intention de détruire, rien ne peut lui résister, ni dieu ni démon, ni le temps ni l'espace. Furieuse et terrible, elle détruit et dévore. Ici, l'image de sa puissance d'annihilation est complète ; comme vêtement, elle porte les têtes coupées des innombrables démons qu'elle a abattus ; pour se nourrir, elle tient dans une de ses mains de la chair et des os que picore un corbeau, pour ornements, elle porte dans les oreilles des cadavres à demi-brûlés et, parmi ses armes, elle a un squelette qu'elle utilise comme un bâton effrayant. Elle a huit bras, elle est nue et racornie, elle a une expression hideuse sur le visage, elle grimace et ses cheveux sont en désordre ; elle se tient ici, sur la scène des destructions qu'elle a faites, elle a les jambes disposées comme si elle allait se mettre à danser sur un rythme lent, cadencé. Elle est entourée de corneilles et de charognards : des corbeaux, des chacals et des chiens ; le sang gicle des corps écartelés et l'on entend le bruit des ossements broyés par de cruelles mâchoires. Mais même sous cet aspect terrifiant, elle demeure la Mère de l'Univers :

Celle qui a créé ce monde du réel et de l'irréel,
Qui, par sa propre énergie, sous ses trois aspects,
Le protège, le détruit et joue. »

Sous cet aspect, la Devi n'est pas un sujet habituel dans la peinture moghole et, pourtant, cette œuvre aux couleurs puissantes, subtiles, est manifestement moghole. Sur d'autres peintures de la même série, nous voyons plus de personnages et quelques bâtiments (se reporter ici au n° 271) mais, même ici, le traitement des rochers à l'arrière-plan, et celui des animaux indique fortement une inspiration moghole. Cette peinture a peut-être été faite, pour un dévot hindou, par un artiste ayant reçu une formation moghole. Il convient de remarquer que cette peinture a été peinte sur tissu, et non sur papier.

Bibliographie :
Publié dans S.N. Gupta, *Catalogue of Paintings in the Central Museum Lahore,* Calcutta, 1922, pl. IX ; voir aussi Pramod Chandra, « Ustad Salivahana and the Development of Popular Mughal Art », *Lalit Kala,* n° 8, fig. 33.

210
Rudra-Bhairava et son épouse

Esquisse sur papier, fond non coloré.
École Pahari, troisième quart du XVIIe siècle.
24 × 49 cm.
Research Department, Gouvernement du Cachemire, Srinagar ; n° 1124.

« Les Rudras sur terre sont des milliers et des milliers de Rudras divers », lit-on dans un ancien hymne à Rudra-Shiva dans le *Yajurveda,* le *Shatarudriya,* « dont les arcs restent sans leur corde, à des milliers de lieues de nous ; les Rudras à la gorge bleue et au cou blanc se déplacent dans les profondeurs infernales en dessous de la terre... ces suzerains des esprits aux cheveux rasés ou à la coiffure *Kaporda...* ceux qui se déplacent dans des lieux sacrés... » A ces images magnifiques et terrifiantes se sont superposées, dans la suite des siècles, les images de Bhairava, la « forme effrayante » de Shiva, et nous avons une classification très détaillée des Bhairavas, parmi lesquels ce Rudra-Bhairava que nous voyons sur cette œuvre inachevée. La divinité associée aux sols ardents et aux cadavres à demi dévorés préside à la destruction ; elle est assise ici sur le corps blanc, étendu, de Shiva lui-même, qui représente le principe de la vie, placé sur un bûcher funéraire dont les flammes jaillissent dans le ciel. Des servantes, nues et effrayantes, hôtes des lieux désolés, avides de sang, se tiennent de chaque côté et des animaux, des chacals ou des chiens, errent tout autour. Ce qui frappe le plus, naturellement, c'est l'amas de personnages désincarnés, – des esprits ou *pretas* –, qui sont ici et là, dansent ou rampent, regardent le maître qui règne sur eux tous.

A cette époque, dans le pays Pahari, on produisait en grand nombre des œuvres d'inspiration tantrique comme celle-ci ; elles servaient à la méditation et permettaient, par l'intermédiaire des *siddhis,* d'acquérir des pouvoirs supranormaux. Il est difficile de dire de quel endroit vient cette œuvre, encore que l'on pense d'abord à Basohli ou à Mankot. Il est cependant intéressant de signaler que, d'après le catalogue du ministère où est actuellement conservée cette peinture, l'important lot de peintures et de dessins, – d'où provient cette œuvre –, a été acquis à un ressortissant du Bhadrawah, État du groupe Jammu-Cachemire qui, jusqu'à présent, n'a jamais été associé à quelque peinture que ce soit.

Bibliographie :
C. Sivaramamurti, *Satarudriya : Vibuti of Siva's Iconography,* Delhi, 1976 ; W.G. Archer, *Indian Paintings from the Punjab Hills,* Londres, 1973, au chapitre « Basohli » (pour un rapport éventuel avec une série Devi).

Adbhuta:
le sentiment du merveilleux

L'Adbhuta est fondé sur le *vismaya,* l'État d'Émotion Durable de « l'étonnement ». Les *vibhavas,* ou Déterminants, que l'on considère convenir à ce *bhava* sont des éléments comme « la vue d'êtres ou d'événements célestes, l'obtention d'objets désirés, l'entrée dans le palais d'un supérieur, dans un temple, dans une salle d'audience et dans un palais de sept étages ainsi que (de voir) des tours d'illusion ou de magie ». Les *anubhavas,* ou Conséquents, allant avec ce *bhava,* comprennent, selon Bharata, « les yeux ouverts en grand, le regard fixe, la chair de poule, les pleurs (de joie), la transpiration, la joie, des paroles d'approbation, le fait de faire des cadeaux, de crier sans cesse *ha, ha, ha,* d'agiter l'extrémité de la *dhoti* ou du *sari,* des mouvements des doigts, etc. ». Les États d'Émotions Complémentaires du *bhava* sont « les pleurs, la paralysie, la transpiration, l'étranglement de la voix, la chair de poule, l'agitation, la hâte, l'oisiveté, la mort et ainsi de suite ».

Dans une autre étude, Bharata indique que le Sentiment du Merveilleux est « provoqué par des mots, des personnages, des actes et par la beauté personnelle ». On dit encore qu'il peut prendre deux aspects, « céleste et joyeux ». « L'aspect céleste vient de l'observation de vues célestes, le joyeux est dû à des événements joyeux ». Quand, sur une scène, un personnage agite la tête et murmure des mots comme « bien fait », « bien fait », il exprime manifestement un *vismaya,* dont les Déterminants comprennent également « l'illusion, la magie, les faits extraordinaires des hommes, la grande qualité de la peinture, des travaux d'art sur parchemin, et autres éléments semblables ».

Dans la littérature, on trouve souvent cité comme exemple de l'Adbuta Rasa le discours de Lakshmana, dans le *Viracharita* de Bhavabhuti : « Le résonnement sonore produit par la fracture de l'arc de Shiva, dont la lune orne les cheveux, arc qui est allé dans ses bras (de Rama) comme un tambour pour proclamer les jeux virils de mon frère aîné – résonnant de toute sa force condensée dans les entrailles du réceptacle de l'œuf de Brahma – NOTRE univers – dont les moitiés secouées avec violence se sont effondrées comme une boîte, si bien que le son ne peut sortir – *ha !* – comment ! – ne peut même pas ENCORE diminuer ? »

Ce passage n'est pas d'une interprétation facile, car il comporte des références et des allusions compliquées, mais il transmet bien le sentiment de *vismaya,* de ces événements étranges et merveilleux qui se produisent. L'entrée de Sita dans le feu, si bien décrite, et avec tant de sentiment, dans le *Ramayana,* est encore un exemple frappant de l'Adbhuta Rasa. Sa manière de « s'asseoir dans le giron d'Agni », le dieu du feu, et de ressortir parfaitement indemne de l'ordalie, tout donne lieu à des réactions et à des sentiments d'émerveillement pour les autres spectateurs de cet événement émouvant.

D'après au moins une opinion qui fait autorité, celle de Narayana, l'arrière-grand-père de Vishwanatha, l'Adbhuta est en réalité *l'unique rasa.* Tout le reste en procède, comme le dit Narayana, et s'y fond. Cette conception lui permet de souligner la grande importance de l'Adbhuta en tant que *rasa,* même si les autres écrivains ne l'acceptent pas tous. Quand on fait une distinction entre l'*adbhuta tattva* (l'élément de merveilleux), et l'*adbhuta Rasa* (l'expérience du merveilleux), peut-être les problèmes deviennent-ils plus simples ? On s'y est beaucoup intéressé dans la peinture et dans la sculpture et certaines œuvres très émouvantes sont parvenues jusqu'à nous. Les actes, grands et merveilleux, des dieux, les nombreux miracles dont on parle dans les légendes, les exploits surhumains des héros, les visions magiques décrites en littérature, tous ces éléments sont interprétés avec une perspicace compréhension de l'essentiel, car nombreux sont les événements qui ont pour fin de nourrir et d'élever l'esprit : les gestes d'étonnement, l'insistance sur un acte ou sur sa perception, le fait d'abréger et d'ordonner les « caractéristiques » d'une situation donnée, de subtiles indications sur l'expression du visage, tout est établi avec sensibilité.

211
Jeune naga sortant de la gueule d'un Makara

Grès rouge.
IIe siècle après J.-C. ; Sonkh, Mathura, Uttar Pradesh.
30 × 80 cm.
Government Museum, Mathura ; nº SI IV-37.

La fascination que les animaux mythiques ont exercée sur les artistes indiens s'est très tôt manifestée, mais leur favori est le *makara,* « le grand monstre des profondeurs » qui, plus tard, devait devenir la monture de la déesse Ganga. Sur quantité de monuments, on le voit aux extrémités de frises complexes ou encore assis, lové sur des linteaux ; ces animaux ont la gueule grand ouverte avec une langue puissante, le corps est recouvert d'écailles, de grandes antennes en forme de vrille sortent de leurs puissantes narines, la forme, dans son ensemble, est tassée ou allongée, selon la place disponible, les spirales et les circonvolutions sont rendues avec un remarquable métier. Il y a toujours, dans ces représentations, un élément de mystère ; souvent, on ne peut savoir si les personnages et les objets qui dépassent sortent de leur gueule ou s'ils sont sur le point d'être avalés.
Ce fragment, mis à jour lors de fouilles relativement récentes à Sonkh, constitue la partie gauche du linteau inférieur d'une porte qui, manifestement, menait à un temple absidal autrefois à cet endroit. Le temple semble avoir été étroitement associé aux Nagas, « le peuple serpent », car on en voit beaucoup sur les décorations ; sur la partie centrale d'un panneau sont représentés, avec des serviteurs et des visiteurs, un roi et une reine Nagas, un capuchon de cobra bien marqué s'élevant derrière leur cou. Le jeune mâle qui semble sortir de la bouche ouverte de ce *makara,* les mains en l'air, une écharpe flottante, le pagne légèrement déplacé, est manifestement un Naga lui aussi : on voit la trace de son capuchon de cobra, derrière sa tête. Il pourrait cependant y avoir une tout autre interprétation, si l'on imagine que le jeune Naga est sur le point de disparaître entre les puissantes mâchoires du fabuleux animal. L'arrière-train du *makara* est raccourci, sa queue étant complètement enroulée, les écailles et les nageoires sont rendues avec une grande précision. On croit presque entendre une sorte de reniflement, quand la bête ouvre grand ses puissantes mâchoires. Un petit bouton de lotus, dans cette composition, est un souvenir d'associations aquatiques. Une autre pièce, elle aussi fort bien conservée, provenant du linteau supérieur de la même porte, à Sonkh, représente une autre créature fabuleuse, un éléphant au corps de *makara,* portant une tige de lotus avec sa trompe. La taille de cette pièce est aussi nerveuse, aussi précise que celle de ce *makara,* les volumes étant rendus dans le style caractéristique des œuvres Kushana à Mathura.

Bibliographie :
H. Haertel, « Some Results of the Excavations at Sonkh », *German Scholars on India,* Bombay, 1976, vol. II, fig. 43.

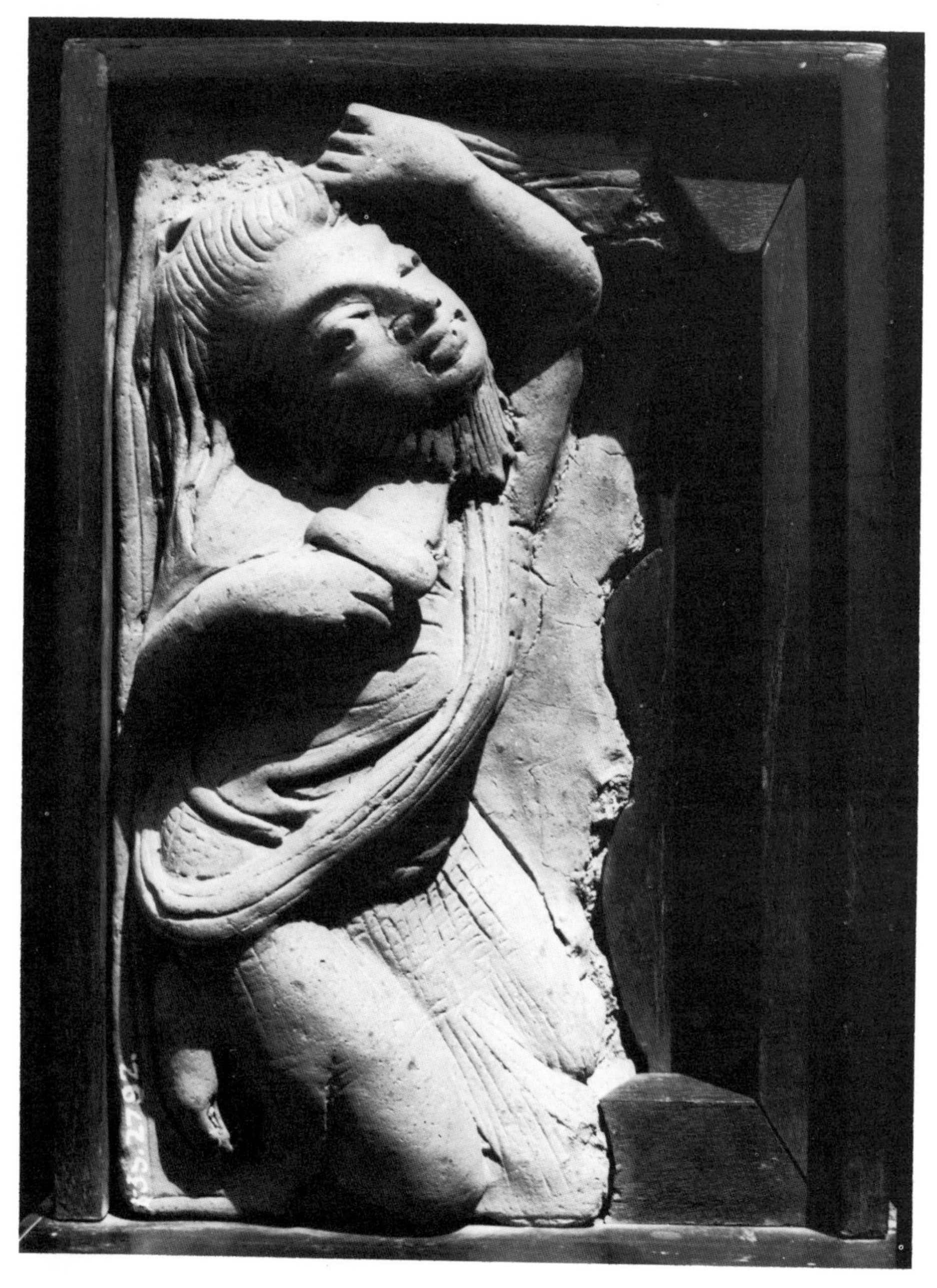

212
Ascète levant la main

Terre cuite.
Ve siècle après J.-C. ; Mathura, Uttar Pradesh.
29,5 × 15,5 cm.
Government Museum, Mathura ; n° 38.39/2792.

Il n'est pas facile de dégager l'exacte signification de cette silhouette agenouillée, qui ressemble à un ermite. On a proposé d'y voir un ascète faisant « l'offrande de sa tête », manifestement en sacrifice. Il est cependant plus vraisemblable que cet ascète, ou *rishi*, est représenté ici alors qu'il a une apparition et que, sous le coup de l'émotion, il lève la main pour toucher sa tête, pendant qu'il tient de la main droite, contre la poitrine, un objet indistinct. L'inclinaison de la tête regardant vers le haut, la posture agenouillée et, par dessus tout, le regard font penser qu'il est le témoin de quelque action merveilleuse, qui l'émeut. Étant un *rishi*, un voyant, il est naturellement sujet à des visions et peut voir ce qui est habituellement caché aux autres. Adorateur de Dieu, en constante méditation sur Lui et les vérités de la vie, il est bien légitime qu'il lui soit accordé une vision.
Quelle que soit la vraie signification de cette représentation, on reste frappé par son extraordinaire poésie. L'artiste a merveilleusement su douer son personnage d'un mouvement rythmé ; il joue avec les surfaces, avec des détails comme la chevelure, comme les tresses de la barbe, comme la texture et le poids de l'écharpe qui entoure le buste et le vêtement qui s'évase et se tend ; tout est chargé d'une grande émotion, cependant que le visage serein, plongé dans l'extase, attire l'attention.

Bibliographie :
In the Image of Man, Londres, 1982, n° 256 ; Mario Bussagli et C. Sivaramamurti, *5000 years of the Art of India,* New York, n° 145.

213
Shiva surgissant du Lingam de feu : Lingodbhava Murti

Granit.
XIIe-XIIIe siècle après J.-C. ; Mudiyannur, Tamil Nadu.
120 × 28 cm.
Government Museum, Madras ; n° 90-8-38.

Parmi les nombreux mythes centrés autour de la grande figure de Shiva, il en est un qui célèbre son apparition soudaine, mystérieuse « dans l'obscur courant de la nuit cosmique », entre deux éternités. Un pilier de lumière, sans fin, s'élève dans l'océan, sans qu'on puisse y voir ni commencement ni fin. Toutes les créatures sont frappées d'émerveillement et les dieux eux-mêmes incapables de comprendre cet étrange phénomène. Comme leurs yeux ne sont pas assez perçants pour en saisir la dimension, Brahma, le créateur, et Vishnou, le sauveur, vont le mesurer. Brahma monte vers son sommet, tandis que Vishnou, décidant d'en explorer la base, va vers le bas. Des éternités de temps et d'espace s'écoulent et ils ne parviennent toujours pas à le voir complètement. Vishnou admet son échec, mais Brahma prétend, à tort, qu'il a atteint le sommet du pilier et qu'il l'a vu de ses propres yeux. Alors, tout à coup, la colonne ardente s'ouvre et fait apparaître Shiva dans toute sa gloire, car elle n'était rien d'autre que son emblème phallique, le *lingam*. Brahma a honte de son mensonge et Shiva le maudit ; Vishnou se joint à toutes les autres créatures pour rendre humblement hommage au grand Dieu.
Comme le fait remarquer Stella Kramrish, il existe deux versions sculpturales « ou plutôt deux moments du mythe ». Dans l'une, l'irruption de Shiva hors du *lingam* est célébrée par les deux dieux sortis pour le mesurer et représentés sous leur forme thériomorphe, Brahma sous celle d'un cygne et Vishnou sous celle d'un sanglier. Dans l'autre version, les dieux apparaissent sous leur forme normale, se tenant de chaque côté, reconnaissent le miracle et adorent l'emblème de Shiva.
Sur cette image tardive, mais sculptée avec une grande précision, les deux dieux apparaissent sous la forme d'un animal et d'un oiseau : Brahma en haut à droite de l'ouverture lenticulaire du pilier, Vishnou en bas à gauche. La silhouette calme et sereine de Shiva, avec ses quatre bras portant ses attributs habituels, debout en *samapada*, le poids du corps également réparti sur les deux jambes, les cheveux emmêlés jaillissant d'une haute couronne, tout le corps orné d'une profusion de joyaux, occupe naturellement la plus grande partie du pilier, car c'est *sa* gloire qui se manifeste et que célèbre ici le sculpteur Chola. L'extrémité arrondie du sommet, la ceinture florale qui entoure le pilier accentuent la nature phallique de la colonne. La frise décorative à la base n'a cependant pas la même fonction.

Bibliographie :
F.H. Gravely et C. Sivaramamurti, *Illustrations of Indian Sculpture, mostly Southern,* Madras, 1939, cliché XXVIII ; C. Sivaramamurti, *Satarudriya, Vibhuti of Shiva's Iconography,* Delhi, 1976, fig. 20 ; *In the Image of Man,* Londres, 1982, n° 432.

214
L'éléphant Nalagiri dompté

Calcaire.
IIe siècle après J.-C. ; Amaravati, Andhra Pradesh.
Government Museum, Madras ; nº 14.

Dans la vie de Bouddha, le sculpteur d'Amaravati a retenu certains des épisodes les plus émouvants et les plus dramatiques et les a transcrits sur la pierre, dans son style éblouissant, meublant ses compositions d'innombrables personnages « souples et langoureux, forts et passionnés ». Dans beaucoup de ses œuvres, on le sent « détaché de la vie » mais parfois, comme ici, on constate une animation très proche du monde terrestre.
L'histoire que raconte ce médaillon placé sur une entretoise de ballustrade du *stupa* d'Amaravati est contée dans le Cullavagga du *Vinaya Pitaka* ; c'est celle d'une des nombreuses tentatives de Devadatta, pour tuer le Bouddha. Vaincu à plusieurs reprises, il pressent les cornacs de Rajagriha et les corrompt pour qu'ils libèrent Nalagiri, le puissant éléphant, et le lancent contre le Bouddha. Celui-ci pénètre dans la ville avec ses disciples et l'éléphant est pressé de se ruer sur lui ; les *bhikshus* pressent le Maître de mettre sa vie en sûreté ; la panique s'empare des citoyens mais le Bouddha reste impassible. Comme le conte la légende, il suscita « un sentiment d'amour qui envahit » l'animal furieux, et celui-ci abaissa ses défenses, s'agenouilla et salua le Maître. Quand le Maître l'eut béni, l'éléphant prit la

poussière de ses pieds et s'en aspergea tout le corps.
Le sculpteur nous représente ce miracle d'une manière forte, précise. Le fourmillement de la ville, avec les tours de ses palais et ses femmes pleines de curiosité, ses badauds dans des rues encombrées, tout cela est représenté magnifiquement dans un médaillon unique. C'est avec une merveilleuse aisance qu'est évoqué le désordre causé par l'éléphant enragé chargeant la foule, saisissant des passants par la trompe, alors que son propre cornac glisse de son dos. Dans les rues, la panique est parfaitement rendue par un petit groupe, au centre du médaillon, où une femme, en proie à la terreur, entoure son compagnon de ses bras chargés de joyaux tandis que d'autres personnes se précipitent vers elle pour la calmer. Puis nous voyons tout à coup le même éléphant, s'inscrivant parfaitement dans la bordure ronde de la composition, expression de soumission tranquille alors qu'il s'incline profondément aux pieds du Bouddha. Dans ce coin, tout est équilibré, dans un ordre parfait : les disciples sont debout, rendant hommage les mains jointes en signe de respect, et le Bouddha, dont la silhouette est aujourd'hui assez endommagée, considère avec bonté l'animal vaincu qui s'agenouille. C'est une vraie tragédie qui nous est représentée bien visiblement par le sculpteur d'Amaravati, avec son exorde, ses péripéties et sa conclusion. Les gestes et les postures, l'élégante composition nous narrent l'histoire avec une grande vigueur. Jadis, des passants ont dû se tenir devant des médaillons comme celui-ci, en plein soleil, tandis que les ombres faisaient ressortir le message et faisaient éclater les miracles de l'Illuminé.
Il n'est pas sans intérêt de savoir qu'un autre médaillon, sur le même thème et provenant aussi d'Amaravati, a été récemment acquis et se trouve dans les collections du Bharat Kala Bhavan, à Bénarès.

Bibliographie :
Jas Burgess, *Notes on the Amaravati Stupa,* Madras, 1882 ; A. Foucher, « Les sculptures d'Amaravati », *Revue des arts asiatiques,* vol. V, nº 1 ; C. Sivaramamurti, *Amaravati Sculptures in the Madras Govt. Museum (Bulletin of the Madras Govt. Museum),* nouvelle série, vol. IV, Madras, 1942.

215
Shiva, le seigneur à moitié femme : Ardhanarishwara

Bronze.
XIe siècle après J.-C. ; Tiruvengadu, Tamil Nadu.
Haut. 100 cm.
Government Museum, Madras ; nº 477.60.

Décrire Ardhanarishwara comme un aspect de Shiva « androgyne » serait, en un sens, s'éloigner de l'idée qu'il symbolise. Ce n'est pas un difficile mélange des caractéristiques masculines et féminines en un seul corps que représente Ardhanarishwara, c'est la réunion des principes mâle et femelle de la création, de Shakti et Shiva, la matrice et la semence

de l'univers, « le symbole de bi-unité sexuelle » qui va au-delà de la dualité des deux sexes. Dans un superbe passage, le grand poète sanskrit Kalidasa parle des « parents primitifs du monde, Parvati et Shiva, unis étroitement et inséparablement, comme le sont les mots avec leur signification ».
Les textes iconographiques précisent comment représenter Ardhanarishwara : il a quatre bras, la moitié droite du corps est la moitié mâle et la gauche est la moitié femelle, les mains portent des deux côtés les attributs voulus, à droite ceux de Shiva, à gauche ceux de Parvati. Le corps, de part et d'autre de la ligne de partage verticale, est traité de diverses manières : ainsi, les cheveux emmêlés de Shiva, à droite, mènent à la coiffure élaborée de Parvati, à gauche ; les boucles d'oreille, dans les deux oreilles, sont dissemblables ; seule la moitié gauche à une poitrine féminine ; la jambe droite est couverte d'un pagne court tandis que la gauche, qui appartient à Parvati, porte une *dhoti* qui descend jusqu'au mollet. Même le troisième œil de Shiva, selon certains textes, ne doit apparaître que sur une moitié du front, à droite. Mais toutes ces formules descriptives seraient restées sèches et stériles pour le sculpteur, si celui-ci n'avait été ému par un remarquable sentiment. S'il a créé des images si inspirées d'Ardhanarishwara, en pierre et en bronze, c'est parce qu'il avait *compris* l'essence même de ce qu'il représentait. Cette superbe image provient de Tiruvengadu et montre le génie du sculpteur Chola quand il s'adonne à ce sujet. Le sculpteur Chola a su, avec élégance, et précision dans les détails, donner beaucoup de vie à cette forme humaine, ou divine. Ici, le subtil mélange de deux natures, et non de deux corps, traité avec une émotion évidente, donne à l'œuvre beaucoup d'attrait et de séduction.

Bibliographie :
C. Shivaramamurti, *South Indian Bronzes,* Delhi, 1963, frontispice ; Rustam J. Mehta, *Masterpieces of Indian Bronzes and Sculptures,* Bombay, 1971, pl. 79.

216
Jeune ascète après sa première expérience sexuelle

Grès rouge.
IIe-IIIe siècle après J.-C. ; Mathura, Uttar Pradesh.
80 x 24 x 15 cm.
Government Museum, Mathura ; no J-7.

Cette singulière silhouette qui provient d'un pilier de balustrade de *stupa* est celle d'un jeune homme perdu dans ses pensées, perdu manifestement en quelque souvenir. Vogel l'a décrite comme une « silhouette masculine ayant l'aspect d'un faune » ; il porte un turban compliqué, des colliers de perles et d'autres ornements et se tient sous un manguier en fleurs.
On ne sait pas avec certitude ce qui est représenté. Growse y a même vu une jeune danseuse ; on a supposé qu'il s'agissait de Rishyashringa (litt. « qui a une corne de gazelle »), un jeune ascète dont il est souvent question dans la littérature ancienne. Un *Jataka* bouddhiste conte que le chaste garçon vivait dans un ermitage, qu'une jeune femme l'ayant approché et séduit, avait eu avec lui des rapports physiques, profitant de son innocence. Troublé, ce jeune ascète prit pour la première fois conscience des délices du corps : jusqu'alors, il n'avait pas même soupçonné l'existence des femmes. Le manguier se trouvant au-dessus, la bosse dans le turban, qui laisse deviner qu'une corne pourrait y être dissimulée, ainsi que l'aspect mi-ascétique, mi-princier du garçon ont conduit à cette identification. La perplexité est très apparente, la rêverie dans laquelle se perd le personnage est indiquée par le geste éloquent et particulièrement significatif, de la main droite levée, deux doigts étendus, portée à la bouche.
Ce fragment est très abîmé, la partie supérieure a été cassée et la base aussi.
Au revers de ce pilier se trouvent trois panneaux, gravés en relief : au sommet, un arbre sacré avec des adorateurs ; au milieu, deux silhouettes d'hommes assis ; celui du bas a été complètement détruit. Chacune de ces scènes s'inscrit entre deux pilastres persépolitains maurya, leurs chapiteaux étant en forme d'un unique lion ailé. Sur les côtés, on trouve des mortaises qui recevaient des entretoises. On trouve une intéressante inscription sur une ligne en-dessous du panneau supérieur : « don de Kathika, servant du palais intérieur ». Si on la compare à de nombreux autres piliers de balustrade, la qualité de la sculpture au revers n'atteint pas le niveau du personnage principal sur le devant.

Bibliographie :
J. Ph. Vogel, *The Archaeological Museum at Mathura,* Calcutta, 1910.

217
Makara – Gargouille

Pierre noire.
XIIe siècle après J.-C. ; Monghyr, Bihar.
35 x 128 cm.
Patna Museum, Patna ; no 13.

La remarquable transformation qui, au cours des siècles, a affecté la simple créature aquatique qu'est le *Makara,* est tout à la fois née de l'imagination des sculpteurs indiens et l'a nourrie. Symbole, parfois de fertilité, parfois de bon augure, cet animal évoque aussi, pour certains, les mystères des profondeurs et les puissances de la nature. Monture de Varuna, dieu des eaux, de Ganga, la déesse fluviale, ou emblème de Kama, dieu indien de l'amour, le *Makara* avait de nombreuses raisons d'apparaître à maintes reprises, d'abord en Inde, ensuite en Asie du sud-est, combinant les traits d'un crocodile, d'un poisson, d'un reptile et d'un éléphant.
Tel que l'a conçu ici l'artiste Sena du XIIe siècle, ce *Makara* est constitué de deux moitiés, une moitié supérieure, une moitié inférieure, selon une division horizontale. De sa gueule émerge un petit homme ventru « sculpté bilatéralement, ayant les traits de Bhairava ou de Hayagriva », pendu aux naseaux de la créature fantastique, sa tête coiffée d'un chignon appuyée contre la trompe de l'animal. L'arrière de cette pièce est resté brut, non sculpté à partir d'un certain point, car elle devait s'adapter à une ouverture dans un toit, à grande hauteur ; c'est la partie antérieure qui est fortement embellie, avec des guirlandes de fleurs et d'autres motifs qui apparaissent sur la tête, les joues et la trompe du *Makara.* Son œil saillant semble se répéter plusieurs fois, chaque fois traité de façon plus décorative que la précédente ; autour des oreilles et du cou, les motifs décoratifs affectent la forme d'eaux jaillissantes, de vrilles de feuillage, de flammes bondissantes, s'enroulant et tournant sur eux-mêmes. On dirait que saisissant cette occasion de figurer un monstre mythique appartenant au royaume de l'imagination, l'artiste ait décidé de donner libre cours à son imagination et à sa fantaisie.

Bibliographie :
P.L. Gupta, *Patna Museum Catalogue of Antiquities,* Patna, 1965, pl. XIV, p. 129.

218

Les manifestations de Vishnou : l'auréole de Devsar

Bronze.
IXe siècle après J.-C. ; Devsar, Cachemire.
190 × 128 × 10 cm.
Sri Pratap Singh Museum, Srinagar ; n° 2661.

Il est rare qu'à elle seule l'auréole d'une image, – l'image principale elle-même manquant, – attire tellement l'attention et suscite tant d'admiration. Cet objet, « techniquement sans égal dans l'histoire des bronzes du Cachemire », « œuvre d'une imagination hardie et riche », a été découvert en 1930, lors de fouilles faites à Devsar, dans le district d'Anantnag, au Cachemire ; pendant près de 40 ans, il est resté au premier rang des discussions sur l'art du bronze dans l'Inde du Nord.

On n'a même aucune certitude sur l'image principale qui se trouvait au centre de cet encadrement ; on a suggéré qu'il s'agissait peut-être du Bouddha, représenté comme neuvième incarnation de Vishnou ; on ne peut cependant écarter la possibilité qu'une image même de Vishnou ait occupé l'espace aujourd'hui vide. On a quelques raisons de penser aux affiliations vishnouites de cet objet car, tout autour de la figure centrale, se trouve une floraison riche et variée de formes qui, d'une manière ou d'une autre, sont en rapport avec Vishnou. Sur le bord du cadre elliptique court un motif flamboyant qui s'élève du bas vers le haut en courbes splendides et culmine dans un fleuron, celui-ci, à son tour, entourant l'image de Vishnou représenté debout, avec sept ou neuf têtes. Sur le bord, une fois de plus suivant le pourtour du cadre, on trouve un grand nombre de silhouettes disposées dans les creux, plus ou moins circulaires, formés par une tige de lotus qui ondule et s'enroule en s'élevant, les feuilles s'entremêlant, les tiges jaillissant, les vrilles s'écartant en tous sens. Ce n'est pas seulement l'élégance et la maîtrise technique étonnante de ces effets – l'auréole est faite d'une seule pièce – c'est aussi le traitement des formes, rendues avec fougue, qui donne à l'objet un caractère inspiré. Il faut aller plus loin, comme l'ont fait H. Goetz et, dernièrement, J.L. Bhan, dépasser le plan général de cet encadrement, pour essayer de comprendre la démarche de l'artiste. La passion avec laquelle cette œuvre a été conçue et exécutée nous laisse une impression durable. Qu'il s'agisse de la représentation d'Hayagriva, forme de Vishnou à tête de cheval, de Vishnou sous la forme de Varaha ou de Narasimha, il se dégage de cet objet une grande vitalité. Quand le sculpteur veut rendre la placidité d'une figure, comme Vishnou couché sur le serpent Sesha ou assis en posture de méditation, il sait créer un effet de calme et de sérénité ; pourtant, quand l'énergie devient le caractère essentiel de Vishnou, comme lorsque Narasimha vainc le démon Hiranyakashipu, l'impétuosité de sa silhouette, les yeux exhorbités, les jambes tendues, une patte charnue levée, un bras tirant une touffe de cheveux du démon, l'artiste semble pénétrer son sujet de l'intérieur. Il y a tant d'événements sur le pourtour, il y a tant de rappels, tant de mythes évoqués, que l'œil passe continuellement d'un endroit à l'autre. Si le sculpteur a voulu recréer la gloire de Vishnou sous ses nombreuses formes, avec ses états d'âme et tous ses rôles, représenter l'épiphanie du dieu, emplir d'émerveillement le passant, le dévot, il y est parvenu, même s'il ne nous est pas possible de regarder l'image centrale elle-même.

Bibliographie :
H. Goetz, « A masterpiece of Medieval Kashmir Metal Art: King Sankaravarma's frame for an image of Buddha Avatara, in the Srinagar Museum », *Journal of the asiatic Society, Letters,* n° 19 (1953) ; P. Pal, *Bronzes of Kashmir,* Graz, 1975 ; J.L. Bhan, « Manifestations of Vishnu ; a Critical Study of the 9th century Prabhavali from Devsar, Kashmir », Baroda, 1983 (compte rendu) ; Pramod Chandra, *The Sculptures of India,* Washington, 1985, n° 80.

219

Nataraja : le seigneur de la danse

Bronze.
X^e-XIe siècle après J.C. ; Tamil Nadu.
98 × 83 × 27 cm.
National Museum, Delhi ; n° 56.2/1.

Comme le savent tous ses adorateurs, la danse de Shiva n'est pas une danse ordinaire car elle est le symbole de toute l'activité du Dieu qui fait exister le Cosmos et l'éteint, comme une flamme vacillante. Cette danse représente la quintuple activité de la création, du maintien, de la destruction, de la dissimulation et, finalement, du salut et de la grâce. Comme l'exprime un hymne : « Ô Seigneur, Ton tambour sacré a fait et ordonné les cieux et la terre et les autres mondes aux âmes

innombrables. Ta main levée protège aussi bien l'ordre conscient que l'ordre inconscient de la création. Tous ces mondes sont transformés par Ta Main qui porte le feu. Ton pied sacré, planté sur le sol, donne un abri aux âmes fatiguées qui luttent dans les labeurs de la causalité. C'est Ton pied levé qui donne la bénédiction éternelle à ceux qui T'approchent. Ces cinq actions sont bien Ton œuvre. »

Les danses de Shiva sont diverses ; il y a les danses gracieuses et lentes, et celles qui sont frénétiques et furieuses ; il y a également celles qui doivent transmettre à ses disciples l'essence de ce mouvement, qui n'est jamais qu'un autre nom de l'activité divine. Cette danse de bénédiction, tellement chantée dans la poésie de l'Inde ancienne et si souvent illustrée par les grands sculpteurs du sud, a pour effet de maintenir les éléments réunis et, en même temps, de les disperser de nouveau. Quant les textes sacrés disent que Shiva jette un voile, un rideau d'illusion, sur toutes choses et que, ensuite, il le relève par un acte de grâce, ils veulent indiquer combien son activité est impénétrable. Les dévots sont parfois gratifiés de rapides visions de cet ordre. Tous les sculpteurs n'ont pas compris avec toute leur subtilité la doctrine et la foi qui sont condensées dans cette merveilleuse conception du Seigneur qui danse ; pourtant, ceux qui l'ont fait sont parvenus à mettre à portée du visiteur, du dévot, une expérience émouvante, enrichissante. Dans ces images qui semblent se dilater et se contracter, qui restent un moment immobiles pour éclater dans un mouvement empli de l'esprit l'instant qui suit, ils ont saisi quelque chose du grand mystère de la création et de la dissolution.

On ne connaît que trop bien le personnage aux quatre bras ; le mouvement des jambes et des pieds, l'étalement des cheveux en halo derrière la tête, le tambour, la main qui bénit, la flamme du feu, le pied levé, le démon de l'ignorance écrasé, l'auréole de flammes autour du personnage, tout cela reposant sur le lotus « intact » dans le bas, tout cela, concentré dans l'expression du visage calme et omniscient. Les détails de l'ornementation, le cercle de feu, les ornements du corps sont variables, comme l'est le talent de l'artiste. Mais, quand tout est réuni comme sur cette œuvre superbe, la danse devient une révélation, une représentation concentrée de « tous les rythmes du cosmos ».

Bibliographie :
Ananda K. Coomaraaswamy, *The Danse of Shiva,* New York, 1918 ; S. Sivaramamurti, *The Natraja in Indian Art, Thought and Literature,* New Delhi, 1974 ; R. Nagaswamy, *Masterpieces of Early South Indian Bronzes,* New Delhi, 1982 ; *Ancient Sculptures of India,* Tokyo, 1984, nº 58.

220
Krishna soulevant le mont Govardhana

Pierre.
XIIe siècle après J.C. ; de Halebidu, Karnataka.
Haut. 150 cm.
Archaeological Site Museum, Halebidu ; nº 401.

Parmi les hauts faits les plus renommés, les plus merveilleux de Krishna, il y a l'épisode où il a soulevé le mont Govardhana, ce qui lui a valu, aux yeux de ses adorateurs, un nom nouveau, une nouvelle qualification : *Govardhana-dhari.* Il n'a pas fait cet exploit pour se protéger lui-même de démons envoyés par Kamsa, mais pour protéger sa parentèle de la

fureur d'Indra, le roi des dieux maître des pluies et du tonnerre. Krishna est intervenu avec succès auprès de son père et de sa parentèle contre le culte continue d'Indra, culte qui avait toujours été rendu par les simples villageois. Cela avait rendu Indra furieux, au-delà de toute mesure, et celui-ci avait déchaîné sa fureur sur toute la région de Braja. Pendant de longs jours, il avait fait tomber sur ces « vachers arrogants » d'effrayantes tempêtes, de vent et de pluie, si bien que « la terre, jusqu'à l'horizon et jusqu'au ciel » était devenue « toute boueuse sous l'effet de pluies incessantes » tandis que les nuages grondaient au-dessus « comme terrorisés sous les coups de fouet du tonnerre ». Les villageois de Braja craignaient pour leurs maisons ; le bétail tremblait de froid et les vaches « couvraient les veaux de leurs flancs ». Dans ces extrémités, vers qui pouvaient-ils se tourner, sinon vers Krishna ? comme le dit le texte.
Sollicité, Krishna décida rapidement de venir à leur aide. D'un mouvement rapide, il déracina le mont Govardhana et le tint au bout du petit doigt de sa main gauche, comme en se jouant. « Là, le mont est soulevé, – dit-il à ses parents, – mettez-vous vite en dessous, il vous abritera de la tempête ». Alors, Nanda et tous les habitants de Braja firent ce que Krishna leur avait demandé. Pendant sept jours et sept nuits, les nuages grondèrent et le vent souffla, mais sans pouvoir gêner les habitants de la région car Krishna tenait la montagne levée comme un gigantesque parasol.
Ce prodige de Krishna est resté gravé dans la mémoire de ses dévots et il a été à maintes reprises évoqué par les sculpteurs et par les peintres de l'Inde. Ici, un sculpteur Hoysala s'est attaqué à ce sujet, y mettant tout son métier, traitant la pierre comme s'il s'était agi d'une matière facilement modelable. On trouve sur cette stèle toute l'ornementation détaillée que nous associons aux maîtres d'Halebidu ; il a su saisir le fourmillement, le grouillement de vie sur la montagne, les multitudes d'hommes, de femmes et d'animaux qui se pressent sous la montagne-parasol ainsi que le personnage immuable, sûr de lui qui domine la scène, Krishna. Sans doute, il ne tient pas la montagne sur « le bout de son petit doigt », elle se trouve posée sur la paume, mais la posture détendue de Krishna fait comprendre que ce n'est là qu'un jeu pour le Seigneur.
Comme de nombreuses œuvres Hoysala, cette stèle comporte une brève inscription, juste sous le pied de Krishna, celui « qui donne la grâce », et au-dessus de la tête de lion décorant le panneau inférieur. Sur l'inscription, on lit le nom de « Bekana », peut-être l'auteur de cette œuvre émouvante.

Bibliographie :
Promod Chandra, *The Sculpture of India,* Washington, 1985, p. 180, nº 87.

221

Rama et Laksmana liés par des flèches-serpents ; d'une série du *Ramayana*

Dessin au pinceau sur papier.
École Pahari, deuxième quart du XVIIIe siècle.
60 × 83 cm.
Prince of Wales Museum, Bombay ; nº 34.17.

La *naga-pasha,* qui abat l'adversaire avec des flèches qui se transforment en serpents, est l'ultime ressource, l'arme prodigieuse que l'on retrouve dans de nombreux récits de bataille, dans les légendes indiennes ou dans les contes puraniques. Tous, et c'est bien normal, ne peuvent utiliser cette extraordinaire puissance et ceux qui le font dans les combats ont dû passer de longues années dans la pénitence et la méditation et se voir accorder ce don par une divinité *ishta.* Quand, ainsi, dans l'épisode d'Usha et d'Aniruddha, dans le *Bhagavata,* rien n'agit contre celui-ci, Banasura, dévot de Shiva, le lie au moyen d'un *naga-pasha.* Nous le voyons aussi dans le *Ramayana,* au livre de la Guerre, quand les grands et redoutables guerriers, Rama et Lakshmana eux-mêmes, sont liés par des flèches-serpents qui sont lâchées sur eux par Indrajit, le vaillant fils de Ravana. Cela jette la consternation dans les forces de Rama, constituées de singes que le texte décrit comme « des groupes innombrables qui vont ici ou là, tour à tour bondissant et se reposant... ils ont de longues queues, grognent comme de puissants vents de sable, comme du collyre noir, ces habitants des montagnes, puissants, innombrables... » Pour l'instant, cet événement effrayant a tout calmé, et un manteau de ténèbres semble s'abattre sur les forces de Rama et de ses alliés. Il flotte dans l'air un sentiment de merveilleux et de surprise.
Ce dessin provient d'un groupe que l'on a appelé la série du « Siège de Lanka », qui est « unique par sa dimension et son importance historique » et qu'on a prétendu provenir de « l'art des peintures murales dont il dérive sans aucun doute ». Ce n'est cependant pas obligatoirement exact ; pas plus que ces dessins n'ont obligatoirement servi de cartons pour la peinture murale. Peut-être toute cette série a-t-elle été conçue comme des miniatures d'une taille inhabituelle, des images dans des cartons à dessins, rien de plus. Le musée des Beaux-Arts de Boston et le Prince of Wales possèdent d'autres dessins de cette série. On a peine à croire que ces dessins et ces peintures, formant simplement un groupe isolé du « siège de Lanka », soient un tout complet par lui-même. Il est vraisemblable qu'une section du *Ramayana,* la plus dramatique, ait été terminée avec un grand format alors que les chapitres précédents ont été finis avec le format normal des miniatures.
Sur certains de ces dessins, on voit des personnages qui rappellent fortement les peintures et les dessins du *Bhagavata Purana* de 1740, que l'on peut attribuer à la période transitoire, dans le style familial de Pandit Seu et de ses fils, Manak et Nainsukh de Guler. Ananda Coomaraswamy a attribué ces dessins à « Jammu » ; W.G. Archer les croit exécutés à Guler.

Bibliographie :
Ananda K. Coomaraswamy, *Rajput Painting,* Oxford, 1916 ; *Catalogue of Indian collections in the Museum of Fine Arts,* Boston, 1926, partie V, nº XVII à XXVII ; W.G. Archer, *Indian Paintings from the Punjab Hills,* Londres, 1973, au chapitre « Guler ».

222
La démone Shurpanakha revêt sa forme véritable ; de la même série du *Ramayana* que le nº 140

Gouache sur papier.
École Pahari, premier quart du XVIIIe siècle ; de l'atelier familial de Seu-Nainsukh.
Au verso, texte descriptif en sanskrit.
22 × 31 cm.
Chandigarh Museum, Chandigarh ; nº E-98.

Pendant les longues années d'exil en compagnie de sa femme bien-aimée, Sita, et de son frère cadet, Lakshmana, Rama, le héros du *Ramayana,* a parcouru un chemin plein de dangers. Ce que nous voyons sur cette peinture n'est pas habituel : c'est ce qui a déclenché toute la série d'événements dont l'aboutissement sera l'enlèvement de Sita et la bataille ultime entre Rama et le puissant Ravana, le démon-roi de Lanka. La sœur de Ravana, Shurpanakha, rencontre par hasard Rama et Lakshmana dans leur hutte de la forêt et tombe amoureuse d'eux. Quand elle s'approche, ils font cependant peu de cas de ses avances et l'invectivent, car ni Rama ni Lakshmana ne sont gens à s'écarter du droit chemin. Quand Shurpanakha insiste et ne veut pas accepter un refus, Lakshmana est fort courroucé et décide de lui donner une leçon. Avec son épée, il lui coupe le nez et les oreilles mais, à ce moment, Shurpanakha, en réalité un démon ayant pris l'aspect d'une belle jeune fille, reprend sa forme véritable, qui est hideuse. En gémissant bruyamment, prise d'une grande rage, elle s'envole dans l'air et part pour Lanka, le royaume de son frère, pour lui rendre compte et lui demander de prendre une mesure punitive contre les deux frères qui habitent la forêt.

Nous voyons le peintre utiliser ici la convention de la narration continue pour donner un sentiment de merveilleux. Sur la même feuille, d'abord Shurpanakha, en belle jeune fille, se fait attaquer par Lakshmana, puis, à l'étonnement de tous, s'envole, sous une apparence sombre et difforme, montrant une langue torve, de longs crocs, des cheveux en bataille et des seins pendants. Ni Rama ni Lakshmana n'avaient pensé qu'elle pouvait être un démon. Aussi, l'élément de surprise est-il complet.

Avec concision, le peintre résume beaucoup : la forêt dense représentée par un taillis d'arbres stylisés ; la cabane toute simple et à peine assez grande pour abriter Rama, au « teint de nuage », et Sita ; l'action qui éclate, à droite, est brutale et amène le trouble dans le calme de leur vie.

Bibliographie :
Voir le nº 140.

223

Krishna et Trinavarta ; de la même série du *Bhagavata Purana* que le nº 56

Gouache sur papier.
École Pahari, premier quart du XVIIIe siècle ; d'un atelier de Mankot.
Sur la bordure supérieure, mention descriptive en takri.
20,5 × 31 cm.
Chandigarh Museum, Chandigarh ; nº 1272.

Même lorsque Krishna n'était qu'un petit enfant, il a toujours été considéré comme une menace par son oncle Kamsa, car on lui avait prédit qu'il serait un jour tué des mains de Krishna. C'est pourquoi Kamsa a décidé de prendre des mesures préventives et d'envoyer les nombreux démons qui lui obéissent dans le village où, lui a-t-on dit, l'enfant qui lui fait peur vit actuellement avec ses parents nourriciers. Comme le raconte le *Bhagavata Purana,* un de ces démons était Trinavarta, qui pouvait prendre la forme d'une tornade capable de plonger pendant des heures les villages dans l'obscurité. Un jour, alors que Krishna joue dans la cour, Trinavarta arrive et déchaîne la poussière et le vent, comme une effrayante tornade. Ne soupçonnant rien, la mère de Krishna et les jeunes filles qui l'accompagnent se couvrent les yeux pour les protéger de la poussière. Saisissant l'occasion, le démon s'empare de l'enfant Krishna et s'envole dans les airs. Mais cela ne dure pas, car l'enfant divin comprend les intentions de Trinavarta. Pour commencer, il devient tellement lourd que le démon ralentit son vol ; ensuite, le prenant par la gorge, il appuie tellement fortement que le démon a peine à respirer. Ses yeux gonflent, puis toutes les veines de son corps ; finalement, ses pupilles sont révulsées. Quand la tornade s'apaise, les villageois et les villageoises voient, avec surprise, le démon tombé par terre et Krishna, qui l'a détruit « comme Shiva a détruit Tripurasura » jouant sur sa poitrine massive, comme s'il ne s'était rien passé.
Comme il en a l'habitude, l'artiste de Mankot qui a exécuté cette série choisit avec soin les éléments de sa narration. L'émerveillement, en fin de compte, se trouve en aval, pourrait-on dire, quand on verra Krishna jouer sur la poitrine du démon mort ; et pourtant, le peintre commence déjà à le préparer. La petite tête de Krishna à côté du visage effrayant du démon cornu, dans l'œil du cyclone, l'état d'inconscience de Yashoda et de ses compagnes, tout commence à créer l'atmosphère qui va être accentuée par le tourbillonnement qui apparaît comme une sorte de conque spiralée, enroulée sur elle-même. Dans cette peinture, il y a beaucoup à regarder ; les feuilles sèches et les grains de poussière qui constituent le ruban de fumée qui s'éloigne, les délicats motifs de la porte et du toit, la finesse des vêtements féminins. Tout cela ne nous écarte cependant pas de l'action, claire et intense, qui célèbre ce haut fait de Krishna.

Bibliographie :
Voir le nº 56.

224
Krishna enfant déracine deux arbres ; de la même série du *Bhagavata Purana* que le nº 83

Gouache sur papier.
École Pahari, premier quart du XVIIIe siècle ; d'un atelier de Mankot.
20,5 × 31 cm.
Chandigarh Museum, Chandigarh ; nº 1278.

Krishna est puni d'une de ses bêtises. Malgré tout l'amour que Yashoda, sa mère, comme tous les autres habitants du village, lui porte, nous dit le *Bhagavata Purana,* elle estimait parfois nécessaire de le châtier. Ainsi, quand elle constate qu'il vole toujours du beurre, elle décide de l'attacher avec une corde au pilon de mortier se trouvant dans la cour de leur maison. Ce n'est pas facile à faire, car Krishna est leste, difficile à attraper ; elle y parvient pourtant et, l'ayant attaché, elle rentre pour reprendre sa respiration. Mais Krishna a fait son plan : il sait, par inspiration divine, que les deux arbres arjuna, proches de l'endroit où il est attaché, sont en fait deux yakshas, Nalakuvara et Manigriva qui ont été maudits et transformés en arbres. Lui seul peut les sauver ; lentement, il se traîne jusqu'aux arbres et, mettant le pilon entre eux pour avoir la puissance voulue, il tire fortement. Les arbres sont déracinés, les deux yakshas sont libérés et s'envolent en chantant les louanges de Krishna ; ils célèbrent leur délivrance.
Dans la maison, c'est la surprise, l'émerveillement. Entendant un fort craquement lorsque les arbres sont déracinés, une jeune fille court pour rapporter à l'incrédule Yashoda l'acte prodigieux du petit enfant. Yashoda est frappée d'émerveillement. « Vraiment, ce n'est pas un enfant ordinaire ! » se dit-elle, puis elle vaque de nouveau à ses corvées ménagères.
Une fois encore, le peintre de Mankot décrit la scène avec une grande netteté. Il suit fidèlement le texte du *Purana* mais, avec discernement, ne retient que les points saillants afin de ne pas encombrer la page et de ne pas distraire notre attention. Le fond jaune sombre à l'extérieur, le beau motif fait par les arbres qui se croisent, la corde enroulée dont Krishna s'est libéré, tout cela révèle l'intérêt que le peintre porte aux surfaces ; pourtant, l'impression dominante que l'on retire de cette peinture est l'émerveillement, qui est du même ordre que celui éprouvé par Yashoda et par la jeune fille, à l'intérieur de la chambre, à gauche.

Bibliographie :
Voir le nº 83.

225
Mise à mort du démon Pralambasura ; d'une série du *Bhagavata Purana*

Gouache sur papier.
École Pahari, deuxième quart du XVIIe siècle ; d'un atelier de Mandi.
Chandigarh Museum, Chandigarh ; nº E-60.

Cette feuille provient d'une série d'illustrations verticales du *Bhagavata Purana* ; comme pour d'autres du même genre, les spécialistes ont des opinions fort divergentes. Certains estiment qu'elle vient d'un atelier de Bikaner, d'autres, peut-être un peu plus nombreux, la voient originaire de Mandi-Bilaspur, dans le pays Pahari. Naturellement, tout dépend des caractéristiques que l'on trouve importantes et de celles que l'on décide d'ignorer. Malgré les désaccords, on ne met cependant pas en doute la grande qualité de cette œuvre ni des autres qui proviennent de diverses séries du même style, ou d'un style très proche.
Cette feuille nous raconte un autre épisode de l'enfance de Krishna et de son frère aîné, Balarama. Cette fois, le héros est Balarama : jouant à se porter sur le dos dans la forêt avec leurs amis bouviers, Krishna et Balarama remarquent tous deux rapidement la conduite curieuse, sinon démoniaque, d'un démon qui s'est joint à leur groupe sous le déguisement d'un bouvier. Volontairement, Balarama monte sur le dos du démon, que le *Purana* appelle Pralambasura. Voyant cela, le démon s'envole dans l'air, à une vitesse incroyable. Pourtant, à ce moment, il n'est pas de taille à se mesurer avec le puissant Balarama. Quand Balarama le voit prendre sa véritable apparence, celle d'un démon énorme, il se jette dessus et l'accable d'une volée de coups administrés de ses poings puissants. Rapidement, le démon commence à cracher le sang et, incapable de résister à ce furieux assaut, il plonge vers la terre, s'écrase et meurt.
En peignant les personnages de Krishna et des *gopas* plutôt petits, alors qu'ils regardent avec intérêt et excitation l'immense exploit de Balarama, dans l'air, et en représentant Balarama rapetissé à côté de la silhouette gigantesque du démon, le peintre souligne l'inégalité apparente de la lutte. Cela ne fait qu'augmenter le sens de l'émerveillement ; les *gopas* ne sont pas seuls à faire des gestes de grande surprise, – ils lèvent les bras, ils portent un doigt aux lèvres –, même les vaches qui paturent dans la forêt regardent vers le haut, avec inquiétude. Quant à la composition, le peintre a repoussé vers l'arrière le terrain bordé par une courbe aiguë de la rivière ; il utilise différents points de vue, regardant même d'en haut, et fait varier à volonté l'échelle des objets. L'œuvre est d'une palette très particulière, le vert jade dominant une grande partie de la surface ; son bleu outremer est d'une rare profondeur. On remarquera aussi la convention consistant à utiliser des ombres rouge-rose sur les visages, caractéristique que la peinture de Mandi devait plus tard développer.

Bibliographie :
Karl J. Khandalavala, « Two Bikaner Paintings in the N.C. Mehta collection and the Problem of Mandi School », *Chhavi,* II, Varanasi, 1981 ; Catherine Glynn, « Early Painting in Mandi », *Artibus Asiae,* vol. XLIII, nº 1.

226
Les dieux sont pris dans le filet de Taraka ; d'une série du *Shiva Purana*

Gouache sur papier.
École Pahari, premier quart du XIXe siècle ; d'un atelier de Kangra.
Chandigarh Museum, Chandigarh ; nº 534.

Dans une importante série qui compte plusieurs centaines de feuilles, le peintre Pahari traite ici un épisode long et compliqué de la bataille entre les dieux et les asuras, ceux-ci étant à cette époque commandés par le puissant Taraka. Les dieux se trouvent dans une situation critique et, désespérés devant la puissance des hordes de démons, ils font appel à Shiva, le priant de leur donner un chef ; ce qui, alors, conduit à la naissance de Kumara, fils de Shiva, qui devait devenir général des armées des dieux et devait donc attaquer Taraka.
Pour l'instant, cependant, la lutte se poursuit sans le commandement de Kumara et, manifestement, les dieux reçoivent des mauvais coups. De féroces engagements s'en sont suivis, mais l'issue reste toujours favorable aux démons. Un jour, Taraka imagine un plan extraordinaire et jette un filet gigantesque, *pasha,* dans lequel il capture presque tous les chefs des dieux. C'est ce que nous représente cette œuvre. Alors que le reste des forces des dieux s'enfuit, à l'extrême droite, les chefs, y compris Vishnou sur sa monture Garuda, Surya sur son chariot attelé de sept chevaux, Chandra et Yama, sur un buffle noir, sont pris dans le filet dont Taraka tient une extrémité dans ses mains, à l'extrême gauche. Satisfait dans son chariot, il tortille fièrement sa moustache alors que ses hordes de démons cornus, aux formes étranges, paraissent fort heureux de ce qui vient juste de se passer.
Le peintre a représenté le merveilleux exploit de Taraka et son œuvre est d'une composition assez hardie. Le trait n'est pas aussi fin ni aussi assuré que dans certaines œuvres Pahari de cette époque, pourtant les couleurs sont riches et brillantes, caractéristiques que nous associons à la famille de l'artiste Purkhu de Samloti, dans l'État de Kangra, de l'atelier duquel semble provenir cette série.

Bibliographie :
M.S. Randhawa, « Kangra Paintings Illustrating the Life of Shiva and Parvati », *Roopalekha,* vol. XXIV, nº 1-2 ; Karl J. Khandalavala, *Pahari Miniature Painting,* Bombay, 1958 ; W.G. Archer, *Indian Paintings from the Punjab Hills,* Londres, 1973, au chapitre « Garhwal », nº 34.

227

Combat des Garudas et des serpents ; de la même série du *Shiva Purana* que le nº 223

Gouache sur papier.
École Pahari, premier quart du XIXe siècle ; d'un atelier de Kangra.
Chandigarh Museum, Chandigarh ; nº 527.

Il arrive parfois que le peintre Pahari se laisse aller, entraîné par son imagination à la suite de quelque détail du récit. Un texte comme le *Shiva Purana* en offre de nombreuses occasions, quand il décrit tout au long la bataille, féroce et prolongée, des dieux et des démons. Ayant tous, chacun à sa manière, le pouvoir de créer une *maya,* sorte d'illusion cosmique, leurs affrontements peuvent parfois prendre de bizarres aspects. Quand les généraux des démons envoient ainsi d'innombrables serpents contre les dieux, ceux-ci font appel à Garuda, l'oiseau-soleil, le *vahana* de Vishnou, l'ennemi naturel des serpents ; alors, un vol de Garudas fonce sur les serpents. Ici, nous les voyons s'acharner sur eux, les mutilant, les tuant à grands coups de leurs becs coupants. Les dieux regardent, Vishnou sur Garuda, Indra sur son éléphant blanc, Airavata, Surya dans son chariot tiré par des chevaux, et ainsi de suite ; en font autant les démons qui occupent la partie supérieure gauche de la peinture. On voit d'autres événements sur cette feuille. En un autre combat sanglant, une fois encore entre les pouvoirs magiques, les pouvoirs d'illusion des deux adversaires, nous voyons les troupes d'éléphants des démons attaquées par une troupe de tigres et de léopards qui viennent du côté de la phalange des dieux. Très haut dans l'air, une forte massue, peut-être projetée par Vishnou, brise en deux une partie de montagne jetée dans leur direction par les démons, pour les écraser. Pendant ces événements, une pluie de flèches de toutes sortes tombe sur les animaux rampant à terre.
Quand le texte puranique parle d'un puissant démon, c'est souvent pour le décrire comme un *mayavin asura* particulier, doué de grands pouvoirs pour créer des illusions. Aux yeux du peintre de cette série, membre de la famille Purkhu de Samloti, c'est bien ce que doit être Taraka, l'ennemi des dieux. Il convient de noter que W.G. Archer pense que cette œuvre provient de Garhwal.

Bibliographie :
Voir le nº 223.

228

Illustration d'une légende populaire (allégorie du désastre)

Dessin au pinceau et lavis sur papier.
École Pahari, deuxième quart du XVIIIe siècle ; attribué à Nainsukh de Guler.
Plusieurs inscriptions en takri, presque illisibles, sur le recto du dessin.
Bharat Kala Bhavan, Bénarès ; nº 868.

« Cette image unique, sans parallèle dans toute la peinture Pahari, – écrivait W.G. Archer en 1973 –, reste une énigme. » Se reportant à la vie de Balwant Singh, le célèbre protecteur de Nainsukh de Guler, cet artiste tellement doué, Archer y voyait « une allégorie du désastre », se rapportant à une calamité inconnue qui aurait frappé Balwant Singh « entre 1758 et 1763 ». Le sac de Jammu, État qu'Archer associe à Balwant Singh, la perte de toutes ses possessions, une retraite précipitée, pense-t-il, peuvent être cause de sa mort, on pourrait donc y voir un contexte historique. Cette catastrophe, au cours de laquelle « son ancienne manière de vivre a été emportée comme par un torrent furieux », peut avoir affecté non seulement Balwant Singh, mais aussi son peintre, Nainsukh, qui aurait peut-être été « découragé par le désastre et en aurait, sur le moment, perdu sa maîtrise ». Cette remarque se rapporte au jugement qu'Archer portait sur cette œuvre qui, d'après lui, ne manifestait pas le talent habituel de Nainsukh.
Peut-être a-t-on voulu tirer de cette œuvre trop d'indications sur la vie de Balwant Singh (que nous pensons avoir été un prince de Jasrota et non de Jammu). Nous n'avons trace d'aucun désastre et nous avons d'autres raisons de douter de l'identification de cette scène. Le personnage princier assis d'un côté n'est pas obligatoirement Balwant Singh, qui pourrait lui avoir seulement servi de modèle, d'une manière générale. En tout cas, trop d'éléments sont embarqués sur le bateau, qui transporte des palais entiers et des pans de côteaux, des étables avec des éléphants et des chevaux, peut-être toute la population d'un petit État, car il faut bien y voir un déménagement d'un endroit à un autre, même sous forme d'allégorie. Les *gaddis*, que l'on identifie à leurs chapeaux coniques, n'ont aussi rien à voir avec Balwant Singh, ni avec Jammu ni avec Jasrota. Cela dit, l'action importante se place au milieu du bateau : un homme grand, tenant une longue perche, parle avec un saint homme pendant qu'une femme voilée est debout à ses côtés. Cette vignette pourrait expliquer la peinture. Il est très vraisemblable qu'il s'agit de quelque légende populaire, peut-être célèbre sur un plan local, qui est illustrée ici plutôt que d'une quelconque allégorie se rapportant à Balwant Singh. Il est difficile de déchiffrer les inscriptions mais celle du milieu, immédiatement au-dessus du bateau, signifie à peu près : « Voilà (se dit-il) le temps de se marier et d'apprendre le secret de la potion « aphrodisiaque » (rasayana) ». Il semblerait que ce soit la teneur de la conversation entre l'homme à la perche et le *sadhu,* au milieu du bateau. Il faudrait déchiffrer les autres inscriptions pour interpréter complètement cette œuvre énigmatique mais, si notre lecture de cette partie d'inscription est bonne, l'œuvre s'écarte de Balwant Singh et de ses désastres pour entrer dans le domaine des légendes populaires où des événements invraisemblables comme celui qui est représenté ici trouvent bien mieux leur place.
Quelle que soit la véritable identification de cette scène, l'œuvre reste curieusement poignante, avec son atmosphère mystérieuse et ses étranges prolongements.

Bibliographie :
B.N. Goswamy, « Pahari Painting: The Family as the Basis of Style », *Marg,* vol. XXI, nº 4 ; W.G. Archer, *Indian Paintings from the Punjab Hills,* Londres, 1973, au chapitre « Jammu », nº 53.

229
Bateau menacé par un éléphant

Inachevé ; Gouache sur papier.
École Pahari, deuxième quart du XVIIIe siècle.
Bharat Kala Bhavan, Bénarès ; nº 7537.

Par cette œuvre inhabituelle, le peintre représente, comme dans un rêve, un événement invraisemblable. Un grand bateau transporte une construction à toit de chaume, qui remplit pratiquement tout l'espace disponible ; il s'agit peut-être d'un navire marchand ; il est ancré pour la nuit dans un fleuve, quand un éléphant se met à l'eau et commence à le pousser, après avoir arraché l'encre, – une longue perche –, qu'il tient maintenant dans sa trompe. Sur le bateau, c'est le désordre, la panique ; les bateliers et les armateurs, sentant tout à coup leur embarcation se mettre en mouvement, se précipitent pour voir ce qui se passe et n'en croient pas leurs yeux. Par les portes de la chaumière, plusieurs personnes regardent, désignant l'éléphant du doigt ; d'autres montent sur le toit de la bâtisse, pour donner l'alerte, ils crient tout en s'agitant ; en même temps, deux hommes ont sauté à l'eau, essayant désespérément de stabiliser le bateau. Tout cela se passe pendant que le pachyderme, le corps en grande partie immergé dans le fleuve, pousse et agite sans cesse le bateau, comme pour se venger d'on ne sait quoi. Cauchemar ou événement historique ?
Cette œuvre est d'une rare finesse, mais est difficile à situer. Plusieurs hypothèses contradictoires viennent à l'esprit ; peut-être s'agit-il d'une œuvre Pahari, peut-être la reproduction d'une œuvre moghole originale ? On retrouve un talent qui rappelle Nainsukh dans cette peinture, dans son atmosphère mystérieuse, dans l'adresse avec laquelle sont dessinés le plan d'eau et les minuscules personnages, que l'on a peine à voir, dans l'animation de la scène, dans cette apparence de travail inachevé.

230
L'ange et le poisson

Gouache sur papier.
École moghole, autour de 1590 après J.C. ; de Kesu (?).
Bharat Kala Bhavan, Bénarès ; n° 9947.

Dans l'ensemble, considérable, des peintures sur des thèmes chrétiens, œuvres d'artistes moghols, on a trouvé cette feuille où l'on voit un ange, aux grandes ailes qui battent, portant à la main un poisson de grande taille. On a pensé que ce sujet avait été tiré d'un épisode de la Bible où l'ange Raphaël donne un poisson au jeune Tobie. Cette identification pose quelques problèmes, dont le premier est que l'ange représenté ici est manifestement du sexe féminin, qu'il est donc différent de celui de l'épisode de l'ange et de Tobie. Il est intéressant, à ce sujet, de signaler l'œuvre moghole, de thème européen, qui se trouve dans la collection Binney et qui représente une femme et un enfant au milieu d'un paysage ; l'enfant porte un poisson et l'œuvre semble très proche de l'histoire de Tobie.
Il est probable que cette œuvre est du célèbre Kesu : une inscription, en grande partie effacée, au bas de la peinture indiquait autrefois le nom de l'auteur mais il n'en subsiste que le mot « Das », peut-être un fragment du nom de Keshavadasa ? l'on peut imaginer le plaisir et la perplexité que doit avoir éprouvés un peintre comme lui en s'attaquant à cette œuvre européenne qu'il a entrepris de copier et de modifier en partie. Qu'il ait adopté la manière européenne, – en insistant sur la plastique, en s'intéressant au poids et à la texture des matériaux, en éloignant le paysage –, voilà qui est ici une évidence. A cela, il a ajouté sa touche personnelle, comme cet extraordinaire et invraisemblable écartement des ailes, comme les écharpes qui flottent et qui tournoient, et ces éléments renforcent l'effet de cet événement étrange, inexplicable.

Bibliographie :
Chandramani Singh, « European Themes in Early Mughal Miniatures », *Chhavi,* I, Varanasi, 1971, fig. 292, p. 401-410 ; *In the Image of Man,* Londres, 1982, n° 234.

231
Mise à mort du démon Aghasura ; d'une série du *Bhagavata Purana*

Gouache sur papier.
École Pahari, troisième quart du XVIIIe siècle ; de l'atelier familial de Seu-Nainsukh.
16 × 25 cm.
Bharat Kala Bhavan, Bénarès ; no 6855.

Parmi les nombreux démons que Kamsa, l'oncle diabolique de Krishna, envoie pour essayer de tuer celui-ci, il y a Agha, qui a pris la forme d'un énorme python. Dans la verdoyante prairie où Krishna a l'habitude d'aller avec ses amis bouviers et leurs vaches, un jour, un python s'est mis en embuscade. Comme le dit le texte, il a tellement ouvert la gueule qu'on aurait cru un chemin ouvert dans la forêt. Sans soupçon, le troupeau de vaches et les bouviers prennent ce chemin, entrant donc dans la gueule même d'Agha qui a prévu de les croquer et, ainsi, de venir à bout de Krishna. Ce qui n'était pas prévu, cependant, sauf pour Krishna qui savait exactement ce qu'il allait faire, c'est qu'une fois à l'intérieur du python, juste au moment où le grand reptile va les transpercer de ses crocs, Krishna incite ses compagnons à joindre leurs efforts pour s'extraire de la caverneuse obscurité dans laquelle ils étaient entrés. Malgré les efforts des bouviers c'est naturellement Krishna qui, miraculeusement, déchire la gueule d'Agha. Gaiement, intacts, ses compagnons sortent alors de leur effrayante prison pendant que le reptile rend l'âme.

Sur cette peinture, comme toujours, les verts rafraîchissants des bosquets de Vrindavana sont pleins d'attraits ; la Yamuna coule à leurs pieds, décrivant une grande courbe ; tout est calme et luxuriant. C'est dans ce décor placide que le peintre a placé l'action, pour que le calme du paysage fasse ressortir les dangers qui sont dissimulés. Le cadavre rose, écailleux d'Agha, avec ses crocs énormes qui dépassent, est lové sur l'herbe, alors que, à l'extrême droite, nous voyons Krishna et Balarama faisant sortir de la gueule d'Agha les retardataires du groupe qui y avait innocemment pénétré. Nous revoyons le python et le même groupe, à gauche de la peinture, et c'est une sorte de narration picturale continue, quand Krishna et ses compagnons font leur apparition, levant les mains en l'air pour montrer leur joie et leur soulagement. Par contraste, la tête du python est l'image même de l'agonie, alors que ses yeux se révulsent et que son corps se tord et se met en boule dans les affres de la mort.

Avec une grande économie, sachant bien décrire le caractère dramatique de chaque épisode, le peintre de ce célèbre *Bhagavata Purana,* Pahari a su créer une œuvre bouleversante. Krishna et ses compagnons ont été représentés volontairement de petite taille par rapport aux énormes dimensions d'Agha, mais il n'y a pas la moindre hésitation, pas le moindre relâchement du trait qui demeure, comme toujours dans cette série, élégant et sûr. La sensation de surprise et de soulagement est vive et l'on ne peut rester passif devant cette peinture, quand nous nous plongeons dans l'histoire des prodigieux exploits de Krishna.

Bibliographie :
Publié dans *Chhavi,* II, Varanasi, 1981, pl. 28.

232
Sage mettant le feu à une colline

Gouache sur papier.
École Pahari, dernier quart du XVIIIe siècle ; de l'atelier familial de Seu-Nainsukh.
Bharat Kala Bhavan, Bénarès ; n° 929.

Dans la pensée indienne, les *rishis,* les prophètes sont des personnages doués d'une grande fascination ; ils représentent les pouvoirs de l'esprit. La mythologie et la littérature comportent de grands noms, comme ceux de Vashishtha, Vishwamitra, Markandeya, Agastya, Kapil, Jamadgni ; ce sont des hommes de Dieu qui ont pour tâche d'éclaircir les mystères et de voir au-delà des apparences. Ce n'est pas obligatoirement par la pénitence et par la souffrance corporelle qu'ils acquièrent des pouvoirs de perception supranormaux, mais en disciplinant leur esprit, en développant leurs facultés intellectuelles au-delà des limites que peuvent atteindre la plupart des hommes. Et, comme ils ont l'esprit et l'intelligence purs, il leur arrive aussi d'acquérir des pouvoirs sur-naturels. D'une manière générale, ils n'utilisent pas ces pouvoirs, mais ils les possèdent. Quand le besoin s'en fait sentir, un sage comme Agastya boit toutes les eaux des océans et peut les contenir en lui-même ; le sage que nous voyons ici semble rejeter des souffles de feu qui embrasent la montagne tout entière. On n'a pas identifié avec précision l'épisode représenté par cette image, mais l'événement a lieu en présence de quantité de *munis* et de *siddhas,* sans oublier le sage céleste Narada, qui porte sa *vina* à deux calebasses.

Le sage, jeune et beau, qui accomplit ce miracle a renoncé au monde et il est assis là, tout seul, isolé, sous un arbre, sur un tapis fait d'une peau de tigre. Il fait régulièrement des *yajnas,* sacrifices du feu, comme on le voit par la petite enceinte de briques à l'intérieur de laquelle on peut allumer le feu sacré, ainsi que par les accessoires pour libations qui se trouvent à côté. La calebasse du sage est posée sur la peau de tigre, ce qui complète l'image du renoncement. On ne connaît pas ce qui a pu attirer, dans ce coin retiré, ce groupe de sages et de solitaires, jeunes et vieux, si merveilleusement observé.

La peinture ne met pas l'accent sur l'acteur lui-même mais bien sur le prodige qu'il accomplit. C'est le feu qui occupe une partie importante de la peinture, alors qu'il monte, qu'il brûle tout ce que l'on peut voir sur ces collines nues, rocheuses, à gauche. La colline du milieu, au-dessus du plateau où est assis le sage, est inattendue car, au sein des roches élevées, arides, on voit une petite pièce d'eau avec des lotus, des oiseaux et des animaux sur le rivage, dans un endroit vert et fertile.

233
Étranges événements nocturnes ; épisode tiré d'une histoire de Vikrama dans le *Simhasana Battisi* (« Trente-deux contes du Trône »)

Gouache sur papier.
École Pahari, premier quart du XIXe siècle ; de l'atelier familial de Seu-Nainsukh.
Bharat Kala Bhavan, Bénarès ; nº 878.

Des histoires captivantes mais fort compliquées qui constituent le *Simhasana Battisi,* classique populaire sur les vertus du légendaire Raja Vikramaditya, a été tiré le conte que le peintre Pahari a illustré ici. Le thème général des histoires tourne autour d'un raja, du nom de Bhoja, qui trouve par hasard un vieux trône supporté par trente-deux statuettes féminines, des *putlis,* sculptées dans le bois. Très heureux de sa trouvaille, – car c'est le trône de Vikramaditya –, il décide de l'utiliser lui-même. Il se prépare à y monter quand, tout à coup, une des figurines sculptées éclate de rire et lui demande de commencer par mériter de s'asseoir sur ce trône en imitant au moins certaines des vertus et des qualités du grand Vikramaditya. Chaque jour, quand le raja se prépare à monter sur le trône, les figurines lui parlent à tour de rôle, lui racontant une histoire mettant en valeur les qualités de Vikramaditya. En les entendant, Bhoja renonce, commence à s'interroger et décide d'attendre le lendemain, quand le processus se répète, la figure suivante prend la parole et lui raconte une autre histoire.

Cet épisode est tiré du récit de la douzième statuette, qui s'appelle Kirtimati. Quand Bhoja se prépare à monter sur le trône, Kirtimati se met à rire et lui dit que seul un grand roi, un roi magnanime comme Vikramaditya a le droit de monter sur ce trône, quelqu'un qui aura tout donné de lui-même pour l'amour de son peuple. Puis elle lui raconte comment Vikramaditya a entendu parler d'un autre raja qui vivait au bord de la mer, l'incarnation même de toutes les vertus royales et le plus grand dispensateur de dons ayant jamais existé. Vikramaditya s'était rendu dans le royaume du raja et s'était mis à son service à des conditions extravagantes, promettant qu'un jour il ferait pour lui quelque chose que personne d'autre n'était capable de faire. Ce raja avait l'habitude de donner cent mille roupies chaque jour ; désireux de connaître la source de cette énorme richesse, Vikramaditya suivit une fois le raja, dans l'obscurité de la nuit, alors que, sortant de son palais, il allait vers la forêt, au bord de l'eau, près d'un temple dédié à la Déesse. Caché derrière un arbre, Vikramaditya vit un immense rassemblement de *yoginis* et d'esprits féminins. Un grand chaudron avait été placé sur un foyer et les *yoginis* tournaient tout autour, pleines d'allégresse, faisant prévoir une fête. Sans hésiter, le raja entra dans l'eau pour se laver, en ressortit et sauta dans le chaudron bouillant. Immédiatement après, les *yoginis* assemblées ici prirent le corps frit du raja et le partagèrent également entre elles pour le manger. Les os, le squelette du raja étaient restés intacts et Kankalin, la *yogini* émaciée, aspergea les os d'*amrita,* ou nectar, et le raja revint à la vie. Celui-ci reçut une centaine de milliers de roupies de la Déesse satisfaite et il regagna son palais, mais seulement pour distribuer, le lendemain, cet argent aux pauvres et aux nécessiteux.

L'histoire ne se termine pas là mais ici, sur cette peinture, nous voyons Vikramaditya se cachant dans les arbres, vers le haut, à gauche, et il regarde ce qui se passe. La scène est macabre et pittoresque avec les *yoginis* nues et hideuses qui dansent avec frénésie devant le temple de la Déesse ; avec le chaudron bouillant, le raja que nous voyons trois fois, l'eau courante dans laquelle il se baigne, après avoir enlevé sa couronne et ses vêtements, et ainsi de suite. L'accent mis sur les actions des *yoginis,* leurs mouvements fous, la gaieté avec laquelle elles dévorent le corps du raja, tout semble avoir captivé le peintre. Le calme de la nuit constitue un décor parfait pour les événements prodigieux que, Vikrama-

ditya, incrédule, regarde de loin. Au milieu de tant d'actions, le peintre a réservé des zones de calme, comme le plan d'eau dans lequel se baigne le raja et comme le coin où, derrière de petits autels votifs, se cache Vikramaditya ; tout cela contribue à mettre en relief les étranges événements de la nuit.

Bibliographie :
Quissa Simhasana Battisi, Varanasi, sans date, p. 49-53.

234
Vikramaditya se fait bénir par la déesse ; de la même série de *Simhasana Battisi* que le nº 228

Gouache sur papier.
École Pahari, premier quart du XIXe siècle ; de l'atelier familial de Seu-Nainsukh.
00 × 00 cm.
Bharat Kala Bhavan, Bénarès ; nº 386.

L'histoire racontée par Kirtimati, la douzième statuette sculptée soutenant le trône de Vikramaditya se continue après la peinture précédant (nº 228) cette feuille. Ayant vu les étonnants événements de la nuit et le sacrifice volontaire du raja qui voulait mourir chaque nuit pour obtenir de la Déesse le don de l'argent qu'il redonnerait lui-même tous les jours à ses sujets, Vikramaditya décide de faire lui-même quelque chose. La nuit suivante, il gagne à la dérobée le même endroit que le raja au service duquel il est entré sous un déguisement et il accomplit les mêmes gestes. Après s'être baigné, il se jette lui-même dans le chaudron pour faire manger son corps par les *yoginis,* avec les mêmes conséquences. La Déesse réunit ses os et ses côtes, car c'est elle qui a pris l'apparence de Kankalin, qui ressemble à un vrai squelette, et elle l'asperge d'*Amrita* ; il revient à la vie. Non content de l'avoir fait une fois, Vikramaditya va jusqu'à recommencer cet exploit huit fois, donnant sa vie et revenant à la vie par la grâce de la Déesse. Finalement, très satisfaite de lui, la Déesse lui demande ce qu'il aimerait pour lui-même, et Vikramaditya lui demande le sac dont elle a pris chaque nuit cent mille roupies pour les donner au raja, l'employeur de Vikramaditya. Avec ce sac, il revient au palais. L'histoire ne s'arrête pas là : le raja retourne à son endroit familier mais il constate que tout, y compris le temple de la Déesse, s'est évanoui comme par magie. Il rentre, désolé, quand Vikramaditya, tenant tout à coup sa promesse, lui offre le sac magique pour y prendre autant d'argent qu'il désirera donner à son peuple. Voilà quelle était la magnanimité du raja et de Vikramaditya, dit alors la statuette.
Pour illustrer cet épisode, le peintre utilise en gros le même décor que dans l'œuvre précédente mais il y a apporté quelques changements. Les *yoginis* ont disparu, ne laissant que la Déesse émaciée que nous voyons deux

fois. Le temple de la Déesse a été remplacé par celui de Shiva ; le bord de la rivière a été lui aussi modifié ; il y a, en gros, beaucoup plus de dépouillement que sur la précédente œuvre, mais elle saisit aussi avec plus d'efficacité le sens du mystère propre à cette histoire. La Déesse émaciée, squelettique, au visage hideux, au buste allongé, curieusement déformé, aux seins desséchés, pendants, est remarquablement rendue. La noirceur de la nuit et les événements calmes, presque silencieux, ajoutent à l'atmosphère de prodige. On trouve des détails significatifs, comme le vêtement en peau de léopard de la Déesse, le croissant de lune sur le front et le troisième œil, qui la relient à Shiva ; les chacals sont des charognards menaçants et la disparition du raja dans l'eau, puis dans le chaudron n'est indiquée que par sa couronne, par son épée et son vêtement posés sur un rocher, au bord de l'eau ; Il semble que le peintre Pahari a illustré de nombreux contes tirés de ce texte populaire. Ananda Coomaraswamy a attiré l'attention sur une feuille qui se trouve au musée de Boston et sur quelques dessins se rapportant à cette série, que l'on connaît depuis quelque temps, mais que l'on n'a jamais pu, jusqu'à présent, identifier correctement.

Bibliographie :
Voir le n° 228.

235
Chimère

Gouache sur papier.
École Pahari, premier quart du XIXe siècle.
Bharat Kala Bhavan, Bénarès ; n° 541.

Cette créature irréelle est née de l'imagination que les artistes de l'Inde ont cultivée au cours des siècles. On ne peut pas facilement lui attribuer un nom et on ne rencontre jamais deux chimères semblables, car chaque artiste sonde son propre subconscient pour composer des images qui n'appartiennent pas au monde réel. Il existe une longue tradition de créatures composites constituées d'êtres réunis et assemblés pour former une autre silhouette bien déterminée, faite, par exemple, d'un chameau, d'un éléphant ou d'un cheval. Mais cette chimère, qui vagabonde au bord de l'eau, est d'une autre sorte, elle a une tête de femme, le corps d'un tigre, les pieds et la queue prennent la forme de têtes de lion. Elle se rapproche, par sa conception, de la *navagunjara* que l'on rencontre si souvent dans les œuvres d'art de l'Orissa, composée de neuf animaux et oiseaux différents, et que l'on adore en tant que manifestation de Vishnou. Si, même aujourd'hui, on demandait à un habitant des collines, on constaterait que l'on appelle cette sorte de créature une *chhadela,* mystérieuse, mensongère, échappant au royaume de la réalité, visible un moment et invisible l'instant d'après. Les « curiosités de la nature » que les cirques transportent encore dans leurs tournées à la campagne, avec une tête de femme adroitement greffée sur le corps d'un animal, n'ont pas un aspect très éloigné de cette chimère. L'auteur a manifestement voulu donner un sens de merveilleux et d'incrédulité, comme celui dans lequel on se trouve devant tant de créatures irréelles qui sont « scientifiquement » décrites dans l'*Ajaib-ul-Makhluqat* d'al-Qazwini (les Merveilles de la Création), cette source intarissable d'œuvres appartenant aux novations visuelles.

Bibliographie :
Publié dans *Chhavi,* I, Bénarès, 1971, fig. 488.

236
L'ordalie de Sita par le feu ; d'un manuscrit du *Ramayana*

Gouache sur papier.
École moghole « populaire », 1600 après J.C. env.
Bharat Kala Bhavan, Bénarès ; n° 8056.

Pour Rama, le héros du *Ramayana,* c'est là un moment poignant ; il semble que ce soit la fin d'un jugement long et pénible : Ravana a été tué et Sita libérée. Il n'a jamais douté de l'innocence et de la pureté de Sita et, pourtant, il décide de lui demander de prouver son innocence par une ordalie, un jugement par le feu, car il veut pouvoir démontrer à tout le monde, et sans l'ombre d'un doute, qu'elle était restée innocente avant qu'il la reprenne avec lui et revienne à Ayodhya à la fin de son long exil. Cet épisode, où beaucoup voient

une faute dans la conduite irréprochable de Rama, – comment, en effet, Sita aurait-elle pu être tenue pour responsable de ce qui aurait pu lui arriver ? – il l'a cependant vécu sans broncher, malgré toutes ses souffrances intérieures provoquées par cette demande faite à Sita. Pour sa part, Sita n'a pas un instant d'hésitation et se met dans le bûcher ardent qui a été allumé en présence de tous ceux qui sont venus regarder, puis elle ressort absolument intacte, sans un seul cheveu roussi, car elle était pure. C'est cet *agni pariksha* de Sita que le peintre moghol a illustré sur cette feuille d'un manuscrit du *Ramayana*.
Le bûcher ardent massif est placé au centre, Sita en est protégé par l'auréole de sa propre innocence. Rama au teint bleu, porte un arc et des flèches, il est assis à gauche, accompagné de Lakshmana, son frère cadet. Les camarades de Rama, ses compagnons, le roi ours Jamawanta, les chefs-singes Angada et Hanuman portent leur couronne et, avec les autres *vanaras* importants, sont placés en arc de cercle dans le bas de la page. De ce côté du petit ruisseau, le personnage couronné porteur d'une masse d'arme, qui s'agenouille sur le sol, est peut-être Vibhishana, le frère de Ravana, le futur roi de Lanka. Bien en vue, aussi, venus voir cet événement miraculeux, se trouvent les plus grands des dieux eux-mêmes, descendus sur terre pour voir Sita prouver son innocence : Brahma, Vishnou et Shiva. Dans le fond derrière des roches nues stylisées, on voit le palais doré de Ravana où, maintenant, ne se trouve plus une seule âme.
La conception et l'illustration de cette scène par le peintre moghole sont sensiblement différentes de la manière qu'aurait adoptée un peintre travaillant pour un mécène rajpout. Cette œuvre est imbue d'un profond sentiment, le peintre attirant nettement l'attention sur la nature extraordinaire de l'événement, utilisant toutes les conventions du style qui lui est propre.

Bibliographie :
Publié dans *Chhavi,* II, Bénarès, 1981, pl. Q.

237
Éléphant composite avec cavaliers

Gouache sur papier.
Deccan, aux alentours de 1600.
Indian Museum, Calcutta ; n° 14959/S-935.

Les compositions fantastiques de ce genre semblent ressortir à une longue tradition dans les annales de l'art. On leur a attribué une « signification symbolique », on y a vu des illustrations des puissances de la terre, « peut-être d'inspiration Soufi », elles ont été décrites comme des œuvres où les artistes explorent leur propre monde subconscient. Pour les expliquer, on fait parfois appel à l'histoire d'Alexandre qui a gagné une île avec un arbre de têtes parlantes, appelé Waq-Waq, qui donne son nom aux œuvres constituées par un joyeux amalgame d'êtres plus petits en une quelconque forme de plus grande taille. On en trouve des exemples dans l'art de l'Europe, de la Chine et de l'Islam, encore que ce soit sans doute en Inde que ce thème ait pris le plus profondément racine, tellement il correspondait, d'une manière très particulière, au sens du merveilleux de l'artiste et du penseur indien.
Il n'est pas impossible que ce thème ait quelque chose à voir avec le légendaire Salomon, le Soliman de l'Islam, à qui étaient subordonnées toutes sortes de créatures, sur terre comme dans les airs, qu'elles soient bienveillantes ou malveillantes. Dans certaines peintures, nous voyons de curieux rassemblements d'êtres de différentes espèces au service de Salomon ; peut-ête cette idée de tous les combiner en une seule forme, comme la monture ou le chariot de Salomon, s'est-elle imposée d'elle-même au peintre, comme une forme pleine de signification ? A partir de cela, le concept a pu se développer et les peintres donner libre cours à leur imagination.
Cette peinture vient du Deccan, elle a presque certainement été inspirée par une œuvre d'origine persane. L'énorme éléphant, qui contient dans ses amples formes des hommes et des femmes, des oiseaux et des animaux, des fées ailées et d'affreux djinns, est d'inspiration indienne ; tout en copiant une œuvre persane,

l'artiste du Deccan semble avoir apporté ses propres adaptations à la forme et au thème. Le cornac tient à la main un aiguillon, c'est peut-être une étude d'après nature, tandis que le petit personnage qui l'accompagne, derrière, et lui offre une coupe de vin, semble beaucoup plus stylisé, presque autant que les nuages chinois dans le ciel.

Bibliographie :

Cf. S.C. Welch, *Indian Drawings and Painted Sketches*, New York, 1976, n° 11.

238
Composition à quatre daims

Gouache sur papier.
École Pahari, première moitié du XIXe siècle.
Indian Museum, Calcutta ; n° 396/719.

Gais et inventifs, posant en dernière analyse des problèmes quant à la nature du fantastique et des apparences, des motifs comme cette composition de quatre daims avec une seule tête pour les quatre corps sont parmi les plus anciens de l'histoire de l'art. Lorsqu'il a publié un relief aux « quatre daims » provenant d'Ajanta, Ananda Coomaraswamy a attiré l'attention sur les nombreux motifs de « l'antique art asiatique » où l'on pouvait trouver des parallèles avec, par exemple, les cultures sumérienne, hittite, assyrienne, mycénienne, achéménide et scythe. Les « quatre daims » étaient, entre autres, un motif que l'on retrouve, comme il l'a fait remarquer, « sur un vase chalcidique du VIe siècle avant J.C. (inspiré certainement par un tissu oriental), puis sur un chapiteau de la grotte I à Ajanta, sur un dessin rajpout du XIXe siècle et, enfin, en Inde du Sud au XVIIIe et au XXe siècles ».
Le « dessin rajpout » du XIXe siècle dont parle Coomaraswamy doit avoir été très proche de cette peinture terminée qui provient de la région Pahari. Cette œuvre n'est aucunement d'un métier remarquable, — car les postures des quatre daims ne sont pas très convaincantes et l'adjonction d'un paysage dans le lointain introduit un élément incongru. Quoi qu'il en soit, cette peinture jette un pont entre les siècles et maintient vivante la mémoire d'une illusion d'optique.

Bibliographie :

A.K. Coomaraswamy, *History of Indian & Indonesian Art, Dover, réédité en 1956, fig. 7.*

239

Vision du sage Akrura ; de la même série du *Bhagavata Purana* que le nº 54

Gouache sur papier.
École Pahari, troisième quart du XVIIIe siècle ; de l'atelier familial de Seu-Nainsukh.
Gopi Krishna Kanoria Collection, Patna ; nº VK 188.

En un moment crucial de sa carrière, Krishna décida de quitter le pays Vraja, le décor de son enfance et de ses ébats d'adolescent en compagnie de ses amis, les bouviers et des *gopis*, pour gagner Mathura où il devait remplir sa tâche divine : mettre à mort Kamsa, le démon-roi, son oncle. Le sage Akrura prit sur lui-même de conduire Krishna et son frère aîné Balarama à Mathura, dans un chariot « rapide comme le vent ». Alors qu'ils s'acheminaient en suivant le cour de la Yamuna, traversant la forêt, Akrura s'arrêta et demanda la permission de se baigner dans la rivière sacrée. Alors qu'il plongeait la tête dans l'eau, dit le texte, il « vit » les deux frères dans l'eau, exactement comme il les avait laissés, assis dans le chariot, sur la berge. Intrigué, il sortit rapidement la tête de l'eau et vit les deux frères à l'endroit où ils étaient assis auparavant. « Je ne comprends pas ce mystère, ils sont hors de l'eau et dedans, – se dit Akrura, – mais c'est peut-être un effet de mon imagination ». Avec cette pensée, il continua de se baigner, il plongea la tête dans les eaux fraîches de la Yamuna. Cette fois, il vit dans l'eau ni plus ni moins que Vishnou, étendu sur son grand serpent-couche, Shesha, sur des eaux infinies, « sombre comme les nues, vêtu de jaune, avec quatre bras, les yeux bordés de rouge comme des pétales de lotus », entouré par d'innombrables dévots divins et semi-divins et par des sages et des *devas*, qui inclinaient la tête pour lui rendre hommage. Alors, Akrura comprit que Krishna, qui n'avait pas prononcé un seul mot, le gratifiait d'une vision : Krishna révélait au sage sa propre identité avec Vishnou : Krishna est Vishnou, et personne d'autre. Alors, nous dit-on, Akrura ne fut plus troublé.

Nous sommes dans un décor familier : les berges verdoyantes de la Yamuna, le paysage boisé, le large cours de la rivière. Le peintre nous fait lentement pénétrer dans les mystères de la situation. A l'extérieur, sur la berge, il n'y a rien d'inhabituel et nous voyons une scène tout ordinaire, avec des bouviers se reposant sous un arbre, un noble voyageant dans un chariot, tout à gauche, et la voiture où se trouvent Krishna et Balarama, debout, à droite ; c'est dans l'eau que se passe des événements étranges. Dans l'ordre, nous remarquons Akrura sous l'eau, quand il y voit les deux frères ; puis il se redresse calmement pour vérifier par lui-même la présence des deux frères, qui sont aussi sur la berge ; nous le voyons enfin quand il a la vision de Vishnou, dans les profondeurs des eaux, à gauche. Ainsi, avec douceur et sûreté, le peintre nous conduit-il dans cette œuvre d'un dessin exquis, d'une exécution minutieuse, pour que nous nous identifions nous-mêmes avec l'esprit dérouté d'Akrura.

Bibliographie :
Voir le nº 54.

240
La vision du sage Markandeya

Gouache sur papier.
École Pahari, dernier quart du XVIIIe siècle ; de l'atelier familial de Seu-Nainsukh.
Chandigarh Museum, Chandigarh ; nº 170.

Il ne s'agit pas d'une révélation ultime mais, à certains moments, une personne particulièrement privilégiée, un sage ou un dieu secondaire, est autorisée à jeter un coup d'œil sur la *lila*, le jeu divin de Vishnou, l'Esprit Suprême. D'après le *Bhagavata Purana* et d'autres textes vaishnava, c'est une de ces visions dont fut gratifié Markandeya, le sage de tous les temps, qui a parcouru l'immense intervalle de la Nuit de Brahma, quand tout ce qui était se trouvait contenu dans le corps endormi de Vishnou. Désireux de connaître une partie de la Vérité se dissimulant derrière ce mirage, suivant la divine volonté de Vishnou, il glissa un jour dans les eaux sans bornes où il nagea et flotta pendant d'innombrables périodes de temps, jusqu'au moment où, dans cette immensité sans fin, il eut la chance d'avoir une étrange vision : à quelque distance, un flot de lumière émanait, ainsi qu'il le remarqua en s'en approchant, du corps rayonnant d'un enfant qui, plein d'innocence, s'ébattait sur une feuille de *banian (ficus indica)*, seul dans la grande immensité du silence. Fort intrigué, Markandeya s'approcha ; puis il entendit parler l'enfant : « Je suis tes parents, ton père et tes aïeux, Markandeya... Je suis l'Homme Cosmique Originel, Narayana... Je suis le Seigneur des Eaux... Je suis le cycle des Années, qui génère toutes choses pour les dissoudre ensuite. Je suis le yogi divin, le jongleur ou le magicien cosmique, qui élabore de prodigieuses illusions. » Entendant ces paroles, Markandeya comprit, et se prosterna devant le Seigneur.
Le peintre Pahari illustre à merveille cette scène, ici comme en tant d'autres peintures sur ce sujet. L'immensité des eaux ; la délicieuse et minuscule personne de Krishna, qui est également Vishnou, qui suce joliment son gros orteil ; cette juxtaposition de l'innocence et de la vieillesse, du savoir et de l'ignorance, donne au peintre des éléments avec lesquels il joue et y réunit avec conviction dans une œuvre d'une grande délicatesse et d'un grand raffinement.

Bibliographie :
Walter Spink, *Krishnamandala*, Ann Arbor, 1971, p. 104-106 ; *Krishna, The Divine Lover*, Lausanne, 1982.

241
Mise à mort du démon Aghasura-II ; d'une série du *Bhagavata Purana*

Dessin au pinceau et lavis sur papier.
École Pahari, troisième quart du XVIIIe siècle ; de l'atelier familial de Seu-Nainsukh.
Chandigarh Museum, Chandigarh ; n° 476.

Le point intéressant de cette œuvre, d'une extraordinaire parenté avec le n° 231, c'est de voir comment les peintres ont travaillé au sein d'une tradition. L'hypothèse naturelle, – exacte dans ce cas, – voudrait que le dessin ait été exécuté avant la peinture qui s'en inspire. Pourtant, ce pourrait aussi être l'inverse car, parfois, des peintures ont été faites d'après des dessins qui avaient été copiés sur ces mêmes peintures, celle-ci devant à leur tour être terminées ultérieurement. Cette situation pouvait se produire, quand un mécène montrait une peinture, acquise ailleurs, à son artiste attitré en lui demandant d'en faire une semblable. Au sein d'une famille d'artistes elle-même, il arrivait parfois qu'un peintre plus jeune copiât en la dessinant une peinture qu'il aimait particulièrement, soit pour la conserver et l'utiliser ultérieurement, soit dans l'éventualité où il quitterait lui-même la maison familiale pour trouver ailleurs un emploi. On faisait aussi des calques, des *charbas* comme on les appelait traditionnellement, mais les dessins à main levée, sur une peinture terminée, n'étaient pas rares.
Il n'est pas sans intérêt non plus de rappeler aussi qu'un dessin comme celui-ci n'exprime pas obligatoirement la première idée qu'un artiste a jetée sur le papier. On peut imaginer que, auparavant, il y a eu une première esquisse rapide, au pinceau, au vermillon, libre, un *sindhari Khaka* comme on les appelait, n'indiquant qu'à grands traits la composition et le sujet. On le sait grâce à plusieurs *Khakas* de ce genre qui sont parvenus jusqu'à nous ; on en trouve un exemple avec un important ensemble de dessins du *Ramayana* exécutés par Ranjha, conservés au Bharat Kala Bhavan ; ou encore avec les dessins de *Nala Damayanti* que l'on retrouve en divers états de finition.
Ce dessin, achevé mais sur papier non préparé, tiré de ce qui doit avoir été un *sindhuri Khaka,* doit être resté dans la famille des peintres, sous son état actuel, tout simplement parce que l'on n'avait pas l'intention d'y travailler ou d'en faire une peinture. C'était la *source* d'une peinture finie, peut-être de plusieurs peintures, que les divers membres d'une famille d'artistes, – les frères, les cousins, – pourraient avoir envie de faire. A part quelques touches de couleur dans les arbres, ce dessin n'est pas coloré. Il faut l'étudier avec grand soin pour discerner des différences entre lui et la peinture terminée (n° 231) : les crocs que l'on voit dans la gueule du démon-python, à gauche, ont disparu sur la peinture ; le corps du démon n'a pas la même épaisseur ; il y a de légères modifications du paysage, de l'autre côté de la rivière, ainsi que dans l'emplacement des deux arbres enveloppés par la courbe du corps du démon. Mais ce ne sont là que des « libertés » personnelles prises par un artiste à l'égard du modèle.
Nous possédons encore un grand nombre de dessins de cette série, au même stade de finition, quoiqu'il n'y en ait que fort peu à avoir été publiés. Les dessins sont légèrement plus anciens que la peinture mais on peut toujours les dater du troisième quart du XVIIIe siècle.

Bibliographie :
(Pour une étude générale des dessins), B.N. Goswamy, « The Artist Ranjha and a date set of *Ramayana* Drawings », *Chhavi,* I, Vanarasi, 1971 ; et aussi, *Pahari Paintings of the Nala Damayanati Theme,* Delhi, 1975. Pour plusieurs dessins de cette série, voir *Krishna, the Divine Lover,* Lausanne, 1982.

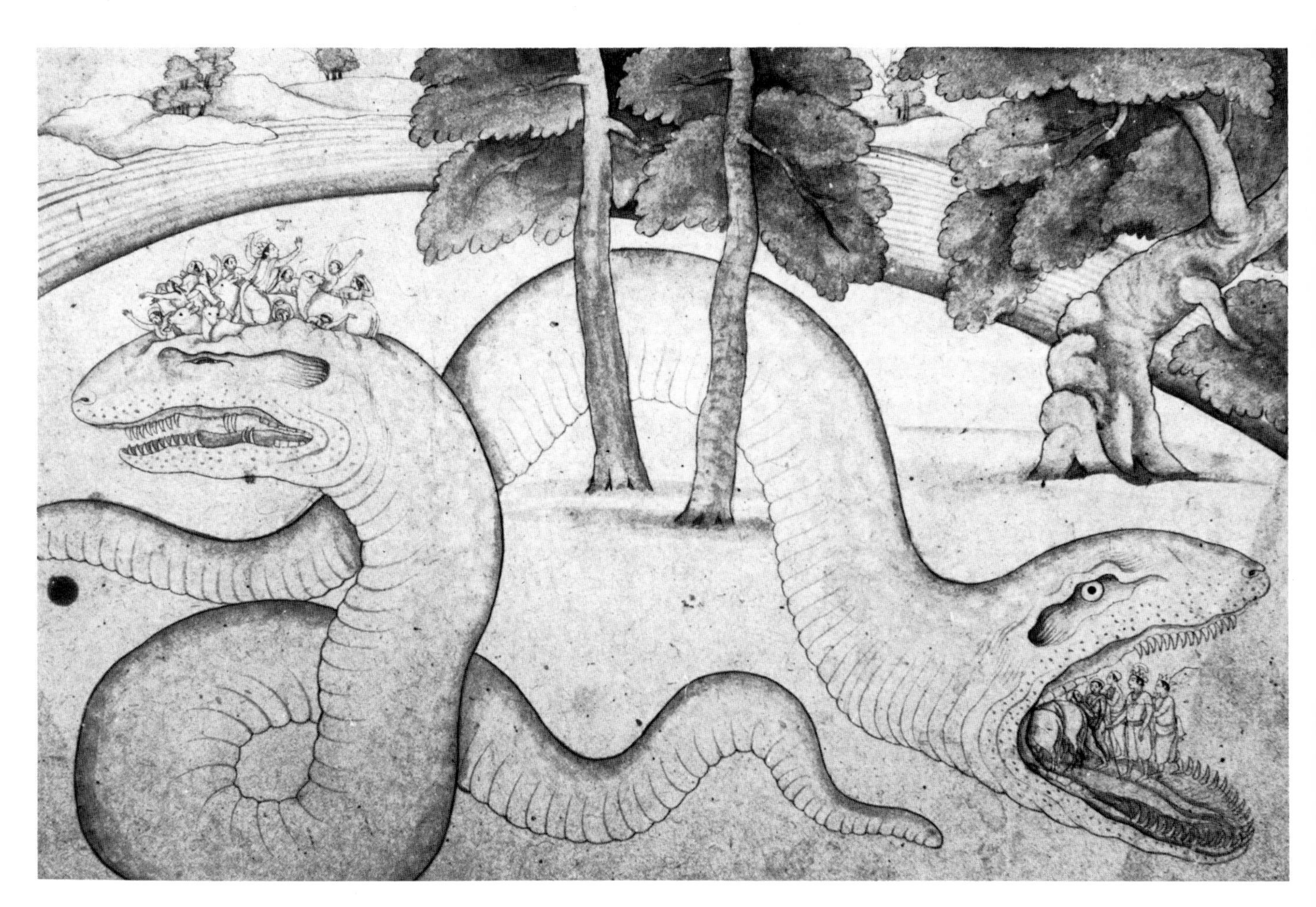

242
Draupadi se dévoile

Gouache sur papier.
École Pahari, premier quart du XVIIIe siècle ; de l'atelier familial de Seu-Nainsukh.
Chandigarh Museum, Chandigarh ; nº 334.

Quand, sans la moindre piste donnée par une inscription sur une peinture, un *rasika,* ou connaisseur, peut non seulement relier cette peinture à un thème, mais extraire encore de sa mémoire un poème en traduisant exactement le sentiment, on peut être surpris ; il en existe cependant de nombreux exemples, parmi lesquels cette peinture simple mais élégante. On pourrait ne voir qu'une jeune femme debout, les mains jointes, avec des vêtements entassés à ses pieds, mais le *rasika* pourrait dire qu'il s'agit de Draupadi, la femme des frères Pandava, les héros de la grande épopée, le *Mahabharata.* Comme certains en ont témoigné, elle vient juste de participer à un miracle de Krishna, l'ami des Pandavas et son « frère ». Au jeu de dés autour duquel tant d'événements du texte épique sont agencés, elle, Draupadi, a été jouée et perdue par l'aîné des Pandavas au profit des Kauravas qui, pour imposer une dernière ignominie à leurs rivaux, la traînent devant le tribunal et tentent de la dépouiller de ses vêtements devant toute l'assemblée. Dans cette terrible impasse, Draupadi évoque Krishna et un miracle a lieu. Le *sari* que lui arrache maintenant le vil Dushasana semble n'avoir pas de fin. Quand un *sari* est enlevé, un autre apparaît, et ainsi de suite, jusqu'au moment où, désespérés, Dushasana et les Kauravas abandonnent la partie. Selon l'expression d'un poème en hindi, plein d'allitérations et de difficultés de prononciation, tout le monde se demande :

« Sari Madh nari hai ki nari madh sari hai
ki sari hai ki nari, ki sari-hun ki nari hai. »

(Est-ce le sari qui enveloppe la femme ou la femme contient-elle le sari ; tout n'est-il qu'un sari ? ou une femme ? Ou encore, une femme n'est-elle pas autre chose que des saris ?)
Ici, le peintre esquive le moment dramatique du récit et décide de nous rendre témoin de l'événement, après coup, l'honneur de Draupadi ayant été sauvegardé. Elle est là, debout, entourée de *saris,* les mains jointes en hommage à Krishna, que nous ne voyons pas ; mais elle nous fait participer, nous aussi, à un peu de la puissance de l'exploit de Krishna.
Une autre peinture, sur le même sujet mais de moindre qualité, se trouve au Bharat Kala Bhavan, à Bénarès.

243
Krishna boit le feu de forêt ; d'une série du *Bhagavata Purana*

Gouache sur papier.
École Pahari, troisième quart du XVIIe siècle ; d'un atelier de Mandi.
20 × 29 cm.
National Museum, Delhi ; n° 62.2375.

Dans l'histoire de Krishna, l'épisode connu sous le nom de *davanala acamana,* « l'absorption du feu de forêt », est un des plus appréciés du *Bhagavata Purana* ; il a donné naissance à plusieurs séries d'illustrations, peut-être parce qu'il représentait une sorte de défi. Les textes anciens disent que peindre le feu et son agitation dans le vent était une sorte de mesure de l'adresse d'un peintre. Du point de vue du peintre Rajpout, il y a une séquence où tout cela se combinait au drame.

Alors qu'il est dans la forêt, faisant paître les vaches en compagnie de ses compagnons les *gopas,* Krishna voit éclater un incendie de broussailles qui gagne à une vitesse dangereuse, les flammes s'élevant follement dans l'air. Les animaux sauvages et les reptiles sont tous pris au piège ; alors, il avance vers les bouviers, et leurs animaux épouvantés, qui, comme toujours, demandent secours à Krishna. Celui-ci leur demande de fermer les yeux un instant puis, prenant le feu dans ses mains réunies en coupe, il l'« avale », l'éteignant en le prenant dans ses entrailles. Quand les *gopas* et les vaches, essouflés, le regardent un instant plus tard, le feu est éteint, tout est de nouveau calme.

Cette feuille, malheureusement endommagée et incomplète, d'une grande série du *Bhagavata Purana* a suscité quelques discussions parmi les spécialistes (pour savoir si elle provient de Bikaner dans le Rajasthan ou de Mandi dans les collines). D'une coloration sans défaut, la composition est vue plus ou moins d'en haut, ce qui rapetisse considérablement les personnages ; la panique et le caractère d'urgence sont traduits par les *gopas* qui ferment les yeux et la vitesse à laquelle les vaches et les veaux, les grues et les paons, se précipitent vers un endroit « sûr » ; un seul personnage reste impassible, Krishna ; mais ce qui, par-dessus tout, impartit un sens dramatique extraordinaire, c'est le cercle de feu qui crépite et grésille. C'est le caractère *abdhuta* de cette action miraculeuse de Krishna, – qu'il n'a pas voulu laisser voir à ses compagnons, c'est pourquoi il leur a demandé de fermer les yeux, – que le peintre a cherché à traduire.

Bibliographie :
In the Image of Man, Londres, 1982, n° 403 ; Catherine Glynn, « Early Painting in Mandi », *Artibus Asiae,* n° XLIII, I, p. 21-64 ; Karl J. Khandalavala, « Two Bikaner Paintings in the N.C. Mehta Collection and the Problem of Mandi School », *Chhavi,* II, Varanasi, 1981.

244
Krishna et le mont Govardhana ; d'une série du *Bhagavata Purana*

Gouache sur papier.
Rajasthan, dernier quart du XVIIIe siècle ; d'un atelier de Jodhpur.
48 x 70 cm.
Collection du Maharaja Gajai Singhji, Umaid Bhawan Palace, Jodhpur ; nº 14 de la série.

Un passage délicieux et quelque peu obscur précède la description du prodige accompli par Krishna soulevant le mont Govardhana, récit qui se trouve narré dans le 10e livre du *Bhagavata Purana*. Ici, Krishna entame une discussion, longue et philosophique, avec Nanda, son père nourricier, et les anciens du village quand il les voit préparer la fête annuelle en l'honneur d'Indra, le dieu de la pluie. Feignant l'ignorance, Krishna leur demande la raison de tous les préparatifs compliqués auxquels se livrent les villageois pour l'Indra Yajna ; quand on lui dit qu'Indra étant la déité qui commande aux nuages et décide de leurs conditions de vie, il doit recevoir des sacrifices propitiatoires, Krishna soulève de sérieux problèmes. Il dit qu'Indra n'est pas le maître des pluies ; tout ce que les villageois cultivent et récoltent provient de leurs propres efforts et, s'il faut propitier quelqu'un, c'est le mont Govardhana, lui qui donne tant aux villages, ne serait-ce que les vaches qui paissent l'herbe sur ses pentes et produisent ensuite du lait à l'intention des villageois. Il faut l'apaiser et l'adorer, dit-il, beaucoup plus qu'Indra qui reste assis en quelque lointain paradis. Si Krishna n'avait pas l'intention d'irriter Indra, il l'a cependant certainement fait. Quand Nanda et les anciens acceptent la suggestion de Krishna, de remplacer la fête en l'honneur d'Indra par une fête en l'honneur du mont Govardhana, Indra se jure de donner une leçon à ces ignorants et déchaîne sur tout le pays, de fortes et incessantes pluies, ce qui amènera le miracle de Krishna soulevant la montagne pour protéger les siens.

Ici, ce n'est cependant pas le soulèvement de la montagne qui a retenu le peintre, mais l'épisode qui l'a immédiatement précédé. Sur la gauche de la peinture, on voit de grands préparatifs et, dans diverses maisons, il se passe plusieurs événements. Krishna consulte les anciens du village ; les ménagères font la cuisine et préparent des friandises ; de la même manière, des cuisiniers travaillent dans une autre maison tandis que des femmes sortent de chez elles, des récipients à la main, portant manifestement des mets destinés à la fête donnée en l'honneur du mont Govardhana. Au milieu de la peinture, on voit des vaches être honorées, des friandises emportées vers la montagne, dans des charrettes ; et les villageois se réunissent au pied de la montagne, pour rendre hommage au « dispensateur de l'abondance ». La montagne est elle-même rendue avec des couleurs brillantes, avec des taches de pourpre, de rose et de gris, les unes sur les autres, des arbres stylisés, avec des rejets, et des cavernes où se terrent des animaux. Le tout est cependant complètement dominé par un personnage au corps sombre, couronné, qui étend un bras énorme sur la montagne et goûte les aliments offerts, placés en avant. Ce personnage n'est nul autre que Krishna qui nous apparaît ainsi tout à la fois adorateur et adoré. Parlant de sa « voix basse et grondante », il annonce aux *gopas* qu'il est l'incarnation du mont Govardhana. Il va sans dire que, entendant cela, les gens sont tous fortement surpris. A cette scène s'ajoute une sorte de post-scriptum, dans le coin du haut à droite, où une petite vignette nous montre les maisons d'or d'Indra, dans les cieux, quand ses messagers lui apprennent cet affront des villageois. Un bandeau horizontal, dans le haut, comportant un long passage descriptif en rajasthani hindi, en caractères devanagari, « explique » la scène représentée en dessous.

Cette peinture provient d'une importante série qui, selon une ancienne publication du Sardar Museum, a été exécutée « sous le règne du Maharaja Bijay Singh, souverain du Marwar (1752-93 après J.-C.), dévot de Vishnou. La série, dans son état actuel, n'est pas complète ; il en reste plus de 130 peintures. Le style n'est pas tout à fait celui que nous attribuons si souvent à Jodhpur à la fin du XVIIIe siècle ou au début du XIXe. A cette époque, il semble qu'un atelier de Bikaner ait eu de l'influence sur les œuvres de Jodhpur et cette série est peut-être le produit de cette réunion assez intéressante de deux styles. Ici, l'imagination vivace se donne libre cours et le peintre rend des éléments comme le temps et l'espace au fur et à mesure, sans élaborer de théorie rigide. Il est aussi conscient des possibilités dramatiques et sa manière de traiter le gigantesque personnage de Krishna sous forme de Govardhana, avec sa stature énorme et sa bouche à demi ouverte, « avide », prête à accueillir les aliments qui lui sont offerts, nous en dit beaucoup sur son désir de laisser une forte impression visuelle.

Bibliographie :
Vishweshwarnath Reu, *Paintings of the Bhagavata Purana in the Sardar Museum,* Jodhpur, nº 47.

245

Les prachetas font pénitence au sein des eaux ; de la même série du *Bhagavata Purana* que le n° 102

Gouache sur papier.
École Pahari, deuxième quart du XVIIIe siècle ; de l'atelier familial de Seu-Nainsukh.
Au verso, texte sanskrit.
22 × 32,5 cm.
Rajasthan Oriental Research Institute, Udaipur ; n° 1527/5.

Dans la mythologie hindoue, dans les contes tirés des *Puranas,* on trouve en abondance des récits extraordinaires de pénitences et d'auto-mortifications. On en trouve un au Livre Quatre du *Bhagavata Purana,* qui décrit la pénitence subie par les dix Prachetas, les fils du roi Prachinbarhi. Pressés par leur père de partir et de propager leur famille en se mariant et en ayant des enfants ; les Prachetas, dévots de Vishnou, veulent d'abord se purifier et mériter la bénédiction du Seigneur. Étant nés de Shatadruti, la fille de l'Océan, ils commencent par entrer dans les eaux de l'océan où ils restent et méditent sur Vishnou « pendant dix mille ans », affirment les textes. Avant de pénétrer dans les eaux, ils rencontrent par hasard Rudra, c'est-à-dire Shiva sous un autre nom, et chantent en l'honneur de Vishnou. Finalement, heureux de leur constance et de leur dévotion, Vishnou se dévoile à eux et les bénit. Après cela, Les Prachetas nettoient la terre des forêts qui ont pris toute la place et ils prennent une femme, comme leur père le leur a ordonné. De cette alliance est né, entre autres, Daksha, qui devait plus tard devenir un des puissants Prajapatis...

Ici, le traitement de l'eau est très différent de celui que l'on voit dans la suite de peintures représentant Varaha venant de cette même série. Ici, l'eau recouvre complètement les formes des Prachetas, ce qui a pour effet d'en faire chatoyer les contours et crée une atmosphère très mystérieuse, leurs formes apparaissant et disparaissant tour à tour. Même si le peintre a représenté dix personnages se livrant à une même activité, il a su rompre la monotonie grâce à de très adroites variations de pose et de couleur.

Bibliographie :
Voir le n° 102.

246
La traite de Prithvi ; de la même série du *Bhagavata Purana* que le nº 102

Gouache sur papier.
École Pahari, deuxième quart du XVIIIe siècle ; de l'atelier familial de Seu-Nainsukh.
Au verso, texte sankrit.
22 × 32,5 cm.
Rajasthan Oriental Research Institute, Udaipur ; nº 1527/71.

Par une légende éloquente, pleine de grandeur, le *Bhagavata Purana* étudie la nature de la royauté, le rôle capital du roi dans le maintien de la cohésion de la société, sans oublier le problème de la légitimité des pouvoirs assumés par un roi. Une fois, dit-il, la terre n'a pas eu de roi, le dernier roi Vena étant mort sans descendance. Des désastres éclataient partout : des bandes de hors-la-loi rôdaient dans les villes, la famine gagnait la campagne, toute la population vivait dans la crainte, allait être décimée. Dans ces circonstances, des hommes prudents et cultivés, des sages et des brahmanes, se réunirent et « barattant » les membres du roi mort, ils en firent Prithu, le plus parfait des rois, véritable incarnation de Vishnou. Mais Prithu dut lutter durement pour établir sa souveraineté, sa puissance sur la terre, Prithvi. Prithvi ne voulait pas lui livrer ses trésors. Désirant nourrir ses sujets et donner la stabilité à son royaume, Prithu décida de mater Prithvi mais, chaque fois, elle le décevait. Finalement, fou de rage, il décida de la poursuivre de tout son pouvoir, une flèche déjà encochée sur son arc. Prithvi prit la forme d'une vache et se mit à courir, mais le roi l'attrapa et allait la tuer quand elle le pria de l'épargner. Elle ne produisait pas encore de « lait », en fait aucun trésor, dit-elle, parce qu'elle s'était desséchée. Le lait de ses bontés ne s'écoulerait que si elle pouvait d'abord allaiter un veau juste ; alors, dans les récipients voulus, elle donnerait les bontés idoines, si on la trayait correctement. Alors, Prithu demanda à toutes les créatures de cette terre, – semi-divines, sub-divines, hommes, animaux, reptiles, et ainsi de suite, – de traire Prithvi, les unes après les autres. Aussi donna-t-elle à chaque catégorie d'êtres ce qui lui convenait.

Dans une suite de peintures, l'auteur de cette série pleine d'imagination a traité cet épisode. Chaque fois, on voit Prithu qui regarde de sa chambre, à gauche, les diverses créatures approcher de Prithvi qui est là sous la forme d'une vache. Se succèdent les *Yakshas,* les *asuras,* les dieux, les quadrupèdes, les oiseaux, et ainsi de suite. Ici, c'est le tour des serpents. Leur chef, Takashaka, devient le veau en train de téter, tandis que différentes espèces de serpents récoltent par terre ce qu'ils trouvent : leurs bouches sont des récipients dans lesquels ils reçoivent, pour leur part, le poison de la Terre. Sur cette image surprenante, le peintre a su profiter de l'occasion pour donner libre cours à son imagination.

Bibliographie :
Voir le nº 102.

247
Le Rasamandala : la danse circulaire de Krishna avec les Gopis

Gouache sur papier.
Rajasthan, deuxième quart du XIXe siècle ; d'un atelier de Jaipur.
Maharaja Sawai Mansingh Palace Museum, Jaipur ; n° Ag. 1382.

Les cinq chapitres du *Bhagavata Purana* intitulés le *Rasa Panchadhyayi* sont, pour beaucoup, le haut lieu de « l'expérience de Krishna », que doit avoir un dévot ou un lecteur. Ils représentent, dans un certains sens, le point vers lequel culminent les exploits de Krishna et, dans le Livre Dix du *Purana,* on voit s'agiter sans cesse ses nombreuses amours. A ses bien-aimées, les *gopis,* ou bouvières, il fait périodiquement la promesse de danser une nuit avec elles dans la grande forêt, à l'écart du village. Cette nuit finit par arriver. C'est une nuit d'automne, un clair de lune limpide baigne tout de ses frais rayons. Krishna gagne la forêt par le bord de la rivière, il porte sa flûte à ses lèvres et sa mélodie commence à flotter dans l'air, portant son message aux *gopis* qui entendent l'appel et y répondent, attirées comme « des papillons le sont par la lumière ». Elles quittent tout, leur travail, leur mari, leurs enfants et se hâtent de rejoindre l'endroit retiré où se trouve Krishna, leur bien-aimé.

Dans ces chapitres sur cette « réunion », on trouve des passages longs et très beaux. Avec une grande tendresse, Krishna parle aux *gopis* et folâtre avec elles. Il les humilie aussi en les quittant tout à coup, en disparaissant. Mais, quand il finit par revenir et que leur esprit a été complètement dépoussiéré, – de la poussière du doute, de la fierté et du contentement de soi-même, – Krishna entame avec elle sa grande danse *râsa.* Miraculeusement, il donne à chaque *gopi* le sentiment qu'il est avec elle seule, si bien que toutes le voient, chacune à ses côtés, légèrement en contact avec elle, se déplaçant lentement, suivant avec grâce la cadence de la musique divine. Les *gopis* et Krishna, comme le dit le narrateur, apparaissent alors « comme l'or et les saphirs d'un collier », évoquant ainsi le teint bleu de Krishna et le corps doré des *gopis.* Alors qu'elles dansent et que, en cadence, elles se déplacent en cercle, les *gopis* perdent complètement conscience d'elles-mêmes : en termes d'une grande beauté, le poète raconte comment leurs cheveux tombent sur leurs tempes couvertes des perles de la transpiration que fait sourdre leur vigoureuse agitation, comment elles perdent les fleurs qu'elles avaient dans le chignon, comment leurs ceintures tintantes glissent de leur taille et comment les *cholis* et les *saris* commencent à se détacher d'eux-mêmes. Ce n'est pas de la passion, c'est de l'amour qui se répand dans l'air. Ces pieds qui dansent, ces clochettes qui tintent, cette musique qu'elles tirent de leurs instruments, tout cela ne se diffuse pas dans l'air uniquement cette nuit-là mais, d'après les dévots, aujourd'hui encore dans l'univers qui nous entoure, si l'on prend la peine d'écouter.

De nombreux peintres de l'école rajpoute ont représenté ce *mandala* du *rasa.* Nous voyons parfois des danses circulaires dans lesquelles Krishna, se multipliant, se retrouve à côté de chaque *gopi.* Ici, le peintre rajpout a représenté cette formation de *mandala* par des cercles concentriques. Dansant au milieu avec sa favorite, Krishna est au centre et autour de lui tournent sans cesse, en rythme, les rondes de *gopis.* Comme pour suggérer que cela dure éternellement, que cela dépasse les limites du temps et de l'espace, le peintre entasse sur la scène d'innombrables silhouettes féminines, debout, jouant de la musique, tout autour des groupes qui dansent au milieu. Il ne faut pas s'étonner de voir les dieux venir eux-mêmes encombrer le ciel, dans leurs véhicules aériens, et couvrir la terre de fleurs qu'ils font pleuvoir sur cet événement merveilleux, incessant.

Bibliographie :
Publié dans Walter Spink, *The Axis of Eros,* New York, 1973, p. 68.

248
Krishna soulève le mont Govardhana

Gouache sur papier.
Rajasthan, milieu du XIXe siècle ; d'un atelier de Jaipur.
Maharaja Sawai Mansingh Palace Museum, Jaipur ; nº Ag 1283.

Quand Krishna constate que, dans le pays de Vraja, son propre peuple observe d'étranges pratiques, il conseille de faire le contraire ; il ne peut comprendre pourquoi il faut rendre un hommage si poussé à Indra, le dieu de la pluie, et convainc son père Nanda et les anciens du village d'adorer et de louer à la place le mont Govardhana et les vaches. C'est là les vrais dispensateurs de bontés, la source de la vie et non pas quelque capricieuse déité résidant quelque part dans les nuages. Les villageois acceptent et Indra, dans son ciel, est fort courroucé ; il décide de donner une leçon à ces « villageois grossiers » et déchaîne de gros nuages qui font tomber une pluie continuelle sur la région de Vraja. Pendant des jours, réunis dans le ciel « comme des hordes de montagnes de brumes », les nuages inondent la campagne d'un véritable déluge ; la pluie, le tonnerre, les éclairs et la grêle ne laissent aucun repos aux villageois. Ceux-ci, alors, sont fort effrayés, ils subissent une inondation ; ils se tournent vers Krishna, et lui demandent aide, car il est le seul qui puisse les sauver de cette catastrophe. Sachant que tout le mal vient d'Indra, Krishna rassure ses fidèles et leur demande de se rassembler autour du mont Govardhana. Après qu'ils l'ont fait, apportant avec eux leurs richesses et leurs troupeaux, Krishna prend tout à coup la montagne et l'élève sur sa main gauche, « comme un parasol » au-dessus de tout le pays. Frissonnant de froid, ayant peur de mourir, les villageois se pressent pêle-mêle en dessous, d'abord avec crainte, puis avec plus de confiance. Mais Krishna continue, pendant sept longs jours, à maintenir le mont en haut, « comme un enfant qui tiendrait un gros champignon ». Rendu impuissant, humilié, Indra s'incline alors devant ce fait miraculeux et, quittant son ciel, vient en personne rendre hommage à Krishna.

Cet épisode dramatique est conté assez longuement dans le *Bhagavata Purana,* c'est un des thèmes favori du peintre rajpout car il réunit diverses occasions. Ce peintre, d'un atelier de Jaipur, traite ce sujet autrement, avec beaucoup plus de détails, que les artistes précédents du pays Pahari ou même du Rajasthan. Il a plaisir à mettre des touches de « réalisme » sur la peinture, avec des nuées théâtrales, de vastes perspectives, des rassemblements de personnages curieux. Cette peinture n'a pas la force ni la concision de certaines illustrations Pahari ni la précision d'œuvres du Mewar et de Bikaner, elle montre une ambition inhabituelle. Dans un paysage qu'on pourrait voir en Europe, et qui s'étend au loin, Krishna maintient la montagne soulevée. L'illustrateur s'étend sur le traitement de la montagne, les prolongements de la scène qui se passe en dessous, la variété des types d'hommes et de femmes et leurs attitudes. Dans le même temps, il nous montre plusieurs fois Indra, d'abord dans les cieux, puis descendant dans les nuages et, enfin, s'agenouillant pour rendre hommage à Krishna. D'autres dieux assistent au prodige : Brahma, Shiva, Ganesha, qui précèdent une foule d'être semi-divins et de sages, des éléphants, des chars ; le reste de la scène est occupé par des vaches aux formes et aux couleurs diverses et par des veaux qui gambadent.

Comme on l'a déjà fait remarquer, cette œuvre a un cachet très différent d'autres, sur le même thème ; mais le peintre, avec sa palette propre, a su saisir ce prodige dans toute son essence.

249
Vishwarupa : forme cosmique de Vishnou

Gouache sur papier.
Rajasthan, deuxième quart du XVIIIe siècle ; d'un atelier de Bikaner.
21 × 18,2 cm.
Jagdish and Kamala Mittal Museum of Indian Art, Hyderabad ; n° 76.202.

Depuis des siècles, les peintres et les sculpteurs de l'Inde ont eu des difficultés pour représenter Vishwarupa, la Forme Cosmique de Vishnou. C'est une idée forte et dominante, qui s'exprime avec éloquence dans les textes littéraires et philosophiques ; mais ce n'est pas une tâche aisée que d'en représenter l'essence. Il reste cependant que la grandeur de ce thème, – la forme immanente, absolue, omni-présente de la divinité, – a suscité quelques grandes œuvres, dans les arts visuels aussi. Dans ce contexte, les peintres se sont souvent inspirés des passages d'une éloquence prodigieuse du *Bhagavad Gita* où Krishna dévoile à Arjuna sa forme cosmique. Aux nombreux doutes du grand héros Pandava, Krishna donne plusieurs réponses et, dans son « chant », en des termes « à la fois métaphysiques et éthiques », avec « la science de la réalité et l'art de l'union avec la réalité », Krishna parle de lui-même comme de l'esprit Suprême. Quand Arjuna le prie humblement de lui dévoiler cet aspect divin, Arjuna est favorisé d'une vision. « Vois maintenant, – dit Krishna, – l'univers entier avec tout ce qui est mobile et tout ce qui est immobile, qui se tient réuni dans mon corps. » Arjuna voit cette vision majestueuse et en est bouleversé mais, alors, en parle avec extase :

S'il y avait dans les cieux
mille soleils ensemble brillant
leur splendeur serait la splendeur de Ton Etre Immense ;

... Je Te vois partout, forme infinie,
ni Ta fin, ni Ton milieu ni même Ton commencement.

Je Te vois, Seigneur du tout, dont la forme est l'Univers

Couronné, armé d'une massue et portant un disque

Masse de splendeur, brillant de tous côtés,
Du rayonnement incommensurable du soleil et du feu ardent...

Cette vision nous est décrite, vers après vers, dans un chapitre de ce grand texte, nous faisant voir l'esprit premier qui est Vishnou. Avec ces représentations, les peintres nous ont souvent montré la Forme Cosmique de Vishnou, non pas isolée mais accompagnée de la silhouette d'Arjuna debout à ses pieds, muet d'émerveillement, humble au-delà des mots. Le noble que nous voyons, debout à gauche, a peut-être eu pour modèle une connaissance du peintre, peut-être était-ce même son propre mécène ? On ne peut cependant douter qu'il s'agisse d'Arjuna rendant hommage devant cette extraordinaire vision.

S'écartant des représentations habituelles où la Forme Cosmique est vue de face, le peintre a choisi ici de combiner deux points de vue, le corps est légèrement tourné vers la droite mais la tête gigantesque est franchement de profil, ce qui lui donne la possibilité d'entasser des rangées de personnages et quantité d'épisodes à l'intérieur de la tête. Là, alors que les multitudes de l'humanité sont aspirées par l'haleine de l'Etre Suprême, nous trouvons dans ces petits panneaux des indices des nombreuses dimensions de Vishnou. Là, comme on pouvait s'y attendre, nous voyons les dix incarnations, représentées dans une série d'encadrement ; mais il y a d'autres miniatures : les cieux et les mondes inférieurs ; les entrailles mêmes de la terre, où celle-ci, comme une vache, repose sur les myriades de capuchons de Shesha qui se tient, à son tour, sur une tortue, certainement Vishnou dans sa seconde incarnation. Avec ces petites silhouettes minuscules, le peintre cherche à évoquer des événements et des associations de toutes sortes afin de transmettre une idée de la puissance infinie du Seigneur de l'Univers. Un rayonnement lumineux entoure la tête massive où il faut retrouver combinés les aspects du Soleil et de la Lune. Le corps est représenté par un buste avec des jambes et des bras multiples, les mains portant des armes d'espèces diverses.

On ne peut voir, d'un seul coup, tout ce qui se trouve dans cette peinture mais on éprouve un certain sentiment de stupeur qui reste gravé dans l'esprit. Ce n'est pas la plus éloquente des œuvres consacrées à ce sujet mais c'est certainement la plus novatrice. Il convient de remarquer que, malgré l'origine rajasthani de cette peinture, on y retrouve l'influence du Cachemire. Cela se voit par des détails et particulièrement par la disposition des multiples bras, qui partent du coude, ce qui est caractéristique du Cachemire et non du Rajasthan ou du pays Pahari.

250

Krishna lève un voile ; de la même série du *Bhagavata Purana* que le nº 54

Gouache sur papier.
École Pahari, troisième quart du XVIIIe siècle ; de l'atelier familial de Seu-Nainsukh.
Au verso, vers en sanskrit.
National Museum, Delhi ; nº 58.18/16.

Encore aujourd'hui, les dévots de Krishna constatent que, ce que les plus grands des sages ont désiré connaître et n'ont pu obtenir, était parfois à portée des simples *gopas* et *gopis,* ces villageois naïfs élevés avec Krishna ; si grande en effet était la dévotion qu'ils lui portaient et si grande, en retour, la grâce qu'Il leur dispensait dans son amour ! Une fois, comme le raconte le *Bhagavata Purana,* Nanda, le père nourricier de Krishna, avait été emmené par les serviteurs de Varuna, le dieu des eaux et l'un des gardiens des points cardinaux ; tout cela parce que Nanda avait accidentellement commis le péché de pénétrer dans l'eau après un *vrata,* un jeûne, à un moment inopportun de la nuit. Mis au courant, Krishna suivit Nanda et pénétra dans le royaume céleste de Varuna, où il fut reçu avec grand honneur ; ensuite, Varuna reconnut son erreur et rendit hommage à Krishna, puis laissa Nanda repartir. Mais Nanda avait vu la grande beauté et la surprenante richesse du ciel de Varuna, il avait aussi vu la vénération que l'on y rendait à Krishna ; il raconta cela à ses parents qui se demandèrent à quoi pouvait bien ressembler le propre ciel de Krishna, car ils étaient maintenant certains qu'un dieu était présent parmi eux. Sachant leur désir, car il sonde le cœur de chacun, Krishna décida de lever un bref instant, pour eux, le voile du mystère de son être réel. Il les conduisit au *Brahmahrad,* le bassin de la Connaissance Absolue, et leur demanda de s'y tremper. Quand ils en sortirent, il leur indiqua le ciel et, à ce moment, ils eurent une vision du *vaikuntha,* la demeure céleste de Krishna, où les purs se rendent après la mort. Ensuite, la vision s'effaça de leur esprit car il devait vivre parmi eux comme un des leurs et non comme un dieu descendu du ciel.

La prodigieuse vision de la demeure dorée de Krishna, partiellement obscurcie par les nuées mais révélée, dans son essence, dans toute son étincellante beauté, remplit les *gopas* d'une profonde émotion. On les voit se croiser les bras, par obéissance, les lever de surprise, regardant avec un regard incrédule mais plein d'affection. Ce n'est pas Krishna seul mais aussi Balarama, son frère, qui est aussi une personne divine, qui indiquent la vision, bien haute dans le ciel. Le peintre a su admirablement rendre les attitudes des simples *gopas* et celle de Nanda, qui est assez âgé. L'œuvre ne possède pas la qualité poétique de certaines des autres feuilles de cette série du *Bhagavata,* mais on y trouve toujours une grande sensibilité de trait et de couleur. Le traitement novateur de l'arbre, à gauche, la présence inattendue d'un couple de faisans doivent être remarqués.

La véritable signification de cet épisode assez obscur omet un élément important, car le Bassin de la Connaissance Absolue, où les *gopas* doivent se baigner avant de voir cette vision, n'est pas indiqué par le narrateur ; c'est pourquoi le peintre a choisi la sécurité et il a placé la rivière bien connue, la Yamuna, où les *gopas* nagent et jouent avant d'en ressortir et d'avoir cette vision.

Bibliographie :
Voir le nº 54.

251
Sharabha, vainqueur de Narasimha

Gouache sur papier.
Rajasthan, premier quart du XIXe siècle.
Chandigarh Museum, Chandigarh ; no 3833.

L'épisode de la mise à mort du roi-démon Hiranyakashipu par Vishnou, lors de son incarnation en Narasimha ou homme-lion, prend un tour étrange, sectaire, quand il est relaté dans les textes Shaiva. D'une puissance indescriptible, Narasimha déchire les entrailles du démon, mais sa rage, une fois enclenchée, atteint de telles proportions, le sang qu'il a versé « lui monte tellement à la tête », qu'il ne se contrôle plus et qu'il se livre à des destructions immenses. Les points cardinaux résonnent devant le courroux de Narasimha et les dieux eux-mêmes se réunissent pour l'apaiser, le priant de redevenir lui-même maintenant que le néfaste roi-démon a été détruit. Mais rien n'y fait. Devant cela, par ses pouvoirs divins, Shiva crée un être fabuleux, Sharabha, infiniment plus puissant que Narasimha, dont la seule apparition fait trembler de peur les trois mondes, étant une émanation du temps et de l'espace et, tout autant, les pouvoirs des dieux et des démons. C'est seulement cette créature fabuleuse, disent les textes, qui parvient finalement à faire reprendre ses esprits à Narasimha.
Nous voyons ici Sharabha, dont la divinité est établie par le nimbe derrière la tête et par le croissant de lune, qui est l'emblème de Shiva, sur le front ; c'est une créature composite, en partie oiseau, en partie quadrupède. Dans ses grandes serres autour desquelles s'enroulent des serpents, il saisit au vol des éléphants ; sa queue empennée balaie des horizons entiers ; il a tout le corps orné de serpents et l'on voit en lui des déités de toutes sortes qui y sont « contenues » : les déesses Saraswati, Lakshmi et Durga, Shiva lui-même et ses deux autres émanations, Bhairava et Virabhadra. D'un aspect féroce et résolu, Sharabha scrute les grands espaces, sa langue dépassant de sa bouche, grande, rostrée comme un bec, comme s'il se reposait un instant avant de reprendre son vol pour semer de nouveau la terreur.
Il y a peu de peintures représentant Sharabha. Une rare représentation de ce sujet, provenant des régions Pahari, auparavant dans la collection Bickford, se trouve maintenant au musée Rietberg de Zurich.

Bibliographie :
Stanislaw Czuma, *Indian Art from the George P. Bickford Collection,* Cleveland, 1975, no 120.

n'est pas du même ordre que celui qui vient de la répression de tous les désirs, et c'est pourquoi il ne s'y oppose pas. Une fois de plus, on a étudié si ce sentiment devait se distinguer de celui qui est « l'héroïsme dans la miséricorde », ou s'il est un sentiment analogue. On convient cependant en général que le *shanta* est différent de l'héroïsme dans la miséricorde parce qu'il est d'une « nature sans égotisme ». Même quand, cependant, le Shanta est accepté comme *rasa,* certains auteurs doutent qu'il soit approprié dans le contexte du théâtre. Kulapati dit donc, par exemple, qu'un *rasika* ou un *sahradaya,* indifférent au monde, n'éprouve aucun désir d'assister à une pièce de théâtre, par crainte qu'un de ses épisodes ne vienne troubler sa sérénité. Mais d'autres répondent facilement à cette objection en disant qu'un *rasika* n'a pas lui-même renoncé au monde et n'est pas libéré de tout désir ; il est capable de saisir et de connaître cette émotion.

On trouve un nombre impressionnant de sculptures et de peintures représentant des divinités et des grands hommes dans un état d'équanimité complète, de privation. Le détachement du Buddha assis en contemplation, ou d'un Jina, Shiva assis en *samadhi,* voilà des sujets qui se sont imposés aux sculpteurs et aux peintres. La sérénité est essentielle à ces images et on en trouve quelques superbes exemples. Les sculpteurs et les peintres vont cependant au-delà de la représentation de personnages isolés, dans la contemplation et le détachement ; ils ont aussi rendu des scènes se passant dans des ermitages et de calmes emplacements, communiquant un sentiment, un esprit où culmine le *shama.*

252
Bodhisattva debout

Schiste gris.
IIIe siècle après J.C. ; Gandhara.
158,5 × 46,5 cm.
Chandigarh Museum, Chandigarh ; nº 2353.

Ce Bodhisattva grand et majestueux se tient dans une attitude de détachement mesuré, il semble remarquablement jeune et paraît empli d'une certaine paix. Les deux bras, malheureusement, sont cassés ; les pieds aussi, où l'on voit aujourd'hui d'importantes traces de réparation ; et le grand nimbe qui s'étend derrière la tête a été fortement endommagé. Le Bodhisattva porte un vêtement qui est une adaptation locale des vêtements plus légers qui se portent dans les plaines du nord, mais qui a la même simplicité. Le vêtement est certainement épais, pesant et fait partie intégrante de la conception du personnage, en termes de sculpture, car il faut comparer cette œuvre à d'autres sculptures, de diverses origines, où les vêtements sont tellement fins, tellement collants qu'il faut regarder de très près pour les voir. L'épaule droite et une partie du buste sont laissées nues ; les plis et les pans doubles sont très visibles. Étant un personnage princier, à la différence du Buddha après son renoncement, le Bodhisattva porte de somptueux joyaux : des colliers, des boucles d'oreilles, des rangs de perles et des amulettes, que le sculpteur a fait nettement apparaître. Les cheveux sont coiffés en boucles qui sont dressées sur la tête et maintenues dans le bas par un bandeau. Il porte aux pieds d'élégantes sandales. La forme est assurée ; le sculpteur s'est complu dans des touches délicates, en montrant, par exemple, les contours du corps, sous les vêtements, et une contraction à la ceinture, marquée par un léger repli de la peau. L'auteur s'est aussi attardé sur le visage où l'on voit un sourire plein de calme réserve.
Peu de Bodhisattavas du Gandhara sont de cette qualité et cette pièce, ainsi que quelques autres, se détache des œuvres de grande série venant de nombreux ateliers du Gandhara. Le socle sur lequel se tient le Bodhisattava représente une scène de « l'adoration du bol à aumônes ». Deux personnages ont les mains jointes de chaque côté du bol qui est placé sur un siège surélevé, sous un dais, symbolisant manifestement le Buddha.

Bibliographie :
Voir le nº 108.

253
Tirthankara en méditation

Grès rouge.
Ve siècle après J.-C. ; Sitapur (Laharpur), Uttar Pradesh.
140 × 86,5 cm.
State Museum, Lucknow ; nº 0-181.

Comme les grandes images Gupta du Bouddha, les représentations Jaina de cette période tendent aussi à transmettre ce sens de paix extrême qui est associée à l'idée du Grand Maître. Comme dans l'œuvre que nous voyons ici, tout est subordonné au concept de calme total, comme si le sculpteur cherchait à atteindre, d'une manière ou d'une autre, cette tranquillité intérieure à laquelle s'efforcent de parvenir ces maîtres eux-mêmes. Tel que nous voyons ce *Tirthankara*, « celui qui fait franchir le gué de l'existence humaine », toutes les pensées du monde ambiant semblent avoir été chassées. Assis, les jambes croisées, le corps ferme et droit, les mains sur les genoux, ouvertes l'une au-dessus de l'autre, le Maître reste complètement immobile, insensible à ce qui l'entoure. La tête est surmontée de cheveux disposés en boucles tournant vers la droite. Le visage est une étude de calme et d'abstraction, le regard dirigé vers le bout du nez, comme celui d'un vrai *yogi* plongé dans la méditation, un sourire joue sur les lèvres. De toute évidence, le sculpteur a eu connaissance des formules iconographiques et iconométriques comme sans doute tout le monde dans l'Inde Gupta ; mais on ne fait pas de sculpture comme celle-ci avec de simples formules. Cette œuvre est en effet pleine de sentiment.
Dans un certain sens, l'artiste reste prisonnier des conventions quand il ajoute des personnages secondaires et des motifs annexes : un adorateur, de chaque côté, se tient dans une attitude d'hommage et de soumission ; deux personnages volants descendent du ciel avec des guirlandes à la main, affirmant ainsi le caractère divin du *Tirthankara* ; un grand nimbe, complexe, avec des pétales de lotus, des perles et des chevrons ainsi que des demi-lunes légèrement gravés, illumine la surface derrière la tête. Ayant cependant fort bien compris la nécessité de donner à tous les autres éléments une relative insignifiance, l'artiste a tout centré sur la grande silhouette du Maître, ici représenté dans un équilibre parfait.

254
Bouddha debout

Grès.
Ve siècle après J.-C. ; Sarnath ; Uttar Pradesh.
105 × 49 × 20 cm.
Archeological Museum, Sarnath ; nº 5512.

Un texte d'iconographie ancien, pour décrire l'image d'un *chakravartin*, « le Grand Homme faisant tourner la roue », sans nul doute le Bouddha lui-même, dit qu'il « doit être représenté comme l'or en fusion du fleuve Jambu, comme la tige creuse d'un lotus en pleine floraison, comme le magnolia brillant saturé de couleur ». Ce sont des descriptions comme celle-ci, essentiellement visuelles, qui semblent avoir hanté l'esprit du sculpteur indien qui fit cette image de l'Illuminé – ou d'autres provenant du même site.
La robustesse des premiers Bouddhas, leur énergie accusée avaient à l'époque gupta à laquelle appartient cette œuvre, donné naissance à une autre sorte d'image. Les points essentiels de l'iconographie n'ont pas varié, mais une nouvelle légèreté, un sens du détachement et de discret retrait avaient commencé à se faire jour dans les images du Maître. Représenté en train, de « faire tourner la roue de la Loi » ou plongé dans une méditation solitaire, le Bouddha semble toujours intouché, comme la feuille de lotus qui n'est pas souillée par ce qui l'entoure. Dans une œuvre de cet ordre, on constate un équilibre d'une rare finesse entre la matière et l'esprit. Le sculpteur a presque complètement supprimé une partie de cet effort, le « poids » de ces silhouettes, il fait sentir qu'elles pourraient se dissoudre à n'importe quel moment dans l'air ambiant. Ce caractère éthéré, l'impression que l'on regarde une image que l'on pourrait mieux écrire comme une idée, n'appartient pas à toutes les œuvres de l'époque gupta, mais elle appartient certainement à celle-ci. Respectant la convention en vigueur à l'époque, le sculpteur fait adhérer le vêtement transparent au corps. En réalité, si l'on pense qu'il y a un vêtement, c'est à cause de légères touches comme le bord que l'on voit autour du cou, sous forme de ganse, qui, par derrière, s'écarte sur les côtés, et dont le pli comprime légèrement la taille. La silhouette se balance un peu, dans un mouvement fluide mais d'une extrême douceur. Le geste de la main, dispensatrice de grâces, la paix absolue du visage, la pensée que ceux qui s'approchent du Maître peuvent espérer être touchés par cette paix, voici ce qu'ont dû sentir les passants et les adorateurs. L'impression de divinité se trouve encore renforcée par le grand *prabhamandala* oval, ou auréole, qui encadre le personnage, et est très discrètement unie, à l'exception d'un motif très fin, très discret, sur les bords.

Bibliographie :
D.R. Sahni et J. Ph. Vogel, *Catalogue of the Museum of Archaeology at Sarnath*, Calcutta, 1914 ; *In the Image of Man*, Londres, 1982, nº 333 ; *Ancient Sculpture of India*, Tokyo, 1984, nº 43.

255
Tête du Bouddha

Terre cuite.
Ve siècle après J.-C. ; Uttar Pradesh, provenance exacte inconnue.
State Museum, Lucknow ; n° 67.15.

Cette tête remarquable se rapproche beaucoup, par le sentiment, des plus belles têtes du Bouddha en pierre, comme celle de Sarnath de la période Gupta. Elles ont beaucoup en commun : la forme générale du visage, le traitement, d'une extrême sensibilité, des plans, surtout dans la région des yeux, la belle articulation des lèvres, la stylisation des boucles de cheveux enroulées dans le sens des aiguilles d'une montre et qui recouvrent l'*ushnisha*. Un merveilleux calme illumine cette tête, de l'intérieur, pourrait-on dire. Un calme sourire joue sur les lèvres et les yeux sont mi-clos, le regard est tourné vers l'intérieur. On voit ici le Bouddha vraiment représenté comme celui qui est « éveillé », en paix avec lui-même et le monde extérieur, tout en sachant que le monde n'est guère autre chose que *dukha,* souffrance. Sur un point important, cette tête du Bouddha diffère des têtes et des statues de pierre de la même période, qui sont beaucoup plus connues : le visage est ici beaucoup plus jeune, et ressemble à celui d'un jeune adulte, innocent et pur. Cette tête, dont il n'existe pas beaucoup d'exemples en terre cuite, provient manifestement d'une statue du Bouddha grandeur nature, du moins d'une statue complète, et on peut dire qu'elle marque l'apogée d'une longue tradition chez les artistes travaillant cette matière. Il sera difficile d'y voir l'œuvre d'un artiste de village ; la statue à laquelle cette tête a appartenu devait avoir occupé une place importante dans un monastère d'une dimension et d'une réputation importantes.

256
Deite assise dans une chandrashala

Grès.
Ve siècle après J.-C. ; Bhumara, Madhya Pradesh.
40 × 60 cm.
Archaeological Museum, Sanchi ; n° 2923.

Dans l'espace circulaire à l'intérieur de ce fragment architectural sculpté avec recherche et délicatesse, est assis un personnage à trois (ou quatre ?) têtes, à quatre bras, les jambes croisées, sur un grand lotus. Les têtes, à la fois jeunes et sereines, sont surmontées par des cheveux coiffés en hauteur ; le torse est allongé, la chair nue et souple ornée d'une peau de tigre portée en diagonale comme un cordon sacré ; la partie inférieure du corps est vêtue d'une *dhoti* maintenue à la taille par une ceinture finement travaillée et, autour des genoux, est nouée une écharpe de *yogapatta,* qui maintient les jambes en place et que de nombreux ascètes portent autour des jambes, quand ils restent assis dans la même position, des heures durant. Deux des bras sont cassés, ce qui rend l'identification du personnage problématique ; les deux mains intactes tiennent un arc et une longue tige de lotus en pleine floraison. Le lotus qui sert de siège, disposé d'une manière ingénieuse, épouse la courbure de la partie inférieure du cadre circulaire. Il s'agit d'une figure composite de Brahma, Vishnou et Shiva (Harihara-Pitamaha), mais ceci n'est qu'une hypothèse, en l'absence d'indication plus nette. R.D. Banerjee y a vu une représentation de Brahma. Le caractère merveilleux, ascétique du personnage, sa profonde intériorité sont nettement perceptibles malgré les dommages subis. Le personnage est relativement peu paré, mais bien marqué dans l'espace circulaire entouré de toute part de nombreux détails ornementaux, de perles, de vrilles, d'enjolivures qui se fondent pour constituer un motif riche et plein de vie. Cette *chandrashala,* ce fragment architectural, est beaucoup plus travaillé que d'autres qui ont aussi appartenu, comme cette pièce, au temple de Shiva, dégagé en 1920, à l'est du village de Bhumara, dans l'ancien État de Nagod. Nombre de belles pièces provenant de Bhumara sont aujourd'hui au musée d'Allahabad ; on ignore comment cette *chandrashala* parvint dans les collections de l'Archaeological Museum de Sanchi.

Bibliographie :
R.D. Banerji, « The Temple of Shiva at Bhumara », *Memoir of the Archaeological Survey of India,* n° 16, Calcutta, 1924, pl. XII (b).

257
Ekamukha Shivalinga

Grès rose.
Ve siècle après J.C. ; d'Uchahara, Uttar Pradesh.
94 × 25 × 23 cm.
National Museum, Delhi ; n° 76.223.

Parmi les plus connus des *Ekamukha Shivalingas,* – ces emblèmes aniconiques de Shiva, portant sur un côté sa tête sculptée – cette œuvre remarquable, trouvée dans la région d'Uchahara, est l'expression du concept indien tendant à rendre manifeste ce qui ne l'est pas. Ici, le visage de Shiva, rayonnant d'une douce paix intérieure, apaise et rassure le dévot. Les éléments décoratifs, le collier, les boucles d'oreilles, les cheveux relevés qui retombent sur les côtés de la tête, n'arrivent pas à nous distraire d'un sentiment tout intérieur, un sentiment encore exacerbé par les yeux profonds et la lèvre inférieure légèrement gonflée. Le croissant de lune, bien en vue dans la chevelure de Shiva, représentait peut-être très clairement, pour le sculpteur, le symbole de « l'esprit cosmique du Créateur », comme le dit le *Rigveda* ; à moins, comme l'exprime V.S. Agrawala, que ce ne soit qu'une « fluctuation normale de la lumière et de l'obscurité, se manifestant par l'éclat de la création et par le caractère invisible de son retrait ».
Ce *linga,* qui est d'une inspiration très proche de celle de l'autre grande pièce Gupta provenant de Khoh (actuellement au musée d'Allahabad), possède certaines des grandes qualités que l'on prête à l'art classique Gupta : un sens délicat de la retenue, un équilibre soigneusement élaboré entre la puissance expressive et l'abstraction idéalisée.

Bibliographie :
V.S. Agrawala, « A Survey of Gupta Art and Some Sculptures from Nachna Kuthara and Khoh », *Lalit Kala,* n° 9, p. 16-26 ; *Ancient Sculptures of India,* Tokyo, 1984, n° 47.

258
Tête de bouddha

Grès de Chunar.
Ve siècle après J.-C. ; Sarnath, Uttar Pradesh.
27 x 20 x 16 cm.
National Museum, New Delhi ; n° 47.20.

Peut-être la plus célèbre des têtes de Bouddha ayant subsisté en Inde, cette œuvre proche de la perfection pourrait, ainsi qu'un petit nombre d'autres du même ordre, se rattacher aux descriptions de l'instant où le Bouddha atteint la lumière, la *sambodhi*, comme on appelle cet éveil. De nombreuses années plus tard, parlant au plus cher de ses disciples, le Bouddha lui-même le rappelait : « Mon esprit a été libéré » – disait-il de cet instant précis – « l'ignorance avait disparu, la connaissance était acquise, l'obscurité était dissipée, la lumière avait jailli. »
C'est cet état de conscience intérieure qui s'impose dès que l'on regarde une image de cette qualité. Tout naturellement, nous voyons dans cette tête tous les signes distinctifs du Bouddha, à l'exception de l'*urna*, la petite touffe de poils sur le front, entre les sourcils : les oreilles allongées, les boucles de cheveux s'enroulant vers la droite, en direction du soleil ; la protubérance crânienne, l'*ushnisha*, recouverte par ces mêmes cheveux. Pourtant, ce n'est pas l'iconographie qui donne de l'importance à une image comme celle-ci, c'est la lumière qui brille en elle.
Avec un remarquable métier et une grande délicatesse de sentiment, le sculpteur a façonné ces yeux qui se courbent, transmettant ce sentiment de douceur et de compassion ; les sourcils ne sont qu'ébauchés, tant est doux le modelé dans cette région ; les lèvres marquées, précises, traduisent le calme bienveillant que l'on associe presque naturellement au Bouddha. On pourrait peut-être dire que le visage est presque trop doux, qu'il ne possède pas la robuste confiance des œuvres de Mathura ; s'en rendant compte, sans doute, le sculpteur s'arrête juste au moment de lui donner trop de douceur. Le sourire est conscient, et si l'allure est douce, elle n'est nullement efféminée.
Cette tête a dû appartenir à l'origine à l'une des statues du Bouddha, debout ou assis, dont il existe quelques exemples à l'Archaeological Museum de Sarnath et à l'Indian Museum de Calcutta. Ce groupe tout entier vient manifestement de Sarnath, lieu saint proche de Bénarès, dans l'Uttar Pradesh, et il est normal qu'il en soit ainsi car c'est là que le Bouddha s'adressa à ses premiers disciples, de sa voix « profonde comme le grondement des nuées », et qu'il mit en mouvement la roue de la Loi.

Bibliographie :
Stella Kramrisch, *The Art of India,* Londres, 1955, fig. 50 ; M. Hallade, *Inde,* Fribourg, 1968, fig. 143 ; *Ancient Sculpture of India,* Tokyo, 1984, n° 42 ; Pramod Chandra, *The Sculpture of India,* Washington, 1985, n° 29.

259
Shiva, maître de la connaissance

Bronze.
XIe siècle après J.-C. ; Tamil Nadu.
Haut. 10 cm.
Collection de M. D. Natesan, Bangalore.

Shiva n'est pas seulement le seigneur de la danse ; c'est aussi le plus grand des maîtres, le « gourou suprême ». Dispensateur des connaissances, celui qui « instruit » tous les êtres sensibles, qu'ils soient dieux, sages, *siddhas* ou simples mortels, il est représenté dans des images appelées Dakshinamurti. Quand il transmet la connaissance dans le domaine des arts, et surtout de la musique, le sculpteur le conçoit sous forme de Vinadhara Dakshinamurti ; à d'autres occasions, quand il dispense la connaissance *jnana,* on l'appelle Jhana Dakshinamurti. Alors, il est assis sur un siège élevé, souvent une jambe reposant sur le sol, devant lui, l'autre jambe, fléchie, ramenée pour reposer sur l'autre genou. La posture est droite, le visage serein et illuminé par la « connaissance parfaite » et une des mains fait le geste de transmettre le *jnana.* Sur ces représentations, on trouve souvent des voyants ou *rishis,* les cheveux emmêlés, représentés assis à ses pieds, comme s'ils se rassemblaient aux pieds du Maître pour recevoir son enseignement. Ils sont représentés dans des attitudes d'adoration ou d'admiration, car chaque mot qui sort de sa bouche contient l'essence de la sagesse éternelle, passée, présente et future.
Les images de Shiva Dakshinamurti sont de diverses tailles, depuis les très grandes, monumentales, jusqu'aux toutes petites, celles-ci presque certainement à cette échelle pour que les adorateurs puissent les emporter dans leurs déplacements.
Ce bronze minuscule nous montre le Seigneur assis sur un socle élevé. Il a quatre bras, mais un des bras gauches est aujourd'hui brisé. Le bras droit supérieur tient un serpent et le bras droit inférieur est en avant, dans le geste de dispenser la sagesse. La tête est couverte de cheveux emmêlés tombant en élégantes boucles recouvrant les épaules. Le modelé est souvent collant donnant l'impression d'une chair souple et jeune. Mais c'est le visage qui attire l'attention par son expression de calme total, imperturbable. Juste en dessous du siège, au pied de la petite « colline », se tiennent assis deux *rishis,* un de chaque côté. Le pied droit de Shiva repose sur la forme écrasée de l'Apasmara Purusha, « le démon de l'oubli ».

260
Vishnou sur les flots de l'éternité

Grès.
IXe-Xe siècle après J.-C. ; Badoli, Rajasthan.
103 × 194 cm.
Government Museum, Kota ; nº 18/1.

Vishnou, comme le suggère l'un des sens de son nom, est celui qui anime tout, celui « qui a empli l'espace et toutes les directions entre le ciel et la terre, le plus haut, le plus vénérable, l'omnipotent, la source de la création ». Vishnou est aussi associé aux eaux. Comme celles-ci sont « narah » et qu'elles sont sa résidence, première, il est lui, Narayana. Dans de grandioses descriptions, les auteurs des *Puranas* combinent, en Inde, ces deux aspects de Vishnou et évoquent la vision de Vishnou *Sheshashayi,* « reposant sur la couche faite par les anneaux du grand serpent cosmique, Shesha », qui repose sur les flots infinis de l'éternité. Dans cet état, Vishnou demeure pendant les longues et infinies périodes de temps qui séparent deux cycles de création. Rien n'existe en-dehors de lui ; toute la création s'est involutée et cela se traduit implicitement par sa grande forme étendue. Cet état demeure jusqu'à ce que le désir de créer renaisse en lui ; alors, il étend doucement la main dans les eaux, engendrant une vague et, par ce mouvement, de l'air ; alors, par l'action mutuelle de l'air et des eaux, commence un autre cycle de création. Pendant qu'il gît dans cet état, Lakshmi, elle-même née des eaux, immaculée et fidèle, s'assied à ses pieds, les prenant doucement dans ses mains et les lavant. Du nombril de Vishnou, profond comme la mer, surgit le *nabhi-kamala,* le lotus sur lequel est assis Brahma, avec ses quatre têtes et ses quatre bras, le créateur de l'univers, lui-même recevant la vie de Vishnou.
Des visions comme celle-ci ont inspiré, en Inde, quelques remarquables sculptures. Très simple au début, l'image est devenue, avec le temps, de plus en plus compliquée, alors même que des mythes de plus en plus nombreux se joignaient à l'image de Vishnou plongé dans son sommeil mystique sur les flots. Cette représentation d'une exceptionnelle beauté est aussi d'une rare richesse, car l'iconographie s'étant, à cette époque, considérablement développée, le sculpteur a cherché à y mettre le plus possible d'indications. Ainsi, à côté de la grande image de Vishnou et celle de Lakshmi à ses pieds, malheureusement aujourd'hui décapitée, nous voyons toute une série d'autres personnages ; la déesse Saraswati, à l'extrême gauche, les dix *avatars* et les huit gardiens des points cardinaux, sur une rangée au-dessus, de petits personnages joueurs dans le panneau du bas, et puis, peut-être, les représentations symboliques des *ayudhas* du dieu sur l'arrière. Le centre d'intérêt, naturellement Vishnou lui-même, et Lakshmi, est rendu avec beaucoup de sentiment dans les volumes, et le groupe a une belle patine. Curieusement, une couche se trouve placée sous les anneaux du serpent, ce qui écarte légèrement l'image des « eaux infinies ».

Bibliographie :
Catalogue of the Government Museum, Kota, Jaipur, 1960, nº 269 ; K.V. Soundararajan, « The typology of the Anantashayi Icon », *Artibus Asiae,* vol. XXVII, 1964-65, Rattan Parimoo et consorts, *Sculptures of Sesasayi Vishnu,* Baroda, 1983, fig. 27-28

261
Vishnou méditant

Grès.
XIe siècle après J.-C. ; Khajuraho, Madhya Pradesh.
Haut. 45 cm.
Archaeological Museum, Khajuraho ; nº 125.

A la question posée parfois dans les *Puranas,* à savoir pourquoi les dieux doivent-ils méditer, plusieurs réponses sont proposées : dans l'une, les dieux méditent parce que c'est par la méditation que se maintient l'ordre du monde. Si tout doit rester en place et si un certain équilibre doit prévaloir, il faut que leurs pouvoirs soient portés à un certain point de concentration, même pour les dieux les plus grands. On dit encore que les dieux méditent parce qu'ils doivent donner l'exemple, s'imposer leur propre discipline, affirmer le pouvoir de l'esprit sur la matière.
Quand Vishnou, le Sauveur, est figuré seul, on le représente généralement couché sur Shesha, le serpent cosmique, mais il est ici représenté assis, les jambes croisées, comme n'importe quel dévot, le corps droit et ferme, les yeux regardant le bout de son nez, comme un *yogi,* la respiration fortement retenue à l'intérieur du corps. Dans ce *yoga asana,* Vishnou porte également l'index de sa main avant gauche à sa lèvre inférieure, suggérant la plus grande concentration, ce qui le place ainsi dans la catégorie d'un *mauna-vratin,* « celui qui a fait vœu de silence ». Ses attributs sont aujourd'hui plus ou moins cassés, ne restant intacts que le disque tenu dans la main arrière gauche et un fragment de la massue, à droite, mais ces deux éléments suffisent à identifier Vishnou. D'autres indices confirment son identité : la longue guirlande bouclée qui, sur le devant, retombe sur ses jambes croisées, la haute couronne sur la tête, les associations aquatiques qui accompagnent le lotus qui lui sert de siège. Les personnages secondaires, autour de la divinité, sont cassés ou endommagés ; les *vidyadharas* volants avec des guirlandes de fleurs, les servantes de chaque côté, assises ou debout, le nimbe décoratif avec ses pétales ouverts et espacés, contenu dans un cercle à double bordure de perles. Tout le reste est subordonné et c'est la silhouette élégante, jeune et sereine de Vishnou qui retient l'attention.

Bibliographie :
J.N. Banerjea, *Development of Hindu Iconography,* Calcutta, 1959, pl. XXIV ; Krishna Dev et B.S. Nayal, *The Archaeological Museum, Khajuraho,* Delhi, 1980, pl. VI.

262
Avalokiteshvara

Bronze.
IXe siècle après J.C. ; de Kurkihar, Bihar.
71 × 33 × 17 cm.
Patna Museum, Patna ; nº ARCH 9788.

Un sentiment de grande majesté, de divinité bienveillante se dégage de cette représentation d'Avalokiteshvara, debout, avec quatre bras, c'est le Bodhisattva de la compassion infinie, celui qui est une manifestation du Buddha sur cette terre : destiné à devenir un Buddha mais travaillant au bien-être de tous, poussé par un sentiment de grande pitié et de compassion. Dans ses quatre mains, il tient les attributs, que nous reconnaissons facilement : le lotus avec une tige souple, qui est son véritable attribut ; un objet rectangulaire mince qui est un manuscrit sur feuille de palme ; un rosaire. La main droite inférieure, est laissée ouverte, devant le dévot, dans un geste de bénédiction. Le corps, pour la plus grande partie, est nu : les membres inférieurs sont couverts d'une fine *dhoti* drapée autour des reins, qui retombe en pans d'inégale longueur sur les cuisses, par devant ; un pan tombe entre les jambes, avec des motifs onduleux familiers qui représentent un textile léger. Le buste est nu, lui aussi, à l'exception d'une peau de cerf en travers, peau qui est nouée contre la poitrine. Une profusion de joyaux, des ceintures, des colliers, des bracelets, des anneaux de bras et de cheville, rompt le sentiment de nudité ; l'élément peut-être le plus décoratif est la superbe disposition de la chevelure qui est haute, comme un *mukuta*, entourant au milieu une image du Buddha, tombant en boucles élégantes sur la nuque et sur les épaules, comme d'inoffensifs serpents.
Avalokiteshvara ne se tient pas ici dans la posture raide du *samapada*, la rigidité du corps étant adoucie par une légère flexion, le poids du corps inégalement réparti sur les deux jambes. Cela s'accorde parfaitement à l'aspect bienveillant du visage d'Avalokiteshvara, qui est l'incarnation même de la paix et de la compassion. Le socle sur lequel repose le personnage est constitué du double lotus, que l'on voit si souvent à cette époque. La pureté et le détachement suggérés par les lotus sont compensés par deux lions, tout en bas, qui indiquent la majesté du personnage, son état de souverain.
Cette sculpture a été découverte dans un trésor de 223 bronzes, avec d'autres images métalliques, dans la petite ville de Kurkihar, à côté de Gaya, où se trouvait un ancien monastère bouddhique. Ce trésor était composé d'objets d'une qualité inégale, mais sa découverte a fait sensation, à juste titre, en 1930, car nombre de représentations comportaient des inscriptions et certaines étaient de l'extraordinaire qualité de l'image exposée ici.

Bibliographie :
K.P. Jayaswal, « Metal Images of Kurkihar Monastery », *Journal of the Indian Society of Oriental Art*, 1934, vol. II ; *Annual Report of the Archaeological Survey of India*, 1930-34 ; S.A. Shere, *Catalogue of Buddhist Sculptures in Patna Museum*, Patna, 1957 ; P.L. Gupta, *Patna Museum Catalogue of Antiquities*, Patna, 1964 ; Pramod Chandra, *The Sculpture of India*, Washington, 1985, nº 59 et seq.

263
Le mariage de Shiva et de Parvati : Kalyana Sundaramurti

Bronze.
IXe siècle après J.-C. ; Vadakalattur, district de Thanjavur, Tamil Nadu.
Haut. Shiva, 90,5 cm, Parvati, 74,5 cm.
Temple de Chidambareshwar, Vadakalattur.

Le mariage du Seigneur de tous les êtres avec la « mère de l'univers » n'est pas un événement ordinaire. D'innombrables chants célèbrent cet épisode de la vie de Shiva, on les chante encore et, quand la fiancée va vers le pavillon du mariage, ses amis et ses parents voient toujours en elle Parvati dans son grand bonheur. Pour Parvati, le mariage est venu après de longues années de pénitence et de renoncement, où elle aspirait à devenir la femme de Shiva, car Shiva avait abandonné toute idée d'amour et parcourait le monde comme un *yogi*. Quand, finalement, il s'y résoud, il y a eu grande liesse dans tout l'univers et les plus grands des dieux assistèrent au mariage ; Brahma tient le rôle du prêtre et allume le feu sacrificiel, Vishnou est là pour conduire la fiancée, tandis que d'innombrables dieux et quantité de sages et de musiciens célestes se pressent pour assister à l'événement ; la sculpture monumentale le décrit avec des détails beaux et complexes mais, dans les œuvres plus petites, le « reste du monde » disparaît de la scène et c'est l'intimité de l'instant où Shiva prend dans sa main celle de Parvati qui prend vie.
Cette magnifique image, dégageant un charme serein, tendre et contenu en même temps, présente ce moment d'enchantement comme aucune autre image de ce genre ne le fait. La majesté de Shiva et la timidité de Parvati, l'assurance dont il fait preuve et le refus qu'elle exprime de croire à sa bonne fortune, la souple virilité de Shiva et la gracieuse féminité de Parvati, tout donne à cette représentation une atmosphère céleste. En accord avec la belle tradition de fonte de métal dans le Sud, les détails des coiffures, des joyaux et des costumes sont précis et très nets ; les formes sont rendues avec une extrême assurance ; les ornements traités avec la plus grande délicatesse. Le léger évasement des vêtements courts, la torsion des anneaux d'un serpent, la finesse des doigts, le caractère élaboré des coiffures, tout est rendu avec un amour et une patience infinis. Ce qui rehausse cette image, la classe tout à fait à part, c'est l'indicible tendresse, le calme qui en émane, jaillit vers le passant, comme un feu prodigant une douce lueur. Le créateur de cette image doit avoir *senti* la présence du couple divin, et semble presque avoir été touché par sa grâce.

Bibliographie :
R. Nagaswamy, *Masterpieces of Early South Indian Bronzes*, Delhi, 1983, nº 1 ; Pramod Chandra, *The Sculpture of India*, Washington, 1985, nº 92.

264
Dévote

Grès.
XIe siècle après J.C. ; de Khajuraho, Madhya Pradesh.
66 × 56 cm.
Allahabad Museum, Allahabad ; nº 261.

Cette femme aux bijoux exquis, dont le bas du buste manque, où les bras son cassés et sont fortement endommagés en plusieurs endroits, doit avoir eu, autrefois, la posture d'une humble dévote. Elle a les mains jointes, en *anjali mudra*, sur la poitrine, elle tient des fleurs qui sont une offrande ou un hommage ; son visage est empli d'un grand calme, d'une forte concentration ; elle regarde le bout de son nez ; elle est là, comme une lampe qui ne vacille pas. On ne peut que s'émerveiller des superbes bijoux qu'elle porte : les lourds anneaux de bras, sculptés, les colliers de perles à plusieurs rangs qui tombent sur ses seins nus, en épousent les contours, le torque finement ciselé autour du cou, les rangs de perles qui tombent sur ses épaules, les *kundalas* compliqués qu'elle porte aux oreilles, tout cela n'est qu'une partie de ses ornements. Il faut encore citer d'autres éléments aussi décoratifs et novateurs, comme son gros chignon, maintenu par des rangs de perles, portant contre un halo de pétales de lotus finement ciselés ; comme, au-dessus de la tête, les petits anneaux de cheveux qui apparaissent dans une sorte de bol de lotus qui, comme l'a suggéré Pramod Chandra, pourraient avoir supporté cinq *lingas*. Il y voit donc le buste de Parvati. Qu'il ne s'agisse pas d'une mortelle ordinaire, c'est démontré par les couples de *vidyadharas* portant des guirlandes gravées de chaque côté de la tête, vers le haut.
Tous les ornements, tous ces détails ne font cependant pas oublier la sérénité de l'image. Travaillant, comme il l'a fait, en utilisant le style mis au point par les Chandellas à Khajuraho et dans les centres associés, le sculpteur n'était pas inconscient des possibilités érotiques du corps féminin, mais il est quand même parvenu à soumettre le physique de cette femme à sa beauté intérieure.

Bibliographie :
Pramod Chandra, *Stone Sculpture in the Allahabad Museum*, Varanasi, 1970, nº 425, pl. CXLI.

265
Shiva Vrishavahana et Parvati

Bronze.
1011-12 après J.C. ; de Tiruvenkadu, Tamil Nadu.
Shiva, 108 cm ; Parvati, 92 cm.
Thanjavur Art Gallery, Thanjavur ; n° 86/87.

En dépit de son association avec l'annihilation cosmique, Shiva reste essentiellement plein de grâce et de bienveillance, tenant pour ses dévots la promesse de leur « faire traverser les eaux de la création », de briser les chaînes de l'existence. Sous sa forme bienveillante, ses représentations lui donnent différentes attitudes, y compris celle que nous lui voyons dans cette œuvre extraordinaire. Le bras droit est plié au coude, comme s'il était posé sur la tête de Nandin, le noble taureau qui lui sert de monture. Le bras gauche est légèrement fléchi, il est doucement posé sur sa cuisse, les doigts ayant une grande élégance. Il se tient dans une pose confortable, détendue, la jambe droite croisée sur la gauche, par devant, le pied est vertical, il touche légèrement le sol, ce qui suggère un de ces rares moments où il n'est pas occupé, il ne danse pas, il ne médite pas, il ne dispense pas la connaissance, il ne détruit pas les démons du mal et de l'ignorance. Il se tient là, tout simplement, comme n'importe qui, profitant d'un moment de loisir. Et c'est aussi ce que fait sa divine compagne, Parvati, pleine de grâce, comme toujours.

L'attention se porte sur de petits détails, conçus d'une manière poétique, exécutés avec un art consommé : les vêtements courts, les joyaux finement gravés qui ornent les corps, l'élégance des mains. L'artiste s'est attardé sur la coiffure de Shiva faite, à la fois, de cheveux, de serpents et d'eau courante ; la superbe ceinture avec une tête animale qui suggère une puissance effrayante mais le fait avec tant de légèreté qu'elle ne terrifie pas. Pour le visiteur et pour le dévot, rien ne peut supprimer cet effet merveilleusement apaisant de Shiva et de sa compagne.

Ces images proviennent d'un village ayant une longue tradition de sculpture qui semble trouver sa source dans une famille extraordinairement douée de *sthapatis*, de maîtres-artisans. La date donnée pour cette sculpture n'apparaît pas sur la pièce elle-même mais vient d'une inscription dans un temple local qui a enregistré l'installation et la dédicace d'une image de « Uma Parameshwara », certainement ce Shiva Vrishavahana, « celui qui pour monture a le taureau », et sa compagne, Uma ou Parvati.

Bibliographie :
T.N. Ramachandran, « Bronze images from Tiruvenkadu, Svetaranya », *Lalit Kala,* n° 3-4 ; C. Sivaramamurti, *South Indian Bronze,* Delhi, fig. 48 ; *In the Image of Man,* Londres, 1982, n° 440 ; R. Nagaswamy, *Masterpieces of Early South Indian Bronzes,* Delhi, 1983, n° 2 ; Pramod Chandra, *The Sculpture of India,* Washington, 1985, n° 95.

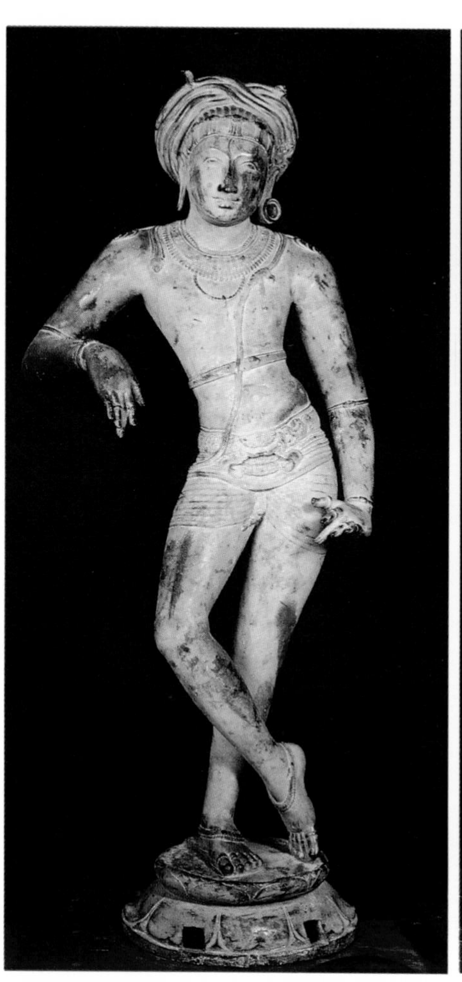

266
Sages conversant ; d'une série du *Devi-Mahatmya*

Gouache sur papier.
École Pahari, daté A.D. 1781.
Au verso, des vers en sanskrit.
16,5 × 24,1 cm.
Chandigarh Museum, Chandigarh ; nº E-144.

Les exploits de la Grande Déesse sont contés en détail dans le *Markandeya Purana* (cf. nº 277 à 286) ; ils sont précédés (et entrecoupés) de passages d'un calme affecté. Selon une longue tradition, une histoire est narrée dans un « encadrement », si bien que c'est une personne qui la raconte à une autre qui, lors de ce dialogue, pose une question dont la réponse constitue un autre épisode, qu'écoute ou que récite l'un ou l'autre des deux personnages, et ainsi de suite. C'est ce qui se passe, par exemple, dans le *Bhagavata Purana* quand les commentateurs ou les auditeurs des différents épisodes changent, sans que le cadre originel soit complètement perdu de vue.

Ici, sur une feuille ancienne d'une série du *Devi-Mahatmya* provenant du *Markandeya Purana,* le peintre, qui pourrait avoir appartenu à un atelier de Guler, représente un sage enseignant un autre dévot, plus jeune, qui se dispose à rechercher et à accueillir la connaissance d'un aîné plus sage que lui-même. Le sage à la barbe grise est tout simplement Markandeya assis, comme le lui permet son rang, sur une peau de daim, tenant et portant plusieurs rosaires, le corps émacié par l'âge, mais se tenant droit ; il élève une main, d'un geste décidé, comme pour faire une démonstration. Le dévot à la barbe noire, assis devant lui, est peut-être Kraushtiki, son disciple ; il tient les mains dans une posture d'obéissance, d'accueil, pourrait-on dire. Le décor est constitué par un coin de calme dans la forêt, au bord d'une pièce d'eau avec des lotus ; les arbres croissent avec une luxuriante profusion et rien ne semble devoir distraire les deux sages. Le peintre veut transmettre deux impressions principales : l'atmosphère pacifique de cet endroit, et l'expression pleine de sagesse de Markandeya qui, après tout, est lui-même un *rishi,* un prophète qui sait percer le mystère des choses.

En commençant par une feuille d'une telle quiétude, il semble que le peintre ait voulu se préparer et nous préparer aux actions tumultueuses que l'on trouvera dans la suite du texte, où la Devi engage une lutte prolongée, féroce, contre les démons.

Vingt-deux peintures de cette série se trouvent dans le musée de Chandigarh et 34 sont au musée de Lahore. La dernière peinture comporte un colophon avec la date V.S. 1838 (c'est-à-dire 1781 après J.C.).

Bibliographie :
V.S. Agrawala, *The Glorification of the Great Goddess,* Varanasi, 1961 ; W.G. Archer, *Indian Paintings from the Punjab Hills,* Londres, 1973, au chapitre « Guler », nº 17 (i) (r) ; F.S. Aijazuddin, *Pahari Paintings and Sikh Portraits in the Lahore Museum,* Londres, 1977, au chapitre « Guler », Nº 41 (i) à 41 (xxxiv).

267
La gloire de Vishnou

Gouache sur papier.
École Pahari, premier quart du XIXe siècle.
22 × 17 cm.
Bharat Kala Bhavan, Bénarès ; n° 422.

D'innombrables peintures illustrent l'aspect *shanta* de Vishnou, le Sauveur, mais un peintre choisit souvent sa forme *Sheshashayi,* le représentant étendu sur le grand Serpent Cosmique flottant sur les eaux de l'éternité. Dans ce décor, on trouve quelques accessoires naturels : Brahma apparaît sur le lotus qui sort du nombril de Vishnou ; Lakshmi, sa compagne, est assise à ses pieds et les masse pendant que la scène est dominée par les spirales et les innombrables capuchons de Shesha. Ici, le peintre a cependant pris un autre point de départ. Nul problème, c'est bien la gloire de Vishnou qui est le sujet de cette œuvre où nous le voyons assis, les jambes croisées, seul, sur un grand lotus déployé d'une blancheur sans tache. Les attributs sont tous exacts : Vishnou a quatre bras, il a le teint bleu ; dans les mains, il porte la conque, le disque, la massue et une fleur de lotus, ses attributs bien connus ; sa *dhoti* est jaune, sa couleur favorite ; il a une longue guirlande autour du cou. L'intérêt visuel commence à s'éveiller réellement juste autour de la silhouette, car un nimbe ovale, en réalité une auréole de rais d'or, encadre Vishnou. Cette forme ovale se répète encore dans un cadre extérieur placé au milieu d'une feuille rectangulaire avec, dans les quatre coins, des motifs floraux. Tout le fond de l'ovale est d'un or brillant qui reluit et chatoie quand on déplace, ne serait-ce que légèrement, la peinture.

Avec une discrétion qui lui est propre, le peintre fait ici plusieurs suggestions. Le lotus blanc, complètement épanoui, attire l'attention sur l'aspect Narayana de Vishnou et établit ses rapports avec les eaux primitives ; la forme ovale a presque certainement été choisie parce que c'est la forme de l'Hiranyagarbha, la matrice d'or, qui est aussi l'Œuf Cosmique ; l'or est, en lui-même, l'emblème de la richesse qui perce sous l'idée de Vishnou. Il est évident que le peintre n'a pas cherché seulement à faire une jolie image : il y a mis beaucoup d'idées. Ce que le peintre cherche à saisir, c'est l'essence paisible de Vishnou, le Principe Premier de la vie, le moteur de tout ce qui est, le centre tranquille de l'univers.

Bibliographie :
Bharat Kala Bhavan Ka Suchipatra, Varanasi, 1945, n° 55.

268
Méditation sur Vishnou et sur Shri ; de la même série du *Gita Govinda* que le nº 30

Gouache sur papier.
École Pahari, 1730 après J.C. ; par Manaku de Guler.
Au verso, vers en sanskrit.
20 × 30,7 cm.
Sri Chitra Art Gallery, Trivandrum ; nº 224.

Généralement, dans le *Gita Govinda,* Jayadeva chante Vishnou-Krishna qui « repose dans l'étreinte de Shri, sur la douce pente de ses seins », « dont la poitrine enduite de safran est tachée des marques rouges de la passion et de la sueur d'amours tumultueuses ». Mais, ici, au commencement de ce grand poème, nous avons une atmosphère différente ; ici, c'est l'invocation chantée de Jayadeva, sa prière pour s'attirer des faveurs ; il chante Hari (Vishnou-Krishna) « qui préserve la vie dans les trois royaumes », « qui, de ses longs yeux omniscients en pétales de lotus surveille tous ceux qu'il libèrera des liens de l'existence ». Ainsi, dans ces vers, même si Shri se trouve à ses côtés, Krishna n'est pas l'amant passionné qu'il est dans le reste du poème. Ici, c'est le Seigneur du Monde :

« L'éclat du soleil t'entoure
Quand tu brises les liens de l'existence –
Cygne sauvage de l'Himalaya sur des lacs, dans l'esprit des saints hommes,
Triomphe, Dieu de Triomphe, Hari ! »

(I.18)

La référence au « cygne sauvage de l'Himalaya », – *hamsa* –, peut être difficile à comprendre au premier abord, mais tous ceux qui savent que les cœurs des saints hommes sont comme de vastes lacs de connaissance pure comprendront la métaphore du *hamsa* : c'est le symbole de la pureté et du discernement. Comme le dit le poète, ainsi est Vishnou, tranquille et entière promesse de rédemption, quand il est assis avec sa belle compagne sur le lotus qui signifie sa nature immaculée. Mais le peintre ne le représente pas dans son sommeil sur l'océan de lait ; ce qu'il nous montre ici, c'est le rivage de sa Yamuna bien aimée où lui, en tant que Krishna, procèdera « au prodigieux mystère de son jeu sexuel », dans les vers, – et les feuilles peintes –, qui suivent.

Bibliographie :
Voir le nº 30.

269

Le poète Jayadeva s'incline devant Vishnou ; de la même série du *Gita Govinda* que le n° 30

Gouache sur papier.
Pahari, 1730 après J.C. ; par Manaku de Guler.
Au verso, vers en sanskrit.
20 × 30,8 cm.
Chandigarh Museum, Chandigarh ; n° I-28.

Dans le *Gita Govinda,* la célébration de l'amour de Radha et de Krishna, avec toute sa franche passion, est précédée par l'hommage éloquent, complexe, que Jayadeva rend à la vraie nature de Krishna, qui n'est autre que Vishnou, l'Homme Cosmique Premier. Il célèbre les dix incarnations de Vishnou, par des vers d'une merveilleuse concision qui saisissent l'essence même de chacune de ses « descentes » sur terre : c'est une *stuti,* ou un chant de louange qui, à ce propos, est aussi l'une des premières indications du nombre et de l'ordre des dix incarnations, nombre et ordre qui ont ensuite été acceptés sans problème. « Dans les mers en furie pendant les éternités où le chaos s'écroule », Vishnou prend la forme du Poisson ; quand la terre a besoin de lui et « s'accroche à la pointe de ses défenses », il est le Sanglier, et ainsi de suite. Après avoir chanté ces dix incarnations, Jayadeva les réunit toutes dans une unique strophe, qui résume les actes de Vishnou :

« Pour défendre les Vedas,
Pour soutenir la terre,
Pour élever le monde,
Pour déchirer le démon,
Pour tromper Bali,
Pour détruire les Guerriers,
Pour manier la charrue,
Pour répandre la compassion,
Pour mettre en déroute les barbares,
Hommage à Toi, Krishna,
Sous tes dix incarnations !

(I.16)

Chacune de ces dix incarnations a été, pour Manaku, le sujet d'une peinture distincte. Mais ici, comme le poète, il les réunit toutes. Il a cependant résolu, en peinture, ce problème de réunir ces multiples représentations d'une manière assez ingénieuse, en montrant Vishnou sous sa forme habituelle, avec quatre bras, le mettant bien au centre tout en esquissant, dans des dessins très fins, la suite des dix *avatars* sur le mur du fond de la chambre, à l'arrière plan. Nous les voyons dans l'ordre : le Poisson, la Tortue, le Sanglier, Narasimha, le Nain, Parasurama, Rama, Balarama, Buddha et Kalki.
Vivante représentation de la dévotion, le corps nu, la tête penchée, les jambes croisées et les mains jointes, Jayadeva se trouve à gauche, avec les attributs du culte placés devant le siège en forme de lotus de Vishnou, assis là, bénissant le poète qui écrit « cette invocation parfaite » qui, joyeusement, « évoque l'essence de l'existence ».

Bibliographie :
Voir le n° 30.

270
L'héritage du sage Medha ; de la même série du *Devi Mahatamya* que le nº 266

Gouache sur papier.
École Pahari, avec la date : A.D. 1781.
Au verso, texte descriptif en sanskrit.
16,5 × 24,1 cm.
Chandigarh Museum, Chandigarh ; nº E-147.

Comme le dit Markandeya, les grands exploits de la Déesse sont contés avec de brillants détails ; c'est le sage Medha qui s'adresse au roi Suratha et à son compagnon Samadhi, le Vaishya ou marchand. Le roi et le marchand ont tous deux eu des malheurs. Ayant perdu son royaume et sa famille, le roi, inconsolable, erre dans la forêt quand, par hasard, il tombe sur l'*ashrama,* l'ermitage, du grand *rishi* Medha. Il y avait une telle paix autour de l'*ashrama* que les animaux féroces y vivaient paisiblement, ayant abandonné leurs instincts combattifs, et que les disciples du *rishi* se livraient, avec une dévotion entière, à l'enseignement qu'ils étaient venu chercher auprès de leur *guru.* Le roi a été attiré par la paix ambiante, aussi s'approche-t-il du *rishi,* espérant trouver une consolation rien qu'en étant avec lui. Ainsi fait aussi le marchand Samadhi, un peu plus tard. C'est à ces deux hommes réunis que le *rishi* raconte l'histoire de la Devi, « qui, quand on l'écoute seulement, rachète les péchés et emplit le cœur des dévots de courage et de fermeté ».

Le peintre s'est surtout intéressé à l'atmosphère de l'*ashrama ;* il entre littéralement dans les nombreux détails dont parle le texte, comme les léopards qui sont couchés en rond, tels des chats inoffensifs, ou comme les cerfs qui se promènent sans crainte ; comme le feuillage dense mais sans hostilité ; comme le disciple passionné qui tient un livre à la main. C'est à ce groupe qu'appartiennent maintenant aussi le roi et le marchand. On trouve encore des buissons fleuris et des plantes grimpantes s'enroulant autour des arbres ; ils n'ont pas été ajoutés par inadvertance, pas plus que les oiseaux familiers qui s'ébattent au bord de l'eau.

Bibliographie :
Voir le nº 266.

271
La déesse en Bhuvaneshwari

Gouache sur papier.
École moghole, premier quart du XVIIe siècle.
Chandigarh Museum, Chandigarh ; nº K-6.

Un *dhyana,* formule d'invocation, qui décrit et invoque la déesse sous son aspect aimable de Bhuvaneshwari, est ainsi formulé :

« Je célèbre la bonne dame Bhuvaneshwari, comme le soleil levé, aimable, victorieuse, elle détruit les défauts par la prière ; ella a une couronne brillante sur la tête, trois yeux, des boucles d'oreille qui se balancent, ornées de pierres diverses, comme une femme-lotus (*Padmini*), d'une abondante richesse, les mains en *varada* et en *abhaya mudra*. »

Dans l'adoration de la déesse, nous trouvons un esprit très différent : la déesse guerrière et la dévoratrice du Temps devient cette dame aimable et gracieuse assise sur son trône de lotus, à l'extérieur de sa résidence sertie de joyaux. Elle est servie par une jeune fille qui agite un *chauri*, un chasse-mouche en queue de yak, au-dessus de sa tête pendant que son tigre favori, la monture de la déesse est ici complètement transformé, doté d'ailes et partageant l'allure des nombreux autres animaux gracieux qui se tiennent à ses côtés.
Les trois yeux de la déesse sont bien mis en valeur, ce qui la relie à Shiva ; elle est représentée, non pas avec quatre bras mais avec huit, portant des emblèmes qui dénotent aussi un rapport avec Vishnou, le lotus, la conque qui ressemble à un escargot, et le disque, sans parler du trident et de la hache, qui sont shivaïtes.
Nous avons ici plus de détails que dans la peinture jumelle provenant de cette série (nº 209), des détails comme des visages humains normaux, l'architecture, les rideaux, etc. où l'on voit plus nettement une forte influence moghole. Il y a de nombreuses caractéristiques inhabituelles, comme le traitement du lotus, celui de la conque et celui du « tigre », qui montre que ces éléments sont fort mal connus, ce qui serait assez difficile à expliquer si cette œuvre avait eu un contexte hindou évident.
Il est très improbable que cette œuvre ait été exécutée pour la cour des Moghols, mais on peut imaginer comme nous l'avons déjà dit, un artiste moghol travaillant pour un mécène hindou, qui aurait commandé ce groupe rare de peintures. Six peintures de cette série de Devi étaient au musée de Lahore ; trois d'entre elles se trouvent maintenant au musée de Chandigarh.

Bibliographie :
Voir le nº 209.

272
La déesse tenant un plat doré

Gouache sur papier.
École Pahari, troisième quart du XVIIe siècle.
Au verso, quatre vers en sanskrit.
Sri Pratap Singh Museum, Srinagar ; n° 1970 (u).

Appartenant à la série « Devi » tantrique associée à Basohli, cette peinture représente la Déesse sous un de ses aspects les plus doux, les plus bienveillants. Les illustrations les plus connues de cette série nous montrent les formes « *tamasiques* » de la déesse, comme Bhima, Bhadrakali, Shyama et ainsi de suite, mais il est évident, d'après cette œuvre et d'après une autre de cette même collection, que la série doit avoir été complète avec, aussi, les formes *saumya : rajasique* sinon *sattvique*. Cette Devi est resplendissante avec sa jupe verte et son sari blanc, aux motifs floraux dorés ; elle est vêtue d'un court corsage jaune, elle a de lourds bijoux et se tient sur un fond rouge-orange brillant qui fait ressortir un nimbe d'or brillant derrière sa tête. Elle tend la main droite au niveau de la poitrine et tient bien en vue un flacon doré, promettant peut-être l'élixir de vie à ses dévots. La couronne est très proéminente, elle est surmontée de boutons de lotus, aux trois endroits que l'on voit ; il faut encore remarquer les élytres de scarabée vert-bleu qui remplacent de vraies émeraudes serties dans sa couronne d'or. Il est clair que la Devi est tantrique, d'après son teint sombre ressemblant à du collyre, – même Mahalakshmi, dans le culte tantrique, possède ce teint, qui est autrement rayonnant, – mais on ne voit aucune autre association... – serpents, crocs, têtes et bras coupés, etc. – apparaître sur cette œuvre d'aspect tranquille, d'une palette éblouissante.

Bibliographie :
W.G. Archer, *Indian Paintings from the Punjab Hills*, Londres, 1973, au chapitre « Basohli ».

273

Les dieux et les sages prient Vishnou de s'incarner ; de la même série du *Bhagavata Purana* que le nº 54

Gouache sur papier.
École Pahari, troisième quart du XVIIIe siècle ; de l'atelier familial de Seu-Nainsukh.
Au verso, long texte descriptif en sanskrit.
22,5 × 30,5 cm.
National Museum, Delhi ; nº 58.18/1.

Dans les cycles des temps, une fois encore fut atteint un point où il y avait trop de mal sur terre. Cette fois, c'était Kamsa, le roi de Mathura, qui était un oppresseur, et même la déesse Terre, patiente comme toujours, ne pouvait plus supporter tant d'indignité et de souffrances. Désespérée, sous la forme d'une vache, elle alla trouver les dieux qui, impuissants contre Kamsa, décidèrent de se rendre au bord du *Kshirasagara,* l'océan de lait, pour prier Vishnou, le Serein, de venir à leur secours. Alors, pour tenir la promesse faite à l'humanité de descendre sur terre chaque fois qu'il faudrait rétablir l'équilibre entre le bien et le mal, Vishnou leur donna la garantie qu'ils demandaient. Vishnou allait encore s'incarner, cette fois dans Krishna, neveu de ce roi même qu'il détruirait.

Cette feuille, provenant de la série du *Bhagavata Purana* renommée à juste titre, a été peinte par un membre de la famille Seu-Nainsukh ; on y voit, bien distinctes, les zones d'agitation et de sérénité. Les dieux qui se sont assemblés ont des expressions d'anticipation ; il y a Brahma, avec ses quatre têtes, Shiva l'ascète, Indra aux mille yeux, et même Vishnou dans une autre émanation ; c'est encore plus frappant sur le visage des *rishis* et des brahmanes. Le regard suppliant, presque humain, de la Terre-Vache traduit la situation dans son essence. En contraste, nous avons l'aspect tranquille, calme, de Vishnou qui repose dans l'Océan de Lait, sur sa couche faite du serpent Shesha : il a le teint bleu, quatre bras, il porte son vêtement jaune favori, et la fidèle Lakshmi est assise à ses pieds, les massant. D'une voix « profonde comme l'océan », Vishnou, l'Imperturbable, parle aux dieux pour répondre à leurs prières. La présence même de Vishnou est un apaisement et établit, pourrait-on dire, le repos. Toutes les délibérations cessent, les dieux et les sages, parfaitement rassurés, retournent chez eux pour attendre la « descente » de Vishnou.

Bibliographie :
Voir le nº 54.

274

Adoration d'un Jina ; d'un manuscrit du *Kalpasutra*

Gouache sur papier.
Inde occidentale, 1439 après J.-C. ; Mandu, Madhya Pradesh.
10 × 7,4 cm.
National Museum, Delhi ; nº 49.175, feuille 28 (recto).

L'adoration d'un Jina, un conquérant, « Celui qui fait traverser le gué » de l'existence humaine, est un thème fréquent dans les manuscrits illustrés du *Kalpasutra* ; ici, nous voyons la lustration de Mahavira, le dernier des Tirthankaras, sur le mont Meru. Indra est assis sur la montagne, les jambes croisées, portant une couronne et une *dhoti* à fleurs blanches avec un foulard bleu lui couvrant les épaules et Mahavira est dans son giron ; de l'autre côté, on voit un autre personnage divin portant des récipients d'où coule de l'eau sur le Saint ; dans le ciel, des taureaux symbolisent les nuages de pluie, laissant couler de leurs cornes des torrents d'eau sur la silhouette sacrée du Jina. Si ce thème est répété plusieurs fois dans le manuscrit, c'est dans l'intention de mettre en évidence l'état

divin du Tirthankara, tout en racontant sa vie : la conception, le transfert de l'embryon, la naissance, l'enfance, la période de renoncement, l'illumination, et ainsi de suite. Ces images, fortement stylisées mais d'une conception très claire, permettent de définir l'essence du Tirthankara et sa nature de « conquérant universel ».
Cette feuille appartient au célèbre *Kalpasutra* daté, provenant de Mandu, qui tient une place prépondérante dans toutes les études sur la peinture Jaina ou de l'Inde de l'Ouest. Dans son genre, c'est un des manuscrits les plus somptueux, introduisant certaines innovations de style, mais aussi montrant des conventions établies comme l'œil saillant, les visages vus de trois quarts, les fonds de couleur unie, les gestes très affectés, un grand souci pour les textiles et un type de visage bien particulier. L'illustration occupe le milieu d'une page au format horizontal, comme c'est souvent le cas.

Bibliographie :
Karl Khandalavala et Moti Chandra, « A Consideration of an Illustrated MS from Mandapadurga (Mandu) dated 1439 A.D. », *Lalit Kala*, n° 6, feuille 3, figure 11 ; J.P. Losty, *The Art of the Book in India*, Londres, 1982, p. 28.

275
Raja en prière

Gouache sur papier.
École Pahari, deuxième quart du XIXe siècle.
Allahabad Museum, Allahabad ; n° 312.

Loin de la capitale de son royaume, dans un coin retiré, verdoyant, niché dans un coude du fleuve, un raja est assis sous un arbre, et prie. Il est assis sur un petit tapis ; la raja est vêtu d'une *dhoti* et a le haut du corps nu, à l'exception d'un voile qui passe, sans être serré, sur son épaule gauche ; dans la main droite, il tient un petit livre de prières ouvert, qu'il a sorti d'une pochette de soie posée sur le tapis, à côté de ses jambes croisées. Il a le corps droit et ferme et son regard n'est pas fixé sur le livre de prières ; il regarde droit devant lui, ce qui suggère qu'il réfléchit peut-être au sens d'une strophe qu'il vient de lire. Près de lui, sur l'herbe, se trouvent de petits objets et des accessoires de culte. L'adoration du raja a pour objet des pierres sacrées, *Shalagramas,* qui sont placées sur un petit trône doré, immédiatement devant le siège du raja. Une conque, des fruits, des guirlandes de fleurs et des objets de culte en métal sont dispersés tout autour ; bien en vue, se trouvent les soques de bois que le raja a enlevées avant de s'asseoir pour prier.
Tout est remarquablement paisible, le peintre a fait un effort particulier pour faire ressortir le caractère d'isolement et de calme du coin choisi par le raja, loin de l'agitation de la capitale. On dirait que le raja veut rester ferme, comme doit l'être un roi idéal. Tout naturellement, le peintre insiste sur ce qu'il a à dire, prenant toutes sortes de libertés avec les apparences, manipulant, condensant ou agrandissant les espaces en fonction des exigences qu'il a en tête.
Il est difficile d'identifier le raja, mais il se peut que ce soit Gulab Singh de Jammu, le fondateur de la dynastie Dogra, connu pour avoir été un grand dévot de Vishnou et un adorateur des *Shalagramas.* On voit une certaine ressemblance du visage entre le raja que nous voyons ici et certains de ses portraits, mais l'artiste n'a pas eu l'intention de faire un portrait d'après nature.

276
Adoration de Narasimha

Gouache sur papier.
École Pahari, premier quart du XIXe siècle ; d'un atelier de Kangra.
50 × 38,8 cm.
Collection de Mr. C.L. Bharany, Delhi ; n° 3217.

Dans un mode rare, le peintre Pahari nous représente l'aspect bénin, doux, de Narasimha, l'incarnation Homme-Lion de Vishnou. Ici, Narasimha ne souffle pas le feu ni la colère ; la mise à mort de Hiranyakashipu, le roi-démon (voir le n° 115) est aussi dépassée ; il s'identifie ici complètement à Vishnou, il est en effet assis, il a quatre bras, croise les jambes, et à Lakshmi sur les genoux ; il se trouve sur les anneaux du grand serpent aux mille têtes, Shesha, que nous voyons d'habitude sur les ondes de l'Océan de Lait, où demeure Vishnou dans les intervalles de temps séparant la dissolution et la création. Le serpent est placé, lui, sur un énorme lotus, lui-même posé sur un trône hexagonal, serti de pierres précieuses, dans un magnifique pavillon au toit arrondi. Autour de Narasimha et de Lakshmi, les plus grands des dieux rendent hommage : Brahma, le Créateur ; Vishnou et sa monture, l'aigle Garuda ; Shiva ; Surya et Chandra, que l'on reconnaît à leurs nimbes de couleur différente. Derrière le pavillon, on aperçoit une rangée stylisée, courbe, d'arbres et de buissons fleuris et, devant, deux hauts supports en or, peut-être des encensoirs. Pourtant, ce que l'on voit le plus, c'est le schéma mystique placé en avant, avec des motifs circulaires concentriques en feuilles de lotus et les deux triangles qui se coupent, établissant le symbole de *Shri* au cœur du schéma. Il s'agit clairement d'un *yantra* et nous voyons sur cette peinture la forme tantrique de Narasimha.
C'est un travail délicat, certaines parties, comme les capuchons de Shesha, étant rendues avec plus d'imagination que d'autres même si, globablement, cette œuvre n'a pas la facilité de la production antérieure des ateliers de Guler et de Kangra. Il est très intéressant de voir comment une image effrayante peut parfois s'adoucir ; quand change l'intention, le style en fait autant.

277

Vision de la grande déesse ; d'une série du *Devi Mahatmya*

Gouache sur papier.
Troisième quart du XVIe siècle, de Jaisinghpur, Kangra, en pays Pahari.
11,4 × 26,5 cm.
Himachal Pradesh State Museum, Simla ; n° 77.191 (recto).

Les exploits de Devi, la Grande Déesse, l'incarnation même de la puissance dans la pensée indienne, sont commémorés dans de nombreux textes, mais jamais avec tant de passion ni tant d'éloquence que dans le *Devi Mahatmya* du *Markandeya Purana,* œuvre du IVe ou du Ve siècle. En sept cents vers, – d'où l'autre nom du texte, la *Durga Saptashati* –, on nous raconte comment elle rachète et libère ses dévots, comme elle le fit pour les dieux eux-mêmes quand ils avaient été terrorisés par les démons lors de leur combat incessant contre eux. Impuissants contre les *asuras,* désespérés, les dieux allèrent la voir et lui demandèrent de les défendre contre les forces du mal. « Aussi resplendissante et aussi belle que le Soleil », mais prenant également un aspect guerrier, elle avait accepté et reçu de chacun d'eux leurs armes et leurs parts d'énergie en vue d'attaquer les *asuras,* les démons. Jeune fille calme et timide, sous sa forme *shanta,* elle était devenue la grande déesse-guerrière, abattant des hordes de démons sur le champ de bataille, s'attaquant à leurs généraux, les uns après les autres : Chanda et Munda, Raktabija, Dhumralochana, Mahishasura, Shumba et Nishumbha, et ainsi de suite. Une fois en campagne, elle était comme possédée, imaginant de nouvelles manières de relever le défi des démons, d'abord en les tentant, puis en les abattant. C'est dans le cours de cette lutte de titans qu'elle fait sortir d'elle-même sa puissante émanation, Kali, la Noire et la Dévoratrice, qui lapait les gouttes de sang tombant du corps déchiré de Raktabija ; celui-ci était presque invincible car chaque goutte de sang devait, en atteignant le sol, devenir la semence d'un autre lui-même. Puis il y eut la lutte au cours de laquelle elle vainquit, puis détruisit Mahisha, le démon-buffle, exploit qui allait lui devoir l'appellation populaire de Mahisasura-mardini. Cette narration du *Markandeya Purana* est entrecoupée de passages, long, beaux et paisibles, à la gloire de la Déesse qui, en détruisant les démons, détruisait en réalité le mal, l'ignorance et les chaînes qui asservissent notre existence mortelle.

D'innombrables dévots connaissent, aujourd'hui encore, le texte du *Devi Mahatmya,* d'une telle intensité dramatique ; sans compter que raconter ses exploits, ou les réciter, serait un remède efficace, croit-on, contre les dangers de toutes sortes. Ces deux facteurs se sont combinés pour faire des exploits de la Déesse un thème favori de l'artiste indien, qu'il soit sculpteur ou peintre. Les sculptures la représentent parfois au moment de son triomphe contre le démon-buffle, quand elle lui transperce le flanc de son puissant trident, alors que sa monture, le lion ou le tigre, fond sur lui. Dans les peintures, on trouve souvent une narration très détaillée, des séries complètes du *Devi Mahatmya* ayant été faites dans plusieurs centres.

La série du *Devi Mahatmya* d'où provient cette feuille et les huit suivantes a été découverte il y a peu, mais elle est déjà célèbre en raison de la controverse qu'elle provoque pour des problèmes d'histoire de l'art et en raison de sa grande beauté. En termes généraux, disons qu'elle est du style, baptisé d'après le manuscrit illustré le plus célèbre de son genre, dit *Chaurapanchasika* ; elle a été acquise par le H.P. State Museum à Jaisinghpura, ancienne capitale du royaume de Kangra, dans la région Pahari, région qui n'a pratiquement jamais été associée à des œuvres de ce style. Les principaux manuscrits du style *Chaurapanchasika* sont le *Laur Chanda* de Chandigarh/Lahore, le *Gita Govinda* du musée du Prince of Wales, l'*Aranyaka Parvan* de l'Asiatic Society de Bombay, le *Mahapurana* de 1540, le *Bhagavata* Mitharam-Nana, la *Bhairavi Ragini* de J.C. French, et par-dessus tout, le *Chaurapanchasika* lui-même ; toutes ces œuvres contribuent à faire prendre conscience aux historiens d'art de la peinture indienne, – elles n'ont jamais été attribuées avec certitude à une quelconque région en Inde et les hypothèses sur leurs origines vont du Mewar au Rajasthan et de la région de Delhi/Agra à Jaunpur, dans l'Uttar Pradesh oriental. On n'a jamais pensé à la région Pahari pour les œuvres de ce style. Et pourtant, la présente série, qui est complète et comporte 18 feuilles recto-verso avec le texte intégral du *Devi Mahatmya,* ne provient pas seulement de la région Pahari : elle comporte un colophon mentionnant « Jaisinghdeva nagar », – évidemment la moderne Jaisinghpur, comme lieu d'exécution. Mieux, elle comporte une preuve intrinsèque de son association avec les Collines, sous forme de minuscules inscriptions en deux endroits sur les panneaux peints, inscriptions dans l'écriture difficile et abrégée des collines, le takri. Le seul domaine où demeure quelque incertitude quant à ce manuscrit est aujourd'hui la date donnée par le colophon, sous forme d'un chronogramme. Il y a au moins deux manières de l'interpréter, soit 1552 après J.C., soit 1574-75 (les deux autres possibilités, c'est-à-dire 1429 après J.C., ou 1716 après J.C., peuvent facilement être écartées, en raison du style de ces feuilles). Quelle que soit la bonne interprétation, cette œuvre a été exécutée pendant le troisième quart du XVIe siècle ; c'est une pièce importante qui vient compléter les œuvres de cette période parvenues jusqu'à nous. Ce manuscrit provoquant, intriguant mais vraiment captivant pour l'œil a donc pris une place à part dans l'histoire de l'art indien.

Les feuilles de ce manuscrit du *Devi Mahatmya* sont toutes disposées de la même manière, le texte occupant la plus grande partie de chaque page, au milieu ; en dessus et au-dessous, on trouve des panneaux décoratifs peints, horizontaux ; sur les côtés, dans les panneaux verticaux, des illustrations des épisodes narrés par le texte et de calmes intérieurs qui semblent, avec quelques difficultés, se rapporter à la verve du récit. On se demande même parfois si certains de ces panneaux illustrés ont le moindre rapport avec le texte ; pourtant, le panneau suivant nous rappelle alors avec force que la Devi est le personnage central de cette œuvre car, tout à coup, dans un panneau plein d'énergie, nous voyons la Devi se déchaîner et assaillir l'un ou l'autre des démons. Il se peut que nous ne sachions pas encore complètement quel rapport il y a entre les illustrations et le texte, mais on peut clairement démontrer que ces deux éléments ne sont pas indépendants l'un de l'autre.

Cette feuille est celle où commence le texte. A gauche, dans ce qui semble un panneau invocatoire, nous voyons la Grande Déesse dans toute sa gloire. Elle est assise à califourchon sur un personnage mâle, au teint clair, qui s'agenouille, qui lève légèrement la tête comme pour regarder la Devi... La déesse elle-même a dix bras et, dans ses diverses mains, elle porte les dix *ayudhas* qui lui sont associés : une longue épée, une écuelle, un aiguillon à éléphant, un trident, une tête coupée, un serpent, une cloche et une massue se terminant par une tête d'animal, tous ces éléments indiquant ses pouvoirs et les aspects qu'elle peut prendre. Quant à elle, elle a cinq tête, sur deux rangées. Curieusement, cette représentation de la Déesse rappelle le bronze représentant Svachhandabhairavi de la région Pahari, que les spécialistes connaissent depuis de nombreuses années et, au plan de l'iconographie, cela relie, encore une fois, cette série à la région des collines.

Malgré sa petite taille, ce panneau peint vibre de toute l'énergie de la Déesse et il rappelle au lecteur qu'il se prépare à lire l'histoire de ses incomparables exploits.

Bibliographie :
V.S. Agrawala, *Devi Mahatmya: the Glorification of the Great Goddess,* Varanasi, 1963 ; B.N. Goswamy, V.C. Ohri et Ajit Singh, « A *Chaurapanchasika* Style Manuscript from the Pahari Area: Notes on a newly discovered *Devi Mahatmya* in the H.P. State Museum Simla », *Lalit Kala,* nº 21 ; Catherine Glynn, Thèse de doctorat sur le *Devi Mahatmya* de Simla (inédite), présentée devant l'Université de Californie.

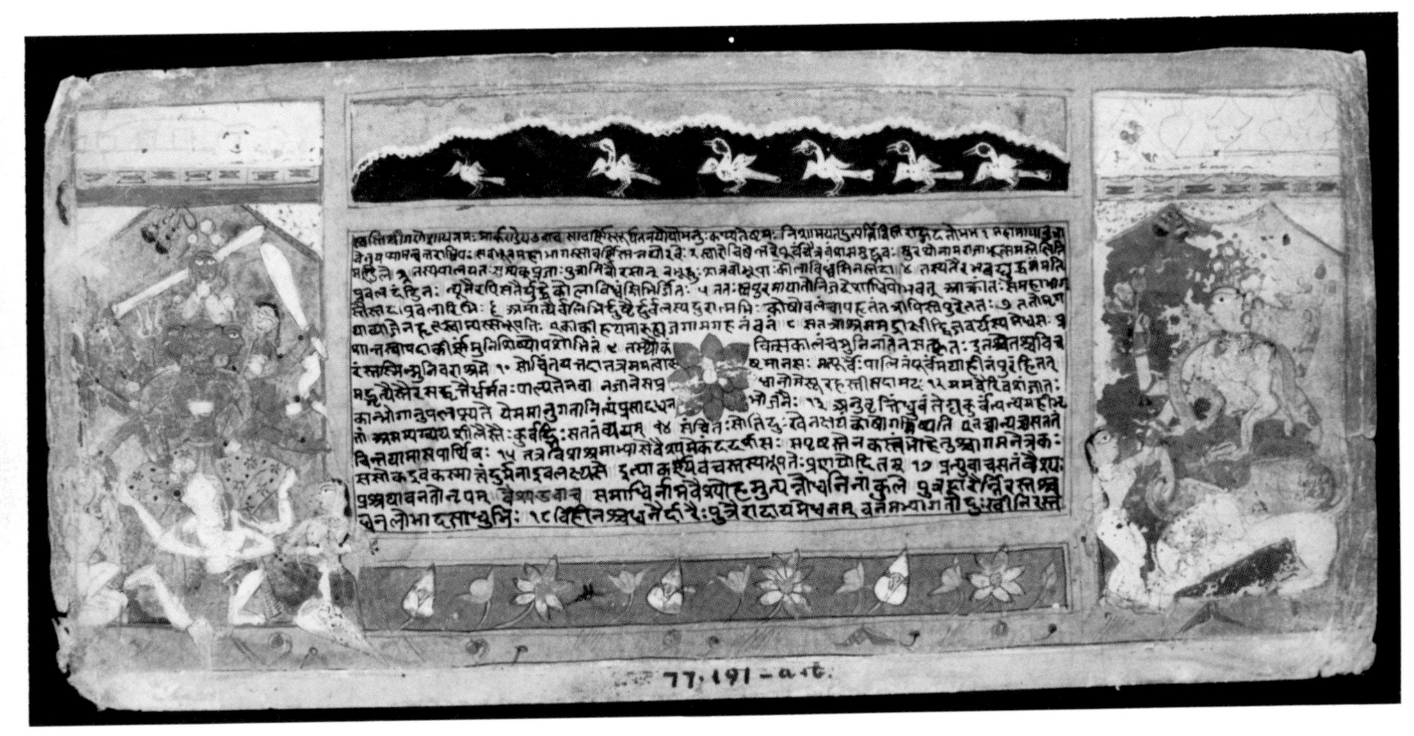

278

La déesse courtisée ; de la même série du *Devi Mahatmya* que le nº 277

Gouache sur papier.
Troisième quart du XVIe siècle.
11,4 × 26,5 cm.
H.P. State Museum Simla ; nº 77.199 (*verso*).

Un épisode du *Devi Mahatmya* raconte qu'un des généraux des démons, frappé par sa grande beauté, envoya des messages à la Déesse dans l'espoir d'obtenir sa main. Il se peut que cette feuille soit une interprétation de cet épisode par l'artiste mais, dans ce cas, il sollicite fortement le texte. Le général des démons, si tant est qu'il s'agisse bien de lui, naturellement, est assis aux pieds de la Déesse, mais il n'est pas représenté sous la forme d'un démon hideux, comme sur les autres illustrations du *Devi Mahatmya* ; il apparaît ici comme un soupirant tout ordinaire. La Déesse a l'apparence d'une *Svadhinapatika nayika,* « l'héroïne à qui l'amoureux est entièrement soumis » ; elle est assise sur une chaise élevée, élégante et dorée, elle tient à la main un grand lotus alors que l'homme prend un de ses pieds à la main, dans un geste qui indique une humble soumission. Sur le panneau de droite qui fait face, malgré certaines détériorations, on peut voir, pourrait-on dire, l'établissement d'une « scène d'amour » : la femme est debout, à gauche, et tend la main droite pour toucher doucement le sein d'une autre femme qui est à côté. Dans son ensemble, cette scène rappelle d'autres peintures Pahari où les actes des amants, dans une chambre, trouvent une joyeuse contrepartie chez des personnages secondaires en dehors de la chambre.

De quelque manière que l'on interprète ces scènes, et il peut être des plus commodes d'y voir une peinture de genre, celle d'une scène d'amour, – l'atmosphère est parfaitement rendue. Le fond rouge sur lequel se détache la femme assise, sur le panneau de gauche, sa pose soignée et élégante, le sourire qui s'ébauche sur son visage, le lotus tenu à la main, dans un geste significatif, tous ces éléments sont, à leur manière, d'une grande éloquence.

Ici, l'artiste abandonne la division rigide de la page en zones rigoureuses, il prolonge le panneau vertical de gauche jusqu'au panneau floral du dessous, afin de donner à la page une certaine dimension et un certain mouvement. Par un autre stratagème plein d'adresse, le visage tourné vers la gauche de la femme du panneau de droite incite notre regard à se porter sur le panneau de l'autre côté du texte. Les oiseaux qui s'envolent dans le ciel, manifestement des perroquets, le plantain aux branches qui se courbent pour accueillir le couple d'amants, à gauche, les éléments décoratifs des vêtements, tous ces détails parviennent bien à leur fin propre dans cette œuvre, lui impartant de la richesse et des suggestions significatives.

Bibliographie :
Voir le nº 277.

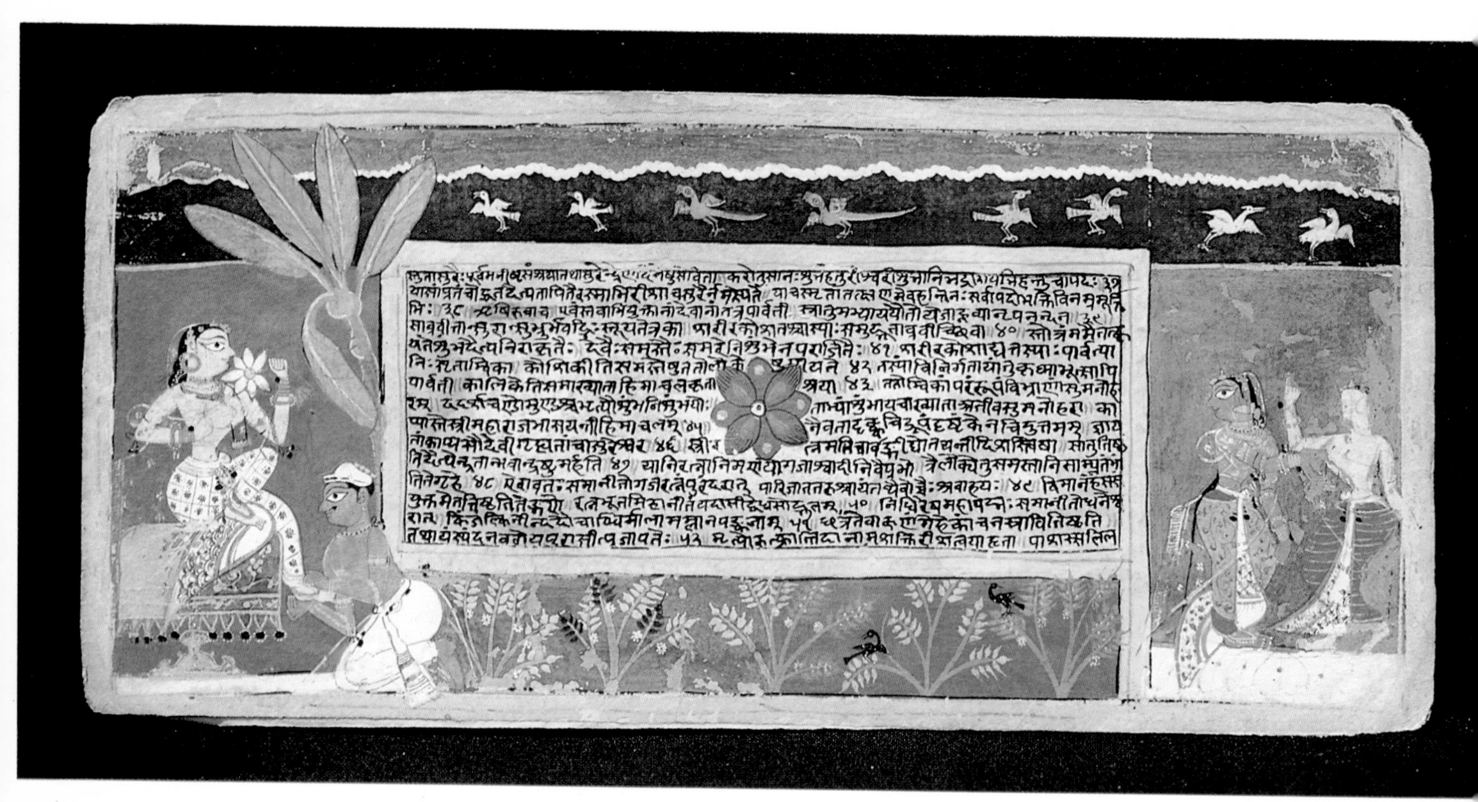

279

Deux disciples conversant ; de la même série du *Devi Mahatmya* que le nº 277

Gouache sur papier.
Troisième quart du XVIe siècle.
11,4 × 26,5 cm.
H.P. State Museum, Simla ; nº 77.197 (*recto*).

C'est le texte du chapitre 4 du *Devi Mahatmya* qui se termine sur cette page, mais rien ne vient indiquer comment ce panneau peint peut s'y rapporter. En termes très généraux, on a l'impression que deux disciples conversent, prenant presque les attitudes de leurs supérieurs en sagesse et en années. La grande coiffure légèrement incurvée qu'ils portent ici n'est pas ce qui caractérise les sages dans ce manuscrit : elle rappellerait plutôt la coiffure des *mahants,* les chefs des établissements religieux qui, comme à Pindori et à Damtal, ont joué un rôle au début du dix-septième siècle dans la diffusion du culte de Vishnou dans la région Pahari. L'allure assez comique donnée par ces coiffures coniques est, dans une certaine mesure, accentuée par l'allure grave et pleine d'importance des disciples. L'intérieur de la chambre est décoré d'une toile qui descend régulièrement du plafond, le haut de la chambre étant indiqué par un dôme stylisé à qui l'on a donné la forme d'une découpure. Le panneau de gauche comporte un simple motif fait d'arbres et de plantes en fleurs. Le panneau floral allongé, en bas, avec des boutons et des fleurs de lotus s'étend sur toute la longueur de la page peinte tandis que l'arabesque relativement compliquée, au sommet, est beaucoup plus petite.

Cette feuille est plaisante, peinte avec élégance, mais on n'y retrouve pas l'intensité de sentiment qui emplit beaucoup des autres feuilles du manuscrit. Sur une page comme celle-ci, on dirait que l'artiste a voulu un peu détendre la tension du récit.

Bibliographie :
Voir le nº 277.

280

L'héroïne désolée ; de la même série du *Devi Mahatmya* que le nº 277

Gouache sur papier.
Troisième quart du XVIe siècle.
11,4 × 26,5 cm.
H.P. State Museum, Simla ; nº 77.207 (*verso*).

Le rapport avec le texte du *Devi Mahatmya* est ici assez mince, car cette feuille magnifiquement peinte, où l'héroïne appuie la tête sur le giron de son amie et confidente, la représente beaucoup plus en *virahini nayika,* « celle qui est séparée de son amant », qu'en déesse-guerrière, comme la décrit le texte inspiré. S'il a voulu évoquer la séparation, le peintre y est parfaitement parvenu. Une fois de plus, évitant de diviser brutalement la page, il nous montre l'héroïne couchée sur le sol, le bras droit complètement tendu au-dessus de la tête, le bras gauche s'enroulant autour du corps qui se ploie et s'arque sous l'effet du désir qui l'étreint. La confidente, ou *sakhi,* sur le giron de laquelle l'héroïne a posé la tête, – ici, nous voyons qu'elle est d'une classe sociale légèrement inférieure, d'un autre groupe ethnique, d'après son teint sombre, caractéristique que l'on peut voir déjà sur les peintures d'Ajanta, – se penche avec sollicitude et agite au-dessus de son amie un éventail finement brodé. Au-dessus, le ciel nous fait comprendre que les pluies ont commencé, annonçant la saison même où les amants séparés ne peuvent plus supporter la vue des nuages dans le ciel. Sur le panneau de droite, dans un petit bassin avec des marches, on voit des oiseaux aquatiques qui s'agitent et un koel qui, perché sur un plantain, annonce l'arrivée des pluies.
Cette feuille est d'une riche coloration, comme les autres ; les zones unies, planes, jaunes et rouges, servent à renforcer l'action humaine plutôt qu'à supporter de quelconques arrière-plans ; cette feuille est brillante, émouvante. On y retrouve tous les éléments de la décoration : de beaux motifs dans les tissus, un ensemble semi-circulaire pendant d'un plafond à peine indiqué, les plantes fleuries que l'on voit sur les panneaux du bas ; mais tous ces éléments sont soigneusement subordonnés à la situation évoquée par le peintre.

Bibliographie :
Voir le nº 277.

281

La déesse livre un démon aux flammes ; de la même série du *Devi Mahatmya* que le nº 277

Gouache sur papier.
Troisième quart du XVIe siècle.
11,4 × 26,5 cm.
H.P. State Museum, Simla ; nº 77.205 (*verso*).

La principale action se passe ici à droite, où la Déesse, sous l'aspect de Chandi, « La Furieuse », comme le dit le texte de cette page, livre un général des démons aux flammes, car il avait osé s'approcher d'elle. Alors que le malheureux tombe dans le feu, la tête la première, elle est assise tranquillement sur son siège de lotus juché sur des pics montagneux abrupts. Il semble que toute une histoire ait précédé le moment dont nous sommes faits témoins, car il est manifeste que le démon a mis la Déesse en fureur. Sans le moindre mouvement, par le seul regard, elle semble l'avoir voué aux flammes : le seul signe d'agitation que nous lui voyons est la manière avec laquelle elle porte la main droite sous le menton et comment elle regarde de toute sa hauteur, une lueur de colère dans les yeux.
L'action représentée sur le panneau de gauche est plus explicite, nous y voyons le *vahana* de la Déesse – c'est un tigre stylisé, ailé et tacheté – qui malmène sans aucun doute un autre démon. A moins qu'il ne s'agisse du même démon dont la Déesse se serait finalement débarrassé ? L'épée du démon est tombée de ses mains et il est lui-même complètement maîtrisé. Ici aussi, l'action se déroule dans un décor de montagnes, les pics sont rendus de la même manière que dans les peintures Jaina de l'Inde de l'Ouest du XVe siècle,

où les montagnes sont représentées en partie comme des langues de feu, en partie comme des pétales de fleur ou comme des nuages. La Déesse semble entendre le feulement du tigre car elle regarde dans sa direction ; l'artiste rejoint ainsi visuellement les deux panneaux, même s'ils sont séparés par le texte, au milieu. Les panneaux floraux du bas et du haut et les indications du ciel sont classiques, ils n'apportent rien à l'atmosphère de la peinture.

Bibliographie :
Voir le nº 277.

282

Le dieu Indra implore la déesse ; de la même série du *Devi Mahatmya* que le nº 277

Gouache sur papier.
Troisième quart du XVIe siècle.
11,4 × 26,5 cm.
H.P. State Museum, Simla ; nº 77.193 (*verso*).

Quand elle n'est pas occupée à abattre des démons ou à enlever des obstacles du chemin de ses dévots, on pense à la Déesse sous la forme d'une belle jeune fille d'une innocence virginale. Elle se fait belle, elle passe le temps en promenades mesurées, elle profite des moments de calme, comme ici, assise sur une balançoire, sur le panneau de droite qui est endommagé. Pendant qu'elle est ainsi disposée, les dieux sont profondément troublés par l'ascendant que les démons commencent à prendre sur eux et ils viennent la trouver. Nous voyons ici leur chef, Indra, aux Mille Yeux, se présenter à la porte de sa demeure, lui rendant hommage et la priant de venir à leur secours. Il se tient en joignant humblement les mains, il est suivi par un garde qui veille sur son maître, tenant d'une main une épée nue et, dans l'autre, un bouclier. La silhouette tendue et attentive d'Indra, la pose langoureuse et gaie de la Déesse, qui oscille paresseusement dans une balançoire ingénieusement construite, accusent un contraste violent, délibéré, car nous en sommes au moment où la Déesse doit encore prendre sa décision pour répondre aux supplications des dieux. En même temps, nous devons faire effort pour relier visuellement les deux panneaux peints de chaque côté de la page.

Le personnage d'Indra présente un intérêt particulier car, outre l'*uttariya* élégamment drapé et la *dhoti* qu'il porte, nous remarquons un œil supplémentaire, en saillie, détail qui nous ramène au XVe siècle et qui provient de la tradition de la peinture de l'Inde de l'Ouest. Nous revoyons exactement le même traitement quand nous rencontrons Indra sur une autre feuille de cette série (nº 77.208, verso). Comme si, avec tous les yeux qui doivent être peints sur le corps d'Indra, – ses emblèmes iconographiques propres –, le peintre remontait dans le passé et nous rappelait une convention obsédante.

Le vêtement du serviteur d'Indra s'évase, fait une boucle, et est mis particulièrement en valeur ; il nous rappelle le style des vêtements dans la peinture de l'Inde de l'Ouest. Les caractères architecturaux que l'on voit sur le panneau de gauche sont, dans les limites de leur stylisation, raisonnablement cohérents mais, sur le panneau de droite, le côté de la chambre où est assise la Devi se combine avec les pics stylisés du bas, ce qui est manifestement un rappel de la résidence favorite de la Déesse, le pays des montagnes.

Bibliographie :
Voir le nº 277.

283

Mise à mort de Mahishasura, le démon-buffle ; de la même série du *Devi Mahatmya* que le nº 277

Gouache sur papier.
Troisième quart du XVIe siècle.
11,4 × 26,5 cm.
H.P. State Museum, Simla ; nº 77.192 (*verso*).

De tous les actes de courage de la Déesse que l'on rencontre dans le *Devi Mahatmya*, celui qui est le plus universellement commémoré est la mise à mort du démon-buffle, Mahishasura, même s'il ne s'agit pas du triomphe ultime de la Devi par lequel se termine ce texte. La mise à mort de Mahisha survient assez tôt lors de cette lutte et, cependant, cet acte prodigieux de la déesse est resté gravé dans l'esprit de ses dévots, elle en a même reçu un autre nom : on l'appelle la « Mahishasura-mardini », celle qui a vaincu Mahishasura. C'est bien sous cet aspect, et non quand elle tue Chanda, Munda ou Shumbha et Nishumbha, qu'on la voit le plus souvent représentée dans les anciennes sculptures de l'Inde. Il faut peut-être l'expliquer par l'interprétation philosophique du nom du démon, qui vient de *mahat* et qui fait allusion au grand voile cosmique, c'est-à-dire au cycle de l'ignorance que les dieux doivent déchirer pour maintenir l'équilibre de l'univers. En tout cas, Mahishasura représente les forces qui s'opposent au bien et sa mise à mort prend une connotation particulière, presque mystique.
Dans ce récit, la force effrayante de Mahisha est bien soulignée et, dans les passages inspirés, on nous dit qu'il s'est d'abord jeté contre la déesse sous la forme d'un buffle massif puis, quand la Déesse lui eut coupé sa tête bovine, il est sorti de l'encolure du buffle, sous forme humaine, et s'est encore attaqué à la Déesse jusqu'au moment où elle finit par le vaincre, le clouant au sol avec son trident. Les représentations sculpturales de la Déesse tuant Mahishasura sont d'une remarquable variété ; certaines des plus belles peintures des régions Pahari et Rajasthani portent sur le même thème. Ici, dans une peinture qui respire l'énergie malgré ses très petites dimensions, nous voyons la Déesse avec ses dix bras ; elle montre la totalité de ses effrayants pouvoirs, elle tue la part humaine de Mahisha après l'avoir décapité ; la tête git maintenant près de ses pieds et le *vahana* de la Déesse, son tigre, s'en approche, dédaigneux ; la Déesse a posé un pied sur le dos de sa monture. La posture de la Déesse, ses jambes écartées dans une pose évoquant l'*alidha*, ses bras portant des armes mortelles, tout forme une sorte d'auréole autour d'elle, tout est d'une conception « sculpturale » ; dans le même temps, le triomphe qui se lit sur son visage impartit à sa silhouette un caractère de divinité que nous percevons très clairement. En dépit des efforts que cette lutte contre Mahisha doit avoir exigés, nous la trouvons calme, sans un cheveu décoiffé, maîtrisant totalement la situation.
L'exploit qu'elle vient juste d'accomplir est immédiatement célébré sur la terre comme dans le ciel : deux personnages avec des coiffes coniques annoncent son triomphe en sonnant dans des trompes ; ils se tiennent dangereusement sur les arêtes de la montagne, pendant que, dans le haut, deux demoiselles divines, des *apsaras*, descendent en décrivant des courbes pour lui rendre hommage. Il y a grande liesse dans les airs, car le démon a été exécuté.
Sur le panneau de droite, par contraste, nous avons une situation bien différente. Nous voyons une jeune fille qui se dépêche d'aller vers la droite, alors que la pluie tombe régulièrement du ciel et qu'un paon, derrière la pointe d'un arbre, avance le bec pour fêter la nouvelle saison. Nous avons ici l'illustration d'une *Ragamala* ou d'une *nayika* qui semble sans rapport avec la description si pittoresque des exploits de la Déesse, à gauche. A moins, naturellement, que le peintre ne suggère que cette même jeune fille d'un âge tendre, qui trouve pénible de rester dehors sous la pluie, est capable, comme la Déesse sous sa forme furieuse, de se débarrasser d'un ennemi aussi puissant que Mahishasura.

Bibliographie :
Voir le nº 277.

284

Kali : la déesse dévoratrice du temps ; de la même série du *Devi Mahatmya que le nº 277*

Gouache sur papier.
Troisième quart du XVIe siècle.
11,4 × 26,5 cm.
H.P. State Museum, Simla ; nº 77.201 (*recto*).

Quand se produit un cas désespéré, la Déesse envoie une de ses manifestations sur le champ de bataille, sous la forme de Kali, La Noire et La Terrible, qui détruit allègrement les hordes de démons qu'elle rencontre, boit leur sang, joue avec leurs têtes et leurs membres coupés et, de ses dents puissantes, broie leur os ; elle est la mort elle-même, la dévoratrice du temps. Cette effrayante vision de la déesse destructrice a inspiré quelques-unes des plus grandes œuvres de l'art indien, tant en sculpture qu'en peinture. Nous la voyons ici, non dans son rôle furieux de tueuse d'ennemis, mais personnifiant les puissances d'annihilation. Son corps est couleur de fumée et serait nu si elle ne portait autour des reins une courte jupe faite de membres coupés, elle se tient avec sa forme macabre, les crocs saillants, sur le cadavre d'un homme étendu. Elle a quatre bras, elle porte dans les mains différents objets, y compris, bien en vue, une longue épée et une tête humaine, séparée de son corps, gouttant encore de sang. Elle a les cheveux hérissés et ses seuls ornements sont des boucles d'oreilles qui pendillent, faites de corps humains, et une guirlande de têtes d'homme, qui symbolisent les éternités de temps venues et parties dans les limbes de la mort.
Nous voyons la Déesse une nouvelle fois en triomphatrice, dans le panneau de droite où elle est assise sur une fleur de lotus. Ici, cependant, son aspect est moins effrayant que celui de gauche ; elle a une apparence placide et belle ; un rappel de son aspect destructeur est constitué par sa longue épée et par une coupe, probablement emplie de sang, qu'elle porte de l'autre main.

Bibliographie :
Voir le nº 277.

285

Mise à mort de Madhu et de Kaitabha ; de la même série du *Devi Mahatmya* que le n° 277

Gouache sur papier.
Troisième quart du XVIe siècle.
11,4 × 26,5 cm.
H.P. State Museum, Simla ; n° 77.196 (*verso*).

C'est un tour inattendu et dramatique qui est ici donné à un épisode qui se trouve dans les débuts du *Devi Mahatmya*. Vishnou, le Sauveur, endormi de son sommeil profond et involutif sur l'Océan de Lait, s'éveille, menacé par deux démons, Madhu et Kaitabha, nés de son propre cérumen. Ils paraissent invincibles, car ils ont reçu la faveur de ne pouvoir être tués ni sur terre ni dans l'eau, et ils engagent contre Vishnou une bataille longue et inlassable, jusqu'au moment où celui-ci les prendra dans ses mains et, les mettant sur ses genoux, – ni sur terre ni dans l'eau, – les décapitera. Cet exploit de Vishnou semble ici attribué par le peintre à la Déesse, – on voit très nettement ses seins et on ne peut se tromper sur son identité, – mais il y a un rappel de Vishnou dans les emblèmes qu'elle tient dans ses mains : une massue, une fleur de lotus et un disque. Peut-être le peintre a-t-il rendu ici la déesse sous forme de Vaishnavi, l'énergie ou *shakti* de Vishnou, qui doit apparaître, d'après le texte, beaucoup plus tard en compagnie des autres *shaktis* divines dans l'intention de venir en aide à la déesse.

Cette illustration est pleine de verve, la composition est fortement novatrice. L'océan se partage à l'endroit où Vaishnavi est assise sur son lotus. La nature aqueuse est clairement indiquée par la présence de créatures aquatiques, un poisson, une tortue (eux-mêmes d'autres avatars de Vishnou dans la légende) et par le motif en vannerie qui représente l'eau, d'après les conventions de ce style. Pour tuer Madhu et Kaitabha, la Déesse reçoit l'aide de ses serviteurs qui tiennent des épées et saisissent les démons par les cheveux. Le corps décapité d'un des démons apparaît aussi dans l'eau, ayant gardé une attitude menaçante, une main brandissant une épée et l'autre tenant un bouclier. La nature prodigieuse de cet exploit de Vishnou, sous son aspect féminin de Vaishnavi, est souligné tant par une composition novatrice et par l'interprétation de cet épisode que par les couleurs qu'utilise le peintre, le rouge massif, à l'endroit où les eaux se séparent, s'opposant au blanc et au bleu délicats de l'océan, des deux côtés.

Le panneau de droite est plaisant ; on y voit un paon sous un plantain. Il semble n'avoir aucun rapport avec la scène décrite à gauche. Très vraisemblablement, cette illustration appartenait au *répertoire* de l'artiste et il l'a tout simplement utilisée pour remplir l'espace disponible à droite.

Bibliographie :
Voir le n° 277.

286

Avant l'amour ; de la même série de la *Rasamanjari* que le n° 46

Gouache sur papier.
École Pahari, troisième quart du XVIIe siècle ; d'un atelier de Basohli.
Au verso, vers en sanskrit ; en haut, en caractère takri, les mots *rati priya pragalbha* («à l'âge mûr, il aime l'amour»).
24 × 33 cm.
Dogra Art Gallery, Jammu ; n° 372.

Avec d'étourdissants rythmes de traits et de couleurs, cette illustration forte et passionnée correspond à l'atmosphère et à la verve des vers de Bhanudatta. Les prémices de l'amour ont duré toute la nuit, pour le *nayaka* et pour la *nayika*, elles ont même été si longues que le jour commence en fait à poindre avant qu'ils aient consommé leur union par l'acte d'amour. Pourtant, le lever du soleil est une menace sérieuse : en effet, d'après un strict commandement *shastrique*, il est interdit d'avoir des rapports sexuels en plein jour ; la *nayika*, qui est plus rusée que le *nayaka*, prend donc une mesure préventive.

« La nuit aux pieds rapides s'enfuit pendant que les amants se livrent, avec ardeur, à tous les rites de l'amour, les uns après les autres... s'embrassant les lèvres rouges comme le fruit du bimba, se caressant les seins, se baisant dans le cou, avec passion, se décoiffant et enlevant de leurs corps leurs vêtements. Tout à coup, il se demande si le soleil s'est levé. Alors, la *nayika*, qui ne veut pas que se terminent leurs jeux amoureux, recouvre rapidement les boutons de lotus qu'elle s'est mis sur les oreilles, utilisant pour cela ce qui lui reste de vêtement, de peur qu'ils ne s'ouvrent à l'aurore et ne lui trahissent ainsi que le jour s'est levé. »

(10)

Tout cela paraît un peu trop riche, un peu trop compliqué pour être assimilé d'un seul coup mais, à la *nayika* comme au poète et au peintre, la compréhension de beaucoup de ces allusions est naturelle : l'interdiction de faire l'amour pendant la journée, la tradition d'une préparation excessive aux jeux érotiques, l'ouverture naturelle des boutons de lotus au lever du soleil, l'ingéniosité de la *nayika*, et ainsi de suite. A partir de la signification de ces vers, le *rasika* doit donc rapidement nous préparer à tout ce que le peintre a mis dans sa peinture, ces couleurs riches, soutenues comme ce rouge flamboyant sur le mur et sur les coussins se trouvant sur le lit, l'orange des vêtements, le bleu du corps de Krishna et le gris des ouvertures dans l'entrée, la gamme des verts dans les espaces dégagées en dehors de la chambre ; sans oublier les rythmes sinueux des corps enlacés et le geste subreptice, mais précis de la *nayika* qui lève la main pour couvrir les boutons de lotus. Tout aussi intéressants sont le gardien, qui est assoupi, et les oiseaux qui, joyeusement, annoncent, dehors, le lever du jour. Tout a une signification, car tout est relié à cette atmosphère d'abandon passionné qui emplit la pensée du poème et sa contrepartie visuelle.

Bibliographie :
Voir le n° 46.

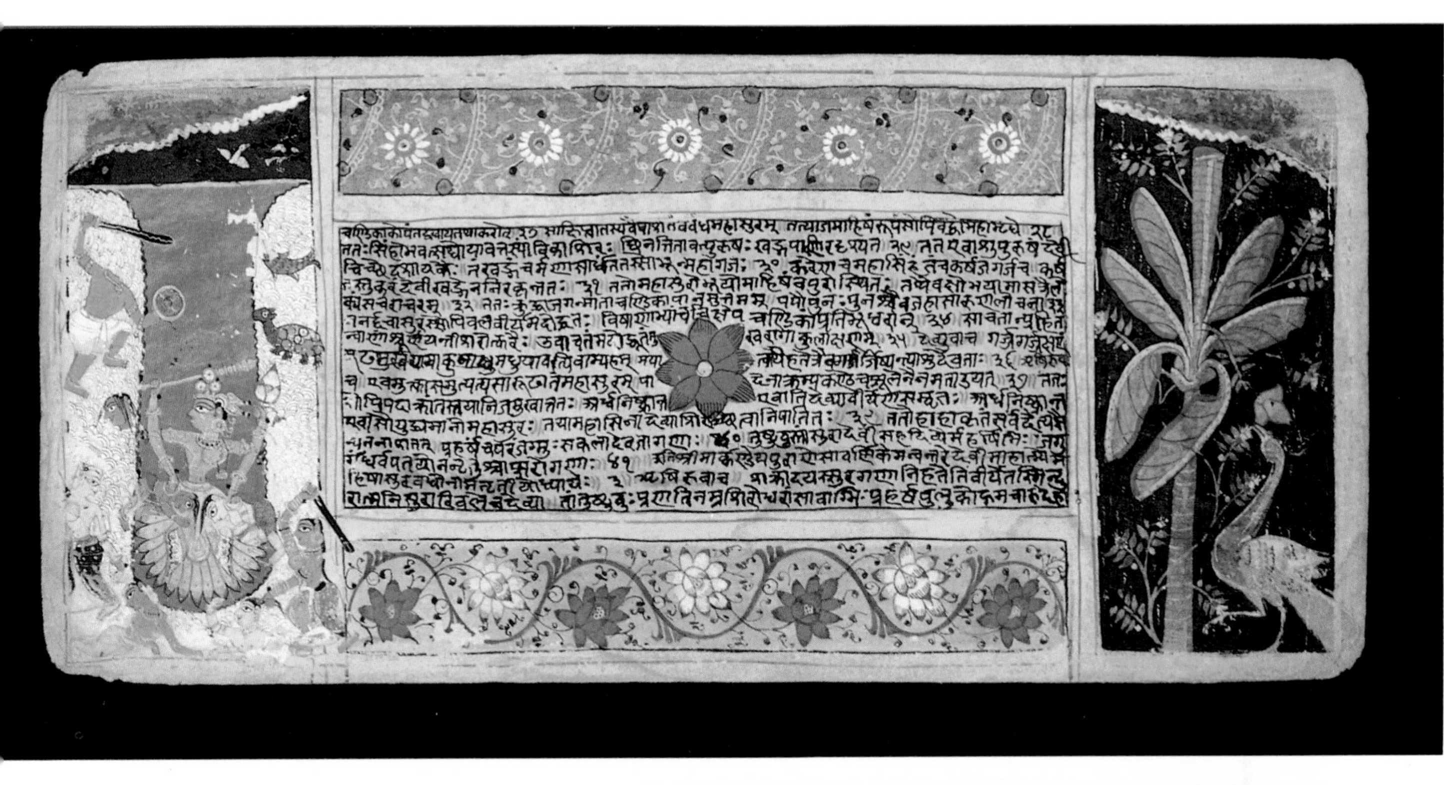

287

A la pensée de sa venue : La *Vasakasajja ;* de la même série de la *Rasamanjari* que le n° 46

Gouache sur papier.
École Pahari, troisième quart du XVIIe siècle ; d'un atelier de Basohli.
Au verso, vers en sanskrit ; en haut, en caractères takri, les mots « *mugdha Vasakasajja* ».
24 × 33 cm.
Dogra Art Gallery, Jammu ; n° 379.

La *nayika* qui attend son amant, ayant préparé le lit, est naturellement la *vasakasajja,* mais elle peut tomber dans d'autres catégories. Parmi celles-ci, la *mugdha* est celle qui, innocente, sans expérience, prépare l'union avec l'amant avec une agitation débridée, éhontée, ne s'engageant pas seule mais avec ses amies. On trouve un air d'activité et de sympathie dans les vers de Bhanudatta.

« La jolie *nayika* nouvelle mariée, le visage souriant, surveille avec passion les préparatifs, qui satisfont les désirs des amants ardents, de la chambre à coucher, que décorent ses *sakhis.* Alors qu'une d'elles s'occupe à faire briller comme des étoiles les perles d'un collier, une autre élabore une ceinture qui ressemble à une liane et une autre encore prépare une lampe, mais elle n'y met que très peu d'huile. »

(64)

Toutes ces suggestions sont claires, sauf une : la petite quantité d'huile mise dans la lampe. Le commentateur dit que c'est ce qui révèle que la *mugdha* est une nouvelle mariée timide. Si la lampe devait brûler toute la nuit, sa timidité l'empêcherait de se donner librement à la passion, c'est seulement quand la lampe s'éteindra, par manque d'huile, qu'elle se sentira prête à s'abandonner. Le peintre tient cependant pour acquise la plus grande partie de ces préparations faites par les *sakhis* et les écarte, par crainte d'encombrer sa peinture, et donc de manquer son effet. Telle que nous voyons la chambre à coucher, toutes les guirlandes de fleurs sont en place, sur la couche d'amour, sur le tapis ; la lampe a été allumée et le collier de perles est mis. Le dernier préparatif, la pose de la délicieuse ceinture aux clochettes tintantes, est une chose dont la *nayika* se charge elle-même, alors qu'elle regarde avec impatience la porte entrouverte de la maison. L'attente a envahi l'espace, alors que les couleurs font explosion, « comme des bâtons de dynamite », sur toute la peinture.

Bibliographie :
Voir le n° 46.

288

Décoration avec une intention malicieuse ; de la même série de la *Rasamanjari* que le n° 46

Gouache sur papier.
École Pahari, troisième quart du XVIIe siècle ; d'un atelier de Basohli.
Au verso, vers en sanskrit ; en haut, en caractères takri, les mots : *Mandan Sakhi* (« décoration par une amie »).
24 × 33 cm.
Dogra Art Gallery, Jammu ; n° 369.

La *sakhi,* l'amie et la confidente de la *nayika,* prend aussi parfois des libertés, car s'amuser elle-même et amuser la *nayika* est un moyen de tuer le temps qui commence à peser pendant les absences des amants. Elle fait alors des phrases à double sens, se livre à des plaisanteries, évocations légères, frivoles des péripéties amoureuses du couple. Ainsi :

« Quand, dans sa chambre déserte, la *nayika* aux yeux de lotus découvrit que sa *sakhi,* qui avait commencé à lui peindre les seins, au lieu du beau modèle de *makara* (comme elle le lui avait demandé), lui avait dessiné le contour des douces mains de son amant sur les seins, qu'elle a fermes et élevés comme une montagne d'or ; alors (elle feint la colère et) commence à la frapper gaiement avec les lotus qu'elle tient à la main. »

(92)

Le poète et le peintre voient ici un jeu entre deux amies. Recouvrir les seins de pâte de safran ou de santal, c'est une coutume que nous avons déjà vue quand Radha demandait à Krishna de le lui faire, dans le *Gita Govinda* ; c'était, dans l'Inde ancienne, un mode courant de se parer et de se oindre, et cette coutume est mentionnée parmi les 64 *kalas* que les femmes cultivées étaient censées adopter pour elles. Pourtant, en faisant cela, la badine *sakhi* a imaginé cette petite plaisanterie, qui resterait entre elles, indiquant aussi à la *nayika* qu'elle sait ce qui se passe quand elle est seule avec son amant. La *nayika* est aussi d'humeur folâtre, on voit comment elle porte à la main les *lila-kamala,* les lotus qu'elle tient, oisive et joueuse et qu'elle utilise pour « punir » la *sakhi* de son audace.

Le peintre a créé des rythmes superbes et impérieux, dans les courbes des corps féminins, l'évasement de leurs voiles et de leurs vêtements, les motifs du tapis et la base de la chambre, les rideaux ouverts, serrés sur les côtés, tout s'arrêtant au sein de la chambre isolée. A l'extérieur, on ne voit qu'un arbre unique, solitaire, qui commence à fleurir comme le corps de la souple *nayika*.

Bibliographie :
Voir le n° 46.

289

Le dilemme de la nayika ; d'une série de la *Rasamanjari*

Gouache sur papier.
École Pahari, 1694-95, par Devidasa de Nurpur.
Au verso, des vers en sanskrit.
20 x 31 cm.
Dogra Art Gallery, Jammu ; n° 331.

La *Madhya nayika*, est celle qui a immédiatement les qualités de la *nayika* sans expérience et de celle qui est mûre ; elle est en proie à des sentiments opposés, contradictoires. A côté d'elle, sur le lit, son amant est étendu, elle ne peut se décider :

« La *nayika* a un dilemme. Si elle se laisse aller au sommeil, en fermant les yeux, elle se refusera la joie de regarder son visage aimé ; c'est ce que son désir lui dicte. En revanche, si elle reste éveillée, elle n'aura que le choix de répondre à ses désirs pressants. Ainsi, elle ne peut ni dormir, ni rester éveillée. Elle agite ces pensées, étendue sur le lit, se tournant et se retournant. »

(9)

L'enjeu est nettement de choisir entre la modestie et son propre désir. Voilà le dilemme imaginé par le poète et par le peintre.
Proche par sa conception de la série de la *Rasamanjari* dont plusieurs illustrations sont exposées ici (n° 46-48, 287, 289-295), cette peinture appartient cependant à une autre série, la « troisième » de Basohli, selon W.G. Archer. Et cette série est la seule sur ce thème qui comporte un colophon nous apprenant que cette œuvre est du peintre Devidasa, qui faisait partie d'une famille de Nurpur, et qu'il l'a achevée en 1694-95, qu'il travaillait pour le raja Kirpal Pal à Basohli. Cette œuvre, terminée, où l'on voit un métier accompli, ne possède pas la négligence sauvage de la série précédente, beaucoup y ayant été inclus d'une manière académique, comme apprivoisé : la palette, l'avidité des amants et des amantes, la liberté avec laquelle sont traités ces éléments. Dans toute cette série, on sent clairement des réminiscences de la série précédente, de 1660-1670, mais elle s'en écarte volontairement. Une décision significative a été prise par Devidasa, de son propre chef ou sur la demande de son royal mécène, c'est que le *nayaka*, le héros de cette série, n'est pas figuré d'après Krishna ; le *nayaka* est donc un « personnage contemporain, qui porte un turban, le *jama*, que l'on peut reconnaître, et des pantalons, et il n'a pas le teint bleuâtre. Quand le poète décrit des personnages précis de la mythologie, comme Rama ou Shiva, il les présente mais le seul mot de *nayaka* ne suffit pas, pour un peintre, à évoquer la vision de Krishna.

Il n'est peut-être pas inutile de rappeler que c'est grâce au colophon de cette série que les peintures de la série précédente, que l'on connaissait depuis de nombreuses années, ont été rattachées à la *Rasamanjari* de Bhanudatta Mishra.

Bibliographie :
Voir le n° 46.

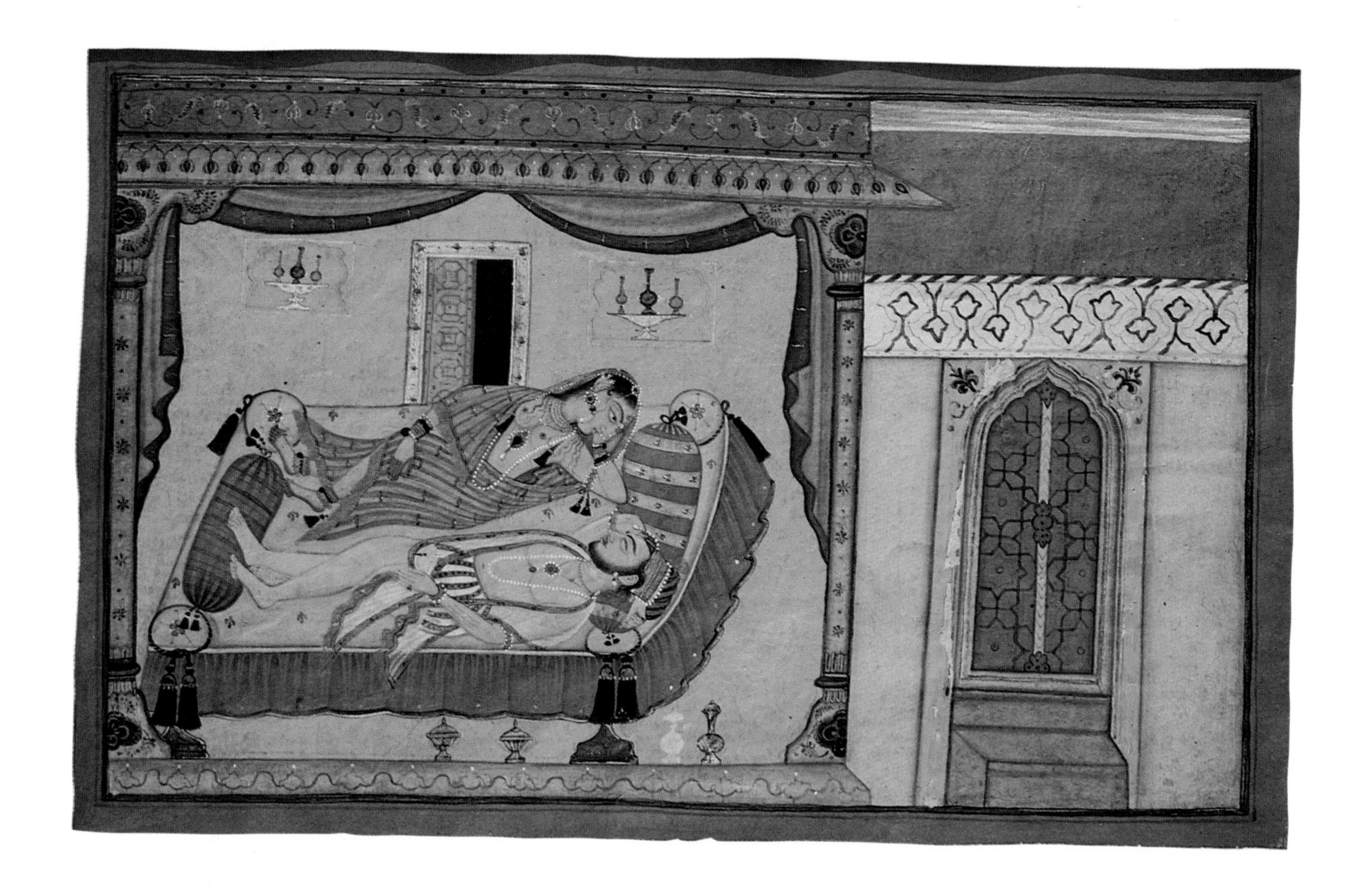

290

« A quoi bon maintenant ces ceintures, ces colliers ? » La Prositapatika ; de la même série de la *Rasamanjari* que le nº 46

Gouache sur papier.
École Pahari, troisième quart du XVIIe siècle ; d'un atelier de Basohli.
Au verso, vers en sanskrit ; en haut, en caractères takri, les mots : *praudha prosita* (« l'héroïne dont l'amant est parti en voyage »).
24 x 33 cm.
Dogra Art Gallery, Jammu ; nº 384.

On pourrait au premier coup d'œil ne pas comprendre que le seigneur de cette héroïne est en voyage, car nous voyons Krishna, tout à gauche, s'éloigner de la chambre. Il est cependant suggéré qu'il ne s'écarte pas par colère, ou qu'il vient tout juste de partir : en termes de théâtre, nous devons voir en lui celui qui est parti, non seulement pour l'étranger mais qui doit aussi être absent pendant un certain temps. Les vers narrent que Krishna est parti pour Mathura et qu'il ne retournera réellement jamais à ses amours villageoises. En son absence, Radha, en *prositapatika,* se languit de lui, elle est devenue d'une minceur extrême, son corps fondant chaque jour de plus en plus.

Après le départ de son Seigneur Krishna, la *nayika,* avec ses adorables sourcils, a mis de côté sa guirlande de pétales de lotus, son collier de perles, sa ceinture. Que pourrait-on dire d'autre sur son état ? Son anneau de bras a glissé jusqu'à son poignet, comme pour sentir son pouls dans son état d'affliction. »

(41)

Ce n'est que par ces vers que l'on comprend la raison de la différence sensible entre les deux femmes qui se trouvent dans la chambre ; celle de gauche paraît normale et bien nourrie, c'est la *sahki* qui contraste avec Radha, la bien-aimée, laquelle apparaît diminuée, amincie. Plus que cela, les vers nous font comprendre pourquoi le peintre nous montre Radha assise dans une posture inhabituelle, le bras gauche tendu, la main supportant en partie le poids du corps : c'est seulement ainsi que nous pourrons voir que l'anneau de bras qu'elle a maintenant au poignet a glissé. Cette indication de sa maigreur nous rappelle l'état de désolation de Rama, dans le *Ramayana,* quand Hanuman dit à Sita que, dans cet état, il aurait pu mettre sa bague au poignet, comme un bracelet. Des ceintures de diverses sortes pendent aux mêmes clavettes, sur le mur, où l'on avait mis, dans une autre situation, des guirlandes de fleurs dans l'attente des retrouvailles.

On remarquera que la peinture reproduite par Randhawa et Bhambri pour « illustrer » ces vers de la *Rasamanjari* (Nº 41) illustre un autre thème, celui de la *nayika* frappée par le remord après une querelle et non pas celle qui est décrite par les vers, sur cette peinture.

Bibliographie :
Voir le nº 46.

291
« Suis-je allée en vain dans la forêt ? » – l'Utka ; de la même série de la *Rasamanjari* que le nº 46

Gouache sur papier.
École Pahari, troisième quart du XVIIe siècle ; d'un atelier de Basohli.
Au verso, des vers en sanskrit ; au sommet, en caractères takri, les mots : *parakiya utkantha* (l'héroïne pleine de tendresse qui appartient à un autre).
24 × 33 cm.
Dogra Art Gallery, Jammu ; nº 388.

Comme la *vasakasajja,* l'*utka nayika,* pleine de tendresse, attend aussi son amant, le lit est parfois préparé, comme ici, mais il n'y a, en elle, aucune certitude ; elle est impatiente, passionnée, elle remâche souvent ses projets. Ici, sa couche est un lit de feuilles préparé en attendant l'amant qui n'est pas encore arrivé. Elle est prise de doutes, elle se pose des questions et parle, non pas seule, mais à la *sakhi* à laquelle elle raconte tout ce qu'elle a fait pour être avec lui. On dirait qu'elle a observé un *vrata,* faisant pénitence pour son salut à lui. Elle se demande :

« Je me suis tenue telle une icône dans la pluie, me laissant tremper, dans l'espoir de sa venue ; je me suis écartée du monde et je me suis bien souvent rendue dans la forêt ; avec des fleurs et de la pâte de santal, j'ai essayé de me concilier le dieu de l'amour, Kamadeva ; toutes les nuits, je suis resté éveillée comme après un vœu et j'ai rejeté de mes pensées ma famille et ma communauté, comme si j'y avais renoncé. Quel sacrifice n'ai-je pas fait ? Et il n'est pas venu encore, ne s'est pas montré pour la satisfaction de mes yeux. »

(62)

Le récit de sa pénitence ne se rapporte pas, à proprement parler, au moment présent, mais à ce qu'elle a fait auparavant, et il s'y mêle quelque exagération, de l'hyperbole. Mais son amie en croit évidemment chaque mot car, alors que la *nayika* assise à gauche lui parle, la *sakhi* porte la main à ses lèvres, étonnée, surprise devant tout ce qu'elle a éprouvée, par le rappel des pluies sous lesquelles elle s'est laissée tremper, dans la forêt aux arbres magnifiquement colorés de vert, de jaune et de rouge orangé, devant le lit de feuilles sur lequel elle s'est assise comme un *yogi,* tous ces éléments étant rendus d'une manière très claire par le peintre. Ici, pour montrer que cette forêt a longtemps été son « habitation », on ne trouve pas l'habituel détail architectural, la loggia ou le pavillon. Avec sa liberté bien établie, le peintre a modifié l'échelle des arbres pour que nous puissions bien voir les deux personnages assis dans cette nuit sombre et pluvieuse, parfaitement éclairés comme les arbres qui les entourent.

Bibliographie :
Voir le nº 46.

292
« Trouverons-nous un autre endroit comme celui-ci pour nos étreintes ? » ; de la même série de la *Rasamanjari* que le nº 46

Gouache sur papier.
École Pahari, troisième quart du XVIIe siècle ; d'un atelier de Basohli.
Au verso, vers en sanskrit ; au sommet, en caractères takri, les mots : *anushayana bhavi sukh nashana* (« l'héroïne attristée par la destruction future de son lieu de rendez-vous »).
24 × 33 cm.
Sri Pratap Singh Museum, Srinagar ; nº 1970 (O).

Comme l'autre *anushyana nayika* (nº 127), celle qui est malheureuse de voir disparaître son lieu de rendez-vous, cette *nayika* nourrit de nombreux soupçons, mais ceux-ci représentent ses craintes pour l'avenir plutôt que pour le présent. Elle va devoir maintenant rentrer chez son mari mais elle se demande si elle pourra se retirer avec lui et se faire courtiser en un lieu secret, loin des yeux curieux de la famille et des villageois, comme elle peut le faire ici. Quant elle exprime ses doutes, et son malheur, car elle aime manifestement ce bosquet à l'accès facile, la *sakhi* la rassure :

« O femme aux tendres bras, pourquoi toutes ces pensées ? Là-bas aussi, dans le nouveau village de votre mari, où vous serez bientôt, j'en suis sûre, il y aura de nombreux bosquets où les paons dansent et s'accouplent librement, et les couples de pigeons font trembler les feuilles des arbres par leurs mouvements (amoureux). Ne vous laisser pas aller, mon amie, et rentrez dans cette maison. »

(28)

La conversation entre les deux amies a lieu dans leur chambre mais, comme il s'agit de l'avenir, elles ont la tête légèrement levée, comme si elles imaginaient le temps qui reste à venir. Il y a, en même temps, un élément d'ambiguïté délibérée, pour le bosquet décrit à droite. La représentation de ce bosquet comme « nid d'amour » pour rencontres secrètes des amants est complète : il est épais, boisé ; plaisant mais non effrayant ; des oiseaux s'unissent dans les branches des arbres et des paons y dansent. On n'est cependant pas certain qu'il s'agisse du bosquet que la *nayika* regrette maintenant de devoir laisser derrière elle, quand elle s'éloignera de ces lieux : ce pourrait fort bien être le bosquet indiqué par la *sakhi*, évoquant un autre lieu, pour rassurer la *nayika*. Dans tous les cas, comment un peintre pourrait-il nous montrer ce qui se passera dans l'avenir sans ce mode consciemment ambigu ?

Bibliographie :
Voir le nº 46.

293

« Que sont ces marques sur ton corps, mon amie messagère ? » ; de la même série de la *Rasamanjari* que le nº 46

Gouache sur papier.
École Pahari, troisième quart du XVIIe siècle ; d'un atelier de Basohli.
Au verso, vers en sanskrit ; sur la bordure supérieure, en caractères takri, les mots *anya sambhoga dukhita* (« tourmentée par la pensée que son amant a eu des relations avec une autre »).
24 × 33 cm.
Sri Pratap Singh Museum, Srinagar ; nº 1979 (M).

La *nayika* a envoyé un message à son amant par l'intermédiaire d'une amie, mais la messagère profite de l'occasion. Elle a elle-même un intermède amoureux avec l'amant et retourne vers la *nayika* qui est assise dans un pavillon, attendant avec impatience un mot de son amant, en réponse à son message. Mais elle regarde la messagère et elle sait qu'il s'est passé quelque chose. Comme le dit le poème, la *nayika* exprime clairement sa colère et sa consternation :

« Pourquoi, mon amie, n'es-tu pas allée vers mon amant
avec mon message ? Il me semble qu'au lieu de cela
Tu es allé à notre beau bosquet. Comment, autrement,
Ton corps serait-il partout couvert
de ces pétales rouges de *tesu* ? »

Mais la *nayika* ne parle pas le moins du monde de pétales : elle a vu les marques rouges laissées sur le corps de la messagère par les ongles de l'amant et c'est de ces marques qu'elle parle, d'une manière détournée, à peine capable de contenir son indignation.
Le peintre indique clairement la situation ; le bosquet d'arbre, à droite, à mi-distance environ ; la messagère debout, un peu honteuse et prise d'un sentiment de culpabilité, qui cherche à cacher les marques sur son corps, en croisant les bras devant ses seins ; le regard furieux dans les yeux de la *nayika* qui fait des reproches, la main en avant, regardant son amie droit dans les yeux. La manière avec laquelle le peintre isole la silhouette de la messagère, comme si elle était accusée devant un tribunal, nous en dit beaucoup sur sa compréhension de l'importance des vers. Qu'avait-il exactement en tête en donnant à la base du pavillon la forme d'un éléphant au lieu de celle du *makara* habituel, comme dans tant d'autres peintures ? Cela n'apparaît pas clairement. Peut-être cette création de l'imagination signifie-t-elle pour lui quelque chose de bien différent d'un *makara* paraissant furieux ?.

Bibliographie :
Voir le nº 46.

294
Amers reproches ; de la même série de la *Rasamanjari* que le nº 46

Gouache sur papier.
École Pahari, troisième quart du XVIIᵉ siècle ; d'un atelier de Basohli.
Au verso, vers en sanskrit ; en haut, en caractères takri, les mots : *Praudha adhira* (« l'héroïne mûre, *amère, impatiente* »).
24 × 33 cm.
Dogra Art Gallery, Jammu ; nº 325.

Parvati, la compagne de Shiva, vit une vie heureuse, satisfaite avec son Seigneur, une seule pensée la tracasse : que Shiva se montre partial à l'égard de Ganga, la déesse du fleuve, qu'il porta dans les cheveux avant de la laisser doucement couler sur terre, dans le mythe fameux de la Descente du Gange. Cette pensée de Ganga réclamant l'attention de Shiva, elle a de la peine à la supporter ; tout son amour pour Shiva, toute sa foi en lui et en sa droiture sont balayés par cette jalousie insupportable. Cela ne lui empoisonne pas continuellement la vie... nous la voyons d'habitude, sur plusieurs peintures, assise, heureuse, avec son Seigneur, faisant pour lui de petits travaux, comme une bonne ménagère, s'occupant de leurs enfants. Pourtant, quand cette pensée lui vient, elle perd sa maîtrise d'elle-même et éclate en amers reproches. Comme ici :

Quand la fille du roi des Montagnes (Parvati) vit son reflet sur le croissant de lune sur le front de Shiva, elle se trompa et le prit pour celui de « l'autre », jouant avec le Seigneur. Furieuse, elle leva alors une main tremblante, accusatrice, une main ornée de bracelets étincelants, pour faire des reproches à son Seigneur. »

(16)

Pour exprimer ces remontrances amères, le poète et le peintre prennent comme modèles Shiva et Parvati, abandonnant ainsi le *nayaka* et la *nayika* coulés dans le moule de Krishna et de Radha. Comme Parvati est la fille du Roi de la Montagne, le peintre a introduit un paysage montagneux à l'arrière-plan : ce qui est aussi, bien naturellement, établir une relation entre les montagnes et Shiva, puisqu'il y avait sa demeure. Le peintre montre bien l'innocence et le trouble de Shiva : nous ne voyons pas Ganga qu'il porte bien, parfois, dans sa chevelure, mais la colère de Parvati est ici déplacée car la lune, qu'il a sur le front comme emblème l'a trompée en faisant voir à Parvati son propre reflet. Il y a une rare chaleur, une rare humanité dans cet épisode où Shiva, « le Seigneur de l'Univers » se fait réprimander par sa femme, comme un simple mortel.

Il convient de bien remarquer, non seulement ici, dans cette peinture d'une couleur étonnante, mais aussi dans toute cette série, la base en forme de monstre qui supporte le pavillon. Cette forme coléreuse, troublante n'est introduite, avec divers stades d'agitation et une vraie compréhension, que dans un climat de tension, de discorde. C'est là que, si souvent dans cette brillante série, le peintre ajoute des détails qui vont *au-delà* de la poésie du texte. Son œuvre est de l'ordre d'une vision plus que d'une simple illustration.

Bibliographie :
Voir le nº 46.

295

« Prends sur toi, Krishna » ; d'une série du *Rasikapriya*

Gouache sur papier.
Rajasthan, deuxième quart du XVIIe siècle attribué au peintre Sahibdin du Mewar.
Au sommet, des vers en hindi.
27 × 20,5 cm.
Government Museum, Udaipur ; n° 1097-26/89.

La tradition de classer les amants en diverses catégories, de considérer qu'ils appartiennent à des « types » identifiables, remonte, dans l'art de l'Inde, au moins aux premières années de l'ère chrétienne. L'étonnant traité d'art qu'est le *Natya-shastra* de Bharata parle des *nayakas* et des *nayikas,* les héros et les héroïnes (celles-ci étant bien plus intéressantes que les premiers), il prescrit les manières de les présenter dans un contexte théâtral ; on compte donc, parmi les divers « types », l'héroïne qui sort la nuit pour aller retrouver son amant, celle qui s'est querellée avec lui, celle qui l'attend en vain au lieu du rendez-vous ; et viendra bientôt le temps, qui fait tellement partie de l'imagination indienne, où les écrivains les utiliseront à qui mieux mieux dans toutes sortes de contextes. A leur sujet, ont vu le jour en littérature, de nombreux textes de prosodie et de rhétorique. On en trouva un exemple tardif, mais classique, avec l'œuvre sanskrite du XIVe ou du XVe siècle, la *Rasamanjari* de Bhanudatta où l'on trouve des descriptions très détaillées, « scientifiques », mais aussi très poétiques, de ces divers types, qui ont fourni des modèles aux écrivains suivants. Parmi ceux-ci, citons le poète hindi Keshavadasa qui composa en 1591 son œuvre fameuse, le *Rasikapriya,* dans la petite cour princière d'Orchha, en Inde centrale. Ce « Bréviaire du connaisseur » utilise les types précédents, mais ajoute aussi des sous-classes, crée de nouvelles situations, illustre et étudie toute une plage d'émotions subtiles, dans un style fortement stylisé, – Coomaraswamy y aurait vu « une œuvre d'un noble artifice », – pleine de rythmes de la douceur du miel. On ne peut sentir tout l'effet de cette sorte de poésie, par la lecture seule, il faut la récitation à haute voix, ce que tous les poètes considèrent normal de la part des lecteurs, car c'est seulement ainsi que l'on peut sentir les majestueuses sonorités, les jeux entre les mots qui sont disposés et redisposés, arrangés pour être ensuite disloqués au sein du même vers, comme les pierres précieuses que l'on taille pour les sertir.

Dans son *Rasikapriya,* Keshavadasa parle beaucoup plus longuement des *nayikas* que des *nayakas,* les héros ; mais il prend presque toujours comme modèles Radha et Krishna, les archétypes des amants dans la pensée indienne. Les classes sont établies en fonction de l'âge, de l'état dans la vie, de leur tempérament réel et, surtout, de leur situation dans l'amour ; puis il y a des permutations et des combinaisons ; ainsi, une *nayika* qui est *parakiya,* « qui appartient à un autre », peut aussi être une *mugdha,* celle « qui n'est pas initiée », être *uttama,* ou d'une situation « supérieure », et être dans un état amoureux où elle attend son amant dans sa chambre avec le lit coquettement préparé, et ainsi de suite. Quand on joue avec ces types de classes, on peut illustrer une étonnante variété de 360 *nayikas.* Certaines peuvent sembler trop artificielles, inventées, mais ces descriptions donnent un plaisir certain. Le caractère inventif du poète, sa manière de jouer avec les mots attirent l'admiration et personne ne peut rester insensible devant ce sentiment poétique authentique. A ses meilleurs moments, la poésie de Keshava émeut et ravit. Elle perd beaucoup à la traduction, car le rythme et le jeu entre les mots sont, pour la plus grande partie, perdus ; malgré cela, cependant, on peut sentir, peut-être, un peu de la poésie de Keshava, si l'on ne peut la goûter pleinement.
Avec cette peinture, nous nous trouvons devant un amant qui feint, pour quelque raison, d'être offensé ; c'est lui qui a besoin d'être apaisé par des cajoleries et des accords, choses qu'il fait généralement quand la *nayika* est *manini,* fière, intraitable. Les vers sont inscrits en hindi, sur la marge jaune du haut : et c'est le cas pour la totalité de la série, si bien que, manifestement, l'auteur a voulu qu'en regardant son œuvre, on y prît plaisir, on y participât au moins à deux niveaux, celui de la poésie et celui de la peinture, Il n'a peut-être pas eu tellement l'intention d'illustrer des vers, mais plutôt de créer une œuvre visuelle parallèle. Ici, dans le haut, les vers nous présentent une *sakhi,* une amie, qui parle à Krishna au nom de la *nayika* :

Fais ce que je dis, Krishna.
Ce que le poisson est pour l'eau
l'eau ne l'est pas pour le poisson :
Sans elle, comment vivrait-il ?
A Tes pieds se trouve celle sans qui
rien n'avait de sens, alors, O Très Cher !
Et maintenant, elle Te supplie
De donner un sens à sa vie
En tombant à mes pieds,
Moi qui suis son amie, qui la représente.
Et maintenant, c'est elle qui est à Tes pieds.
Relève-la, Prends-la,
Embrasse-la. Fais ce que je dis
Ou bien serais-Tu fou, comme celui
Qui ferme sa porte
Quand Lakshmi elle-même vient y frapper ?

La peinture rend avec pittoresque cette situation, peut-être même d'une manière trop littérale : on voit le poisson hors de l'eau, le récipient plein d'eau, sur un trépied, la porte fermée et, à l'extérieur, une femme qui s'approche, Lakshmi, manifestement. Mais le point culminant de l'œuvre, il faut le chercher dans sa composition et dans sa coloration brillante, lumineuse. Le peintre est certainement un maître du détail et de la décoration : on en est frappé si l'on regarde bien la peinture ; même dans l'interprétation du *bhava,* il montre une compréhension aiguë de la situation, du caractère et de l'état d'esprit.
On remarquera ensuite comment Krishna, l'amant, replie sous lui ses jambes comme pour refuser, dans sa colère, à sa bien-aimée même la possibilité de lui toucher les pieds ; il faut aussi noter son hésitation, car sa colère est seulement feinte. Tout cela est vraiment ravissant, inattendu, comme le paon, le plantain et le couple d'oiseaux, à l'arrière plan, qui annoncent que la réconciliation, que l'amour sont, pourrait-on dire, au coin de la rue.
On attribue cette série à un peintre musulman du Mewar, Sahibdin, même si l'on n'a encore trouvé aucun colophon. On associe au nom de Sahibdin d'autres séries datées et « signées » comme, par exemple, le *Gita Govinda* de 1629 ou le *Ramayana* de 1652 ; ou encore une *Ragamala* ; il semble avoir exécuté la plupart de ses œuvres pour le maharana Jagat Singh I de Mewar (1628-1652) ; la présente série est non seulement de son style caractéristique, mais elle trahit même sa main ; elle

pourrait dater d'environ 1640, sa « période médiane ». Andrew Topsfield (*infra*) estime y percevoir un des « reculs occasionnels... dans son idiome précédent » de Sahibdin. Toute la série est cependant caractérisée par « une finition achevée et par une grande facilité de composition et de technique », avec des « interprétations poétiques intelligentes de l'imagerie odorante des vers de Keshava ».

Bibliographie :

Vishwanath Prasad Mishra, *Rasikapriya Ka Priyaprasada Tilak,* Varanasi, 1958 ; Karl J. Khandalavala, « Leaves from Rajasthan », *Marg,* vol. IV, nº 3 ; Karl Khandalavala, Moti Chandra et Pramod Chandra, *Miniature Paintings from the Sri Motichand Khajanchi Collection,* Delhi, 1960 ; M.S. Randhawa, *Kangra Paintings on Love,* Delhi, 1962 ; Andrew Topsfield, Illustrations du *Gita-Govinda* de Sahibdin, *Chhavi,* II, Bénarès, 1981, p. 231-238 ; S.K. Andhare, inédit sur la peinture du Mewar, Université de Bombay ; R.K. Vashishtha, *Mewar Ki Chitrankan Parampara,* Jaipur, 1984 ; Vishakha Desai, rapport inédit sur le *Rasikapriya* dans la poésie et dans la peinture.

296

« Comme si toute vie l'avait abandonnée ; de la même série du *Rasikapriya* que le n° 295

Gouache sur papier.
Rajasthan, deuxième quart du XVIIe siècle.
En haut, vers hindi.
27 × 20,5 cm.
Government Museum, Udaipur ; n° 1097.26/107.

Les vers contiennent un reproche et le poète les a placés dans la bouche de la *sakhi*, la confidente de l'héroïne. La *nayika* elle-même est représentée en *mugdha*, l'ingénue, qui doit encore apprendre les cheminements et les limites de l'amour. Le poème suggère qu'elle s'est trop complue en elle-même, qu'elle a goûté à tant de joies en compagnie de son amant que, la voyant dans cet état, paraissant inconsciente mais, en réalité, repue, la *sakhi*, qui connaît l'ardeur de Krishna, imagine le pis et commence à le morigéner. Et naturellement, le poète, le peintre, le lecteur, l'amateur d'art, la *sakhi* et Krishna, tous savent que la remontrance n'est pas faite très sérieusement. C'est seulement une mesure du sort qu'il a jeté à la jeune et innocente *nayika*. Pourtant, les mots que la *sakhi* adresse à Krishna semblent durs :

N'as-Tu pas essayé tous Tes trucs sur elle ?
Ne l'as-Tu pas comblée de dons,
Demandé à ses amies d'intercéder pour Toi,
Ne lui as-Tu pas demandé des serments de fidélité,
Peut-être même l'as-Tu endormie avec des drogues
Et l'as-Tu mise au lit ?
N'as-Tu pas fait cela et plus
A cette beauté
Entretenue comme une pousse de lotus,
comme une guirlande de fleurs *bela* ?
As-Tu le cœur
D'un homme ou d'un fauve, je te le demande ?
Laisse-la... au moins,
Maintenant que l'aurore est là,
que la nuit est finie.
Regarde-la couchée ici,
Comme si toute vie l'avait quittée.
Étrange est Ton amour
Pour Ta bien-aimée, cette Chitrini,
Belle comme toujours, immobile maintenant
comme une image.
Quel *rasika* es-Tu ?
Dans quel *rasa*
T'es-Tu complu ?

(III.29)

Nous ne sommes pas surpris que Krishna ait l'air un peu interloqué en entendant ce déluge de paroles. L'effet dramatique est indiqué par les lourds doubles rideaux ouverts et repliés dans les coins, avec le genre d'effet de volume et de poids que montrent certaines peintures Akbari. Un autre élément de décor de théâtre est constitué par le dais placé obliquement au-dessus de la tête de Krishna et de celle de la *sakhi*. Les couleurs brillantes, les fonds monochromes unis, le souci des détails de décoration, la vigueur des gestes, le traitement de l'horizon avec sa zone plus claire au-dessus d'une courbe, tout cela est vraiment typique des œuvres de Sahibdin dans cette série.

Bibliographie :
Voir le n° 295.

297

« Une Gopi, belle comme une déesse ; de la même série du *Rasikapriya* que le n° 295

Gouache sur papier.
Rajasthan, deuxième quart du XVIIe siècle.
En haut, vers en sanskrit.
27 × 20,5 cm.
Government Museum, Udaipur ; n° 1097.26/110.

Une *sakhi* fait une description enthousiaste de la *nayika,* belle comme une déesse, qu'elle a vue, par hasard, dit-elle. En réalité, elle veut faire naître des sentiments d'amour dans le cœur de Krishna, pour nulle autre que sa propre amie, Radha, qu'elle célèbre en ces termes extravagants, mais poétiques :

Aujourd'hui, Gopal, j'ai vue une *gopi*
Qui avait la beauté de la déesse,
D'or éblouissante,
Débauche de fragrance,
Au corps fait pour l'amour.
C'est un incarnat rayonnant, Ghanshyam,
Comme l'éclair lui-même.
Je n'ai vu personne comme elle, ni déesse,
Ni fée, personne qui soit né du soleil ;
Et ses mouvements, ses gestes, Ghanshyam,
Elle semble les avoir appris de Saraswati elle-même.
Telle une *siddhi,* elle est,
Elle donne toute joie, tout ce qui importe.
Elle doit être née, pensé-je, de Menaka,
La nymphe des cieux,
et de Kama lui-même, le dieu de l'amour.
(III.52)

Non contente d'énumérer les parties de son corps et de les comparer, par des images bien choisies, à des objets pris dans la nature, la *sakhi* loue la *nayika* avec éloquence. Une fois encore, le peintre introduit, plutôt littéralement, toutes les références visuelles possibles : ainsi, l'éclair dans le ciel qui s'accorde si bien au nom donné à Krishna de « Ghanshyam », celui qui est « sombre comme la nuée ». Kama, le dieu de l'amour, portant son arc, est représenté avec sa compagne, assis dans un arbre au centre de la peinture : par cet artifice, ils ne sont pas intégrés à la scène ni au paysage que le peintre a imaginé, ils deviennent des références, ils sont présents mais un peu éloignés. On trouve d'autres parallèles à la beauté de la *nayika* timide qui se promène modestement à gauche : un paon faisant la roue, le plantain qui est lisse comme les cuisses de la bien-aimée, le jardin en fleurs, et ainsi de suite. Mais on oublie rapidement les références littérales et l'on ne voit que l'ensemble de la composition et la palette magnifiquement ordonnée, tout étant bien mis en relief par le fond très sombre sur lequel les couleurs luisent, brûlent.

Bibliographie :
Voir le n° 295.

298

« Avez-vous vu, amies, comment elle s'est levée ? » ; de la même série du *Rasikapriya* que le n° 295

Gouache sur papier.
Rajasthan, deuxième quart du XVIIe siècle.
En haut, des vers en hindi.
27 × 20,5 cm.
Government Museum, Udaipur ; n° 1097.26/113.

L'héroïne mûre est la *praudha,* celle qui a vu le monde et en connaît les détours. Même chez les *praudhas,* il peut cependant s'en trouver qui sont patientes et d'autres qui ne le sont pas. Quand une *praudha-dhira nayika* mûre et patiente, se trouve dans une situation désagréable, quand elle apprend, par exemple, que son amant fait attention à « l'autre », elle ne se met pas dans une violente colère, elle ne va pas accabler son amant de reproches. Elle se conduit autrement, comme dans les strophes qui suivent, où deux *sakhis,* des amies de la *nayika,* commentent sa conduite :

Avez-vous vu, mon amie, comment elle s'est levée
et s'est précipitée au-devant de lui
pour l'accueillir alors qu'il sortait
de la chambre d'une autre ?
Avec quelle affection elle l'a fait asseoir ?
Avez-vous vu, aussi, comment
Elle a fait chercher de l'eau dans ce broc brillant
et comment elle s'est courbée pour lui laver les pieds
de ses propres mains tendres ?
Et avec quel amour elle a préparé
Un *paan* odorant et le lui a offert ?
Et comment, ensuite, elle a pris un éventail
Pour l'éventer elle-même ?
Et Keshava dit : En voyant tout cela,
Il sourit et, la tenant par le poignet,
lui parla doucement :
« Tant d'attentions sont-elles la mesure de ma faute,
mon aimée ? »

(III.60)

L'infidélité de Krishna est un des sujets favoris du peintre rajpout, car elle fait naître de nombreux jeux amoureux. Mais, en la traitant comme l'aurait fait la *prauda-dhira nayika,* les événements prennent un autre tour.

Bibliographie :
Voir le n° 295.

299

« Comme tu barattes bien, chère amie ! » ; de la même série du *Rasikapriya* que le n° 295

Gouache sur papier.
Rajasthan, deuxième quart du XVIIe siècle.
En haut, des vers en sanskrit.
27 × 20,5 cm.
Government Museum, Udaipur ; n° 1097-26/116.

Par un procédé inhabituel, le peintre rassemble ici, sur la même feuille, plusieurs strophes et, au premier abord, on ne peut s'en apercevoir. Dans les deux parties du bandeau inférieur, il représente deux fois un sujet familier : la *nayika* tenant à la main le portrait de son amant absent, pense et se rappelle à quoi il ressemble, comment il parle et comment il sourit ; parfois même, dans sa distraction, elle lui parle. C'est le *chitradarshana,* non seulement elle voit l'aimé grâce à son portrait, mais elle lui est unie, pourrait-on dire. Ici, ce qu'éprouve Radha à gauche, Krishna, à droite, l'éprouve aussi. Comme elle, il tient aussi un portrait, il pense à elle avec un sentiment intense. Tandis que, regardant son image, elle est toute confuse et se met à transpirer à la seule idée de s'unir à lui, « ses cheveux se dressant sous l'effet de sa profonde émotion », lui a d'autres pensées. D'après Keshava, voici ce que se dit Krishna :

Parle-moi, mon cœur.
Dis-moi comment sonder
les mystères de son sourire,
ses rapides offenses !
Dis-moi à quoi sert
de rester ainsi amoureux
sans même lui parler,
sans être à ses côtés ?
Combien de temps, ô mon cœur,
pourrai-je n'assouvir mes yeux
qu'avec cette image peinte ?
Un poisson peut-il voir de l'eau
et ne pas frétiller,
ne pas s'y jeter ?

(IV.10)

Dans le bandeau supérieur, cependant, nous avons une tout autre situation. Là, le poète a imaginé un autre rôle. Radha baratte de la crème, debout, quand Krishna se présente à la porte. Elle sent peut-être qu'il est là mais n'y fait pas particulièrement attention et elle continue de baratter vigoureusement. Alors, une *sakhi* se met à parler :

Comme tu barattes bien, ma chère !
Incomparables et délicieux sont tes seins hauts et fermes, sais-tu !
Ah ! Ta poitrine, et ces beaux colliers
qui dansent contre elle.
Même les jeunes femmes sont troublées par cette vue délicieuse,
alors, les jeunes hommes ? On ne peut que les plaindre ;
Pourtant, en amie, je te donne un conseil,
et ne peux seulement regarder.
Couvre-toi d'un voile, mon amie,
Car un autre, le fils de Nanda,
est ici, il regarde et ce qu'il voit le trouble.
Comme tu barattes bien, mon amie ! »

(IV.7)

Il n'y a aucun rapport entre ces deux passages, dans l'œuvre de Keshava, mais le peintre a décidé d'en établir un. Il semble qu'il a été excité par l'idée de juxtaposer la *nayika* dans cette occupation vigoureuse, séduisante, et son image absolument immobile, tenue à la main par son amant, à la strophe suivante. N'est-ce pas cette délicieuse vision d'elle que Krishna se rappelle quand il regarde son portrait, on peut se le demander ?
Si la division de la peinture impose à la composition une rigidité excessive, le bandeau supérieur, avec son mouvement et son action visuelle, contribue à rompre celle-ci. Il faut remarquer que la décision du peintre d'inclure jusqu'à trois *Kavittas* dans la même peinture lui a posé des problèmes en raison du format de la série, les vers étant toujours inscrits dans le bandeau jaune du haut. Ici, les vers débordent et se poursuivent dans la marge en bas de l'image.

Bibliographie :
Voir le n° 295.

300

« Ces longues et épuisantes nuits » ;
de la même série du *Rasikapriya* que le nº 295

Gouache sur papier.
Rajasthan, deuxième quart du XVIIe siècle.
En haut, vers en hindi.
27 × 20,5 cm.
Government Museum, Udaipur ; nº 1097.26/122.

Nous avons ici une atmosphère de légèreté. La *nayika,* la jeune Radha, invente des situations gênantes, ou du moins amplifie fortement la réalité : les malades dans la maisonnée ; le portier qui est un bon à rien, une épave ; et, surtout, les « dispositions » naturellement prises par les membres de sa famille en vertu desquelles elle doit occuper ses nuits. Les doléances, et c'est significatif, s'adressent à Krishna, comme s'il était impartial, désintéressé.

Que ferai-je ?
La bonne n'est pas à la maison ;
la servante est au lit avec de la fièvre
et la duègne ne le lui permettrait pas.
Le gardien est aveugle, la nuit,
et d'ailleurs il n'entend pas mieux.
Sois juste, Kanha, et dis-moi
comment vivre avec tout cela ?
Et me résigner à ces compagnes,
à ces filles ?
Elles ne sont pas une compagnie, et pourtant
je dois les laisser venir
chez moi, la nuit,
ou dois-je aller chez elles ?
Est-ce une manière de passer mes nuits ?
(V.15)

Les doléances se transforment en invitation, à la fin, et c'est une idée dont le peintre se saisit avec avidité, car il nous montre la chambre à coucher vide, et Radha qui l'indique avec désespoir tout en parlant à Krishna. Celui-ci, naturellement ravi en secret de cette suggestion, se tient debout, dehors, en confident « juste » et innocent.
Cette œuvre est d'une finition parfaite en termes de surface et le peintre a pris plaisir à toutes les possibilités de décoration, il a varié les formes des façades et des toits. Les fonds unis restent les mêmes, comme le traitement de l'arbre et de l'horizon, comme il est normal dans une série, mais la répartition des couleurs est différente, en fonction de l'atmosphère de la poésie, et de la manière dont on la comprend.

Bibliographie :
Voir le nº 295.

301
« Dans la forêt, au plus profond de la nuit » ; de la même série du *Rasakapriya* que le n° 296

Gouache sur papier.
Rajasthan, deuxième quart du XVIIe siècle.
En haut, vers en hindi.
27 × 20,5 cm.
Government Museum, Udaipur ; n° 1097.26/142.

Abhisara, le fait de se rendre à un rendez-vous avec son amant, a inspiré quelques œuvres particulièrement plaisantes dans la tradition rajpoute, peut-être parce qu'il y a un curieux mélange de romanesque et de mystère, de courage et de peur. Poètes et peintres reviennent sans arrêt sur ce thème, l'*abhisarika* étant le plus souvent représentée en train de sortir par une nuit obscure ; il existe quelques peintures d'un *shukla-abhisarika,* celle qui choisit une nuit de clair de lune pour sortir, mais ce thème offre des possibilités moins plaisantes. Ici, Keshava nous montre une *abhisarika* qui sort, n'ayant qu'une idée en tête, poussée par un désir irrésistible d'être avec son amant, dans la nuit, comme ils en étaient convenus :

« Elle sort au plus profond de la nuit :
ne s'inquiétant pas des serpents enroulés,
montant sur leurs capuchons mortels,
guettée par les gobelins qui l'épient
de tous les côtés.
Cette pluie, cette pluie battante
ne compte par pour elle.
Elle n'entend ni le son des criquets
ni celui des nuages
qui déchirent le ciel de leurs grondements.
Quand elle fait tomber un ornement
elle ne s'en rend pas compte,
non plus que des épines qui
déchirent ses vêtements
et piquent ses beaux seins.
Ainsi est-elle, cette *abhisarika,*
perdue dans ses pensées,
ne voulant que rejoindre son amant.

Et elle va dans la profondeur de la nuit,
Et les femmes des esprits
qui hantent la forêt
en sont confondues.
Quel est donc le secret, demandent-elles,
de sa maîtrise du yoga ?
Où l'a-t-elle apprise ?

(VIII.32)

Le peintre a utilisé tout ce dont parle le poète : les serpents, les gobelins, la pluie et le tonnerre, les femmes des esprits cachés ; et il en rajoute : un tigre, un yogi, des cavernes et des collines et, naturellement, Krishna, dans le coin, en haut à gauche. Ces éléments s'intègrent tous dans une belle composition centripète qui, avec l'orange et le jaune des vêtements de la *nayika,* se détachant sur le fond brun foncé de la colline, produit un effet des plus vifs.

Bibliographie :
Voir le n° 296.

302

« Quand jettera-t-elle une lueur ? » ;
de la même série du *Rasakapriya* que le n° 296

Gouache sur papier.
Rajasthan, deuxième quart du XVIIe siècle.
Sur le bandeau du haut, vers en hindi.
27 × 20,5 cm.
Government Museum, Udaipur ; n° 1097.26/149.

Le *nayaka,* le héros, est pris de doute :
Viendra-t-il jamais, le jour où,
de son corps flagrant, elle
m'enlèvera tous mes doutes
d'un froncement de ses beaux sourcils ?
Quand mes yeux pourront-ils
la suivre comme un esclave
à chacun de ses pas ?
Quand me percera-t-elle le cœur
de la flèche de son regard,
son regard chargé de musc,
riche de camphre ?
Quand, étincellante comme une image
sous la lumière d'une lampe,
me jettera-t-elle une lueur
et me parlera-t-elle avec un sourire sur les lèvres ?
Keshava demande : Ce jour viendra-t-il jamais ?
(VIII.18)

Ici aussi, Krishna est assis, un portrait de sa bien-aimée à la main, éclairé par une lampe allumée posée sur le sol à côté de lui ; mais ce portrait n'est pas, ici, pour la lui rappeler. Ici, il espère, comme le dit le poète, une lueur qui pourrait jaillir, comme une flamme, de la peinture, une lueur qui pourrait le frapper. Beaucoup d'autres éléments expliquent le *bhava* de la poésie : les traits d'amour tirés par l'arc, qui ressemble à celui de Kama, avec des flèches en forme de lotus ; les réceptacles de ces fragrances affolantes ; la démarche trottinante de la *nayika* au lotus, le *lila-kamala,* joyeusement porté à la main, qui est suivie servilement par une autre. Et, pour rompre la rigidité linéaire de l'architecture, le peintre a placé des rameaux de fleurs, nombreux, éclatants, qui partent des buissons et des plantes grimpantes, qui emplissent le reste de la peinture de leurs rythmes ondoyants.

Bibliographie :
Voir le n° 296.

303

« Je ne supporte pas de le voir ainsi » ; de la même série du *Rasika-priya* que le n° 296

Gouache sur papier.
Rajasthan, deuxième quart du XVIIe siècle.
En haut, vers en hindi.
27 × 240,5 cm.
Government Museum, Udaipur ; n° 1097.26/154.

Le *viraha*, la souffrance de la séparation, du *nayaka* est complète. Couvant le sentiment d'être rejeté, désespérant de la revoir jamais, il n'a plus aucune espérance. Il est dans un état d'*udvega*, de profonde agitation, l'un des dix états énumérés dans la liste rhétorique décrivant les états de l'amour lors de la séparation. Cette fois, la *sakhi*, l'amie et la compagne de la *nayika*, plaide pour son compte à lui, elle demande à Radha de se laisser fléchir :

Je ne supporte pas de le voir ainsi, ô mon amie !
Ses yeux s'emplissent de larmes
à ta seule pensée
et il ne peut s'empêcher de trembler
quand il voit un *tamala* qui fleurit.
Perdu dans ses pensées,
il erre sans but, absent, cherchant
les lieux qui, pour lui,
sont des rappels de toi :
ce jardin, cette pièce d'eau avec des lotus.
Va, vois par toi-même, mais
vas-y sans moi,
car je ne puis supporter de le voir ainsi, ô mon amie !
(VIII.34)

Les couleurs de cette œuvre, avec son fond rouge vif, tellement typique du travail du Mewar, semblent contradictoires, au moins au premier abord, avec le sentiment exprimé ici mais, comme la passion est la note dominante de cette situation, même s'il s'agit d'une passion non récompensée, ce choix paraît délibéré. En fait, on dirait que tout est bien à sa place : les arbres, les lotus, les oiseaux et les fleurs ; Krishna seul est désolé. Si l'on regarde de plus près ces vers, on voit que c'est là l'idée directrice. Nous ne voyons pas ici le monde par les yeux de Krishna, mais par ceux de la *sakhi* pour laquelle l'état de Krishna est en désaccord avec une situation autrement pleine d'harmonie.

Bibliographie :
Voir le n° 296.

304
« Mais de quoi souffre-t-il ? » ; de la même série du *Rasikapriya* que le n° 296

Gouache sur papier.
Rajasthan, deuxième quart du XVIIe siècle.
Dans le haut, vers en hindi.
27 × 20,5 cm.
Government Museum, Udaipur ; n° 1097.26/161.

Au delà de l'agitation et du délire, dans les dix états de l'amour dans la séparation, se trouve l'état de *jadata,* de stupeur, d'après les textes. Ne pouvant plus supporter les affres de la séparation d'avec sa bien-aimée, le *nayaka* en arrive au stade de l'incompréhension ; comme si quelque chose lui déchirait les entrailles et qu'il ne pouvait se maîtriser. On s'inquiète fort quand Krishna est couché dans sa chambre, pratiquement insensible. Les médecins, les serviteurs, les servantes et tous les membres de la maison ne savent plus à quoi se vouer.

Qui saura jamais que quoi il souffre ?
A chaque instant qui passe
son corps devient plus faible.
Rien n'y fait ;
ne connaissant pas les causes,
il n'y a pas de drogues.
Il est au delà du sentiment,
car rien ne l'intéresse plus,
la souffrance ne lui fait plus rien.
Keshava dit que Krishna, lui,
n'entend pas et ne comprend même pas.
Alors, à bon droit, chacun se demande :
Est-ce là l'état même du *yoga* ?
ou du désespoir d'amour ?
Mais qui saura jamais de quoi il souffre ?
(VIII.51)

L'inquiétude sur l'état de Krishna n'occupe cependant qu'une partie de cette page. A sa manière, le peintre nous donne des indices, il nous fait soupçonner la cause du mal de Krishna. Sa charmille vide, bordée de guirlandes, pleine du bourdonnement des abeilles, voilà, semble nous dire le peintre, ce qui fait souffrir Krishna. Elle ne vient plus dans leur chambre d'amour florale (et c'est pourquoi elle n'est plus d'une couleur rouge brillante, comme d'habitude, quand leur amour aboutit à l'union) ; quel sens pourrait encore avoir, pour lui, la vie ?
L'état de Krishna cause donc du souci et les gestes d'étonnement, de la part des *sakhis,* ne sont pas sans signification.

Bibliographie :
Voir le n° 296.

305

La réconciliation ; de la même série du *Rasikapriya* que le n° 296

Gouache sur papier.
Rajasthan, deuxième quart du XVIIe siècle.
En haut, vers en hindi.
27 × 20,5 cm.
Government Museum, Udaipur ; n° 1097.26/311.

Les épreuves des amants, ces jours et ces nuits sans fin où ils sont séparés, prennent quand même fin et l'air s'éclaircit. Le *mana*, la fierté, le respect de soi restent cependant toujours là. Qui fera le premier pas ? Qui reconnaîtra s'être trompé ? Qui fera un geste ? En poésie, ce thème se retrouve souvent, traité avec subtilité, en profondeur. Si la *nayika* est *manini*, le *nayaka* n'est pas loin derrière elle, du point de vue de l'intransigeance. Désireux de se réconcilier, ils cherchent le moyen de faire tomber toutes leurs prétentions, d'abaisser toutes les barrières sans, pour autant, « s'abaisser eux-mêmes ». Enfin, les nœuds se défont : le dégel vient, sous l'effet de facteurs extérieurs, comme ici :

Quand les nuages ont grondé dans le ciel
et que les paons ont élevé la voix
et que les demoiselles solitaires, leurs amies, se sont mises à chanter,
cela devait arriver.
Quand l'éclair a brillé
pour révéler l'or de sa chair
et cette couche élégante,
cette belle demeure, cette clairière,
cela devait arriver.
Quand l'air s'est épaissi
de l'odeur du safran
et du camphre,
et quand les fleurs ont parfumé l'atmosphère,
cela devait arriver
aux cœurs qui s'aimaient.
Comme le dit Keshava, ils éclatèrent de rire, tous les deux,
au même moment,
et toute fierté fut oubliée.
Radha et son amour ne furent plus qu'un.
(X.27)

Cette soudaine poussée de passion, ce frénétique désir, tout a été ici magnifiquement saisi par le peintre, alors que les amants s'étreignent avec passion. Les stimulants externes, l'éclair, les nuages, le chant, les paons, l'odeur exquise, ont tous un rôle à jouer, car ils se combinent, pourrait-on dire, pour former une rafale de vent qui chasse toute poussière du cœur des amants. On pourrait bien chanter un hymne à cette saison, semblent faire remarquer les *sakhis*.

Bibliographie :
Voir le n° 296.

Annexes

A. Les sentiments *(Rasas)* et leurs correspondances

RASA	*BHAVA*
1. Shringara (L'ÉROTIQUE)	Rati (L'AMOUR)
2. Hasya (LE COMIQUE)	Hasa (JOIE, BADINERIE)
3. Karuna (LE PATHÉTIQUE)	Shoka (TRISTESSE)
4. Raudra (LE FURIEUX)	Krodha (COLÈRE)
5. Vira (L'HÉROÏQUE)	Utsaha (ÉNERGIE)
6. Bhayanaka (LE TERRIBLE)	Bhaya (CRAINTE)
7. Bibhatsa (L'ODIEUX)	Jugupsa (DÉGOÛT)
8. Adbhuta (LE MERVEILLEUX)	Vismaya (ÉTONNEMENT)

Les écrivains ultérieurs ont ajouté un neuvième *Rasa,* non mentionné par Bharata dans le *Natyashastra* :

9. Shanta (LE QUIESCENT)	Shama (TRANQUILITÉ)

Certains auteurs parlent d'autres *rasas,* parmi lesquels *Bhakti* (dévotion), *Vatsalya* (affection parentale), *Sauhardra* (amitié), *Karpanya* (misère), *Madhurya* (douceur), et ainsi de suite, mais ils ne sont pas généralement acceptés et les écrivains qui font autorité maintiennent qu'il n'y a que neuf *rasas* principaux.

B. Les trente-trois états d'émotions complémentaires (*Vyabhichari Bhavas*)

	Équivalent anglais dans la traduction par Manmohan Ghosh du Natyashastra *de Bharata*	*Équivalent anglais dans la traduction de Ballantyne et de Pramoda Dasa Mitra du* Sahitya Darpana *de Vishwanatha*
1. **nirveda**	despondency (découragement)	self-disparagement
2. **glani**	weakness (faiblesse)	debility (débilité)
3. **shanka**	apprehension	apprehension (perception)
4. **asuya**	envy (envie)	envy
5. **mada**	intoxication	intoxication
6. **shrama**	weariness (lassitude)	weariness
7. **alasya**	indolence	indolence
8. **dainya**	depression (dépression)	depression
9. **chinta**	anxiety (inquiétude)	painful reflection (réflexion pénible)
10. **moha**	distraction	distraction
11. **smriti**	recollection (mémoire)	recollection
12. **dhriti**	contentment (contentement)	equanimity (équanimité)
13. **vrida**	shame (honte)	shame
14. **chapalata**	inconstancy (inconstance)	unsteadiness (instabilité)
15. **harsha**	joy (joie)	joy
16. **avega**	agitation	flurry (bouleversement)
17. **jadata**	stupor (stupeur)	stupefaction
18. **garvva**	arrogance	arrogance
19. **vishada**	despair (désespoir)	despondency (découragement)
20. **autsukya**	impatience	longing (désir)
21. **nidra**	sleeping (sommeil)	drowsiness (somnolence)
22. **apasmara**	epilepsy	dementedness (folie)
23. **supta**	dreaming (rêve)	dreaming
24. **vibodha**	awaking (réveil)	awaking
25. **amarsha**	indignation	impatience of opposition
26. **avahittha**	dissimulation	dissembling (même sens)
27. **ugrata**	cruelty (cruauté)	sterness (sévérité)
28. **mati**	assurance	resolve (détermination)
29. **vyadhi**	disease (maladie)	sickness (maladie)
30. **unmada**	insanity (folie)	derangement (dérangement)
31. **marana**	death (mort)	death
32. **trasa**	fright (frayeur)	alarm
33. **vitarka**	deliberation	debate (débat)

C. Les huit *Sattvika* selon Bharata. Ces états sont, par définition, « involontaires », supposant des fonctions corporelles naturelles en réaction à des émotions

1. **Stambha**	Paralysie	5. **Vepatrhu**	Tremblement
2. **Sveda**	Transpiration	6. **Vaivarnya**	Changement de couleur
3. **Romancha**	Chair de poule	7. **Ashru**	Pleurs
4. **Svarasada**	Changement de voix	8. **Pralaya**	Évanouissement

D. Éléments des différents *Rasas* selon le *Sahitya Darpana* de Vishwanatha

Rasa (sentiment)	**Bhava** (état d'esprit)	**Vibhavas** (Déterminants)	**Anubhavas** y compris les **Stattvika** (conséquents)	**Vyabhichari Bhavas** (États d'émotions complémentaires)	**Couleur**	**Divinité**
1. **Shringara**	**Rati** (Amour)	A. **Substantiel (alambana) :** i. nayikas (sauf la femme d'un autre et une courtisane si elle n'est pas animée d'un amour honnête) ii. nayakas B. **Excitant (uddipana)** La lune ; les onguents de bois de santal ; Le bourdonnement des abeilles, etc. Une maison vide ; un bosquet retiré, etc.	Mouvements des sourcils ; regard de côté ; baisers, embrassade, etc.	Tous, sauf la cruauté, la mort, l'indolence, le dégoût	Shyama (bleu-noir)	Vishnou
2. **Hasya**	**Hasa** (joie, badinerie)	A. **Substantiel :** Ce dont rit une personne quand elle le voit déformé : forme, parole ou gestes B. **Excitant :** Gestes s'y rapportant	Fermeture des yeux ; contenance souriante, etc.	Lassitude ; indolence ; dissimuation, etc.	Blanc	Shiva
3. **Karuna**	**Shoka** (tristesse)	A. **Substantiel :** Objets de tristesse D. **Excitants** Brûlure du corps, etc.	Maudire quelqu'un ; tomber par terre ; lamentations ; changement de couleur ; soupirs ; sanglots ; stupeur ; délire ; etc.	Indifférence ; évanouissement ; épilepsie ; maladie ; débilité ; souvenir ; lassitude ; détresse ; insensibilité ; folie ; anxiété, etc.	Couleur de la colombe	Yama
4. **Raudra**	**Krodha** (colère)	A. **Substantiel :** l'ennemi B. **Excitant :** son comportement est excité par des coups du poignet ; chutes, rudesse, coupures et déchirures, combats et confusion	Froncer les sourcils ; se mordre les lèvres ; balancer les bras ; gestes menaçants ; brandir des armes ; prononcer des injures ; regards de colère ; vantardises	Cruauté ; chair de poule ; convulsions ; transpiration ; tremblements ; intoxication ; délire ; impatience	Rouge	Rudra

5. **Vira**	**Utsaha** (énergie)	A. **Substantiel :** Personnes à conquérir B. **Excitant :** Comportement de personnes à conquérir	Chercher des alliés ; abandon de ses possessions, etc.	Fermeté ; résolution ; fierté ; mémoire ; chair de poule	Jaune	Indra
6. **Bhayanaka**	**Bhaya** (crainte)	**Substantiel :** Femmes et personnes faibles ; ce qui fait peur B. **Excitant :** Gestes féroces	Changement de couleur ; voix tremblante ; évanouissement ; transpiration ; chair de poule ; tremblement ; regard autour de soi, etc.	Aversion, agitation, étonnement ; terreur ; débilité ; prostration ; doute ; épilepsie ; confusion ; mort	Noir	Kala
7. **Bibhatsa**	**Jugupsa** (dégoût)	A. **Substantiel :** Chair puante ; maigre et gras ; présence de vers, etc.	Cracher ; détourner le visage ; fermer les yeux ; etc.	Étonnement ; épilepsie ; agitation ; maladie ; mort	Bleu	Mahakala
8. **Abdhuta**	**Vismaya** (merveilleux)	A. **Substantiel :** tout ce qui est naturel B. **Excitant :** la grandeur des qualités de cette chose surnaturelle ou de cet événement	Stupéfaction ; transpiration ; chair de poule ; bégaiement ; agitation ; trop grande ouverture des yeux ; etc.	Délibération ; agitation ; confusion ; joie	Or	un Gandharva
9. **Shanta**	**Shama** (tranquillité)	A. **Substantiel :** Vacuité et vanité de toutes choses parce qu'elles ne durent pas : Dieu B. **Excitant :** Ermitages saints ; lieux sacrés ; lieux de pèlerinage ; bosquets plaisants ; et lieux analogues ; société des grands hommes	Chair de poule	Dépréciation de soi-même ; joie ; souvenir ; gentillesse pour tous les êtres	Couleur du jasmin et de la lune	Narayana

Bibliographie

Aditi. Catalogue of the Exhibition. London, 1982.
Agrawala, V.S., *Devi Mahatmya : Glorification of the Great Goddess.* Varanasi, 1963.
Agrawala, V.S., « A Survey of Gupta Art and Some Sculptures from Nachna Kothara and Khoh », *Lalit Kala,* nº 9.
Agrawala, V.S., « Terracotta Figurines of Ahichhatra, Distt. Bareilly, Uttar Pradesh », *Ancient India,* nº 4, 1947-48.
Aijazuddin, F.S., *Pahari Paintings and Sikh Portraits in the Lahore Museum,* London, 1977.
The Ancient Art of India. Catalogue of an Exhibition of Indian Art. Tokyo, 1964.
Ancient Sculptures of India. Catalogue of the Exhibition of Indian Sculptures in Japan. Tokyo, 1984.
Andhare, S.K. (and Nahar Singh Rawat), *Deogarh Painting.* New Delhi, 1983.
Andhare, S.K. (and Nahar Singh Rawat), *Mewar Painting.* (Unpublished doctoral dissertation.) Bombay University.
Andhare, S.K. (and Nahar Singh Rawat), « Paintings from the Thikana of Deogarh », *Bulletin of the Prince of Wales Museum,* nº 10, 1967.
Andhare, S.K. (and Nahar Singh Rawat), « Three New Documents of the Reign of Rana Sangram Singh of Mewar », *Lalit Kala,* nº 19.
Archaeological Survey of India, Annual Reports.
Archer, W.G., *Indian Paintings from the Punjab Hills,* 2 vols. London, 1973.
Archer, W.G., *Kalighat Paintings.* London, 1971.
Archer, W.G., *The Loves of Krishna Indian Painting and Poetry.* London, 1957.
Archer, W.G., *Paintings of the Sikhs.* London, 1966.
Archer, W.G., *Visions of Courtly India.* Washington, 1976.
Askari, S.H., « Qutban's Mrigavata – A Unique Ms. in Persian Script », *Journal of the Bihar Research Society,* vol. XLI, nº 4.
Banerjee, J.N., *Development of Hindu Iconography.* Calcutta, 1956.
Banerji, R.D., *The Temple of Siva at Bhumara. Memoir of the Archaeological Survey of India,* nº 16. Calcutta, 1924.
Barrett, Douglas, and Gray, Basil, *Painting of India,* Ascona, 1963.
Beach, Milo, C., « A Bhagavata Purana from the Punjab Hills », *Bulletin of the Museum of Fine Arts,* Boston, vol. LXIII, nº 333.
Beach, Milo C., « Painting at Devgarh », *Archives of Asian Art,* vol. 24.
Beach, Milo C., *Rajput Painting at Bundi and Kota.* Ascona, 1974.
Bhan, J.L., « Manifestations of Vishnu : A Critical Study of the 9th century Prabhavali from Devsar, Kashmir », Unpublished Conference paper, Baroda, 1983.
Bharat Kala Bhavan Ka Suchipatra. Varanasi, 1945.
Binney, Edwin, 3rd, *Rajput Paintings in the Collection of Edwin Binney, 3rd.* Portland, 1965.
Binney, Edwin, « Sultanate Painting from the Collection of Edwin Binney, 3rd », *Chhavi,* II, Benares 1981.
Burgess, Jas., *Notes on the Amaravati Stupa.* Madras, 1882.
Bussagli, Mario, and Sivaramamurti, C., *5 000 Years of the Art of India.* New York, 1978.
Catalogue of the Government Museum, Kota. Jaipur, 1960.
Chandra, Moti, *Stone Sculptures in the Prince of Wales Museum,* Bombay, 1974.
Chandra, Pramod, *Bundi Painting.* New Delhi, 1959.
Chandra, Pramod, *The Sculpture of India, 3000 B.C.-1300 A.D.,* Catalogue of the Exhibition of Indian Sculpture at the National Gallery. Washington, 1985.
Chandra, Pramod, *Stone Sculptures in the Allahabad Museum.* Varanasi, 1970.
Chandra, Pramod, « Ustad Salivahana and the Development of Popular Mughal Art », *Lalit Kala,* nº 8.
Coomaraswamy, Ananda K., *Catalogue of Indian Paintings in the Museum of Fine Arts, Boston.* vol. V, *Rajput Painting.* Boston, 1926.
Coomaraswamy, Ananda K., *The Dance of Shiva.* New York, 1918.
Coomaraswamy, Ananda K., *History of Indian and Indonesian Art.* New York, 1927.
Coomaraswamy, Ananda K., *Rajput Painting.* 2 vol., Oxford, 1916.
Coomaraswamy, Ananda K., *The Transformation of Nature in Art.* Cambridge, 1934.
Czuma, Stanislaw, *Indian Art from the George P. Bickford Collection.* Cleveland, 1975.
Dallapiccola, A.L. Dahmen, *Ragamala Miniaturen.* Wiesbaden, 1975.
Dehejia, Vidya, « The Yogini Temples of India », *Art International,* vol. XXV, 1982.
Deneck, Marguerite Marie, *Indian Art.* London, 1967.
Desai, Vishakha, Unpublished doctoral dissertation on the *Rasikapriya.* Ann Arbar, 1985.
Deshpande, M.N., « The Rock Cut Caves of Pitalkhora », *Ancient India,* nº 15.
Desikan, V.N., Srinivasa, *Guide to the Bronze Gallery, Govt. Museum.* Madras, 1983.
Dhavalikar, M.K., « Daimabad Bronzes in Harappan Civilisation », in Gregory Possehl (ed.), *Harappan Civilization.* New Delhi, 1982.
Dhavalikar, M.K., *Masterpieces of Indian Terracottas.* Bombay.
Dickinson, Eric, and Khandalavala, Karl J., *Kishangarh Painting.* New Delhi, 1959.
Dikshi, S.K., *A Guide to the State Museum, Dhubela.* Nowgong, 1957.
Dwivedi, V.P., *Barahmasa.* Delhi, 1980.
Eastman, A.C., *The Nala-Damayanti Drawings.* Boston, 1959.
Ebeling, Klaus, *Ragamala Painting.* Basel, 1973.
Eschmann, A., Hermann Kulke and others, *The Cult of Jagannath and the Regional Tradition of Orissa.* New Delhi, 1978.
Fisher, Eberhard, Pathy Dinanath, and others, *Orissa : Kunst and Kulltur in Nordost Indien.* Zurich, 1980.
Foucher, A. « Les Sculptures d'Amaravati », *Revue des Arts Asiatiques,* vol. V, nº 1.
Funf Tausend Jahre Kunst aus Indien. Catalogue of an Exhibition of Indian Art. Essen, 1959.
Gangoly, O.C., *Masterpieces of Rajput Painting.* Calcutta, 1926.
Gangoly, O.C., « A New Page from Early Indian Art », *Rupam,* nº 19-20, July-Dec. 1924.
Gangoly, O.C., *Ragas and Raginis.* Calcutta, 1935.
Gangoly, O.C., « Sashi and Punnu », *Rupam,* nº 30.
Garde, M.B., *A Guide to the Archaeological Museum at Gwalior.* Gwalior, 1928.
Garg, R.S., *Shaiva Pratimayen.* Bhopal, 1980.
Garg, R.S., *Shakta Praimayen. Bhqsal, 1980.*
Ghose, Ajit, « Old Bengal Paintings », Rupam, nºs 27-28.
Glynn, Catherine, « Early Painting in Mandi », *Artibus Asiae,* vol. XLIII, nº 1.
Gnoli, Raniero, *Aesthetic Experience According to Abhinavagupta.* Varanasi, 1971.
Goetz, Hermann, « A Masterpiece of Medieval Kashmir Metal Art : King Sankaravarma's Frame for an image of Buddha Avatara in the Srinagar Museum », *Journal of the Asiatic Society, Letters,* nº 19.
Goswany, B.N., « The Artist Ranjha and a dated Set of Ramayana Drawings », *Chhavi,* I, Benares, 1971.
Goswamy, B.N., *The Bhagavata Paintings from Mankot.* New Delhi, 1978.
Goswamy, B.N., « Essence and Appearance : Some Notes on Indian Portraiture », in *Facets of Indian Art,* ed. by Robert Skelton. London, 1986.
Goswamy, B.N., « Leaves from an Early Ramayana Series », *Artibus Asiae.* 1981.
Goswamy, B.N., « Pahari Painting : The Family as the Basis of Style », *Marg,* vol. XXI, nº 4, sept. 1968.
Goswamy, B.N., *Pahari Paintings of the Nala-Damayanti Theme.* New Delhi, 1975.
Goswamy, B.N., « Sikh Painting : An Analysis of Some Aspects of Patronage », *Oriental Art,* vol. XVI, nº 1.
Goswamy, B.N., Dallapiccola, A.L. and others, *Krishna, The Divine Lover,* Lausanne, 1982.
Goswamy, B.N., Ohri, V.C. and Ajit Singh, « A Chaurapanchasika Style Manuscript from the Pahari Area : Notes on a Newly Discovered *Devi Mahatmya* in the H.P. State Museum, Simla », *Lalit Kala,* nº 21.
Goswamy, Karuna, *Vaishnavism in the Punjab Hills and Pahari Painting.* (Unpublished Doctoral dissertation.) Chandigarh, 1968.
Goswamy, Prem, *Catalogue Raisonne of Gandhara Sculptures in the Chandigarh Museum.* (Unpublished Doctoral Dissertation.) Chandigarh, 1980.
Gravely, F.H. and Ramachandran, T.N., « Catalogue of Metal Images in the Madras Govt. Museum », *Bulletin of the Madras Govt. Museum.* Madras, 1932.
Grany, Basil, « The Lahore Laur Chanda Pages Thirty Years After », *Chhavi II.* Benares, 1981.

GRANY, Basil, « Painting », in Ashton, Leigh (ed.), *The Art of India and Pakistan*. London, 1950.
GUPTA, P.L., *Patna Museum Catalogue of Antiquities*. Patna, 1965.
GUPTA, S.N., *Catalogue of Paintings in the Central Museum, Lahore*. Calcutta, 1922.
HAERTEL, Herbert, « Some Results of the Excavations at Sonkh », in *German Scholars on India*. Bombay, 1976.
HALLADE, M., *Inde*. Fribourg, 1968.
HARLE, James, *Gupta Sculpture*. Oxford, 1974.
HUTCHINS, Francis, *Young Krishna*. West Franklin, 1980.
In the Image of Man. Catalogue of the Exhibition of Indian Art at the Hayward Gallery. London, 1982.
Inde : Cinq Mille Ans d'Art. Catalogue Petit Palais. Paris, 1978.
INGALLS, Daniel H.H., *An Anthology of Sanskrit Court Poetry*. Harward Oriental Series, Cambridge, 1965.
JAYADEVA'S, *Gita Govinda : Love Song of the Dark Lord*. Ed. & Trans. by Barbara Stoler Miller. New Delhi, 1978.
JAYASWAL, K.P., « Metal Images of Kurkihar Monastery », *Journal of the Indian Society of Oriental Art.*, 1934, vol. II.
JAYASWAL, K.P., « Terracottas dug out at Patna », *Journal of the Indian Society of Oriental Art*, vol. III, 1935.
Journal of Indian Museums, vol. XI, 1935.
KAK, R.C., *Ancient Monuments of Kashmir*. London, 1933.
KAK, R.C., *Handbook of Archaeological and Numismatic Sections of the Sri Partap Singh Museum, Srinagar*. Calcutta, 1923.
KALA, S.C., *Terracottas in the Allahabad Museum*. Delhi, 1980.
KANÕOMAL, « Notes on Raginis », *Rupam*.
KESHAVADASA MISHRA, *Rasikapriya*. Ed. by Vishwanath Prasad Mishra, Varanasi, 1958.
KHAN, Faiyaz Ali, « The Painters of Kishangarh », *Roopalekha*, vol. LI, n°s 1-2.
KHANDALAVALA, Karl J., « A Gita Govinda Series in the Prince of Wales Museum », *Bulletin of the Prince of Wales Museum*, nº 4, 1953-54.
KHANDALAVALA, Karl J., « Balwant Singh of Jammu », *Bulletin of the Prince of Wales Museum*, Bombay, nº 2.
KHANDALAVALA, Karl J., *Kishangarh Painting*. New Delhi.
KHANDALAVALA, Karl J., « Leaves from Rajasthan », *Marg*, vol. IV, nº 3.
KHANDALAVALA, Karl J., *Pahari Miniature Painting*. Bombay, 1958.
KHANDALAVALA, Karl J., « The Mrigavata of Bharat Kala Bhawan as a Social Document, and Its Date and Provenance », *Chhavi I*, Benares, 1971.
KHANDALAVALA, Karl J., « Two Bikaner Paintings in the N.C. Mehta Collection and the Problem of Mandi School », *Chhavi II*, Benares, 1981.
KHANDALAVALA, Karl J. and CHANDRA, Moti, « A Consideration of an Illustrated Ms : from Mandapadurga (Mandu), dated 1439 A.D. », *Lalit Kala*, nº 6.
KHANDALAVALA, Karl J. and CHANDRA, Moti, *New Documents of Indian Painting – A Reappraisal* : Bombay, 1969.
KHANDALAVALA, Karl J. and CHANDRA, Moti, « The Rasamanjari in Basohli Painting », *Lalit Kala*, nºs 3-4.
KHANDALAVALA, Karl J. and CHANDRA, MOTI and CHANDRA, PRAMOD, *Miniature Paintings from the Sri Motichand Khajanchi Collection*. New Delhi, 1960.
KRAMRISCH, Stella, *The Art of India*. London, 1955.
KRAMRISCH, Stella, *Manifestations of Shiva*. Catalogue of the Exhibition. Philadelphia, 1981.
KRAMRISCH, Stella « Siva, The Archer », in *Indologen Tagung*. Wiesbaden, 1973.
KRISHNA, Anand, *Malwa Painting*. Varanasi, 1963.
KRISHNADASA, Rai, « An Illustrated Avadhi Ms. of Laur Chanda », *Lalit Kala*, nºs 1-2, 1955-56.
KRISHNA, Deva, « Gupta Ramayana Panels from Nachna », *Chhavi II*. Benares, 1981.
KRISHNA, Deva, and NAYAL, V.S., *The Archaeological Museum at Khajuraho*. New Delhi, 1980.
LANIUS, Mary, « A Kashmiri Bodhisattva related to the Queen Didda Bronze », *Archives of Asian Art*.
LEE, Sherman E., *Ancient Sculptures from India*. Cleveland, 1964.
LOSTY, J.P., *The Art of the Book in India*. London, 1982.
MACKAY, Ernst, *Early Indus Civilisation*. London, 1948.
MARSHALL, John, *Mohenjodaro and the Indus Civilisation*, 3 vol. London, 1931.
MASSON, J.L. and PATWARDHAN M.V., *Aesthetic Rapture : the Rasadhyaya of the Natyashastra*, 2 vol. Poona, 1970.
MEHTA, N.C., « Manaku, the Pahari Painter », *Roopalekha*, vol. XXI, nº 1.
MEHTA, RUSTAM J., *Masterpieces of Indian Bronzes and Sculptures*. Bombay, 1971.
MISHRA, Vishwanath Prasad, *Rasikapriya Ka Priyaprasada Tilak*. Varanasi, 1958.
MILLER, Barbara Stoler, *Jayadeva's Gita Govinda : Love Song of the Dark Lord*. Delhi, 1978.
MUKHERJEE, Hiren, « Two Early Rajasthani Ragini Pictures », *Lalit Kala*, nº 12.
MUKHERJEE, P.C., *Report on the Antiquities of the District of Lalitpur, N.W.P.* Roorkee, 1899.
NAGASWAMY, R., « Chidambaram Bronzes », *Lalit Kala*, nº 19.
NAGASWAMY, R., *Masterpieces of Early South Indian Bronzes*. New Delhi, 1983.
PAL, Pratapaditya, *Bronzes of Kashmir*. New Delhi, 1975.
PAL, Pratapaditya, *The Classical Tradition in Rajput Painting*. New York, 1978.
PANI, Subhash, *Illustrated Palm Leaf Manuscripts of Orissa*. Bhubaneshwar, 1984.
PARIMOO, Rattan, and others, *Sculptures of Sesasayi Vishnu*. Baroda, 1983.
PRASAD, Rajendra, B., *Art of South India in Andhra Pradesh*, New Delhi, 1980.
PRASAD, Rajendra, B., *Qissa Simhasana Battisi*. Varanasi, n.d.
RAGHAVAN, V., *The Shringaramanjari of Saint Akbar Shah*. Hyderabad, 1951.
RAKSHIT, Indu, « The Concept of Durga Mahishamardini and Its Iconographic Representation », *Roopalekha*, vol. XLI, nºs 1-2.
RAMACHANDRAN, T.N., « Bronze Images from Tiruvenkadu, Svetaranya », *Lalit Kala*, nºs 3-4.
RANDHAWA, M.S., *Basohli Painting*. New Delhi, 1959.
RANDHAWA, M.S., « Kangra Paintings Illustrating the Life of Shiva and Parvati », *Roopalekha*, vol. XXIV, nºs 1-2.
RANDHAWA, M.S., *Kangra Paintings of the Bhâgavata Purana*. New Delhi, 1960.
RANDHAWA, M.S., *Kangra Paintings of the Bihari Satsai*. New Delhi.
RANDHAWA, M.S., *Kangra Paintings of the Gita Govinda*. New Delhi, 1963.
RANDHAWA, M.S., *Kangra Paintings on Love*. New Delhi, 1962.
RANDHAWA, M.S., « Paintings from Mankot », *Lalit Kala*, nº 6.
RANDHAWA, M.S., « Two Panjab Artists of the Nineteenth Century : Kehar Singh and Kapur Singh » *Chhavi I*, Benares, 1971.
RANDHAWA, M.S., and BHAMBRI, S.D., *Basohli Paintings of the Rasamanjari*. New Delhi, 1981.
RANDHAWA, M.S., and BHAMBRI, S.D., « Basohli Paintings of Bhanudatta's Rasamanjari », *Roopalekha*, 1967, vol. XXXVI, nºs 1-2.
RAO, S.R., « Bronzes from the Indus Valley », *Illustrated London News*, March, 1978.
RAO, T.A. Gopinatha, *Elements of Hindu Iconography*. 4 vols., Madras, 1914-16.
RAY, Nihar Ranjan, *Mughal Court Painting*. Calcutta, 1975.
REU, Voshweshwar Nath. *Introduction to the Durga Charitra Series in the Sardar Museum*. Jodhpur, 1924.
ROSENFIELD, John, *The Dynastic Arts of the Kushanas*. Berkeley, 1967.
SAHNI, D.R. and VOGEL, J. Ph., *Catalogue of the Museum of Archaeology at Sarnath*. Calcutta, 1914.
SHARMA, O.P., *Indian Miniature Painting*. Catalogue of an Exhibition. Brussels, 1974.
SHARMA, Radhakrishna, *Temples of Telingana*. Hyderabad, 1972.
SHASTRI, Hirananda, *Indian Pictorial Art as Developed in Book Illustration*. Baroda, 1936.
SHERE, S.A., *Catalogue of Buddhist Sculptures in Patna Museum*. Patna, 1957.
SHIVESHWARKAR, Leela, *The Pictures of the Chaurapanchasika*. New Delhi, 1974.
SINGH, Chandramani, « European Themes in Early Mughal Miniatures », *Chhavi I*, Benares, 1971.
SIRCAR, D.C., « Date of the Mankuwar Buddha Image Inscription of the Time of Kumaragupta », *Journal of Ancient Indian History*, vol. 3, (1970).
SIVARAMAMURTI, C., *Amaravati Sculptures in the Madras Govt. Museum*. Madras, 1942.
SIVARAMAMURTI, C., *L'Art en Inde*. Paris, 1974. Ed. Mazenod.
SIVARAMAMURTI, C., *Masterpieces of Indian Sculpture*. New Delhi, 1971.
SIVARAMAMURTI, C., *Sanskrit Literature and Art : Mirrors of Indian Culture*. New Delhi, 1970.
SIVARAMAMURTI, C., *Satarudriya : Vibhuti of Shiva's Iconography*. New Delhi, 1976.

SIVARAMAMURTI, C., *South Indian Bronzes*. New Delhi, 1963.
SOUNDARARAJAN, K.V., « The Typology of the Anantashayi Icon », *Artibus Asiae,* vol. XXVII, 1964-65.
SPINK, Walter, *The Axis of Eros*. New York, 1973.
SPINK, Walter, *Krishnamandala,* Ann Arbor, 1971.
SPOONER, D.B., « The Didarganj image now in Patna Museum », *Journal of the Bihar and Orissa Research Society,* vol. V, nº 1, 1919.
SRINIVASAN, Doris, « God As Brahmanical Ascetic. A Colossal Kusana Icon of the Mathura School », *Journal of the Indian Society of Oriental Art,* vol. 10, 1978-79.
SRIVASTAVA, Balram, *Iconography of Shakti*. Varanasi, 1978.
STADTNER, Donald, « Kalachuri Art at Singhpur », *Oriental Art,* vol. 27, nº 3.
TADPATRIKAR, S.N., *Chaurapanchasika – An Indian Love Lament of Bilhana Kavi*. Poona, 1946.
THAKORE, S.R., *Catalogue of Sculptures in the Archaeological Museum. Gwalior*. Bhopal, n.d..
TOPSFIELD, ANDREW, *Paintings from Rajasthan in the National Gallery of Victoria*. Melbourne, 1980.
TOPSFIELD, ANDREW, « Sahibdin's Gita Govinda Illustrations », *Chhavi II,* Benares, 1981.
Trésors de l'Art de l'Inde. Catalogue Petit Palais. Paris, 1960.
TRIVEDI, S.D., *Sculpture in the Jhansi Museum*. Jhansi, 1983.
VASHISHTHA, R.K., *Mewar Ki Chitrankan Parampara*. Jaipur, 1984.
VOGEL, J.Ph., *Catalogue of the Archaeological Museum at Mathura*. Allahabad, 1910.
VOGEL, J.Ph., « Excavations at Saheth Maheth » *Archaeological Survey of India, Annual Report*. 1906-1908.
VOGEL, J.Ph., *La Sculpture de Mathura*. Paris, Ars Asiratica, 1930.
VOGEL, J.Ph., « Mathura School of Sculpture », *Archaeological Survey of India, Annual Report,* 1906-1907.
WELCH, STUART CARY, *Indian Drawings and Painted Sketches*. New York, 1976.
WELCH, Stuart Cary, *Room for Wonder*. New York, 1978.
WHEELER, Mortimer, *The Indus Civilisation*. Cambridge, 1953.
WILLIAMS, Joanna G., *The Art of Gupta India : Empire and Province. Princeton, 1982.*
ZANNAS, Eliky, « Two Gandharan Masterpieces », Chhavi I. Benares, 1971.
ZEBROWSKI, Marl, *Deccani Painting*. London, 1982.
ZIMMER, Heinrich, *Myths and Symbols in Indian Art and Civilization*. Princeton, 1963.

L'A.F.A.A. édite, à l'occasion des expositions qu'elle organise, des catalogues qui constituent souvent une documentation unique sur le sujet traité Certains d'entre eux sont disponibles ; on trouvera ci-dessous la liste :

EXPOSITIONS	DATE ET LIEU DE L'EXPOSITION	PRIX PUBLIC
CIVILISATION		
• L'art russe des Scythes à nos jours	**1967-1968** Grand-Palais	35 F
• Mille ans d'art en Pologne	**1969** Petit-Palais	30 F
• L'art albanais à travers les siècles	**1974-1975** Petit-Palais	20 F
ART ET TRADITION POPULAIRE		
• Mongolie-Mongolie : traditions de la steppe	**1983** Musée de l'Homme	45 F
ARCHÉOLOGIE		
• Naissance de Rome	**1977** Petit-Palais	35 F
• L'art des premiers agriculteurs en Serbie	**1979** Saint-Germain-en-Laye	20 F
• Sumer, Assur, Babylone	**1981** Petit-Palais	50 F
• Mexique d'hier et d'aujourd'hui	**1981-1982** Petit-Palais	70 F
• Zhongshan. Tombes des rois oubliés	**1984-1985** Grand-Palais	100 F
MOYEN AGE		
• Fresques de Florence	**1970** Petit-Palais	40 F
• Icones bulgares	**1976** Petit-Palais	30 F
• La Bulgarie médiévale – Art et civilisation	**1980** Grand-Palais	30 F
• Trésors d'Irlande	**1982-1983** Grand-Palais	110 F
• Trésors de l'art serbe médiéval – XIIe-XVIe siècle	**1983-1984** Pavillon des Arts	100 F
XVIIe SIÈCLE		
• La peinture espagnole au siècle d'or de Greco a Velasquez	**1976** Petit-Palais	35 F
• Le Baroque en Bohême	**1981** Grand-Palais	90 F
XVIIIe SIÈCLE		
• Johann Heinrich Füssli – 1741-1825	**1975** Petit-Palais	35 F
XIXe SIÈCLE		
• L'art 1900 en Hongrie	**1976-1977** Petit-Palais	40 F
• L'esprit romantique dans l'art polonais	**1977** Grand-Palais	35 F
• Ferdinand Hodler – 1853-1918	**1983** Petit-Palais	85 F
• Symboles et réalistes, la peinture allemande – 1848-1905	**1984-1985** Petit-Palais	150 F
• L'âge d'or de la peinture danoise	**1984-1985** Grand-Palais	150 F
ART MODERNE ET CONTEMPORAIN		
• Art danois	**1973** Grand-Palais	30 F
• Theodor Pallady (Roumanie)	**1973-1974** M.A.M.V.P.*	30 F
• Art de l'affiche en Pologne	**1974** M.A.M.V.P.	30 F
• Dix artistes australiens contemporains	**1974-1975** M.A.M.V.P.	30 F
• Jean-Paul Lemieux, peintre québécois	**1974-1975** M.A.M.V.P.	30 F
• Torres Garcia – Construction et symbole	**1975** M.A.M.V.P.	20 F
• Art irakien contemporain	**1976** M.A.M.V.P.	30 F
• José Luis Cuevas (Mexique)	**1976** M.A.M.V.P.	30 F
• Libero Badi	**1977** M.A.M.V.P.	20 F
• Sculptures polonaises contemporaines	**1980** M.A.M.V.P.	20 F
• Tapisserie de la manufacture de Portalegre	**1981** M.A.M.V.P.	30 F
• Statements New York, French Leading Contemporary Artists from France	**1982** États-Unis	100 F
• Photographie France aujourd'hui	**1982-1983** M.A.M.V.P.	55 F
• Cobra	**1982-1983** M.A.M.V.P.	95 F
• Art de l'atelier, art de la rue en Colombie	**1983** École des Beaux-Arts	60 F
• D'un autre continent : l'Australie, le rêve et le réel	**1983** M.A.M.V.P.	90 F
• French Spirit Today	**1984** États-Unis	60 F
• Dubuffet – Mires	**1984** Venise	100 F
• Art espagnol actuel	**1984** Toulouse	60 F
• Cuba – Vingt peintres contemporains	**1984** Galerie de la Défense	60 F
• Art rencontres	**1984** Afrique	45 F
• Artistes contemporains de Côte d'Ivoire	**1984** Paris	35 F
• La petite sculpture	**1984** Budapest	75 F
• L'Albanie, un réalisme socialiste	**1984** Galerie de la Défense	45 F
• Photographie contemporaine en R.D.A.	**1985** France	50 F
• Viswanadhan, sous le signe de la sécheresse	**1985** Centre Pompidou	35 F
• Gulam Sheikh, Returning Home	**1985** Centre Pompidou	50 F
• Les textiles de l'Inde et les modèles créés par Issey Miyake	**1985** Musée des Arts Décoratifs	145 F
• Architectures en Inde	**1985** École des Beaux-Arts	185 F
• Sculptures en ciment du Nigéria	**1985** Paris	40 F

* Musée d'Art Moderne de la Ville de Paris.

En vente :

- Sur place : 45 rue Boissière 75116 PARIS – Métro Boissière de 9 h à 18 h tous les jours (sauf samedi et dimanche)
- Par correspondance : Les frais d'envoi sont à la charge du destinataire.
- Remise aux libraires.

Table des Matières

Les photographies de ce catalogue ont été réalisées en Inde par Jean-Louis NOU pour l'Association Française d'Action Artistique avec la participation des sociétés
MAMIYA pour les appareils de prises de vue,
GODARD pour les flashes électroniques,
AGFA-GEVAERT pour les pellicules photographiques.

CRÉDITS PHOTOGRAPHIQUES

- Prince of Wales Museum of Western India, Bombay
- Collection Jagdish and Kamla Mittal Museum of Indian Art
- Maharaja Sawaï Man Singh II Museum
- Government Museum de Madras
- Government Museum de Mathura
- L'Art en Inde, Éditions Mazenod, Paris photos J.L. Nou
- Bharat Kala Bhavan de Varanasi

Traduction des textes par :
Jacques RAMBAUD
CG Traduction

Maquette du catalogue
par Philippe GENTIL

Imprimerie Alençonnaise
2, rue Édouard-Belin, 61002 Alençon
Dépôt légal : 1er trimestre 1986 – N° d'ordre 5462